新しい事業報告・計算書類

経団連ひな型を参考に

〔全訂第2版〕

編著　森・濱田松本法律事務所　弁護士　石井裕介
　　　一般社団法人日本経済団体連合会経済基盤本部長　小畑良晴
　　　阿部公認会計士事務所　公認会計士　阿部光成

商事法務

全訂第 2 版はしがき

　本書は，2007 年に初版を上梓した『新しい事業報告・計算書類―経団連ひな型を参考に―』の全訂第 2 版です。

　本書のベースとなった「経団連ひな型」が 2007 年 2 月に公表されて以来，14 年余りが経ちました。その間，会社法施行規則や会社計算規則等の改正にあわせて，随時，「経団連ひな型」の改訂を重ねて参りました。

　今般，2019 年 12 月の会社法改正に伴い，会社法施行規則等が改正されたこと，「時価の算定に関する会計基準」，「収益認識に関する会計基準」，「会計上の見積りの開示に関する会計基準」の策定に伴い，会社計算規則が改正されたこと等から，「経団連ひな型」の大幅な改訂を行いました。

　そこで，改訂の作業に関与した者により，本書を発刊することとなりました。本書は，ひな型の改訂部分に対応した記述を追加するだけではなく，ひな型の改訂を必要最小限に留めたことから尽くせなかった参考記載事例等，多くの内容を盛り込んでおります。もとより，意見に亘る部分は執筆者の私見であります。

　本書が，各社の法務担当者・経理担当者はじめ，関係者の開示実務の参考に供することができれば幸甚でございます。

2021 年 11 月

編著者一同

凡　例

1　法律名等

本文・括弧書	正式名称
会社法・法	会社法（平成17年法律第86号）
会社法施行規則・施行規則	会社法施行規則（平成18年法務省令第12号）
会社計算規則・計算規則	会社計算規則（平成18年法務省令第13号）
旧商法	平成17年法律第87号による改正前の商法
旧商法特例法	株式会社の監査等に関する商法の特例に関する法律
委任状勧誘府令	上場株式の議決権の代理行使の勧誘に関する内閣府令（平成15年内閣府令第21号）
旧商法施行規則	会社法施行規則附則第10条の規定による改正前の商法施行規則
土地の再評価に関する法律・土地再評価法	土地の再評価に関する法律（平成10年法律第34号）
金融商品取引法	金融商品取引法（昭和23年法律第25号）
財務諸表等規則	財務諸表等の用語，様式及び作成方法に関する規則（昭和38年大蔵省令第59号）
財務諸表等規則ガイドライン	金融庁企画市場局「財務諸表等の用語，様式及び作成方法に関する規則」の取扱いに関する留意事項について（令和3年9月）
連結財務諸表規則	連結財務諸表の用語，様式及び作成方法に関する規則（昭和51年大蔵省令第28号）
連結財務諸表規則ガイドライン	金融庁企画市場局「連結財務諸表の用語，様式及び作成方法に関する規則」の取扱いに関する留意事項について（令和3年9月）
企業会計原則	経済安定本部企業会計制度対策調査会「企業会計原則」（昭和24年7月9日）
連結財務諸表原則	企業会計審議会「連結財務諸表原則」（昭和50年6月24日）

2　事例等

本書の事例について,「会社法施行規則及び会社計算規則による株式会社の各種書類のひな型（改訂版）」（一般社団法人日本経済団体連合会・経済法規委員会企画部会,2021年3月9日）からの引用部分に▭を付け,「経団連モデル」と表記している。

また,著者が作成した各種書類についての記載例については「（参考例）」と表記している。

3　参考文献

- 相澤哲ほか「新会社法関係法務省令の解説（1）〜（12・完）」商事法務1759〜1770号（2006）
- 松本真＝小松岳志「会社法施行規則及び会社計算規則の一部を改正する省令の解説──平成20年法務省令第12号」商事法務1828号（2008）
- 大野晃宏＝小松岳志＝澁谷亮＝黒田裕＝和久友子「会社法施行規則,会社計算規則等の一部を改正する省令の解説──平成21年法務省令第7号」商事法務1862号（2009）
- 小松岳志＝澁谷亮「事業報告の内容に関する規律の全体像」商事法務1863号（2009）
- 郡谷大輔＝和久友子編著,細川充＝石井裕介＝小松岳志＝澁谷亮著『会社法の計算詳解〔第2版〕』（中央経済社,2008）
- 郡谷大輔監修『会社法関係法務省令　逐条実務詳解』（清文社,2006）
- 松土陽太郎＝藤田厚生＝平松朗『新版　財務諸表規則逐条詳解』（中央経済社,2010）
- 大谷禎男＝松本傳＝林代治＝遠藤博志「昭和63年改正計算書類規則・ひな型の解説」別冊商事法務104号（1988）
- 弥永真生ほか「座談会　新会計基準と会社計算規則の関係と実務対応」商事法務1766号（2006）
- 郡谷大輔＝細川充＝小松岳志＝和久友子「関連当事者との取引に関する注記」商事法務1768号（2006）
- 郡谷大輔ほか「座談会　会社法の計算実務はこうなる」企業会計58巻10号（2006）
- 波多野直子「ASBJ解説　関連当事者開示会計基準に関するポイント」経理情報1135号（2006）
- 商事法務研究会編『新訂版　附属明細書ハンドブック』（商事法務研究会,1994）
- 新井吐夢「会社計算規則の一部を改正する省令の解説──平成22年法務省令第33号」商事法務1911号（2010）
- 髙木弘明＝新井吐夢「過年度遡及処理に関する会社計算規則の一部を改正する省令の解説──平成23年法務省令第6号」商事法務1930号（2011）

- 稲葉威雄『改正会社法』（金融財政事情研究会，1982）
- 相澤哲ほか『論点解説　新会社法』（商事法務，2006）
- 三浦亮太ほか『株主提案と委任状勧誘〔第2版〕』（商事法務，2015）
- 相澤哲ほか「座談会　解説書には載っていない　会社法における実務上の疑問点(1)・(2)」Lexis企業法務1巻9号（2006）
- 小松岳志「過年度遡及処理における法務の側面からの検討」企業会計63巻3号（2011）
- 相澤哲＝郡谷大輔「事業報告」別冊商事法務300号（2006）
- 相澤哲＝郡谷大輔「会社法施行規則の総論等」別冊商事法務300号（2006）
- 相澤哲＝和久知子「計算書類の監査・提供・公告，計算の計数に関する事項」別冊商事法務300号（2006）
- 濱克彦＝郡谷大輔＝和久知子「平成14年商法改正に伴う改正法施行規則の解説〔II〕」商事法務1658号（2003）
- 澤口実＝石井裕介「ストック・オプションとしての新株予約権の発行に係る問題点」商事法務1777号（2006）
- 野村修也ほか「会社法下の株主総会における実務上の諸問題」商事法務1807号（2007）
- 郡谷大輔＝松本絢子「WEB修正の実務対応」商事法務1834号（2008）
- 奥山健志「ストック・オプションに関する実務の動向と諸問題」商事法務1892号（2010）
- 平松朗＝谷口義幸＝徳重昌宏「連結財務諸表規則等の一部を改正する内閣府令の解説〔上〕」商事法務1912号（2010）
- 布施伸章「新会計基準の解説(2)株主資本等変動計算書」商事法務1760号（2006）
- 髙木弘明「会社法施行規則等の一部を改正する省令の解説──平成23年法務省令第33号」商事法務1950号（2011）
- 坂本三郎編著『一問一答平成26年改正会社法〔第2版〕』（商事法務，2015）
- 坂本三郎ほか「会社法施行規則等の一部を改正する省令の解説〔I〕〜〔VI〕」商事法務2060〜2065号（2015）
- 菊地伸＝有限責任監査法人トーマツ＝デロイトトーマツ税理士法人編著『企業再編〔第2版〕』（清文社，2015）
- 髙木弘明「会社計算規則の一部を改正する省令の解説──平成25年法務省令第16号」商事法務2001号（2013）
- 弥永真生『コンメンタール会社計算規則・商法施行規則〔第3版〕』（商事法務，2017）
- 福永宏＝邉英基＝青野雅朗＝坂本佳隆＝飯嶋めぐみ「会社法施行規則及び会社計算規則の一部を改正する省令の解説──平成30年法務省令第5号」商事法務2164号（2018）
- 蔺牟田泰隆＝邉英基＝青野雅朗＝坂本佳隆＝飯嶋めぐみ「会社計算規則の一部を改正す

- る省令の解説——平成30年法務省令第27号」商事法務2182号（2018）
- 竹林俊憲＝邉英基＝坂本佳隆＝蘭牟田泰隆＝青野雅朗＝若林功晃「令和元年改正会社法の解説〔Ⅲ〕」商事法務2224号（2020）
- 小作恵右＝村瀬正貴＝前田和哉＝鰺坂弘樹「『会計上の見積りの開示に関する会計基準』，『会計方針の開示，会計上の変更及び誤謬の訂正に関する会計基準』及び『収益認識に関する会計基準』等の公表に伴う財務諸表等規則等の改正について」週刊経営財務3467号（2020年）
- 竹林俊憲編著『一問一答令和元年改正会社法』（商事法務，2020）
- 蘭牟田泰隆＝金子佳代＝若林功晃「会社計算規則の一部を改正する省令の解説——令和2年法務省令第45号商事法務2242号（2020）
- 渡辺諭＝蘭牟田泰隆＝金子佳代＝若林功晃「会社法施行規則等の一部を改正する省令の解説〔Ⅰ〕～〔Ⅴ〕商事法務2250～2254号（2020，2021）
- 公益財団法人財務会計基準機構『有価証券報告書の作成要領（2021年3月期提出用）』（2021）
- 田中亘『会社法〔第3版〕』（東京大学出版会，2021）
- 江頭憲治郎『株式会社法〔第8版〕』（有斐閣，2021）
- 別冊商事法務編集部編『令和元年改正会社法③——立案担当者による省令解説，省令新旧対照表，パブリック・コメント，実務対応Q＆A』別冊商事法務461号（2021）
- 弥永真生『コンメンタール会社法施行規則・電子公告規則〔第3版〕』（商事法務，2021）

目　次

序　基本方針・1

 基本方針 3

第Ⅰ章　事業報告・7

 序　事業報告の構成 9
  (1) 事業報告の内容に関する会社法施行規則の構造 13
  (2) 会社区分の判定時期 14
  (3) 事業報告記載事項の基準時 14
  (4) インターネット開示 36
 第1節　株式会社の現況に関する事項 42
  第1　事業の経過およびその成果 42
   (1) 部門別（セグメント別）に区別した記載 44
   (2) 部門別（セグメント別）に区別することが困難である場合 44
   (3) その他の株式会社の現況に関する重要な事項の記載 44
   (4) 記載例 45
  第2　資金調達等についての状況（重要なものに限る） 47
   (1) 資金調達 47
   (2) 設備投資 49
   (3) 事業の譲渡等 51
  第3　直前三事業年度の財産および損益の状況 54
   (1) 対象期間 57
   (2) 記載内容 57
   (3) 財産および損益の状況に関する説明 57
   (4) 過年度事項の修正についての記載 58
  第4　対処すべき課題 59
  第5　当該事業年度の末日における主要な事業内容 61
   (1) 標題等 62
   (2) 記載内容 62

第6　当該事業年度の末日における主要な営業所および工場ならびに使用人の状況 ･･･ 63
　　　(1)　主要な営業所および工場 ･････････････････････････････････････ 63
　　　(2)　使用人の状況 ･･ 66
　第7　重要な親会社および子会社の状況 ･･･････････････････････････････ 69
　　　(1)　親会社の状況 ･･ 70
　　　(2)　子会社の状況 ･･ 71
　　　(3)　親会社との間の重要な財務および事業の方針に関する契約等の内容の概要 ･･･ 72
　第8　主要な借入先および借入額 ･････････････････････････････････････ 75
　　　(1)　標　題　等 ･･ 75
　　　(2)　記載内容 ･･ 76
　第9　剰余金の配当等を取締役会が決定する旨の定款の定め（会社法第459条第1項）があるときの権限の行使に関する方針 ･････････ 77
　　　(1)　剰余金の配当等を取締役会が決定する旨の定款の定め ･････････ 78
　　　(2)　「権限の行使に関する方針」の記載 ････････････････････････････ 79
　　　(3)　記載箇所 ･･ 80
　第10　その他株式会社の現況に関する重要な事項 ･･････････････････････ 81
第2節　株式に関する事項 ･･ 82
　第1　経団連モデルの記載例（株式に関する事項）･･････････････････････ 82
　第2　上位10名の株主の状況 ･･･ 86
　　　(1)　上位10名の株主への該当性についての判断 ･･･････････････････ 86
　　　(2)　具体的記載事項 ･･ 86
　第3　事業年度中に会社役員（会社役員であった者を含む）に対して職務執行の対価として交付された株式に関する事項 ････････････ 89
　第4　株式会社の株式に関する重要な事項 ････････････････････････････ 91
第3節　新株予約権等に関する事項 ･･･････････････････････････････････ 92
　第1　経団連モデルの記載例（新株予約権に関する事項）･･･････････････ 92
　第2　職務執行の対価として交付した新株予約権等 ････････････････････ 96

第3　事業年度の末日において会社役員が保有する新株予約権等……98
　　第4　事業年度中に使用人等に対して交付した新株予約権等…………100
　　第5　当該株式会社の新株予約権等に関する重要な事項………………101
　第4節　会社役員に関する事項……………………………………………102
　　第1　記載の対象となる会社役員の範囲…………………………………102
　　　（1）事業報告の記載対象となる「会社役員」の範囲について…………105
　　　（2）在任時期による限定が付された記載事項についての,
　　　　　記載の対象となる会社役員の範囲……………………………………106
　　　（3）在任時期による限定が付されていない記載事項についての,
　　　　　記載の対象となる会社役員の範囲……………………………………109
　　　（4）執行役員に関する事項………………………………………………111
　　　（5）補欠役員に関する事項………………………………………………112
　　第2　氏名・地位および担当………………………………………………113
　　　（1）氏名・地位および担当………………………………………………114
　　　（2）社外取締役または社外監査役である旨……………………………115
　　　（3）独立役員である旨……………………………………………………116
　　第3　重要な兼職の状況……………………………………………………118
　　　（1）記載事項………………………………………………………………118
　　　（2）記載の方法……………………………………………………………119
　　　（3）重要な兼職の状況が変動した場合…………………………………120
　　第4　事業年度中に辞任した会社役員または解任された会社役員
　　　　　に関する事項……………………………………………………………121
　　　（1）記載事項………………………………………………………………122
　　　（2）記載の対象となる会社役員の範囲…………………………………123
　　　（3）本項目の記載の要否を検討すべき場合……………………………123
　　第5　財務および会計に関する相当程度の知見…………………………126
　　第6　常勤で監査を行う者の選定の有無およびその理由………………128
　　第7　責任限定契約に関する事項…………………………………………129
　　第8　補償契約に関する事項………………………………………………134

(1) 記載事項…………………………………………………………134
　　　(2) 在任時期との関係………………………………………………136
　　　(3) 記載の対象となる補償契約……………………………………137
　第9　補償契約に基づく補償に関する事項……………………………138
　　　(1) 防御費用（法430条の2第1項第1号）を補償した場合………139
　　　(2) 賠償金・和解金（法430条の2第1項第2号）を補償した場合
　　　　　………………………………………………………………………140
　第10　役員等賠償責任保険契約に関する事項…………………………142
　　　(1) 記載事項…………………………………………………………144
　　　(2) 開示対象となる役員等賠償責任保険契約の範囲……………146
　第11　取締役，会計参与，監査役または執行役ごとの報酬等の総額
　　　（業績連動報酬等，非金銭報酬等，それら以外の報酬等の総額）……147
　　　(1) 事業報告の記載の対象となる報酬等…………………………152
　　　(2) 使用人兼務役員の使用人部分の給与等………………………154
　　　(3) 報酬等の種類別の開示…………………………………………155
　　　(4) 役員賞与…………………………………………………………156
　　　(5) 株式報酬…………………………………………………………157
　　　(6) ストック・オプション…………………………………………158
　　　(7) 退職慰労金………………………………………………………160
　　　(8) 記載方法…………………………………………………………164
　第12　業績連動報酬等に関する事項……………………………………165
　第13　非金銭報酬等に関する事項………………………………………167
　第14　報酬等に関する定款の定めまたは株主総会決議に関する事項……169
　第15　各会社役員の報酬等の額またはその算定方法に係る決定方針
　　　　に関する事項………………………………………………………171
　第16　各会社役員の報酬等の額の決定の委任に関する事項…………175
　第17　その他会社役員に関する重要な事項……………………………177
　第18　他の法人等の業務執行者との重要な兼職に関する事項………179
　　　(1) 社外役員の範囲…………………………………………………180
　　　(2) 他の法人等の業務執行者との重要な兼職……………………182

　　　　　(3) 重要な兼職に関する事項の内容……………………………182
　　　　　(4) 事業報告における記載箇所……………………………………183
　　第19　他の法人等の社外役員等との重要な兼職に関する事項…………185
　　第20　自然人である親会社等，事業報告作成会社または事業報告
　　　　　作成会社の特定関係事業者の業務執行者または役員との親族
　　　　　関係……………………………………………………………………186
　　第21　各社外役員の主な活動状況…………………………………………190
　　　　　(1) 取締役会等への出席の状況……………………………………192
　　　　　(2) 取締役会等における発言の状況………………………………193
　　　　　(3) 社外役員の意見により会社の事業の方針または事業その他
　　　　　　　の事項に係る決定が変更された場合の記載……………………194
　　　　　(4) 事業年度中に法令または定款に違反する事実その他不当な業務
　　　　　　　の執行（社外監査役の場合は，不正な業務の執行）が行われた
　　　　　　　場合についての記載………………………………………………194
　　　　　(5) 期待される役割に関して行った職務の概要……………………196
　　第22　社外役員の報酬等……………………………………………………198
　　　　　(1) 社外役員の報酬等の総額………………………………………199
　　　　　(2) 親会社等，当該親会社等の子会社等または子会社の役員を
　　　　　　　兼任している場合の当該親会社等，当該親会社等の子会社等
　　　　　　　または子会社からの役員報酬等の総額…………………………201
　　第23　記載内容についての社外役員の意見………………………………202
　第5節　**会計監査人に関する事項**…………………………………………203
　　第1　氏名または名称………………………………………………………203
　　第2　辞任したまたは解任された会計監査人に関する事項……………205
　　第3　現在の業務停止処分に関する事項…………………………………207
　　第4　過2年間の業務停止処分に関する事項のうち，
　　　　　会社が事業報告の内容とすべきと判断した事項…………………208
　　第5　責任限定契約に関する事項…………………………………………209
　　第6　補償契約に関する事項および補償契約に基づく補償に関する
　　　　　事項……………………………………………………………………210

第7　各会計監査人の報酬等の額および当該報酬等の額について
　　　　監査役会が同意した理由……………………………………………211
　　第8　公認会計士法第2条第1項の業務以外の業務（非監査業務）
　　　　の内容……………………………………………………………………216
　　第9　企業集団全体での報酬等……………………………………………217
　　第10　解任または不再任の決定の方針……………………………………219
第6節　業務の適正を確保するための体制等の整備についての決議
　　　　の内容の概要……………………………………………………………221
　　第1　内部統制システムに関する決議の内容の概要……………………228
　　第2　内部統制システムに関する運用状況の概要………………………229
　　　　（1）記載の形式……………………………………………………………229
　　　　（2）記載内容………………………………………………………………230
　　第3　インターネット開示…………………………………………………231
第7節　株式会社の支配に関する基本方針……………………………………232
　　第1　株式会社の支配に関する基本方針…………………………………234
　　　　（1）基本方針の内容………………………………………………………234
　　　　（2）開示の要否についての判断基準……………………………………235
　　　　（3）基本方針の決定機関…………………………………………………237
　　　　（4）記載の方法……………………………………………………………237
　　第2　基本方針の実現のための取組み……………………………………238
　　　　（1）基本方針実現に資する特別な取組み………………………………238
　　　　（2）不適切な者による支配を防止する取組み…………………………239
　　　　（3）記載の方法……………………………………………………………239
　　　　（4）記　載　例……………………………………………………………240
　　第3　基本方針の実現のための取組みについての取締役等の判断
　　　　およびその理由…………………………………………………………242
　　　　（1）取締役等の判断および理由を記載する趣旨………………………242
　　　　（2）記載の方法……………………………………………………………243

第 8 節 特定完全子会社に関する事項 …………………………………244
　第 1　特定完全子会社の意義 ……………………………………246
　第 2　特定完全子会社に関する事項の記載を要する会社 …………249
　第 3　特定完全子会社に関する記載事項 …………………………250

第 9 節 親会社等との間の取引に関する事項 …………………………251
　第 1　記載対象となる取引 ………………………………………253
　　(1) 親会社等との利益相反取引 …………………………………253
　　(2) 関連当事者取引注記を要する取引 …………………………254
　第 2　親会社等との間の取引に関する記載事項 …………………256

第 10 節 株式会社の状況に関する重要な事項 …………………………258

第Ⅱ章　附属明細書（事業報告関係）・259

附属明細書 …………………………………………………………261
　第 1　附属明細書の体裁 …………………………………………261
　第 2　会社役員の他の法人等の取締役等との兼職状況の明細 ………262
　第 3　親会社等との間の取引に関する事項 ………………………265
　第 4　事業報告の内容を補足する重要な事項 ……………………266

第Ⅲ章　計算書類・267

序　会社法における開示制度 ………………………………………269
　第 1　計算書類の開示 ……………………………………………269
　第 2　連結計算書類の開示 ………………………………………270
　第 3　会社法における会計の原則と公正な会計慣行 ………………271
　第 4　計算書類などの記載内容 …………………………………272
　第 5　表示の原則 …………………………………………………274

第 1 節 貸借対照表，損益計算書，株主資本等変動計算書 …………276
　第 1　貸借対照表 …………………………………………………276
　　(1) 西暦・和暦の表示 ……………………………………………278
　　(2) 概　　要 ………………………………………………………279

	(3) 資産の部の区分	280
	(4) 負債の部の区分	283
	(5) 契約資産，契約負債，前受金	283
	(6) 純資産の部の区分	286
	(7) 旧商法における貸借対照表との違い	289
第2	損益計算書	291
	(1) 概　　要	292
	(2) 損益計算書の項目区分	292
	(3) 収益認識会計基準	294
	(4) 前期損益修正益および前期損益修正損の表示	296
	(5) 包括利益について	297
	(6) 過年度遡及会計基準	298
	(7) 旧商法における損益計算書との違い	300
第3	株主資本等変動計算書	301
	(1) 概　　要	304
	(2) 株主資本等変動計算書の様式	304
	(3) 株主資本等変動計算書の項目区分	305
	(4) 遡及適用または誤謬の訂正による期首残高の記載	307
	(5) 変動事由の記載	311
	(6) 税法上の諸準備金にかかる処理	313
第2節	個別注記表	314
第1	通則的事項	314
	(1) 概　　要	318
	(2) 注記表の名称	318
	(3) 会計監査人の監査報告書と注記表	319
	(4) 注記が要求される項目	320
	(5) 該当事項のない場合の取扱い	320
	(6) 注記表の記載順序	321
	(7) 注記の方法	322
第2	注記事項	323
	(1) 継続企業の前提に関する注記	323

(2) 重要な会計方針に係る事項に関する注記……………………………327
　(3) 会計方針の変更に関する注記……………………………………………356
　(4) 収益認識に関する注記……………………………………………………365
　(5) 表示方法の変更に関する注記……………………………………………373
　(6) 会計上の見積りに関する注記……………………………………………375
　(7) 会計上の見積りの変更に関する注記……………………………………383
　(8) 誤謬の訂正に関する注記…………………………………………………386
　(9) 未適用の会計基準等に関する注記………………………………………389
　(10) 貸借対照表に関する注記…………………………………………………389
　(11) 損益計算書に関する注記…………………………………………………407
　(12) 株主資本等変動計算書に関する注記……………………………………411
　(13) 税効果会計に関する注記…………………………………………………412
　(14) リースにより使用する固定資産に関する注記………………………… 415
　(15) 金融商品に関する注記……………………………………………………418
　(16) 賃貸等不動産に関する注記………………………………………………419
　(17) 持分法損益に関する注記…………………………………………………419
　(18) 開示対象特別目的会社に関する注記……………………………………422
　(19) 関連当事者との取引に関する注記………………………………………423
　(20) 1株当たり情報に関する注記……………………………………………450
　(21) 重要な後発事象に関する注記……………………………………………452
　(22) 連結配当規制適用会社……………………………………………………458
　(23) その他の注記………………………………………………………………459

第Ⅳ章　連結計算書類・463

第1節　連結貸借対照表，連結損益計算書，連結株主資本等変動計算書…………………………………………………………………………465

第1　連結貸借対照表………………………………………………………465
　(1) 概　　要………………………………………………………………467
　(2) 資産の部の区分………………………………………………………468
　(3) 負債の部の区分………………………………………………………469
　(4) 契約資産，契約負債，前受金………………………………………469

(5) 純資産の部の区分··470
　　　(6) 「退職給付に関する会計基準」に対応する会社計算規則の改正·····471
　　　(7) 「連結財務諸表に関する会計基準」等の改正に対応する会社
　　　　　計算規則の改正··472
　　　(8) 旧商法における連結貸借対照表との違い·······················474
　第2 連結損益計算書··476
　　　(1) 概　　要··477
　　　(2) 連結損益計算書の項目区分··································478
　　　(3) 非支配株主に帰属する当期純利益の表示······················479
　　　(4) 包括利益について··480
　　　(5) 過年度遡及会計基準··482
　　　(6) 旧商法における連結損益計算書との違い······················482
　第3 連結株主資本等変動計算書······································483
　　　(1) 概　　要··486
　　　(2) 連結株主資本等変動計算書の様式····························487
　　　(3) 連結株主資本等変動計算書の項目区分························487
　　　(4) 遡及適用または誤謬の訂正による期首残高の記載···············490
　　　(5) 変動事由の記載··490
　　　(6) 会計基準等において遡及適用に関する経過措置が規定されて
　　　　　いる場合の開示··492
第2節　連結注記表··493
　第1 通則的事項··493
　第2 注記事項··497
　　　(1) 継続企業の前提に関する注記································497
　　　(2) 連結計算書類の作成のための基本となる重要な事項に関する
　　　　　注記等··498
　　　(3) 会計方針の変更に関する注記································520
　　　(4) 収益認識に関する注記······································523
　　　(5) 表示方法の変更に関する注記································526
　　　(6) 会計上の見積りに関する注記································526
　　　(7) 会計上の見積りの変更に関する注記··························529

　　　　(8) 連結貸借対照表に関する注記 ……………………………………530
　　　　(9) 連結株主資本等変動計算書に関する注記 …………………………533
　　　　(10) 金融商品に関する注記 ……………………………………………539
　　　　(11) 賃貸等不動産に関する注記 ………………………………………552
　　　　(12) 開示対象特別目的会社に関する注記 ……………………………557
　　　　(13) 1株当たり情報に関する注記 ……………………………………561
　　　　(14) 重要な後発事象に関する注記 ……………………………………563
　　　　(15) その他の注記 ………………………………………………………564

第Ⅴ章　附属明細書（計算書類関係）・567

第1節　通則的事項 …………………………………………………………569
　第1　概　　要 ……………………………………………………………569
　第2　附属明細書の記載内容 ……………………………………………570
　第3　記載様式 ……………………………………………………………570
　第4　留意事項 ……………………………………………………………571

第2節　共通的記載事項（すべての株式会社が附属明細書に記載
　　　　すべき事項）………………………………………………………572
　第1　有形固定資産および無形固定資産の明細 ………………………572
　　　　(1) 概　　要 ……………………………………………………………573
　　　　(2) 期末帳簿価額や当期増減額に重要性がない場合の記載 …………574
　　　　(3) 減損損失を認識した場合の記載 …………………………………574
　　　　(4) 特殊な理由による増減や重要な増減があった場合の記載 ………575
　　　　(5) 投資その他の資産に減価償却資産が含まれている場合の記載 ……576
　　　　(6) 他の記載事項との整合性 …………………………………………576
　　　　(7) その他の留意事項 …………………………………………………576
　　　　(8) その他の参考例 ……………………………………………………576
　第2　引当金の明細 ………………………………………………………580
　　　　(1) 概　　要 ……………………………………………………………580
　　　　(2) 増加額と減少額の総額表示 ………………………………………581
　　　　(3) 減少額欄の記載 ……………………………………………………581

　　　　(4) 引当金を他の勘定科目や別の目的の引当金に振り替えた場合
　　　　　　の記載‥‥‥‥‥‥‥‥‥‥‥‥‥‥‥‥‥‥‥‥‥‥‥‥‥‥‥‥582
　　　　(5) 退職給付引当金の明細‥‥‥‥‥‥‥‥‥‥‥‥‥‥‥‥‥‥‥582
　　　　(6) 引当金の明細に関する遡及適用等の記載‥‥‥‥‥‥‥‥‥‥‥583
　　　　(7) その他の留意事項‥‥‥‥‥‥‥‥‥‥‥‥‥‥‥‥‥‥‥‥‥583
　　　　(8) 参　考　例‥‥‥‥‥‥‥‥‥‥‥‥‥‥‥‥‥‥‥‥‥‥‥‥584
　　第3　販売費及び一般管理費の明細‥‥‥‥‥‥‥‥‥‥‥‥‥‥‥‥‥585
　　　　(1) 概　　要‥‥‥‥‥‥‥‥‥‥‥‥‥‥‥‥‥‥‥‥‥‥‥‥‥585
　　　　(2) 科目の分類‥‥‥‥‥‥‥‥‥‥‥‥‥‥‥‥‥‥‥‥‥‥‥‥586
　　　　(3) 他の記載事項との整合性‥‥‥‥‥‥‥‥‥‥‥‥‥‥‥‥‥‥586
　　　　(4) その他の記載例‥‥‥‥‥‥‥‥‥‥‥‥‥‥‥‥‥‥‥‥‥‥587
　　第4　その他の重要な事項‥‥‥‥‥‥‥‥‥‥‥‥‥‥‥‥‥‥‥‥‥588
　第3節　公開会社のうち，会計監査人設置会社以外の株式会社に
　　　　　おいて記載する事項‥‥‥‥‥‥‥‥‥‥‥‥‥‥‥‥‥‥‥‥‥589
　　第1　関連当事者との取引に係る注記の内容を一部省略した場合
　　　　　における省略した事項‥‥‥‥‥‥‥‥‥‥‥‥‥‥‥‥‥‥‥‥589
　　　　(1) 概　　要‥‥‥‥‥‥‥‥‥‥‥‥‥‥‥‥‥‥‥‥‥‥‥‥‥589
　　　　(2) 記載様式‥‥‥‥‥‥‥‥‥‥‥‥‥‥‥‥‥‥‥‥‥‥‥‥‥590

第Ⅵ章　決算公告・591

　第1節　決算公告‥‥‥‥‥‥‥‥‥‥‥‥‥‥‥‥‥‥‥‥‥‥‥‥‥‥‥593
　　第1　経団連モデル‥‥‥‥‥‥‥‥‥‥‥‥‥‥‥‥‥‥‥‥‥‥‥‥‥593
　　第2　解　　説‥‥‥‥‥‥‥‥‥‥‥‥‥‥‥‥‥‥‥‥‥‥‥‥‥‥‥600
　　　　(1) 概　　要‥‥‥‥‥‥‥‥‥‥‥‥‥‥‥‥‥‥‥‥‥‥‥‥‥600
　　　　(2) 計算書類の公告の要否等‥‥‥‥‥‥‥‥‥‥‥‥‥‥‥‥‥‥600
　　　　(3) 公告する事項‥‥‥‥‥‥‥‥‥‥‥‥‥‥‥‥‥‥‥‥‥‥‥601
　　　　(4) 貸借対照表の要旨‥‥‥‥‥‥‥‥‥‥‥‥‥‥‥‥‥‥‥‥‥602
　　　　(5) 損益計算書の要旨‥‥‥‥‥‥‥‥‥‥‥‥‥‥‥‥‥‥‥‥‥604
　　　　(6) 不適正意見等がある場合‥‥‥‥‥‥‥‥‥‥‥‥‥‥‥‥‥‥605
　　　　(7) 経団連モデルの記載例について‥‥‥‥‥‥‥‥‥‥‥‥‥‥‥605

目　次

第Ⅶ章　株主総会参考書類・607

第1節　標　題 …………………………………………………………… 609
第1　株主総会参考書類を作成する会社 ………………………………… 609
(1) 株主総会参考書類の交付義務 ……………………………………… 609
(2) 標　題　等 …………………………………………………………… 609
(3) 株主総会参考書類記載事項の基準時 ……………………………… 611
第2　株主総会参考書類を作成する会社以外の会社 …………………… 613

第2節　剰余金の処分 …………………………………………………… 614
第1　標　題　等 …………………………………………………………… 616
(1) 議　題 ………………………………………………………………… 616
(2) 標　題 ………………………………………………………………… 616
(3) 提案の理由 …………………………………………………………… 616
(4) 順　序 ………………………………………………………………… 616
第2　剰余金の処分に関する事項 ………………………………………… 617
第3　剰余金の配当に関する事項 ………………………………………… 618

第3節　定款の一部変更 ………………………………………………… 620

第4節　取締役選任議案 ………………………………………………… 622
第1　標　題　等 …………………………………………………………… 630
第2　内　　　容 …………………………………………………………… 630
(1) 株主総会参考書類を作成しなければならない公開会社の場合 …… 631
(2) 株主総会参考書類を作成しなければならない非公開会社の場合 … 648
(3) 株主総会参考書類を作成する必要がない会社（議決権行使書面等を用いない会社であって，委任状勧誘府令が適用される場合を除く） ……………………………………………………… 649

第5節　監査役選任議案 ………………………………………………… 650
第1　標　題　等 …………………………………………………………… 653
第2　内　　　容 …………………………………………………………… 654
(1) 株主総会参考書類を作成しなければならない公開会社の場合 …… 655
(2) 株主総会参考書類を作成しなければならない非公開会社の場合 … 664

(3) 株主総会参考書類を作成する必要がない会社（議決権行使
　　　　書面等を用いない会社であって，委任状勧誘府令が適用され
　　　　る場合を除く）……………………………………………………664
第6節　補欠役員選任議案…………………………………………………665
第7節　会計監査人選任議案………………………………………………669
第8節　報酬議案……………………………………………………………674
　第1　報酬等に関する会社法の定め…………………………………679
　第2　株主総会参考書類の記載事項…………………………………680
第9節　上記以外の議案についての記載方法……………………………682
　第1　計算書類の承認に関する議案の場合…………………………682
　第2　株主提案の場合…………………………………………………684
　第3　その他の場合……………………………………………………687
第10節　経団連モデル記載以外の議案についての株主総会参考書類
　　　　の記載方法…………………………………………………………689
　第1　資本金の額の減少………………………………………………689
　第2　準備金の額の減少………………………………………………691
　第3　募集株式の発行…………………………………………………692
　第4　自己の株式の取得………………………………………………694
　第5　株式の併合………………………………………………………697
　第6　役員賞与の支給…………………………………………………698
　第7　ストック・オプション…………………………………………699
　　(1) 発行会社の役員に対するもの…………………………………699
　　(2) 発行会社の従業員等に対するもの……………………………705
　第8　株式報酬…………………………………………………………706
　　(1) 発行会社の役員に対するもの…………………………………706
　　(2) 発行会社の従業員に対するもの………………………………726
　第9　組織再編…………………………………………………………727
　　(1) 吸収型組織再編（吸収合併，吸収分割，株式交換，株式交付）……727
　　(2) 新設型組織再編（新設合併，新設分割，株式移転）………………739

(3) 事業譲渡等 ··748

第Ⅷ章　招集通知・751

第1節　招集通知に関する法令の定め ································753
第1　招集通知の送付 ··753
第2　通知対象者 ···753
第3　通知の時期 ···754
第4　招集通知の方式 ··755
第5　招集通知の記載事項 ··756

第2節　招集通知の記載方法 ··759
第1　様　式　等 ···765
第2　証券コード ···766
第3　発信日付 ··766
第4　宛　　先 ··767
第5　招　集　者 ···767
第6　標　　題 ··768
第7　招集通知本文 ··768
(1) 記載形式 ··768
(2) 書面投票または電子投票に関する事項 ······································769
(3) 委任状勧誘を行う場合 ··771
第8　招集の決定事項 ··772
(1) 日　　時 ··772
(2) 場　　所 ··773
(3) 目的事項 ··774
(4) その他の決定事項 ···780
第9　株主総会参考書類等の記載事項の修正方法 ································785
第10　その他の記載事項 ··787
(1) 株主総会への出席の際のお願い ···787
(2) 株主懇談会等の案内 ··787

　　　　(3) クールビズ対応，節電対応……………………………………788
　　　　(4) 総会出席者へのお土産………………………………………789
　　　　(5) 感染症の拡大防止への配慮…………………………………790
　　　　(6) ハイブリッド出席型バーチャル総会の記載………………790

第Ⅸ章　議決権行使書面・793

第1節　議決権行使書面に関する法令の定め……………………795
　第1　議決権行使書面の交付等……………………………………795
　　(1) 書面によって議決権を行使することができることとしたとき……795
　　(2) 電磁的方法によって議決権を行使することができることとしたとき………………………………………………………796
　第2　議決権行使書面の記載事項…………………………………797
　　(1) 各議案についての賛否の記載欄（施行規則66条1項1号）………797
　　(2) 議決権行使書面に賛否の記載がない場合の取扱い（施行規則66条1項2号）……………………………………………………797
　　(3) 重複して行使された議決権の取扱い（施行規則66条1項3号）……797
　　(4) 議決権の行使期限（施行規則66条1項4号）………………798
　　(5) 株主の氏名・名称および行使することができる議決権の数（施行規則66条1項5号）…………………………………………798
　第3　議決権行使書面の記載事項と招集通知の記載事項の関係………798

第2節　議決権行使書面の記載方法………………………………800
　第1　規格（大きさ）………………………………………………801
　第2　タイトル………………………………………………………801
　第3　本　　文………………………………………………………801
　第4　各議案についての賛否の記載欄……………………………804
　第5　賛否の表示がない場合の取扱い……………………………804
　第6　会社提案と両立しない代替提案の取扱い…………………805
　第7　所有株式数の記載……………………………………………807

第8　議案ごとに当該株主が行使することができる議決権の数が
　　　　　異なる場合の記載例……………………………………………………807
　　　第9　一部の議案につき議決権を行使することができない場合の
　　　　　記載例……………………………………………………………………807
　　　第10　議決権行使期限等………………………………………………………810

第X章　監査報告・813

　第1節　監査報告全般………………………………………………………………815
　　　第1　監査報告に関する法令上の定め…………………………………………816
　　　第2　監査役の監査報告と監査役会の監査報告の関係………………………817
　　　第3　事業報告，計算書類および連結計算書類の監査報告の関係……817
　　　第4　監査報告の種類……………………………………………………………818
　第2節　一般的な上場会社（監査役会設置会社）における監査報告……819
　　　第1　法定記載事項と経団連モデルの記載事項との対比……………………822
　　　第2　監査の方法およびその内容………………………………………………822
　　　第3　後発事象……………………………………………………………………824
　　　第4　個別の記載事項……………………………………………………………825
　　　　（1）内部統制システム関係……………………………………………………825
　　　　（2）財務および事業の方針の決定を支配する者の在り方に関する
　　　　　　基本方針関係………………………………………………………………825
　　　　（3）親会社等との間の取引関係………………………………………………826
　　　　（4）会計監査人の職務の遂行が適正に実施されることを確保する
　　　　　　ための体制に関する事項…………………………………………………826
　　　第5　監査報告の宛先……………………………………………………………827
　　　第6　各監査役の監査報告書……………………………………………………827
　第3節　一般的な上場会社（監査等委員会設置会社）の監査等委員会
　　　　　の監査報告………………………………………………………………830
　　　第1　法定記載事項と経団連モデルの記載事項との対比……………………833
　　　第2　監査役会の監査報告との相違点…………………………………………835

第4節　一般的な上場会社（指名委員会等設置会社）の監査委員会
　　　の監査報告……………………………………………………………836
　第1　法定記載事項と経団連モデルの記載事項との対比……………839
　第2　監査役会の監査報告との相違点……………………………………839
　第3　宛　　　先……………………………………………………………840
第5節　その他の会社の監査報告……………………………………………842
　第1　機関設計が「取締役会＋監査役」であり，監査役の監査の
　　　範囲を会計に関するものに限定しない会社………………………842
　第2　機関設計が「取締役＋監査役」であり，監査役の監査の
　　　範囲を会計に関するものに限定する会社……………………………847
　第3　経団連モデルにない類型の監査報告の記載例…………………849
　　（1）機関設計が「取締役会＋監査役会＋会計監査人」であり，
　　　　連結計算書類を作成していない会社の監査役会監査報告……849
　　（2）機関設計が「取締役会＋監査等委員会＋会計監査人」であり，
　　　　連結計算書類を作成していない会社の監査等委員会の監査報告…851
　　（3）機関設計が「取締役会＋監査委員会＋会計監査人」であり，
　　　　連結計算書類を作成していない会社の監査委員会の監査報告……852
　　（4）機関設計が「取締役会＋監査役＋会計監査人」であり，
　　　　連結計算書類を作成している会社の監査役の監査報告 ………854
　　（5）機関設計が「取締役＋監査役＋会計監査人」であり，
　　　　連結計算書類を作成していない会社の監査役の監査報告……856
　　（6）機関設計が「取締役会＋監査役会」である会社の監査役会監査
　　　　報告………………………………………………………………………857
　　（7）機関設計が「取締役会＋監査役」であり，監査役の監査の範囲
　　　　を会計に関するものに限定する会社の監査役の監査報告……859
　　（8）機関設計が「取締役＋監査役」であり，監査役の監査の範囲
　　　　を会計に関するものに限定しない会社の監査役の監査報告 ………860

序

基本方針

基本方針

経団連モデル

【各種書類の記載にあたっての基本方針】
1. 各種書類の記載にあたっては，各種書類の法定の記載事項が最低限の要請にすぎないことを念頭に置きつつ，株主の理解と判断に資するため，コスト・ベネフィット，企業機密等を考慮しながらも，当該会社の業種・業態に照らし，会社の概況又は会社の財産若しくは損益の状態を正しく，かつ簡潔明瞭に示すよう創意・工夫に努める。
2. 法定された記載事項であっても，当該会社にとって記載すべき事項が全くない場合には，必ずしもその記載を要しない。一定の場合に限り記載をすべきものと法定されている事項を別とすると，記載すべき事項がないという事実自体が重要な情報である場合があり得ることに留意する。
3. 記載すべき事項については，それぞれの項目ごとに一つひとつ列挙することは必要ではなく，各書類のいずれかの部分において記載されていれば足りる。特に事業報告においては，関連事項を同一文章に一括して説明することの方が，株主の理解のためにも有益な場合があろう。
4. 本ひな型においては，事業報告を作成する会社を「事業報告作成会社」とするほかは，会社法施行規則及び会社計算規則の用語を用いているが，実際の各種書類においては，株主にとって分かりやすい表現を工夫されたい。

【連結計算書類を作成した会社に関する取り扱い】
　会社法施行規則第120条第2項に基づき，事業報告の対象となる事業年度に係る連結計算書類を作成した会社（以下「連結計算書類作成会社」という。）

の事業報告においては，当該連結計算書類作成会社及びその子会社から成る企業集団（以下「企業集団」という。）の現況に関する事項を記載することにより，当該事項については当該事業報告作成会社単体についての記載を省略することができる。この場合に，当該事項に相当する事項が連結計算書類の内容となっているときは，当該事項を事業報告の記載事項としないことができる。
(1) 企業集団の主要な事業内容，主要な営業所及び工場並びに使用人の状況，主要な借入先及び借入額（いずれも当該連結会計年度末日現在のもの）
(2) 連結会計年度における事業の経過及びその成果
(3) 連結会計年度における次に掲げる事項についての状況（重要なものに限る。）
　イ　資金調達
　ロ　設備投資
　ハ　事業の譲渡，吸収分割又は新設分割
　ニ　他の会社（外国会社を含む。）の事業の譲受け
　ホ　吸収合併（会社以外の者との合併（当該合併後当該株式会社が存続するものに限る。）を含む）又は吸収分割による他の法人等の事業に関する権利義務の承継
　ヘ　他の会社（外国会社を含む。）の株式その他の持分又は新株予約権等の取得又は処分
(4) 直前三事業年度（当該事業年度の末日において三事業年度が終了していない会社については，成立後の各事業年度）の企業集団の財産及び損益の状況
(5) 重要な親会社及び子会社の状況
(6) 企業集団が対処すべき課題
(7) (1)から(6)までに掲げるもののほか，企業集団の現況に関する重要な事項

【本ひな型の適用時期】
　本ひな型の適用時期は，以下のとおり作成書類ごとに異なる。
1．事業報告及びその附属明細書
　「会社法の一部を改正する法律」（令和元年法律第70号）等の施行に伴う「会社法施行規則等の一部を改正する省令」（令和2年法務省令第52号。以下

「改正省令」という。）の施行日である2021年3月1日以後に事業年度の末日を迎える場合の事業年度に関する事業報告及びその附属明細書から適用する（改正省令附則第2条第11項）。ただし，補償契約及び役員等賠償責任保険契約に関する記載については，施行日以後に締結された契約について適用する（改正省令附則第2条第10項）。また，施行日前に末日が到来した事業年度のうち最終のものに係る事業報告においては，社外取締役を置くことが相当でない理由（改正前会社法施行規則第124条第2項）の記載が求められる（改正省令附則第2条第11項）。

2．株主総会参考書類

2021年3月1日以後に株主総会参考書類の記載事項を含めて会社法第298条第1項各号に掲げる事項が取締役会の決議によって決定（会社法第298条第1項第5号・第4項，会社法施行規則第63条第3号イ参照）された株主総会に係る株主総会参考書類から適用する（改正省令附則第2条第9項）。ただし，補償契約及び役員等賠償責任保険契約に関する記載については，施行日以後に締結される契約について適用する（改正省令附則第2条第6項）。

3．計算書類及び連結計算書類

＜金融商品の時価開示関係＞

「会社計算規則の一部を改正する省令」（2020年3月31日，法務省令第27号）により，金融商品に関する注記として表示すべき事項に「金融商品の時価の適切な区分ごとの内訳等に関する事項」が追加されている（会社計算規則第109条第1項第3号）。

改正会社計算規則は，2021年4月1日以後に開始する事業年度に係る計算書類及び連結計算書類について適用し，同日前に開始する事業年度に係るものについては，なお従前の例による。ただし，2020年3月31日以後に終了する事業年度に係るものについては，改正会社計算規則の規定を適用することができる。

＜収益認識関係＞

「会社計算規則の一部を改正する省令」（2020年8月12日，法務省令第45号）により，収益認識関係が改正されている。

改正省令中収益認識に関する改正規定は，2021年4月1日以後に開始する事業年度に係る計算書類及び連結計算書類について適用し，同日前に開始する事業年度に係るものについては，なお従前の例による。ただし，2020年4

月1日以後に終了する事業年度に係るものについては，これらの規定を適用することができる。
＜会計上の見積り関係＞
　「会社計算規則の一部を改正する省令」(2020年8月12日，法務省令第45号)により，会計上の見積り関係が改正されている。
　改正省令中会計上の見積りに関する改正規定は，2021年3月31日以後に終了する事業年度に係る計算書類及び連結計算書類について適用し，同日前に終了する事業年度に係るものについては，なお従前の例による。ただし，2020年3月31日以後に終了する事業年度に係るものについては，これらの規定を適用することができる。
＜株式交付制度，株式引受権関係＞
　「会社法施行規則等の一部を改正する省令」(2020年11月27日，法務省令第52号)により，株式交付制度，株式引受権関係が改正されている。
　改正会社計算規則は，「会社法の一部を改正する法律」(令和元年法律第70号)の施行の日(2021年3月1日)から施行する。ただし，会社計算規則第2条第2項第15号の次に1号を加える改正規定(電子提供措置)及び第134条の改正規定(連結計算書類に関する電子提供措置)は，会社法改正法附則1条ただし書に規定する規定の施行の日から施行する。

【新型コロナウイルス感染症関係の記載】
＜いわゆるウェブ開示によるみなし提供制度関係＞
　「会社法施行規則及び会社計算規則の一部を改正する省令」(2021年1月29日，法務省令第1号)により，貸借対照表及び損益計算書に表示すべき事項をインターネット上のウェブサイトに掲載し，そのウェブサイトのURL等を株主に通知すれば，当該事項に係る情報が株主に提供されたものとみなすこととされた。
　改正会社計算規則は，公布の日(2021年1月29日)から施行する。改正会社計算規則の規定は，2021年9月30日限り，その効力を失う。ただし，同日前に招集の手続が開始された定時株主総会に係る提供計算書類の提供については，なおその効力を有する。

第Ⅰ章

事業報告

序

事業報告の構成

経団連モデル

> Ⅰ 事業報告
> 第1 事業報告の構成
> 　事業報告の構成は，事業報告作成会社の業種・業態によっても異なるが，一例として次のようなものが考えられる。事業報告の記載順序については，会社法施行規則の順序にあわせる必要はない。
> 　なお，会社法の下では，事業報告作成会社が公開会社であるか否かや，事業報告作成会社の採用する機関設計により，事業報告の記載事項が異なる。本ひな型においては，特に断らない限り，公開大会社を念頭に置くこととする。記載例としては，監査役会設置会社の記載例を示すこととするが，監査等委員会設置会社や指名委員会等設置会社についても，原則として同様の記載となる。ただし，役員に関する事項として監査等委員会設置会社について，取締役のうち監査等委員である取締役につき別途の記載を要する箇所が存在することや，指名委員会等設置会社について，執行役に関する記載を要することや，監査役を監査委員とすべき箇所が存することなどの点に留意しなければならない。
>
> 1．株式会社の現況に関する事項
> 　1-1．事業の経過及びその成果
> 　1-2．資金調達等についての状況（重要なものに限る。）
> 　1-3．直前三事業年度の財産及び損益の状況

第Ⅰ章 事業報告

    1-4．対処すべき課題
    1-5．主要な事業内容
    1-6．主要な営業所及び工場並びに使用人の状況
    1-7．重要な親会社及び子会社の状況
    1-8．主要な借入先及び借入額
    1-9．剰余金の配当等を取締役会が決定する旨の定款の定めがあるときの権限の行使に関する方針
    1-10．その他会社の現況に関する重要な事項

2．株式に関する事項
    2-1．上位10名の株主の状況
    2-2．事業年度中に会社役員（会社役員であった者を含む）に対して職務執行の対価として交付された株式に関する事項
    2-3．その他株式に関する重要な事項

3．新株予約権等に関する事項
    3-1．会社役員が有する新株予約権等のうち，職務執行の対価として交付されたものに関する事項
    3-2．事業年度中に使用人等に対して職務執行の対価として交付された新株予約権等に関する事項
    3-3．その他新株予約権等に関する重要な事項

4．会社役員に関する事項
    4-1．氏名
    4-2．地位及び担当
    4-3．重要な兼職の状況
    4-4．辞任した会社役員又は解任された会社役員に関する事項
    4-5．財務及び会計に関する相当程度の知見
    4-6．常勤で監査を行う者の選定の有無及びその理由
    4-7．責任限定契約に関する事項
    4-8．補償契約に関する事項
    4-9．補償契約に基づく補償に関する事項

4-10. 役員等賠償責任保険契約に関する事項
4-11. 取締役，会計参与，監査役又は執行役ごとの報酬等の総額（業績連動報酬等，非金銭報酬等，それら以外の報酬等の総額）
4-12. 業績連動報酬等に関する事項
4-13. 非金銭報酬等に関する事項
4-14. 報酬等に関する定款の定め又は株主総会決議に関する事項
4-15. 各会社役員の報酬等の額又はその算定方法に係る決定方針に関する事項
4-16. 各会社役員の報酬等の額の決定の委任に関する事項
4-17. その他会社役員に関する重要な事項

（社外役員に関する事項）
4-18. 他の法人等の業務執行者との重要な兼職に関する事項
4-19. 他の法人等の社外役員等との重要な兼職に関する事項
4-20. 自然人である親会社等，事業報告作成会社又は事業報告作成会社の特定関係事業者の業務執行者又は役員との親族関係（会社が知っているもののうち，重要なものに限る。）
4-21. 各社外役員の主な活動状況
4-22. 社外役員の報酬等の総額（業績連動報酬等，非金銭報酬等，それら以外の報酬等の総額）
4-23. 親会社等，親会社等の子会社等，又は子会社等からの役員報酬等の総額
4-24. 記載内容についての社外役員の意見

5. 会計監査人に関する事項
 5-1. 氏名又は名称
 5-2. 辞任した又は解任された会計監査人に関する事項
 5-3. 現在の業務停止処分に関する事項
 5-4. 過去２年間の業務停止処分に関する事項のうち，会社が事業報告の内容とすべきと判断した事項
 5-5. 責任限定契約に関する事項
 5-6. 補償契約に関する事項
 5-7. 補償契約に基づく補償に関する事項

第Ⅰ章　事業報告

　　5-8．各会計監査人の報酬等の額及び当該報酬等について監査役会が同意
　　　　した理由
　　5-9．公認会計士法第2条第1項の業務以外の業務（非監査業務）の内容
　　5-10．企業集団全体での報酬等
　　5-11．解任又は不再任の決定の方針

6．業務の適正を確保するための体制等の整備に関する事項
　　6-1．決議の内容の概要
　　6-2．体制の運用状況の概要

7．株式会社の支配に関する基本方針に関する事項

8．特定完全子会社に関する事項

9．親会社等との間の取引に関する事項

10．株式会社の状況に関する重要な事項

　また，事業報告における記載事項のうち，次の事項を除く事項については，インターネットで開示することにより，株主に直接提供することを省略することができる（会社法施行規則第133条第3項）。ただし，定款にインターネットでの開示をすることができる旨の記載が必要である。この場合，招集通知を発出する時から定時株主総会の日から3か月が経過する日までの間，当該事項をインターネットで開示しなければならない。
　　①　株式会社の現況に関する事項（1-1, 1-2, 1-4, 1-7）
　　②　会社役員に関する事項（4-1, 4-2, 4-8, 4-9, 4-10, 4-11, 4-12, 4-13, 4-14, 4-15, 4-16）
　　③　会計監査人に関する事項（5-6, 5-7）
　なお，監査役，監査等委員会又は監査委員会がインターネットでの開示に異議を述べている項目については株主に直接提供しなければならない（会社法施行規則第133条第3項第2号）。なお，新型コロナウイルス感染症の影響を踏まえた特例（会社法施行規則第133条の2）については，時限措置とされていることに鑑み，対象としていない。

(1) 事業報告の内容に関する会社法施行規則の構造

　事業報告は，ある事業年度に係る株式会社の状況に関する重要な事項を内容とするものである。もっとも，会計に関する事項は，すべて計算書類（法435条2項）および計算書類の附属明細書並びに連結計算書類の内容とされ，事業報告には会計に関する事項は存在しないものと整理されている（施行規則118条1号参照。このため，事業報告の監査については，監査役による監査のみが行われ，会計監査人による監査は行われない）。

　事業報告の具体的な記載事項については，会社法施行規則118条以下に規定が置かれており，具体的には以下の表のような条文構造となっている。この表からも理解できるように事業報告は，事業報告作成会社が公開会社であるか否かや，当該会社の採用する機関設計により，その記載事項が異なる。

　なお，経団連モデルは，以下の記載事項のうち，会計参与設置会社の特則（施行規則125条）以外の事項を対象としている。

【事業報告の内容に関する会社法施行規則の条文構造】

会社法施行規則	対象会社等			
117条	通則			
118条	すべての株式会社に関する事項			
119条～124条	公開会社の特則	119条	公開会社の特則についての通則	
		120条	株式会社の現況に関する事項	
		121条	株式会社の会社役員に関する事項	
		121条の2	株式会社の役員等賠償責任保険契約に関する事項	
		122条	株式会社の株式に関する事項	
		123条	株式会社の新株予約権等に関する事項	
		124条	社外役員等に関する特則	
125条	会計参与設置会社の特則			
126条	会計監査人設置会社の特則			
128条	事業報告の附属明細書に関する事項			

(2) 会社区分の判定時期

　上記(1)で述べたとおり，事業報告については，会社が公開会社であるか非公開会社であるか，会計監査人設置会社であるか否か等により，その記載事項が異なる。

　このため，例えば，事業年度の始めにおいては，公開会社であった会社が事業年度の途中に株主総会の決議により定款を変更し，非公開会社になった場合のように，事業年度の途中において会社区分が変更になった場合にいかなる類型として事業報告を作成すべきかが問題となるが，この点に関しては，事業年度の末日を基準として判断することとなる（施行規則119条柱書・125条柱書・126条柱書）。これは，事業報告の作成は，事業年度の末日後に行われ，当該事業年度に係る定時株主総会に提出されるものであることから，事業報告における開示対象期間のうち作成時点にもっとも近い事業年度の末日の会社区分を基準として作成すべきという考え方に基づくものである（相澤哲＝郡谷大輔「事業報告」別冊商事法務300号（2006）44頁）。

(3) 事業報告記載事項の基準時

　事業報告の記載事項については，「当該事業年度の末日」，「当該事業年度における」や「現に」といった形で記載の基準時が定められているものと記載の基準時が定められていないものがある。

　「当該事業年度の末日」と定められているものとしては，「主要な事業内容」（施行規則120条1項1号），「主要な営業所及び工場並びに使用人の状況」（同項2号）等がある。「当該事業年度における」と定められているものとしては，「事業の経過及びその成果」（同項4号），「資金調達等についての状況」（同項5号）等がある。「現に」と定められているものとしては，「会計監査人の現在の業務停止処分に関する事項」（施行規則126条5号）がある。記載の基準時が定められていないものとしては，「重要な親会社及び子会社の状況」（施行規則120条1項7号），「対処すべき課題」（同項8号），「会計監査人の解任又は不再任の決定の方針」（施行規則126条4号），「内部統制システムの整備についての決議の内容の

概要及び内部統制システムの運用状況の概要」(施行規則118条2号),「株式会社の支配に関する基本方針」(施行規則118条3号)等がある。

　事業報告の記載の基準時が「当該事業年度の末日」と定められているものについては,文字どおり当該事業年度の末日時点での状況を記載すれば足りる。「当該事業年度における」とされているものについては,当該事業年度の末日時点での状況を記載するだけでなく,原則として事業年度中の変動をも記載することになる。上記の事業報告の記載の基準時が定められている事項(「当該事業年度の末日」ないし「当該事業年度における」と定められているもの)については,当該基準時の状況を記載することが原則であるが,事業年度末日後に生じた重要な事象があれば,「重要な事項」(施行規則118条1号・120条1項9号等)として記載する必要がある。「現に」と定められているものについては,事業報告作成時点の状況を記載することになる。この「事業報告の作成時点」が具体的にどの時点を指すのかは,条文上必ずしも明確ではないが,会社法435条2項において「株式会社は…事業報告…を作成しなければならない。」とされており,これを受け会社法436条1項・2項では,前条2項の事業報告は法務省令で定めるところにより,監査役等の監査を受けなければならない旨が規定されていることからすると,事業報告の作成時点とは,監査役等の監査を受けるために監査役等に提供する事業報告を作成するにあたって,内容の変更・追加が事務作業上合理的に可能な最終の時点であると考えられる(小松岳志＝澁谷亮「事業報告の内容に関する規律の全体像」商事法務1863号(2009)24頁。監査役等に提供する前に事業報告の内容について取締役会の承認を得る会社については当該取締役会の承認時点とすることも考えられる)。なお,事業報告の作成時点を上記のとおりと考えれば,事業報告を監査役等に提供した後に,事情の変動があった場合に,当該変動後の事情を記載することは必須ではないと解される。もちろん,当該変動後の事情を任意に記載することも妨げられないと解されるが,この場合には,監査役等の監査期間との関係が問題になり得るため,監査役等全員の了解を得ることが必要になると考えられる。

他方，事業報告の記載の基準時が定められていない事項については，事業報告作成時を基準とする場合には特に明文で「現に」(施行規則126条5号) と定められていること，会社法435条2項では「株式会社は…各事業年度に係る…事業報告…を作成しなければならない。」とされていることからすると，原則として当該事業年度の初日から末日までに発生ないし変動した事象を記載することになると考えられる (小松岳志＝澁谷亮・前掲10頁，野村修也ほか「会社法下の株主総会における実務上の諸問題」商事法務1807号 (2007) 62～63頁)。もっとも，事業報告の内容の一部には，例えば，「対処すべき課題」(施行規則120条1項8号) 等，当該事業年度の事業の経過および成果を踏まえて，今後の運営方針や課題について，株主に対して報告させるという趣旨に基づくものもあり，このような事項については，事業報告作成時点における事象を記載すれば足りると考えられる (小松岳志＝澁谷亮・前掲11頁)。

　事業報告の各記載事項についてその記載の基準時点ないし範囲をまとめた表は以下のとおりである (小松岳志＝澁谷亮・前掲11～23頁も参照)。

[施行規則118条]

条文番号 （施行規則）		内容とすべき事項	内容とすべき事項の 時点ないし範囲
118条	1号	当該株式会社の状況に関する重要な事項（計算書類及びその附属明細書並びに連結計算書類の内容となる事項を除く。）	①　当該事業年度の初日から末日までの重要な事項 ②　当該事業年度の末日後，事業報告作成時点までに生じた事象のうち重要なもの
	2号	法第348条第3項第4号，第362条第4項第6号，第399条の13第1項第1号ロ及びハ並びに第416条第1項第1号ロ及びホに規定する体制の整備についての決定又は決議があるときは，その決定又は決議の内容の概要及び当該体制の運用状況の概要	当該事業年度中に存在した決定または決議（当該事業年度よりも前にされた決定または決議が当該事業年度においても有効に存在している場合の当該決定または決議を含む。）の内容の概要及び当該事業年度における体制の運用状況の概要　　※注1参照

序　事業報告の構成

118条	3号	株式会社が当該株式会社の財務及び事業の方針の決定を支配する者の在り方に関する基本方針（略）を定めているときは，次に掲げる事項 （以下略）	事業報告作成時点の基本方針に関する所定の事項 ※注2参照
	4号	当該株式会社（当該事業年度の末日において，その完全親会社等があるものを除く。）に特定完全子会社（当該事業年度の末日において，当該株式会社及びその完全子会社等（法第847条の3第3項の規定により当該完全子会社等とみなされるものを含む。以下この号において同じ。）における当該株式会社のある完全子会社等（株式会社に限る。）の株式の帳簿価額が当該株式会社の当該事業年度に係る貸借対照表の資産の部に計上した額の合計額の5分の1（法第847条の3第4項の規定により5分の1を下回る割合を定款で定めた場合にあっては，その割合）を超える場合における当該ある完全子会社等をいう。以下この号において同じ。）がある場合には，次に掲げる事項 イ　当該特定完全子会社の名称及び住所 ロ　当該株式会社及びその完全子会社等における当該特定完全子会社の株式の当該事業年度の末日における帳簿価額の合計額	当該事業年度の末日時点での特定完全子会社に関する事項

17

118条	4号	ハ　当該株式会社の当該事業年度に係る貸借対照表の資産の部に計上した額の合計額	
	5号	当該株式会社とその親会社等との間の取引（当該株式会社と第三者との間の取引で当該株式会社とその親会社等との間の利益が相反するものを含む。）であって，当該株式会社の当該事業年度に係る個別注記表において会社計算規則第112条第1項に規定する注記を要するもの（同項ただし書の規定により同項第4号から第6号まで及び第8号に掲げる事項を省略するものを除く。）があるときは，当該取引に係る次に掲げる事項 イ　当該取引をするに当たり当該株式会社の利益を害さないように留意した事項（当該事項がない場合にあっては，その旨） ロ　当該取引が当該株式会社の利益を害さないかどうかについての当該株式会社の取締役（取締役会設置会社にあっては，取締役会。ハにおいて同じ。）の判断及びその理由 ハ　社外取締役を置く株式会社において，ロの取締役の判断が社外取締役の意見と異なる場合には，その意見	当該事業年度の初日から末日までの親会社等との取引に関する各所定の事項

注1　本号のうち体制の整備の決定又は決議の内容に関しては，体制の整備の方針を開示させるものであるととらえて，事業年度の末日後に新たな決定または決議がされた場合には，事業報告作成時点における最新の決定または決議の内容の概要のみを事業報告の内

容とすれば足りるとの考え方もあり得る。
注2　本号に関しては，事業年度との対応関係をより重視し，事業年度末日における当該事項を記載した上で，事業年度末日以降に当該事項に変更が生じたことが「重要な事項」に該当する場合には，施行規則118条1号等に基づき，後発事象として開示を行うという考え方も十分にあり得る。

[施行規則120条1項]

条文番号 （施行規則）			内容とすべき事項	内容とすべき事項の 時点ないし範囲
120条	1項	1号	当該事業年度の末日における主要な事業内容	当該事業年度の末日時点の各所定の事項
		2号	当該事業年度の末日における主要な営業所及び工場並びに使用人の状況	
		3号	当該事業年度の末日において主要な借入先があるときは，その借入先及び借入額	
		4号	当該事業年度における事業の経過及びその成果	
		5号	当該事業年度における次に掲げる事項についての状況（重要なものに限る。） （以下略）	当該事業年度の初日から末日までの各所定の事項
		6号	直前3事業年度（当該事業年度の末日において3事業年度が終了していない株式会社にあっては，成立後の各事業年度）の財産及び損益の状況	―
		7号	重要な親会社及び子会社の状況（当該親会社と当該株式会社との間に当該株式会社の重要な財務及び事業の方針に関する契約等が存在する場合には，その内容の概要を含む。）	当該事業年度の初日から末日までの重要な親会社および子会社の状況 ※注参照

120条	1項	8号	対処すべき課題	事業報告作成時における対処すべき課題
		9号	前各号に掲げるもののほか，当該株式会社の現況に関する重要な事項	① 当該事業年度の初日から末日までの重要な事項 ② 当該事業年度の末日後，事業報告作成時点までに生じた事象のうち重要なもの

注　本号に関しては，当該事業年度の初日から末日までの重要な親会社および子会社の状況について記載するものであるが，事業年度末日以降に，重要な親会社が生じた，あるいは，親会社との間に当該株式会社の重要な財務及び事業の方針に関する契約等を締結した場合には，施行規則120条1項9号等に基づき，後発事象として開示を行うという考え方も十分にあり得る。

[施行規則121条]

条文番号 （施行規則）		内容とすべき事項	内容とすべき事項の 時点ないし範囲
121条	1号	会社役員（直前の定時株主総会の終結の日の翌日以降に在任していた者に限る。次号から第3号の2まで，第8号及び第9号並びに第128条第2項において同じ。）の氏名（会計参与にあっては，氏名又は名称） ※以下，会社役員につき本号と同様の在任時期の限定を付しているものを枠囲いで示す。	直前の定時株主総会の終結の日の翌日から当該事業年度の末日までの間に在任していた会社役員（途中に辞任し，または解任された者を含む）の氏名または名称
	2号	会社役員の地位及び担当	直前の定時株主総会の終結の日の翌日から当該事業年度の末日までの間に在任していた会社役員（途中に辞任し，または解任された者を含む）の地位および担当

序　事業報告の構成

121条	3号		会社役員（取締役又は監査役に限る。）と当該株式会社との間で法第427条第1項の契約を締結しているときは，当該契約の内容の概要（当該契約によって当該会社役員の職務の執行の適正性が損なわれないようにするための措置を講じている場合にあっては，その内容を含む。）	直前の定時株主総会の終結の日の翌日から当該事業年度の末日までに在任していた取締役または監査役（いずれも途中に辞任し，または解任された者を含む）に関する責任限定契約に関する所定の事項
	3号の2		会社役員（取締役，監査役又は執行役に限る。）と当該株式会社との間で補償契約を締結しているときは，次に掲げる事項 イ　当該会社役員の氏名 ロ　当該補償契約の内容の概要（当該補償契約によって当該会社役員の職務の執行の適正性が損なわれないようにするための措置を講じている場合にあっては，その内容を含む。）	直前の定時株主総会の終結の日の翌日から当該事業年度の末日までの間に在任していた取締役，監査役または執行役（いずれも途中に辞任し，または解任された者を含む）に関する補償契約に関する所定の事項
	3号の3		当該株式会社が会社役員（取締役，監査役又は執行役に限り，当該事業年度の前事業年度の末日までに退任した者を含む。）に対して補償契約に基づき法第430条の2第1項第1号に掲げる費用を補償した場合において，当該株式会社が，当該事業年度において，当該会社役員が同号の職務の執行に関し法令の規定に違反したこと又は責任を負うことを知ったときは，その旨	補償契約に基づき費用を補償した取締役，監査役または執行役（いずれも前事業年度の末日までに退任しており，当該事業年度に在任していなかった者も含む。）が，法第430条の2第1項第1号の職務執行に関して「法令の規定に違反したこと」または「責任を負うこと」を，当該株式会社が，当該事業年度において知った場合はその旨 ※費用の補償自体は当該事業年度にした場合に限らない。

121条	3号の4	当該株式会社が会社役員（取締役、監査役又は執行役に限り、当該事業年度の前事業年度の末日までに退任した者を含む。）に対して補償契約に基づき法第430条の2第1項第2号に掲げる損失を補償したときは、その旨及び補償した金額	取締役、監査役または執行役（いずれも前事業年度の末日までに退任しており、当該事業年度に在任していなかった者も含む。）に対して、当該事業年度において、補償契約に基づき損失を補償した場合は所定の事項
	4号	当該事業年度に係る会社役員の報酬等について、次のイからハまでに掲げる場合の区分に応じ、当該イからハまでに定める事項（以下略）	当該事業年度に対応する会社役員の報酬等に関する所定の事項
	5号	当該事業年度において受け、又は受ける見込みの額が明らかとなった会社役員の報酬等（前号の規定により当該事業年度に係る事業報告の内容とする報酬等及び当該事業年度前の事業年度に係る事業報告の内容とした報酬等を除く。）について、同号イからハまでに掲げる場合の区分に応じ、当該イからハまでに定める事項	4号により開示する報酬等以外であって、当該事業年度において受け、または受ける見込みの額が明らかとなった会社役員の報酬等に関する所定の事項 ※事業年度の末日後、受け、または受ける見込みの額が明らかとなった会社役員の報酬等が「重要な事項」に該当する場合には、121条11号によって開示する。
	5号の2	前2号の会社役員の報酬等の全部又は一部が業績連動報酬等である場合には、次に掲げる事項 イ　当該業績連動報酬等の額又は数の算定の基礎として選定した業績指標の内容及び当該業績指標を選定した理由 ロ　当該業績連動報酬等の額又は数の算定方法	4号・5号によりそれぞれ開示する報酬の中に業績連動報酬等が含まれている場合の所定の事項

121条		ハ 当該業績連動報酬等の額又は数の算定に用いたイの業績指標に関する実績	
	5号の3	第4号及び第5号の会社役員の報酬等の全部又は一部が非金銭報酬等である場合には，当該非金銭報酬等の内容	4号・5号によりそれぞれ開示する報酬の中に非金銭報酬等が含まれている場合の所定の事項
	5号の4	会社役員の報酬等についての定款の定め又は株主総会の決議による定めに関する次に掲げる事項 イ 当該定款の定めを設けた日又は当該株主総会の決議の日 ロ 当該定めの内容の概要 ハ 当該定めに係る会社役員の員数	定款の定めまたは株主総会決議をした時点で，当該定めまたは決議の対象となっていた会社役員の員数等の所定の事項
	6号	法第361条第7項の方針又は法第409条第1項の方針を定めているときは，次に掲げる事項 イ 当該方針の決定の方法 ロ 当該方針の内容の概要 ハ 当該事業年度に係る取締役（監査等委員である取締役を除き，指名委員会等設置会社にあっては，執行役等）の個人別の報酬等の内容が当該方針に沿うものであると取締役会（指名委員会等設置会社にあっては，報酬委員会）が判断した理由	事業報告作成時点における方針に関する所定の事項 ※当該事業年度末日の方針に関する所定の事項を記載することも考えられる。 ※ただし，いずれの場合でも，当該事業年度に係る取締役又は執行役の個人別の報酬等の内容が当該方針に沿うものであると取締役会が判断した理由の記載が必要であるため，事業年度中または事業年度末日後に当該方針について変更があった場合には，変更前の当該方針についても当該理由の説明のために必要な記載をすることが考えられる。
	6号の2	各会社役員の報酬等の額又はその算定方法に係る決定に関する方針（前号の方針を除く。）を定めているときは，当該方針の決定の方法及びその方針の内容の概要	

第Ⅰ章 事業報告

121条	6号の3	株式会社が当該事業年度の末日において取締役会設置会社（指名委員会等設置会社を除く。）である場合において，取締役会から委任を受けた取締役その他の第三者が当該事業年度に係る取締役（監査等委員である取締役を除く。）の個人別の報酬等の内容の全部又は一部を決定したときは，その旨及び次に掲げる事項 イ　当該委任を受けた者の氏名並びに当該内容を決定した日における当該株式会社における地位及び担当 ロ　イの者に委任された権限の内容 ハ　イの者にロの権限を委任した理由 ニ　イの者によりロの権限が適切に行使されるようにするための措置を講じた場合にあっては，その内容	当該事業年度における個人別の報酬等の決定の委任に関する所定の事項 ※ただし，当該事業年度に対応する報酬等につき，委任を受けた者が当該事業年度の末日後，事業報告作成時点までに決定した場合も含むと考えられる。
	7号	辞任した会社役員又は解任された会社役員（株主総会又は種類株主総会の決議によって解任されたものを除く。）があるときは，次に掲げる事項（当該事業年度前の事業年度に係る事業報告の内容としたものを除く。） イ　当該会社役員の氏名（会計参与にあっては，氏名又は名称） ロ　法第342条の2第1項もしくは第4項または第345条第	①　当該事業年度中に会社役員が辞任し，または解任された場合における当該会社役員の氏名または名称 ②　会社役員の辞任または解任について次の株主総会において述べられる予定の意見または理由が当該事業年度中に判明した場合における当該意見または理由 ③　当該意見または理由の陳述

121条		1項（同条第4項において読み替えて準用する場合を含む。）の意見があるときは，その意見の内容 ハ　法第342条の2第2項または第345条第2項（同条第4項において読み替えて準用する場合を含む。）の理由があるときは，その理由	が当該事業年度中の株主総会において行われた場合における当該意見または理由
	8号	当該事業年度に係る当該株式会社の 会社役員 （会計参与を除く。）の重要な兼職の状況	直前の定時株主総会の終結の日の翌日から事業年度の末日までの間に在任していた者（途中に辞任し，または解任された者を含む。）に関する事業年度の初日から末日までの重要な兼職（途中で重要な兼職ではなくなったものおよび重要な兼職となったものを含む。）の状況
	9号	会社役員 のうち監査役，監査等委員又は監査委員が財務及び会計に関する相当程度の知見を有しているものであるときは，その事実	直前の定時株主総会の終結の日の翌日から事業年度の末日までの間に在任していた者（途中に辞任し，または解任された者を含む。）が所定の知見を有していること
	10号	次のイ又はロに掲げる場合の区分に応じ，当該イ又はロに定める事項 イ　株式会社が当該事業年度の末日において監査等委員会設置会社である場合　常勤の監査等委員の選定の有無及びその理由	当該事業年度中における常勤の監査等委員又は監査委員に関する所定の事項

条文番号		内容とすべき事項	内容とすべき事項の時点ないし範囲
121条		ロ　株式会社が当該事業年度の末日において指名委員会等設置会社である場合　常勤の監査委員の選定の有無及びその理由	
	11号	前各号に掲げるもののほか，株式会社の会社役員に関する重要な事項	①　事業年度の初日から末日までの重要な事項 ②　事業年度の末日後，事業報告作成時までの事象のうち重要なもの

[施行規則121条の2]

条文番号 （施行規則）		内容とすべき事項	内容とすべき事項の 時点ないし範囲
121条の2	1号	当該役員等賠償責任保険契約の被保険者の範囲	当該事業年度の初日から末日までの間に，当該株式会社が保険者との間で締結している役員等賠償責任保険契約の被保険者の範囲
	2号	当該役員等賠償責任保険契約の内容の概要（被保険者が実質的に保険料を負担している場合にあってはその負担割合，塡補の対象とされる保険事故の概要及び当該役員等賠償責任保険契約によって被保険者である役員等（当該株式会社の役員等に限る。）の職務の執行の適正性が損なわれないようにするための措置を講じている場合にあってはその内容を含む。）	当該事業年度の初日から末日までの間に，当該株式会社が保険者との間で締結している役員等賠償責任保険契約の内容の概要

[施行規則122条]

条文番号 (施行規則)			内容とすべき事項	内容とすべき事項の 時点ないし範囲
122条	1項	1号	当該事業年度の末日において発行済株式(自己株式を除く。)の総数に対するその有する株式の数の割合が高いことにおいて上位となる10名の株主の氏名又は名称,当該株主の有する株式の数(種類株式発行会社にあっては,株式の種類及び種類ごとの数を含む。)及び当該株主の有する株式に係る当該割合	当該事業年度末日における上位10名の株主に関する所定の事項
		2号	当該事業年度中に当該株式会社の会社役員(会社役員であった者を含む。)に対して当該株式会社が交付した当該株式会社の株式(職務執行の対価として交付したものに限り,当該株式会社が会社役員に対して職務執行の対価として募集株式と引換えにする払込みに充てるための金銭を交付した場合において,当該金銭の払込みと引換えに当該株式会社の株式を交付したときにおける当該株式を含む。)があるときは,次に掲げる者(次に掲げる者であった者を含む。)の区分ごとの株式の数(種類株式発行会社にあっては,株式の種類及び種類ごとの数)及び株式の交付を受けた者の人数 (以下,略)	既に退任している者も含めた会社役員に対して,当該事業年度中に職務執行の対価として交付した当該株式会社の株式に関する所定の事項

122条	1項	3号	前2号に掲げるもののほか，株式会社の株式に関する重要な事項	① 当該事業年度の初日から末日までの重要な事項 ② 当該事業年度の末日後，事業報告作成時までの事象のうち重要なもの
	2項		定時株主総会の議決権行使基準日（会社法124条1項）を当該事業年度の末日後の日に定めた場合 ① 前項1号に掲げる事項（上位10名の株主の状況）については，当該基準日における事項とすることも可能 ② ①とした場合，当該基準日	当該事業年度の末日後の日に定めた定時株主総会の議決権行使基準日における上位10名の株主の状況等の所定の事項 ※議決権行使基準日を事業年度の末日後の日に定めた場合でも，事業年度の末日における上位10名の株主に関する所定の事項の開示とすることも可能

[施行規則123条]

条文番号 （施行規則）		内容とすべき事項	内容とすべき事項の時点ないし範囲
123条	1号	当該事業年度の末日において当該株式会社の会社役員（当該事業年度の末日において在任している者に限る。以下この条において同じ。）が当該株式会社の新株予約権等（職務執行の対価として当該株式会社が交付したものに限り，当該株式会社が会社役員に対して職務執行の対価として募集新株予約権と引換えにする払込みに充てるための金銭を交付した場合において，当該金銭の払込みと引換えに当該株式会社の新株予約権を交付したときにおける当該新株予約権を	当該事業年度の末日時点に在任している会社役員が有する当該事業年度の末日時点のストック・オプションに関する所定の事項

条文番号		内容とすべき事項	内容とすべき事項の時点ないし範囲
123条		含む。以下この号及び次号において同じ。）を有しているときは，次に掲げる者の区分ごとの当該新株予約権等の内容の概要及び新株予約権等を有する者の人数（以下略）	
	2号	当該事業年度中に次に掲げる者に対して当該株式会社が交付した新株予約権等があるときは，次に掲げる者の区分ごとの当該新株予約権等の内容の概要及び交付した者の人数（以下略）	当該事業年度中に使用人等（途中で使用人等となった者および使用人等ではなくなった者も含む。）に交付したストック・オプション（途中で失権したものや行使されたものも含む。）に関する所定の事項
	3号	前2号に掲げるもののほか，当該株式会社の新株予約権等に関する重要な事項	① 当該事業年度の初日から末日までの重要な事項 ② 当該事業年度の末日後，事業報告作成時までの事象のうち重要なもの

[施行規則124条]

条文番号 （施行規則）		内容とすべき事項	内容とすべき事項の 時点ないし範囲
124条	1号	社外役員（直前の定時株主総会の終結の日の翌日以降に在任していた者に限る。次号から第4号までにおいて同じ。）が他の法人等の業務執行者であることが第121条第8号に定める重要な兼職に該当する場合は，当該株式会社と当該他の法人等との関係 ※以下，社外役員につき本号と同様の在任時期の限定を付しているものを枠囲いで示す。	直前の定時株主総会の終結の日の翌日から当該事業年度の末日までの間に在任していた社外役員（途中で辞任し，または解任された者を含む）に関する当該事業年度の初日から末日までの重要な兼職のうち，所定のものについて，当該株式会社と当該他の法人等との関係

124条	2号	社外役員 が他の法人等の社外役員その他これに類する者を兼任していることが第12条第8号に定める重要な兼職に該当する場合は，当該株式会社と当該他の法人等との関係	直前の定時株主総会の終結の日の翌日から当該事業年度の末日までの間に在任していた社外役員（途中に辞任し，または解任された者を含む）に関する当該事業年度の初日から末日までの重要な兼職のうち，所定のものについて，当該株式会社と当該他の法人等との関係
	3号	社外役員 が次に掲げる者の配偶者，三親等以内の親族その他これに準ずる者であることを当該株式会社が知っているときは，その事実（重要でないものを除く。） （以下略）	直前の定時株主総会の終結の日の翌日から当該事業年度の末日までの間に在任していた社外役員（途中に辞任し，または解任された者を含む）に関する当該事業年度の初日から末日までの所定の事項
	4号	各 社外役員 の当該事業年度における主な活動状況（次に掲げる事項を含む。） （以下略）	直前の定時株主総会の終結の日の翌日から当該事業年度の末日までの間に在任していた社外役員（途中に辞任し，または解任された者を含む）の主な活動状況に関する当該事業年度の初日から末日までの所定の事項
	5号	当該事業年度に係る社外役員の報酬等について，次のイからハまでに掲げる場合の区分に応じ，当該イからハまでに定める事項 （以下略）	当該事業年度に対応する社外役員の報酬等に関する所定の事項
	6号	当該事業年度において受け，または受ける見込みの額が明らかとなった社外役員の報酬等（前号の規定により当該事業年度に係る事業報告の内容とする報酬等及び当該事業年度前の事業年度に	5号により開示する報酬等以外であって，当該事業年度において受け，または受ける見込みの額が明らかとなった社外役員の報酬等に関する所定の事項 ※当該事業年度の末日後，受け，

124条	6号	係る事業報告の内容とした報酬等を除く。）について，同号イからハまでに掲げる場合の区分に応じ，当該イからハまでに定める事項	または受ける見込みの額が明らかとなった社外役員の報酬等が「重要な事項」に該当する場合には，118条1号等によって開示する。
	7号	社外役員が次のイ又はロに掲げる場合の区分に応じ，当該イ又はロに定めるものから当該事業年度において役員としての報酬等を受けているときは，当該報酬等の総額（社外役員であった期間に受けたものに限る。） イ　当該株式会社に親会社等がある場合当該親会社等又は当該親会社等の子会社等（当該株式会社を除く。） ロ　当該株式会社に親会社等がない場合当該株式会社の子会社	当該事業年度のうち，社外役員であった期間において，社外役員がグループ会社から受けた報酬等の総額
	8号	社外役員についての前各号に掲げる事項の内容に対して当該社外役員の意見があるときは，その意見の内容	1号から7号までの事項の内容について，その内容の対象とされた社外役員の意見の内容

[施行規則125条]

条文番号 （施行規則）		内容とすべき事項	内容とすべき事項の 時点ないし範囲
125条	1号	会計参与と当該株式会社との間で法第427条第1項の契約を締結しているときは，当該契約の内容の概要（当該契約によって当該会計参与の職務の執行の適正性が損なわれないようにするための措置を講じている場合にあっては，その内容を含む。）	当該事業年度の初日から末日までの間に在任した会計参与（途中で辞任し，または解任された者を含む）に関する責任限定契約

125条	2号	会計参与と当該株式会社との間で補償契約を締結しているときは，次に掲げる事項 イ　当該会計参与の氏名又は名称 ロ　当該補償契約の内容の概要（当該補償契約によって当該会計参与の職務の執行の適正性が損なわれないようにするための措置を講じている場合にあっては，その内容を含む。）	当該事業年度の初日から末日までの間に在任した会計参与（途中に辞任し，または解任された者を含む）に関する補償契約に関する所定の事項
	3号	当該株式会社が会計参与（当該事業年度の前事業年度の末日までに退任した者を含む。以下この号及び次号において同じ。）に対して補償契約に基づき法第430条の2第1項第1号に掲げる費用を補償した場合において，当該株式会社が，当該事業年度において，当該会計参与が同号の職務の執行に関し法令の規定に違反したこと又は責任を負うことを知ったときは，その旨	補償契約に基づき費用を補償した会計参与（前事業年度の末日までに退任しており，当該事業年度に在任していなかった者も含む。）が，法第430条の2第1項第1号の職務執行に関して「法令の規定に違反したこと」または「責任を負うこと」を，当該株式会社が，当該事業年度において知った場合はその旨 ※費用の補償自体は当該事業年度にした場合に限らない。
	4号	当該株式会社が会計参与に対して補償契約に基づき法第430条の2第1項第2号に掲げる損失を補償したときは，その旨及び補償した金額	会計参与（前事業年度の末日までに退任しており，当該事業年度に在任していなかった者も含む。）に対して，当該事業年度において，補償契約に基づき損失を補償した場合は所定の事項

序　事業報告の構成

[施行規則126条]

条文番号 (施行規則)		内容とすべき事項	内容とすべき事項の 時点ないし範囲
126条	1号	会計監査人の氏名又は名称	当該事業年度の初日から末日までの間に在任した会計監査人(途中に辞任し,または解任された者を含む)の氏名または名称
	2号	当該事業年度に係る各会計監査人の報酬等の額及び当該報酬等について監査役(監査役会設置会社にあっては監査役会,監査等委員会設置会社にあっては監査等委員会,指名委員会等設置会社にあっては監査委員会)が法第399条第1項の同意をした理由 ※当該株式会社が当該事業年度末日において公開会社でない場合には,本号による開示は必要ない(3号および4号において同じ)。	当該事業年度の初日から末日までの間に在任した会計監査人(途中に辞任し,または解任された者を含む)に対する当該事業年度に対応する報酬等
	3号	会計監査人に対して公認会計士法第2条第1項の業務以外の業務(以下この号において「非監査業務」という。)の対価を支払っているときは,その非監査業務の内容	当該事業年度の初日から末日までの間に在任した会計監査人(途中に辞任し,または解任された者を含む)の非監査業務の内容
	4号	会計監査人の解任又は不再任の決定の方針	事業報告作成時点における所定の方針 ※注参照
	5号	会計監査人が現に業務の停止の処分を受け,その停止の期間を経過しない者であるときは,当該処分に係る事項	事業報告作成時点において業務停止処分を受け,その停止期間を経過しない者に関する処分に係る事項

126条	6号	会計監査人が過去2年間に業務の停止の処分を受けた者である場合における当該処分に係る事項のうち，当該株式会社が事業報告の内容とすることが適切であるものと判断した事項	事業報告作成時点から過去2年間に業務停止処分を受けた者に関する事項
	7号	会計監査人と当該株式会社との間で法第427条第1項の契約を締結しているときは，当該契約の内容の概要（当該契約によって当該会計監査人の職務の適正性が損なわれないようにするための措置を講じている場合にあっては，その内容を含む。）	当該事業年度の初日から末日までの間に在任した会計監査人（途中に辞任し，または解任された者を含む）に関する責任限定契約の内容
	7号の2	会計監査人と当該株式会社との間で補償契約を締結しているときは，次に掲げる事項 イ　当該会計監査人の氏名又は名称 ロ　当該補償契約の内容の概要（当該補償契約によって当該会計監査人の職務の執行の適正性が損なわれないようにするための措置を講じている場合にあっては，その内容を含む。）	当該事業年度の初日から末日までの間に在任した会計監査人（途中に辞任し，または解任された者を含む）に関する補償契約に関する所定の事項
	7号の3	当該株式会社が会計監査人（当該事業年度の前事業年度の末日までに退任した者を含む。以下この号及び次号において同じ。）に対して補償契約に基づき法第430条の2第1項第1号に掲げる費用を補償した場合において，当該株式会社が，当該事業年度において，当該会計監査人が同号の職務の執行に関し法令の規定に違反したこと又は責任を負うことを知ったときは，その旨	補償契約に基づき費用を補償した会計監査人（前事業年度の末日までに退任しており，当該事業年度に在任していなかった者も含む。）が，法第430条の2第1項第1号の職務執行に関して「法令の規定に違反したこと」または「責任を負うこと」を，当該株式会社が，当該事業年度において知った場合はその旨 ※費用の補償自体は当該事業年度にした場合に限らない。

126条	7号の4	当該株式会社が会計監査人に対して補償契約に基づき法第430条の2第1項第2号に掲げる損失を補償したときは，その旨及び補償した金額	会計監査人（前事業年度の末日までに退任しており，当該事業年度に在任していなかった者も含む。）に対して，当該事業年度において，補償契約に基づき損失を補償した場合は所定の事項
	8号	株式会社が法第444条第3項に規定する大会社であるときは，次に掲げる事項 （以下略）	当該事業年度末において，有価証券報告書提出会社である大会社に関する事項
	9号	辞任した会計監査人又は解任された会計監査人（株主総会の決議によって解任されたものを除く。）があるときは，次に掲げる事項（当該事業年度前の事業年度に係る事業報告の内容としたものを除く。） イ　当該会計監査人の氏名又は名称 ロ　法第340条第3項の理由があるときは，その理由 ハ　法第345条第5項において読み替えて準用する同条第1項の意見があるときは，その意見の内容 ニ　法第345条第5項において読み替えて準用する同条第2項の理由又は意見があるときは，その理由又は意見	①　当該事業年度中に会計監査人が辞任し，または解任された場合における当該会計監査人の氏名または名称 ②　会計監査人の辞任または解任について次の株主総会において述べられる予定の意見または理由が当該事業年度中に判明した場合における当該意見または理由 ③　当該意見または理由の陳述が当該事業年度中の株主総会において行われた場合における当該意見または理由
	10号	法第459条第1項の規定による定款の定めがあるときは，当該定款の定めにより取締役会に与えられた権限の行使に関する方針	事業報告作成時点における所定の方針 ※注参照

注　本号に関しては，事業年度との対応関係をより重視し，事業年度末日における当該事項を記載した上で，事業年度末日以降に当該事項に変更が生じたことが「重要な事項」に該当する場合には，施行規則118条1号等に基づき，後発事象として開示を行うという考え方も十分にあり得る。

第Ⅰ章 事業報告

(4) インターネット開示

　経団連モデルにおいても説明されているとおり，事業報告における記載事項の一部については，インターネットで開示することにより，株主に直接提供することを省略することができる（施行規則133条3項）。ただし，定款にインターネットでの開示をすることができる旨の記載が必要である。この場合，招集通知を発出する時から定時株主総会の日から3か月が経過する日までの間，当該事項をインターネットで開示しなければならない。

　事業報告記載事項のうち，インターネットで開示することができる事項の範囲は以下のとおりである（○がインターネットで開示することができる事項）。

　ただし，インターネット開示事項の範囲については，会社法施行規則および会社計算規則の改正によって，令和5年（2023年）2月28日までの時限的措置（同日前に招集手続が開始された定時株主総会に係る事業報告および計算書類のインターネット開示までが適用対象となる。改正案附則2条）として，インターネット開示事項を拡大することが予定されている（施行規則改正案133条の2，計算規則改正案133条の2）。これは，新型コロナウイルス感染症の拡大を受けた特例措置として時限的にインターネット開示の対象事項の範囲が拡大されていた措置（令和3年法務省令第1号，2021年9月30日に失効）と同様の措置を改めて講じるものである。

　具体的に拡大される事項は，事業報告のうち「当該事業年度における事業の経過及びその成果」（施行規則120条1項4号）および「対処すべき課題」（同8号），ならびに，計算書類のうち貸借対照表および損益計算書に表示すべき事項である。なお，監査役等による監査報告および会計監査人による会計監査報告も対象となる（施行規則133条1項，計算規則133条1項参照）。ただし，貸借対照表および損益計算書は，会計監査報告に無限定適正意見が付されていること等の一定の要件を満たす必要がある（計算規則改正案133条の2第1項但書）。

　また，かかる時限的措置を用いる場合には，株主の利益を不当に害することがないよう，できる限り早期にインターネット開示を開始する等といった形で，特に配慮することが求められる（施行規則改正案133条の2第4項，計算規則

改正案133条の2第4項)。

　同改正は，本書脱稿時点では施行されていないが，すでにパブリックコメント手続は2021年11月13日に終了しており，各改正省令の公布の日から施行される予定である（改正案附則1条)。

① すべての株式会社に関する事項（施行規則118条）

条文番号 （施行規則）		対　象　事　項	インターネット 開示の可否
118条	1号	株式会社の状況に関する重要な事項	○
	2号	業務の適正を確保するための体制の整備に関する決定又は決議に関する事項の概要及びその体制の運用状況の概要	○
	3号	株式会社の財務及び事業の方針の決定を支配する者の在り方に関する基本方針に関する事項	○
	4号	特定完全子会社に関する事項	○
	5号	親会社等との取引に関する事項	○

② 株式会社の現況に関する事項（施行規則120条1項）

条文番号 （施行規則）		対　象　事　項	インターネット 開示の可否
120条 1項	1号	事業年度の末日における主要な事業内容	○
	2号	事業年度の末日における主要な営業所及び工場並びに使用人の状況	○
	3号	事業年度の末日における主要な借入先及び借入額	○
	4号	事業年度における事業の経過及びその成果	×
	5号	事業年度における次に掲げる事項についての状況（重要なものに限る。） ・資金調達や設備投資 ・事業譲渡，会社分割，事業譲受，吸収合併や吸収分割による権利義務の承継 ・他の会社の株式その他の持分又は新株予約権等の取得又は処分	×

第Ⅰ章 事業報告

120条1項	6号	直前三事業年度の財産及び損益の状況	○
	7号	重要な親会社及び子会社の状況	×
	8号	対処すべき課題	×
	9号	その他株式会社の現況に関する重要な事項	○

③ 会社役員に関する事項（施行規則121条）

条文番号 （施行規則）		対　象　事　項	インターネット開示の可否
121条	1号	会社役員の氏名	×
	2号	会社役員の地位及び担当	×
	3号	会社役員との責任限定契約に関する事項	○
	3号の2	会社役員との補償契約に関する事項	×
	3号の3	補償契約に基づき費用を補償した会社役員が法令違反をしたこと，又は責任を負うことを知ったことに関する事項	×
	3号の4	補償契約に基づき会社役員に対して損失を補償したことに関する事項	×
	4号	当該事業年度に係る会社役員の報酬等	×
	5号	当該事業年度において受け，又は，受ける見込みの額が明らかとなった会社役員の報酬等	×
	5号の2	業績連動報酬等に関する事項	×
	5号の3	非金銭報酬等に関する事項	×
	5号の4	報酬等に関する定款の定め又は株主総会決議に関する事項	×
	6号	各会社役員の報酬等の額又はその算定方法のに係る決定方針に関する事項	×
	6号の2		×
	6号の3	各会社役員の報酬等の額の決定の委任に関する事項	×
	7号	辞任した会社役員又は解任された会社役員に関する事項	○
	8号	会社役員の重要な兼職の状況	○

条文番号 (施行規則)		対象事項	インターネット開示の可否
121条	9号	監査役等の財務及び会計に関する相当程度の知見に関する事項	○
	10号	常勤の監査等委員・監査委員の有無及びその理由（監査等委員会設置会社又は指名委員会等設置会社に限る）	○
	11号	その他会社役員に関する重要な事項	○

④ 役員等賠償責任保険契約に関する事項（施行規則121条の2）

条文番号 (施行規則)		対象事項	インターネット開示の可否
121条の2	1号	当該役員等賠償責任保険契約の被保険者の範囲	×
	2号	当該役員等賠償責任保険契約の内容の概要	×

⑤ 株式に関する事項（施行規則122条）

条文番号 (施行規則)			対象事項	インターネット開示の可否
122条	1項	1号	上位10名の株主の状況	○
		2号	事業年度中に会社役員（会社役員であった者を含む）に対して職務執行の対価として交付された株式に関する事項	○
		3号	その他株式に関する重要な事項	○

⑥ 新株予約権に関する事項（施行規則123条）

条文番号 (施行規則)		対象事項	インターネット開示の可否
123条	1号	会社役員が有する新株予約権等のうち、職務執行の対価として交付されたものに関する事項	○
	2号	事業年度中に使用人等に対して職務執行の対価として交付された新株予約権等に関する事項	○
	3号	その他新株予約権等に関する重要な事項	○

⑦　社外役員に関する特則（施行規則124条）

条文番号 （施行規則）		対　象　事　項	インターネット 開示の可否
124条	1号	他の法人等の業務執行者との重要な兼職に関する事項	○
	2号	他の法人等の社外役員等との重要な兼職に関する事項	○
	3号	自然人である親会社等，事業報告作成会社又は事業報告作成会社の特定関係事業者の業務執行者又は役員との親族関係	○
	4号	各社外役員の主な活動状況	○
	5号	当該事業年度における社外役員の報酬等	○
	6号	当該事業年度において受け，又は受ける見込みの額が明らかとなった社外役員の報酬等	○
	7号	親会社等，親会社等の子会社等，又は子会社等からの役員報酬等の総額	○
	8号	前各号の記載内容に対する社外役員の意見	○

⑧　会計参与に関する事項（施行規則125条）

条文番号 （施行規則）		対　象　事　項	インターネット 開示の可否
125条	1号	会計参与との責任限定契約に関する事項	○
	2号	会計参与との補償契約に関する事項	×
	3号	補償契約に基づき費用を補償した会計参与が法令違反をしたこと，又は責任を負うことを知ったことに関する事項	×
	4号	補償契約に基づき会計参与に対して損失を補償したことに関する事項	×

⑨ 会計監査人に関する事項（施行規則126条）

条文番号 (施行規則)		対　象　事　項	インターネット開示の可否
126条	1号	会計監査人の氏名又は名称	○
	2号	会計監査人の報酬等の額及び当該報酬等について監査役等が同意した理由	○
	3号	公認会計士法第2条第1項の業務以外の業務（非監査業務）の内容	○
	4号	会計監査人の解任又は不再任の決定の方針	○
	5号	会計監査人の現在の業務停止処分に関する事項	○
	6号	会計監査人の過去2年間の業務停止処分に関する事項のうち，会社が事業報告の内容とすべきと判断した事項	○
	7号	会計監査人との責任限定契約に関する事項	○
	7号の2	会計監査人との補償契約に関する事項	×
	7号の3	補償契約に基づき費用を補償した会計監査人が法令違反をしたこと，又は責任を負うことを知ったことに関する事項	×
	7号の4	補償契約に基づき会計監査人に対して損失を補償したことに関する事項	×
	8号	株式会社が大会社である場合の記載事項	○
	9号	辞任した又は解任された会計監査人に関する事項	○
	10号	剰余金の配当等を取締役会が決定する旨の定款の定めがあるときの権限の行使に関する方針	○

第Ⅰ章 事業報告

第1節

株式会社の現況に関する事項

第1 事業の経過およびその成果

経団連モデル

> **第2 各記載事項の記載方法**
>
> 　事業報告とは，報告の対象となる事業年度における事業の経過及び成果を株主に対して報告するという性質のものであるため，原則として，対象となる事業年度の初日から末日までに発生ないし変動した事象を内容とすれば足りる。事業年度末日後に生じた事象については，株主にとり重要な事項に限り「その他株式会社の現況に関する重要な事項」（会社法施行規則第120条第1項第9号）や「会社役員に関する重要な事項」（会社法施行規則第121条第11号），「当該株式会社の状況に関する重要な事項」（会社法施行規則第118条第1号）などとして事業報告の内容とすることが考えられる。ただし，会社法施行規則上，明文によって記載の基準時が定められているものや，記載事項の性質上，事業報告作成時点における内容を記載することが適切であると考えられるものも存在する。
>
> **1. 株式会社の現況に関する事項**
> **1-1. 事業の経過及びその成果**
> ［会社法施行規則の条項］
> 　会社法施行規則第120条第1項第4号に対応する事項である。

第1節　株式会社の現況に関する事項

【事業報告作成会社の状況について記載する場合】
［記載方法の説明］
　当該事業年度における事業の経過及びその成果について記載する。具体的には，①事業報告作成会社をめぐる経済環境，②業界の状況，③その中での会社の生産，仕入れ及び販売等の状況，売上高，当期純損益等を記載する。場合によっては生産高・生産能力及び稼動率を記載することも考えられる。
　事業の部門が分かれている場合には，部門別の売上高又は生産高等の状況を記載する。ただし，部門別に区別することが困難である場合についてはこの限りではない。
　そのほか，その事業年度において起こった重要な経営上の出来事，すなわち経営上の重要な契約の締結・解消，重要な研究開発活動，重要な固定資産の取得・処分等も，その重要性に応じた分量で記載することが考えられる。
　なお，合併等の重要な組織再編については，別項目（1-2(3)から(6)まで）において記載することとされているが，本項目において記載することも考えられる。

【企業集団の状況について記載する場合】
［記載方法の説明］
　①企業集団をめぐる経済環境，②業界の状況，③その中での企業集団の生産，仕入れ及び販売等の状況，売上高，親会社株主に帰属する当期純損益等を記載する。場合によっては企業集団の生産高・生産能力及び稼動率を記載することも考えられる。
　複数の事業セグメントを有している場合には，事業セグメント別の売上高等の状況を記載する。ただし，セグメント毎に区別することが困難である場合については，この限りではない。
　「企業集団」との表現を，「当社グループ」等の適当な表現により代替することも差し支えない。
　そのほか，当連結会計年度中に起こった重要な経営上の出来事，すなわち経営上の重要な契約の締結・解消，重要な研究開発活動，重要な固定資産の取得・処分等も，その重要性に応じた分量で記載することが考えられる。
　なお，合併等の重要な組織再編については，別項目（1-2(3)から(6)まで）において記載することとされているが，本項目において記載することも考えられる。

(1) 部門別（セグメント別）に区別した記載

　部門別（セグメント別）の売上高等の記載方法としては，部門別の売上高，前期比の増減，売上構成比等を表形式で記載するほか，部門別の状況について文章で説明することも考えられる。

　この場合の事業の「部門」とは，会社内の組織上の区分のみにより決定されるものではなく，製品・商品の種類の区分等を踏まえて，実質的に判断することになる。会社内の組織としては，単一の部門しか存在しない場合であっても，取り扱う製品・商品の種類によっては，複数の部門に区別して記載すべき場合もあれば，逆に，組織上は複数の部門に分かれている場合でも，複数の部門に区別して記載する必要がない場合もある。また，部門が複数に分かれている場合でも，単一の部門が損益の大半を占め，残りの部門が僅少な場合には，残りの部門については，総称して「その他事業」等の適宜の名称を用いて表示することも考えられよう。

　なお，部門の区別は，原則として前事業年度と継続した区別を用いるべきであり，合理的な理由に基づきその区別を変更する場合には，その旨を記載すべきである。

(2) 部門別（セグメント別）に区別することが困難である場合

　部門別に区別して記載することの困難性については，部門別に区別して把握することが困難であるか否かが主たる判断要素になるが，それに加えて，その把握に過大なコストを要するか，会社の競争上の地位の確保を含めた合理的な企業秘密の確保の観点から記載が困難であるか否か等を総合的に判断して決定すべきであろう。部門別損益の状況については，区別して記載することが困難な場合が少なくない。

(3) その他の株式会社の現況に関する重要な事項の記載

　「事業の経過及びその成果」は，その事業年度における会社の事業の概括的情報を対象とし，取締役の職務執行状況に関する報告の中心をなすもので

ある。そこで，本項目では，会社の経営上または組織上の重要事項をまとめて記載することも考えられ，経団連モデルで言及されている「合併等の重要な組織再編」(1-2 (3) から (6)) のほか，「当該株式会社の現況に関する重要な事項」(1-10) についても，この箇所で記載することも考えられる（1-10で説明する，事業年度の末日後に生じた財産・損益に影響を与えない重要な事象について，本項目で記載することも考えられよう）。

(4) 記 載 例

　企業集団の状況について記載する場合には，以下のような記載が考えられる。企業集団の状況について記載する場合，「企業集団」との表現を，「当社グループ」等の適当な表現により代替することも差し支えない。なお，この場合，「当社グループ」の範囲を明らかにしておく（例えば，「本事業報告において，『当社グループ』とは，会社法施行規則第120条第2項で用いられる『企業集団』を意味するものとします。」という注記をしておく）等の手当をしておくことも考えられる。

(参考例)
1．当社グループの現況に関する事項
(1) 事業の経過及びその成果
　当連結会計年度における我が国経済は……。
　当社グループが属する××業界におきましては……。
　このような環境の中で，当社グループは……。
　以上の結果，当連結会計年度の売上高は，〇〇円（前連結会計年度比〇％増），経常利益は〇〇円（前連結会計年度比〇％増），当期純利益は〇〇円（前連結会計年度比〇％増）となりました。

　　(注) 本事業報告において，「当社グループ」とは，会社法施行規則第120条第2項に用いられる「企業集団」を意味するものとします。

第Ⅰ章 事業報告

事業区分別の売上概況は以下のとおりです。

事業区分	売上高	構成比	前連結会計年度比
××事業		%	%
××事業			
××事業			
××事業小計			
△△事業			
その他事業			
合　　計			

〔××事業〕
……。
〔△△事業〕
……。
〔その他事業〕
……。

第1節　株式会社の現況に関する事項

第2　資金調達等についての状況（重要なものに限る）

(1) 資金調達

経団連モデル

> 1-2. 資金調達等についての状況（重要なものに限る。）
> (1) 資金調達
> ［会社法施行規則の条項］
> 　会社法施行規則第120条第1項第5号イに対応する事項である。
> 【事業報告作成会社の状況について記載する場合】
> ［記載方法の説明］
> 　当該事業年度中に経常的な資金調達ではない増資又は社債発行その他の重要な借入れ等があった場合に，その内容を簡潔に記載する。
> 　事業部門が分かれている場合には，部門別に記載する。ただし，記載が困難な事項については，この限りではない。
>
>> ［記載例］
>> 　○月には，公募により○○○○万株の時価発行（払込金額1株につき○○○円）をいたしました。
>
> 【企業集団の状況について記載する場合】
> ［記載方法の説明］
> 　当連結会計年度中に経常的な資金調達ではない増資又は社債発行その他の重要な借入れ等があった場合に，その内容を簡潔に記載する。
> 　連結会社（会社計算規則第2条第3項第24号）としてグループ全体で外部から資金を調達している場合には，その内容を記載すればよい。

> [記載例]
>   ○年○月には，当社において，公募により○○○○万株の時価発行（払込金額1株につき○○○円）をいたしました。同年□月には，△△社において，無担保普通社債（○億円）の発行をいたしました。

① 記載内容

　本項目では，当該事業年度の初日から末日までの主要な設備投資等に充当するための増資，社債発行，多額の借入について記載する。会社法施行規則120条1項5号には「重要なものに限る。」との限定が付されていることから，経常的な資金調達である場合や金額・目的等に鑑み重要度が低い事項について記載する必要はない。

　ア　新株予約権の行使による場合

　ストック・オプションとして交付した新株予約権が行使される場合，会社の意思とは関係なく権利が行使されるのが一般であり，また，個々の新株予約権の行使により出資される金額が事業規模と比して巨額になることは稀であるから，あえて本項目で記載する必要はないと考えられる（仮に記載するとしても，当事業年度中に行使された新株予約権の行使により出資された金額の総額を概括的に記載すれば足りる）。

　これに対し，金融機関等に対し，資金調達の目的で交付した新株予約権が行使された場合には，金額も巨額になることが多く，会社への影響が大きいと考えられることから，記載を要することが多いと思われる。

　イ　企業集団の内部での資金調達

　企業集団の内部における資金の融通については，企業集団の状況について記載する場合には，特に記載することを要しない。また，事業報告作成会社の状況について記載する場合でも，企業集団の内部における資金の融通は経常的なものと考えられるから，記載を要しないことが多いと思われる。

第1節　株式会社の現況に関する事項

② 部門別（セグメント別）に区別した記載

　当該資金調達により調達した資金の主たる使途が，特定の事業部門に属する工場に対する設備投資資金である等，特定の部門による資金調達であることが明確な場合には，その旨を区別して記載することが考えられる。もっとも，資金調達の状況は，旧商法施行規則では，部門別に記載することが困難な事項として例示されていた事項でもあり（旧商法施行規則103条3項但書参照），部門別に区別することが困難な場合も多いと思われる。

(2) 設備投資

経団連モデル

> **(2) 設備投資**
> ［会社法施行規則の条項］
> 　会社法施行規則第120条第1項第5号ロに対応する事項である。
> **【事業報告作成会社の状況について記載する場合】**
> ［記載方法の説明］
> 　全社的にみて生産能力の大幅な増強につながる設備投資（重要な設備投資計画を含む。）があれば，その旨を記載する。すなわち，
> ① 当該事業年度中に完成した主要設備（新設，大規模な拡充・改修）
> ② 当該事業年度において継続中の主要設備の新設・拡充・改修
> ③ 生産能力に重要な影響を及ぼすような固定資産の売却，撤去又は災害等による滅失
>
> を記載する。なお，上記①及び②に関し，生産能力がどれほど増加するかを記載することも考えられる。
> 　事業部門が分かれている場合には，各部門の事業の経過及びその成果の説明の中に設備投資の状況を記載するか，設備投資の状況の項目の中にまとめて記載し，それぞれがどの事業部門に属するかを明示する。ただし，記載が困難な事項については，この限りではない。なお，事業部門が設備の名称によって明らかな場合はどの事業部門に属するかを明示する必要はない。

第Ⅰ章 事業報告

> [記載例]
> ① 当事業年度中に完成した主要設備
>   ○○工場（○○部門）　　○○設備の新設
> ② 当事業年度において継続中の主要設備の新設・拡充
>   ○○工場（○○部門）　　○○設備の新設

【企業集団の状況について記載する場合】
[記載方法の説明]
　企業集団全体で，生産能力の大幅な増強につながる設備投資（重要な設備投資計画を含む。）があれば，その内容等を簡潔に記載する。すなわち，
　① 当該連結会計年度中に完成した主要設備（新設，大規模な拡充・改修）
　② 当該連結会計年度において継続中の主要設備の新設・拡充・改修
　③ 企業集団の生産能力に重要な影響を及ぼすような固定資産の売却，撤去又は災害等による滅失
を記載する。なお，上記①及び②に関し，生産能力がどれほど増加するかを記載することも考えられる。
　複数の事業セグメントを有している場合には，各事業セグメントの企業集団の事業の経過及びその成果の説明の中に設備投資の状況を記載するか，企業集団の設備投資の状況の項目の中にまとめて記載し，それぞれがどの事業セグメントに属するかを明示する。ただし，その記載が困難な事項についてはこの限りではない。

> [記載例]
> ① 当連結会計年度中に完成した主要設備
>   当社○○工場（○○セグメント）　　○○設備の新設
> ② 当連結会計年度において継続中の主要設備の新設・拡充
>   ○○株式会社○○工場（○○セグメント）　　○○設備の新設

① 生産能力の増強
　生産能力の増強とは，必ずしも工場設備等に対する投資に限られるもので

はなく，会社の業態に応じ，当該会社の損益の状況に大幅に影響を与える可能性がある場合（例えば，小売業における店舗の改装に対する設備投資，流通業における物流センター・倉庫の新設・拡充等）も含まれる。

② 生産能力の減少

会社法施行規則120条1項5号ロに定める「設備投資」は，必ずしも生産能力の大幅な増強につながる事項（新設，重要な拡充，改修等）に限定されておらず，生産能力の大幅な減少につながる事項（処分，除去等）も含まれると考えられる（稲葉威雄『改正会社法』（金融財政事情研究会，1982）302頁）。経団連モデルも指摘するとおり，固定資産の売却，撤去または災害等による減失が生じた場合において，生産能力に重要な影響を及ぼす可能性がある場合には，これを記載することも考えられる。

(3) 事業の譲渡等

経団連モデル

> (3) 事業の譲渡，吸収分割又は新設分割
> (4) 他の会社（外国会社を含む。）の事業の譲受け
> (5) 吸収合併（会社以外の者との合併（当該合併後当該株式会社が存続するものに限る。）を含む。）又は吸収分割による他の法人等の事業に関する権利義務の承継
> (6) 他の会社（外国会社を含む。）の株式その他の持分又は新株予約権等の取得又は処分
> ［会社法施行規則の条項］
> 　会社法施行規則第120条第1項第5号ハからヘまでに対応する事項である。
> 【事業報告作成会社の状況について記載する場合】
> ［記載方法の説明］
> 　当該事業年度中に行われた上記行為のうち，重要なものを，その重要性に

応じた分量で記載することが考えられる。事業自体の移転を伴う行為のほか，株式や新株予約権を取得又は処分する行為についても，事業自体の移転と同視しうる場合には，これを記載することが求められている。

> [記載例]
> ① ○○社は，○年○月○日をもって会社分割により，当社の○○事業を承継し，設立された会社です。
> ② 当社は，○年○月○日をもって○○社を吸収合併いたしました。
> ③ 当社は，○年○月○日をもって，△△社の発行済株式の全てを取得し，100％子会社といたしました。
> ④ 当社は，○年○月○日をもって，△△社の発行した第○回新株予約権○○個（目的たる株式の総数○株）の割当を受けました。
>
> 【企業集団の状況について記載する場合】
> [記載方法の説明]
> 　記載すべき項目は，上記【事業報告作成会社の状況について記載する場合】と同様である。ただし，企業集団の状況について記載する場合，事業報告作成会社の行った行為のみならず，子会社等の行った行為についても記載することとなる。

① 標題等

本項目では，事業自体の移転を伴う行為や，株式または新株予約権の移転を伴う行為について，重要なものを記載する。このため，それぞれの項目について「事業の譲渡，吸収分割又は新設分割の状況」「他の会社の事業の譲受けの状況」等の独立の標題を設けるほか，「重要な組織再編等」等の概括的な標題を設けて，関係する事項を一括して記載することも考えられる。

また，独立の項目を設けて記載するほか，「事業の経過及びその成果」(1-1)に記載することも考えられ，子会社の異動を伴う場合には，「重要な親会社及び子会社の状況」(1-7) に記載することも考えられる。

② 記載内容

　当該事業年度の初日から末日までの合併等の重要な組織再編等について記載することとなるが，当該組織再編等により，新たに子会社または関連会社となる会社が生じた場合，あるいは子会社または関連会社から外れた会社がある場合には，その旨を記載することも考えられる。また，企業集団の状況について記載する場合には，子会社による合併等の組織再編等について，重要度に応じ，記載することも考えられる。

　なお，令和元年会社法改正により導入された株式交付による株式の取得についても，「他の会社……の株式……の取得」として，本項目での記載対象となる。

第3　直前三事業年度の財産および損益の状況

経団連モデル

> 1-3．直前三事業年度の財産及び損益の状況
> ［会社法施行規則の条項］
> 　会社法施行規則第120条第1項第6号に対応する事項である。
> 【事業報告作成会社の状況について記載する場合】
> ［記載方法の説明］
> 　「財産の状況」については、総資産又は純資産の状況を記載する。
> 　「損益の状況」については、①売上高、②当期純利益、③一株当たり当期純利益等の状況を表（記載例参照）又はグラフにより表示する。
> 　「直前三事業年度」とは、当該事業年度は含まない、それ以前の三事業年度という趣旨であるが、会社法施行前の実務と同様、当該事業年度分も含め、四期比較で表示することが考えられる。当該事業年度の末日において三事業年度が終了していない場合は、成立後の各事業年度について記載する。
> 　財産及び損益の状況に関する説明については、特に記載を求められていないが、これらの状況が著しく変動し、その要因が明らかなときは、主要な要因を概略説明することが考えられる。
> 　なお、本事項については、事業年度経過後の会計方針の変更その他の正当な理由により当該事業年度より前の事業年度に関する定時株主総会において承認又は報告をしたものと異なることとなったときは、修正を反映した事項を記載することができる旨が、法務省令に規定されている（会社法施行規則第120条第3項、会社計算規則第96条第7項第1号・同第133条第3項・同第134条第4項）。具体的な修正については、企業会計基準第24号「会計方針の開示、会計上の変更及び誤謬の訂正に関する会計基準」及び企業会計基準適用指針第24号「会計方針の開示、会計上の変更及び誤謬の訂正に関する会計基準の適用指針」、企業会計基準第21号「企業結合に関する会計基準」及び

企業会計基準適用指針第10号「企業結合会計基準及び事業分離等会計基準に関する適用指針」に従うこととなる。

[記載例]

(財産及び損益の状況)

区　分	第○期	第○期	第○期	第○期 (当事業年度)
売上高　　　　　　(十億円) 当期純利益　　　　(十億円) 一株当たり当期純利益　(円) 総資産又は純資産　(十億円)				

(記載上の注意)
(1) 記載項目に著しい変動があり、その要因が明らかな場合には、主要な要因を簡潔に注記することが考えられる。
(2) 金額単位については、一株当たり当期純利益を除き、会社計算規則第144条(金額の表示の単位)を準用し、100万円単位又は10億円単位とすることが考えられる。ただし、当該単位より低い単位を用いることも差し支えない。
(3) 上記項目はあくまで目安であり、上記項目以外の項目を付加することも差し支えない。

【企業集団の状況について記載する場合】
[記載方法の説明]
　「財産の状況」については、総資産又は純資産を記載する。
「損益の状況」については、企業集団の過去3年間の①売上高、②親会社株主に帰属する当期純利益、③一株当たり当期純利益等を表(記載例参照)又はグラフにより表示する。
　「直前三事業年度」の考え方については、【事業報告作成会社の状況について記載する場合】と同様である。
　財産及び損益の状況に関する説明については、特に記載を要することとされていないが、これらの状況が著しく変動し、その要因が明らかなときは、

主要な要因を概略説明することが考えられる。
　なお，企業集団の財産及び損益の状況を記載する場合においては，事業報告作成会社の財産及び損益の状況を省略することが可能であるが，会社法施行前の実務の取扱いと同様，事業報告作成会社の財産及び損益の状況も記載しておくことも考えられる。

[記載例]

(企業集団の財産及び損益の状況)

区　　分	第○期	第○期	第○期	第○期 (当連結会計年度)
売上高　　　　　(十億円) 親会社株主に帰属する 当期純利益　　　(十億円) 一株当たり当期純利益（円） 総資産又は純資産（十億円）				

(事業報告作成会社の財産及び損益の状況)

区　　分	第○期	第○期	第○期	第○期 (当事業年度)
売上高　　　　　(十億円) 当期純利益　　　(十億円) 一株当たり当期純利益（円） 総資産又は純資産（十億円）				

(記載上の注意)
(1) 記載項目に著しい変動があり，その要因が明らかな場合には，主要な要因を簡潔に注記する。
(2) 金額単位については，一株当たり当期純利益を除き，会社計算規則第144条（金額の表示の単位）を準用し，100万円単位又は10億円単位とすることが考えられる。ただし，当該単位より低い単位を用いることも差し支えない。
(3) 上記項目はあくまで目安であり，上記項目以外の項目を付加することも差し支えない。

(1) 対象期間

「直前3事業年度」が対象期間とされており（施行規則120条1項6号），暦年ではなく事業年度を基準として対象期間を考えることになる。事業年度の末日の変更等により，各事業年度の期間が同一でない場合には，その旨を注記するか，あるいは，各事業年度が対象とする期間を明示することが望ましい。また，経団連モデルが指摘するとおり，当該事業年度の末日において3事業年度が終了していない場合，成立後の事業年度について記載すれば足りることが明確化された。

なお，「直前3事業年度」が対象期間とされるが，任意にそれ以上の期間について記載することは妨げられない。

(2) 記載内容

本項目における記載内容としては，経団連モデルで指摘される事項に加えて，①受注高（長期契約または受注に依存している業種の場合），②売上総利益（売上総損失），③営業利益（営業損失），④経常利益（経常損失）等を記載することも考えられる。

なお，企業集団の状況について記載する場合には，上記に加えて，事業報告作成会社の状況について記載することは必須ではないが（施行規則120条2項参照），経団連モデルのとおり，事業報告作成会社の状況についても併せて記載することが考えられる。

(3) 財産および損益の状況に関する説明

会社法施行規則の条文上は，「財産及び損益の状況」に関する個別具体的な説明は求められていない。

もっとも，経団連モデルのとおり，記載項目に著しい変動がある場合等，株主においてその変動の要因が容易には理解できないような場合には，その要因を記載すべきである。具体的には，当該事業年度において，株式の分割・株式の併合がなされた場合や，重要な企業結合等が生じた場合等が想定

される。記載例は以下のとおりである。

> **(参考例)**
> ① ○年○月○日をもって，普通株式1株を2株に分割する株式の分割を行っております。○年○月期の1株当たり当期純利益（純損失）は，当該株式の分割が期首に行われたものと仮定して算出しております。
> ② 第○期において子会社化した○○株式会社の損益については，第○期連結決算より反映されております。

(4) 過年度事項の修正についての記載

　本項目において記載すべき直前3事業年度の財産および損益の状況は，各事業年度に係る定時株主総会において承認または報告された計算書類の内容が基礎となる。もっとも，会計方針の変更その他の正当な理由により，過年度の計算書類に表示すべき事項（過年度事項）が，各事業年度の定時株主総会において承認または報告をしたものと異なっているときは，本項目には，当該修正を反映した事項を記載することが認められている（施行規則120条3項）。過年度事項について，このような修正を行っている場合には，その旨を注記することも考えられる。なお，具体的な修正については，経団連モデルのとおり，企業会計基準委員会より公表された「会計方針の開示，会計上の変更及び誤謬の訂正に関する会計基準」（企業会計基準第24号）および「会計方針の開示，会計上の変更及び誤謬の訂正に関する会計基準の適用指針」（企業会計基準適用指針第24号）並びに「企業結合に関する会計基準」（企業会計基準第21号）および「企業結合会計基準及び事業分離等会計基準に関する適用指針」（企業会計基準適用指針第10号）に従うこととなる。

第4　対処すべき課題

経団連モデル

> 1-4．対処すべき課題
> ［会社法施行規則の条項］
> 　会社法施行規則第120条第1項第8号に対応する事項である。
> 【事業報告作成会社の状況について記載する場合】
> ［記載方法の説明］
> 　事業の推進のために克服すべき当面の主要課題を事業の経過及びその成果の記載との関連において記載する。これは，当該事業年度の事業の経過及び成果を踏まえて，現時点における対処すべき課題を報告するものであるから，対処すべき課題としては事業報告作成時点のものを記載する。
> 　なお，「対処すべき課題」には，社会的・経済的制度にかかわるもの及び長期的視点にたっての課題は含めなくてもよい。
>
> 【企業集団の状況について記載する場合】
> ［記載方法の説明］
> 　企業集団の事業の推進のために克服すべき当面の主要課題を事業の経過及びその成果の記載との関連において記載する。これは，当該事業年度の事業の経過及び成果を踏まえて，現時点における対処すべき課題を報告するものであるから，対処すべき課題としては事業報告作成時点のものを記載する。
> 　なお，「対処すべき課題」には，社会的・経済的制度にかかわるもの及び長期的視点にたっての課題は含めなくてもよい。

　本項目において記載すべき事項として，対処すべき課題のみで足りるのか，あるいは対処すべき課題についての会社の対処方針，計画等についても含まれるのかは条文上は明確ではない。
　もっとも，対処すべき課題についての対処方針や計画等は，当該対処すべ

き課題に付随するものであり，基本的には企業秘密の保持等の観点に配慮しつつ，当該事業年度の事業の経過および成果を踏まえた上で，事業報告作成時点における内容について記載を行うものと考えられる（有価証券報告書の「対処すべき課題」としても，「対処すべき事業上及び財務上の課題について，その内容，対処方針等を経営方針・経営戦略等と関連付けて具体的に記載すること」が求められている（企業内容等の開示に関する内閣府令第三号様式記載上の注意（10）・第二号様式記載上の注意（30））ことが参考になろう）。

第5 当該事業年度の末日における主要な事業内容

経団連モデル

> **1-5. 主要な事業内容**
> ［会社法施行規則の条項］
> 　会社法施行規則第120条第1項第1号に対応する事項である。
> 　（企業集団の状況について記載する場合は，表題を「企業集団の主要な事業セグメント」とする）
> **【事業報告作成会社の状況について記載する場合】**
> ［記載方法の説明］
> 　事業部門名から当該事業の内容が推認できる場合には，主要な事業部門名を記載することで足りる。各部門について「事業の経過及びその成果」(1-1)を記載することとされているため，「主要な事業内容」について別の項目を立てて重複記載する必要はない。
> 　それ以外の場合には，主要な製品又はサービスを記載することになるが，これは「事業の経過及びその成果」の中で記載してもよい。
> 　事業内容としては，事業報告の対象となる事業年度の末日現在の状況を記載する。
> **【企業集団の状況について記載する場合】**
> ［記載方法の説明］
> 　複数の事業セグメントを有しており，その内容がセグメント名から推認できる場合には，主要な事業セグメント名を記載する。各セグメントについて「事業の経過及びその成果」(1-1)を記載することとされているため，「主要な事業セグメント」について別の項目を立てて重複記載する必要はない。
> 　事業内容としては，事業報告の対象となる事業年度の末日現在の状況を記載する。

(1) 標題等

本項目を独立の項目として記載する場合には,「主要な事業内容」等の標題を付して記載する。また,本項目については,「事業年度の末日における」内容を記載することとされていることから,標題の後に「(○年○月○日現在)」と付し,事業年度の末日現在の内容であることを明確にすることも考えられる（下記(2)の参考例参照)。

(2) 記載内容

本項目においては,定款上の事業目的を記載するのではなく,会社が事業年度の末日において現に行っている事業の内容を記載することを要する。本項目を独立の項目として記載する場合には,主要な事業内容と各事業に属する製品またはサービスを図表形式で記載することも考えられる。

(参考例)
主要な事業内容（○年○月○日現在）

事　業	主要な製品またはサービス
○○事業	○○
△△事業	△△
××事業	□□

第1節　株式会社の現況に関する事項

第6　当該事業年度の末日における主要な営業所および工場ならびに使用人の状況

(1) 主要な営業所および工場

経団連モデル

1-6. 主要な営業所及び工場並びに使用人の状況
[会社法施行規則の条項]
　会社法施行規則第120条第1項第2号に対応する事項である。
　（企業集団の状況について記載する場合は，表題を「**企業集団の主要拠点等**」とする）
(1) 主要な営業所及び工場
【事業報告作成会社の状況について記載する場合】
[記載方法の説明]
　主要な営業所及び工場の名称及びその所在地を記載する。所在地の記載は都道府県名又は都市名までとすることが考えられる。したがって，営業所，工場名に所在地を示す都道府県名又は都市名が付される場合には，所在地を記載する必要はない。状況としては，事業報告の対象となる事業年度の末日現在のものを記載する。

　[記載例]
　　① 営業所：大阪，名古屋，九州（福岡），札幌，中国（広島），仙台，
　　　　　　　四国支店（高松）
　　② 工　場：大阪，粟津，川崎，小山

(記載上の注意)
　①で実際の名称が営業所でない場合は，四国支店（高松）のように，実際の名称を用いる。

第Ⅰ章 事業報告

> 【企業集団の状況について記載する場合】
> ［記載方法の説明］
> 　企業集団の主要拠点（営業所や工場等）や主要な子会社の名称及びその所在地を記載する。所在地の記載は都道府県名又は都市名までとし，海外展開している場合には，その所在する国名までとする。したがって，営業所，工場名に所在地を示す都道府県名又は都市名，海外展開している場合においては国名が付せられるときには，所在地は記載する必要はない。状況としては，事業報告の対象となる事業年度の末日現在のものを記載する。
>
> ［記載例］
> ①　営　業　所：東京，大阪，アメリカ
> ②　生産拠点：○○Inc.(カナダ)，ドイツ△△GmbH，□□有限公司（中国）
>
> （記載上の注意）
> 　主要拠点に関する基準を設定し，地域への展開が会社別に行われている場合等にはその社名を開示することが考えられる。

① 標題等

　会社の事業内容によっては，工場設備を有しておらず，「主要な営業所及び工場」という表現が実態に合致しない場合があるが，その場合には，「主要な営業所」「主要な事業所」等の適宜の標題を付して記載することが考えられる。また，本項目については，「事業年度の末日における」内容を記載することとされていることから，標題の後に「（○年○月○日現在)」と付し，事業年度の末日現在の内容であることを明確にすることも考えられる
（下記③の参考例参照）。

② 記載内容

　本項目は，会社が事業を行うために必要となる物的施設の状況を明らかにするための記載事項である（稲葉威雄・前掲301頁）。「営業所」については，登

記された支店に限定されるものではなく，実際の事業における主要な営業所を記載する必要がある。また，「工場」には，研究施設等も含まれると考えられる（実際の名称が「研究所」等である場合には，実際の名称を用いて記載する）。会社の事業内容（例えば，小売業）によっては，地域別の店舗数等を記載することも考えられる。

　企業集団の状況について記載する場合には，事業報告作成会社における事業拠点に加え，主要な子会社の名称および所在地を記載することも考えられる。

③　部門別（セグメント別）の記載

　本項目についても，部門別（セグメント別）に区別することが困難である場合以外は，部門別に区別して記載する必要がある（施行規則120条1項柱書）。したがって，営業所や工場等が，特定の事業部門に属するものである場合には，その旨を記載する。

(参考例)
主要な営業所および工場（○年○月○日現在）

当社	①営業所	本社：東京 支店：札幌，名古屋，大阪，高松，福岡
	②工場	○○工場，○○工場（□□事業） ○○工場，○○工場（××事業）
子会社	株式会社○○ ××株式会社 △△□□株式会社 ○○×× Inc.	大阪府大阪市 愛知県名古屋市 埼玉県さいたま市 アメリカ

第Ⅰ章 事業報告

(2) 使用人の状況

経団連モデル

---

(2) 使用人の状況

（企業集団の状況について記載する場合は，表題を「企業集団の使用人の状況」とする）

【事業報告作成会社の状況について記載する場合】

［記載方法の説明］

　事業年度末における使用人数（就業者数でも可）及び前期末比増減を記載する。その他，使用人の平均年齢や平均勤続年数等を記載することも考えられる。これらはすべて全社的なものとし，事業所別に記載する必要はない。

　子会社等への出向者がある場合には，出向者数を注記することが考えられる（内数又は外数）。

　使用人の構成その他の状況に重要な変動がある場合には，その旨も併せて記載する。状況としては，事業報告の対象となる事業年度の末日現在のものを記載する。

```
［記載例］
　使用人の状況
　　使用人数　　○○○○名（前事業年度末比○○名増）
　　平均年齢　　○○歳　　平均勤続年数　　○○年
```

【企業集団の状況について記載する場合】

［記載方法の説明］

　【事業報告作成会社の状況について記載する場合】と同様に，使用人数（就業者数でも可）及び前期末比増減を記載するほか，事業セグメント別，あるいは国内・海外別の使用人数（就業者数でも可）などを記載することも考えられる。状況としては，事業報告の対象となる事業年度の末日現在のものを記載する。

第1節　株式会社の現況に関する事項

① 標題等

　本項目については，会社法施行規則の条文の文言を利用して「使用人の状況」という標題を付すことのほか，「従業員の状況」という標題を付すことも考えられる。また，本項目は，「事業年度の末日における」内容を記載することとされていることから，標題の後に「（○年○月○日現在）」と付し，事業年度の末日現在の内容であることを明確にすることも考えられる。

② 記載内容

　本項目は，物的施設とともに，企業を支えるもう1つの重要要素として人的施設の状況を明らかにするための記載事項とされる（稲葉威雄・前掲301頁）。そこで，使用人の人数のほか，その男女別，平均年齢，平均勤続年数を記載することが考えられる。使用人の構成その他の状況に重要な変動がある場合には，その旨も併せて記載することも考えられる。また，出向者や臨時従業員等の取扱いについて注記することも考えられる。加えて，いわゆる事業報告と有価証券報告書の一体的開示の観点からは，有価証券報告書の「従業員の状況」に関する記載事項と同様に，平均年間給与（賞与含む）や労働組合に関する状況についても記載を行うことも考えられる（企業内容等の開示に関する内閣府令第三号様式記載上の注意（9）・第二号様式記載上の注意（29）a・c。なお，平成30年12月28日に内閣官房，金融庁，法務省，経済産業省から公表された「事業報告等と有価証券報告書の一体的開示のための取組の支援について」の「【別紙2】事業報告等項目順ベースの開示例」5頁も参照）。

　また，企業集団の状況について記載する場合において，企業集団に属する会社の数が多く，企業集団の従業員の平均年齢や平均勤続年数を計算することが困難な場合には，事業報告作成会社の使用人の状況についてのみ，平均年齢や平均勤続年数を含めた開示を行うことも考えられる。

③ 記載対象となる使用人

　本項目において記載の対象となる「使用人」については，条文上明確な定

義はなされていないが，有価証券報告書の「従業員の状況」に関する記載と同様，就業人員数を基準とすることが考えられる（企業内容等の開示に関する内閣府令第三号様式記載上の注意(9)・第二号様式記載上の注意(29) a 参照）。この場合，出向者数は，出向先すなわち就業先の従業員数に含めて記載することとなる。

また，臨時従業員の取扱いについても，有価証券報告書の記載と同様，臨時従業員が相当数以上ある場合には，年間平均雇用人員数を外数で示すことが考えられる（企業内容等の開示に関する内閣府令第三号様式記載上の注意(9)・第二号様式記載上の注意(29) b 参照。なお，同記載上の注意では，当該臨時従業員の総数が従業員の100分の10未満であるときは，記載の省略を認めている）。

もっとも，使用人の定義，臨時従業員の範囲等については，明示の基準は存在しないので，各社の実態に応じて記載し，上記②で述べたように，必要に応じて，別途その取扱いを注記により記載することが考えられる。

（参考例）
① 上記従業員数には，他社から当社への受入出向者を含んでおります。
② 上記従業員の他に，臨時従業員○○名（期中平均人員）を雇用しております。
③ 従業員数が前期末に比較して増加しておりますが，業容拡大に伴う採用の増加によるものであります。

---

④ 部門別（セグメント別）の記載

本項目についても，部門別（セグメント別）に区別することが困難である場合以外は，部門別に区別して記載する必要がある（施行規則120条1項柱書）。

もっとも，本項目に関しては，管理部門に属する従業員等，特定の事業部門（上記第1(1)で述べたとおり，施行規則120条1項柱書における事業の「部門」とは，会社内の組織上の区分のみにより決定されるものではなく，製品・商品の種類の区分等を踏まえて，実質的に判断される）に属するとはいえない者が数多く存在し，部門別に区別することは容易ではない場合も考えられ，その場合には，経団連モデルのとおり全社的な記載をすることで足りる。

第7　重要な親会社および子会社の状況

経団連モデル

> **1-7．重要な親会社及び子会社の状況**
> ［会社法施行規則の条項］
> 　会社法施行規則第120条第1項第7号に対応する事項である。
> ［記載方法の説明］
> 　すべての子会社についての状況の記載が必要となるものではなく，事業報告への記載にあたっては，企業集団に重要な影響を及ぼす会社等に関する基準を設定し，当該基準を充足する会社について継続的に開示することとなる。
> 　親会社については，その名称等を記載し，事業上の関係があればその内容等を記載することが考えられる。子会社についても，その名称や出資比率，主要な事業内容等を記載し，子会社の増加減少等があればその内容を記載することが考えられる。
> 　その他，「当該事業年度中の親会社の交替（株式移転による持株会社の設立を含む。）」，「子会社（子法人等）の設立」については，引き続き，異動又はその計画の公表があった場合に，その旨を記載することなどが考えられる。
> 　また，改正省令により，事業報告作成会社とその親会社との間に事業報告作成会社の重要な財務及び事業の方針に関する契約等が存在する場合には，その内容の概要を記載する必要がある。
> 　「契約等」とは，事業報告作成会社とその親会社との間でされた合意をいい，契約という形態でされたものに限られない。また，事業報告作成会社の重要な財務及び事業の方針の決定を支配する内容（会社法施行規則第3条第3項第2号ハ）のものに限らず，当該方針に影響を及ぼす重要な契約等について記載する必要がある。
> 　そのため，親子会社間で締結される経営管理契約等においてグループに関する様々な事項が合意されていたとしても，事業報告に記載する必要があるのは，「重要な財務及び事業の方針に関する契約等」に該当する合意の内容の概要のみであり，それ以外の合意について，その概要を記載する必要はない。
> 　また，事業報告作成会社において，親会社が当該事業報告作成会社の重要な

財務及び事業の方針に及ぼす影響を踏まえ，少数株主保護のための措置を講ずることを親会社との間で合意をしている場合には，その内容の概要等を記載することが考えられる。

なお，事業報告作成会社とその親会社との間でされた合意のみが「契約等」に該当するため，事業報告作成会社が関知していない親会社における方針等や，いわゆる株主間契約（事業報告作成会社が当事者となっていないもの）の内容の概要を記載する必要はない。

[記載例]
　重要な親会社及び子会社の状況
① 　親会社の状況
　当社の親会社は〇〇株式会社であり，同社は当社の株式を〇〇株（出資比率〇％）保有しています。当社は親会社から主として〇〇などの仕入れを行うとともに，親会社へ主として××などを販売するなどの取引を行っています。

② 　子会社の状況

名称	出資比率	主要な事業内容
〇〇株式会社		
××株式会社		

（1）親会社の状況

　親会社については，経団連モデルが指摘するとおり，その名称，出資比率等を記載し，事業上の関係があればその内容等を記載することが考えられる。

　また，会社法では，親子会社の判定に実質基準が導入されたことにより，親会社が事業報告作成会社の議決権の過半数を保有していない場合が存する（施行規則3条3項参照）。親会社が，事業報告作成会社の議決権の過半数を保有している以外の事由により，親会社に該当することとなっている場合には，その事由についても記載することも考えられる。

　親会社の状況については，事業報告の内容とすべき時点について限定がな

いことから，当該事業報告が対象とする事業年度の初日から末日までに発生ないし変動した事象を内容とするという事業報告の規律の原則に従い，事業年度中に重要な親会社となったものおよび重要な親会社ではなくなったものも含めて，当該事業年度の初日から末日までの重要な親会社の状況を内容とすることとなる。

> **(参考例)**
> ① 親会社の状況
> 　当社の親会社は，当社の議決権の45.5%（同一の内容の議決権を行使することに同意している者が所有している議決権を含むと58.2%）を保有しております〇〇株式会社であります（会社法施行規則第3条第3項第2号イによる）。親会社は，□□等の主要な仕入先であるとともに，当社も親会社に対して主として××等を販売する等の取引を行っています。

なお，親会社等との間の取引において自社の利益を害さないように留意した事項を記載する「9 親会社等との間の取引に関する事項」（施行規則118条5号）を，本項目とあわせて記載することも考えられる。

(2) 子会社の状況

重要な子会社の記載にあたっては，重要性についての一定の基準を設定し，当該基準を充足する会社について，その名称，出資比率，主要な事業内容等を継続的に開示することが必要である。当該基準については，子会社の事業規模，グループ業績への貢献度，持株比率，上場・非上場の別等を勘案して設定することが考えられる。また，親会社の状況と同様に事業年度中に重要な子会社となったものおよび重要な子会社でなくなったものを含めて，事業年度の初日から末日までの重要な子会社の状況を内容とすることとなる。重要な子会社を追加したり，除外したりする場合には，前事業年度との継続性の観点から追加・除外の理由を注記することが望ましい。

なお，企業集団に関する状況を開示するため，連結子会社および関連会社

の数を注記する事例も存在する。また，「8特定完全子会社に関する事項」(施行規則118条4号)を，本項目とあわせて記載することも考えられる。

(参考例)
② 子会社の状況

名称	資本金	出資比率	主要な事業内容
○○株式会社	千円	％	
□□株式会社			
△△株式会社			
××株式会社			

(注) 1. □□株式会社は，○年○月○日に設立いたしました。
2. ××株式会社は，○年○月○日をもって会社分割により，当社の○○事業を承継し，設立された会社です。
3. ◇◇株式会社は，○年○月○日に株式を一部売却し，関連会社となったため，当期より重要な子会社から除外いたしました。
4. 上記を含め，当社の連結子会社は○社，持分法適用会社は○社となっております。

(3) 親会社との間の重要な財務および事業の方針に関する契約等の内容の概要

令和2年法務省令改正により，「当該親会社と当該株式会社との間に当該株式会社の重要な財務及び事業の方針に関する契約等が存在する場合には，その内容の概要」が記載事項として追加された。近年，上場子会社における少数株主の保護の必要性が指摘されていることなどを踏まえると，公開会社に親会社が存在する場合において，当該親会社との関係が当該公開会社の事業等に与える影響についての情報開示を充実させることが重要であると考えられることを踏まえた改正とされる(渡辺諭ほか「会社法施行規則等の一部を改正する省令の解説〔Ⅲ〕——令和2年法務省令第52号」商事法務2252号(2021)15頁)。

経団連モデルでも説明されるとおり，「契約等」とは，事業報告作成会社と

その親会社との間でされた合意をいい，契約という形態でされたものに限られない。一方で，事業報告に記載する必要があるのは，「重要な財務及び事業の方針に関する契約等」に該当する合意の内容の概要のみであり，親子会社間の経営管理契約等においてグループ経営に関する様々な事項が合意されていたとしても，それ以外について，その概要を記載する必要はない。親会社が事業報告作成会社の重要な財務および事業の方針を拘束することができることとなる内容の合意である場合には，記載が必要になると考えられる。

具体的には，親子会社間の資本提携契約や経営管理契約において，事業報告作成会社の取締役等の指名に関する合意がなされている場合や，事業報告作成会社の重要な事項の意思決定に関して親会社の事前承諾を要することが合意されている場合等がこれに該当し得る。もっとも，前者についても，当該合意の対象となる取締役等の人数や当該株式会社の取締役会における意思決定の実態等の個別の事情を踏まえ，事業報告作成会社の重要な財務および事業の方針を拘束するものとまでは評価されない場合には，事業報告に記載することを要しないとも考えられており（渡辺諭ほか・前掲商事法務2252号15頁），個別具体的な事情を踏まえ記載の要否を判断していくことになる。

また，経団連モデルでも説明されるとおり，事業報告作成会社において，少数株主保護のための措置を講ずることを親会社との間で合意をしている場合には，その内容の概要等も記載することが考えられる。

(参考例)
③ 親会社と締結している重要な財務及び事業の方針に関する契約等の内容の概要

当社は，親会社である○○との間で，両社のシナジーを実現し，それぞれの企業価値を向上させることを目的として，資本業務提携契約を締結しています。

当該契約の中で，事前承諾事項として，当社の重要な財務及び事業の方針に関する株主総会付議事項や経営上の重要事項を決定する場合には，当該決定を行う日の○日前までには，○○に対する書面による通知を行い，○○の事前の書面による承諾を取得するものとしています。

なお，当該契約において，○○は，当社の取締役が上場会社の取締役としての義務を尽くす上で親会社以外の少数株主を含む株主共同の利益に配慮することが必要となることを理解し，当社の経営における自主性を尊重する旨をあわせて合意しております。

第8 主要な借入先および借入額

経団連モデル

1-8. 主要な借入先及び借入額

［会社法施行規則の条項］
　会社法施行規則第120条第1項第3号に対応する事項である。
［記載方法の説明］
　当該事業年度の末日において主要な借入先があるときは，その借入先及び借入額を記載する。具体的には，金融機関等からの借入額がその会社の資金調達において重要性を持つ場合に限って主要な借入先及び借入額を記載する。借入額に重要性がある場合には，金融機関名等と当該金融機関等からの借入額を記載する。

［記載例］

借　入　先	借　入　残　高
	（億円）

---

(1) 標題等

　本項目は，「事業年度の末日において」主要な借入先があるときに，その内容を記載することとされていることから（施行規則120条1項3号），標題の後に「（○年○月○日現在）」と付し，事業年度の末日現在の内容であることを明確にすることも考えられる。

(2) 記載内容

　本項目は，いわゆるメインバンク情報を開示させようとするものである（稲葉威雄・前掲306頁）。したがって，実質的に無借金といえるか，あるいは会社の事業規模に比べて借入の額が僅少であり，会社の事業への影響が小さいような場合には，借入が存在しても，特に記載を要しない。

　また，本項目において記載すべき「借入」とは，貸付金による資金調達に限られ，いわゆる資産流動化取引等による資金調達の場合には，特に記載を要しないと考えられる（当該資金調達が，当該事業年度における資金調達としての重要性が高い場合には，別途「資金調達の状況」(1-2)として記載が求められる）。

第9 剰余金の配当等を取締役会が決定する旨の定款の定め（会社法第459条第1項）があるときの権限の行使に関する方針

経団連モデル

> 1-9. 剰余金の配当等を取締役会が決定する旨の定款の定め（会社法第459条第1項）があるときの権限の行使に関する方針
> ［会社法施行規則の条項］
> 　会社法施行規則第126条第10号に対応する事項である。
> ［記載方法の説明］
> 　監査役会設置会社，監査等委員会設置会社，指名委員会等設置会社のいずれの機関設計を採用しているかにかかわらず，剰余金の配当等を取締役会が決定する旨の定款の定め（会社法第459条第1項）がある会社全てに記載が求められる。
> 　記載が求められる「方針」は，剰余金の配当に関する中長期的な方針に限られない。
> 　本事項は，会社法施行規則上は，会計監査人設置会社における特則に位置付けられている（会社法施行規則第126条第10号）。
> 　ただし，会社の現況に関する事項の一環として，当該事業年度に係る剰余金の配当について記載する場合，剰余金の配当等の方針についても併せて記載することが考えられる。
>
> > ［記載例］
> > 　当社では，株主に対する利益の還元を経営上重要な施策の一つとして位置付けております。
> > 　当社は，将来における安定的な企業成長と経営環境の変化に対応するために必要な内部留保資金を確保しつつ，経営成績に応じた株主への利益還元を継続的に行うことを基本方針としております。
> > 　なお，配当性向については，年間約○パーセントを目途としております。

> 今期については，○年○月○日に中間配当として1株あたり○円を実施しており，期末配当×円と合計で1株あたり△円の利益配当を予定しております。

（1）剰余金の配当等を取締役会が決定する旨の定款の定め

　会社法は，株式会社が①会計監査人設置会社であること，②取締役（監査等委員会設置会社にあっては，監査等委員である取締役を除く）の任期が1年を超えないこと，かつ，③監査役会設置会社，監査等委員会設置会社または指名委員会等設置会社であることを条件として，剰余金の配当等の一定の事項を，株主総会の決議ではなく，取締役会の決議により定めることができる旨の定款を置くことを認めている（法459条1項）。

　この「剰余金の配当等」とは，具体的には，以下のｉ）ないしⅳ）の事項を指す。

　ｉ）自己の株式の取得に関する事項（法160条1項に従い特定の株主から取得する場合を除く。法459条1項号）

　ⅱ）欠損填補のための準備金の減少に関する事項（ただし，かかる事項を決定できるのは，計算書類および事業報告ならびにこれらの附属明細書の承認を受ける法436条3項の取締役会に限られる。同項2号）

　ⅲ）剰余金の項目間の計数の変更に関する事項（同項3号）

　ⅳ）剰余金の配当に関する事項（ただし，配当財産が金銭以外の財産であり，かつ，株主に対して金銭分配請求権を与えないこととする場合を除く。同項4号）

　なお，当該定款の定めは，最終事業年度に係る計算書類についての会計監査報告の内容に無限定適正意見が含まれており，かつ，当該会計監査報告に係る監査役会・監査等委員会・監査委員会の監査報告の内容（各監査役・監査等委員・監査委員の付記を含む）として会計監査人の監査の方法・結果を相当でないと認める意見がないことが，その効力発生の要件となっている（法459条2項，計算規則155条）。

(2) 「権限の行使に関する方針」の記載
① 記載が必要となる会社
　本項目は，経団連モデルが指摘するとおり，上記(1)で説明した会社法459条1項の定款の定めがあるすべての株式会社に記載が求められる（施行規則126条10号）。

② 記載内容
　本項目では，会社法459条1項に基づく定款の定めにより取締役会に与えられた権限の行使に関する方針を記載する必要があるところ，かかる定款の定めにより，取締役会に与えられる権限は，剰余金の配当に関する事項に限らず，上記(1)のｉ）ないしⅳ）のすべての事項についての決定権限である。
　したがって，本項目において記載が求められる事項は，剰余金の配当に関する事項の「方針」に限られず，上記(1)のｉ）ないしⅳ）のすべての事項を包含する「方針」である。
　この点，会社法459条1項において，このような定款の定めを置くことが認められた趣旨が，会社が上げた利益その他の会社財産を，会社内部に留保し将来の事業活動に使用するのか，あるいは，株主に分配するのかという判断は，将来の会社の事業活動の状況と資金需要に関する判断が必要となる高度な業務執行行為であると考えることもできるため，株主の選択により，取締役会にそのような権限を付与することを可能にするという点にあることに鑑み，本項目では「将来の会社の事業活動の状況と資金需要に関する判断を前提に，会社法459条1項の定款の定めにより与えられた権限を包摂する形で，どのような方針で内部留保に充てるのか，株主に対して分配を行うのか，さらには，そのために株主資本の各項目をどのようにするのか等の全般的な方針を明らかにすべき」とされる（相澤哲＝和久友子「計算書類の監査・提供・公告，計算の計数に関する事項」別冊商事法務300号（2006）109頁）。
　また，この「方針」については，中長期的な方針に限らず，当該方針を変更したときはその内容および理由，また，当期において，実際に取締役会決

議で定めた剰余金の配当や自己の株式の取得の内容およびその理由等を記載すべきと考えられる。

(3) 記載箇所

　本項目は，会社法施行規則では，会計監査人設置会社の特則として定められている事項であるが（施行規則126条10号），会計監査人に関する事項（第5節参照）とは，その性格を異にする。このため，具体的な記載箇所としては，経団連モデルのとおり「株式会社の現況に関する事項」の一部とすることが考えられる。また，本項目は，独立の項目として記載するほか，経団連モデルが指摘するとおり，「事業の経過及びその成果」(1-1)の箇所に記載することも考えられる。さらに，剰余金の配当等に関する中長期的な方針については，「対処すべき課題」(1-4)の箇所に記載することも考えられる。

第10 その他株式会社の現況に関する重要な事項

経団連モデル

> **1-10. その他株式会社の現況に関する重要な事項**
> ［会社法施行規則の条項］
> 　会社法施行規則第120条第1項第9号に対応する事項である。
> ［記載方法の説明］
> 　1-9までに記載した事項のほか、株式会社の現況に関する重要な事項がある場合には、その事項を記載することとなる。
> 　具体的には、重要な訴訟の提起・判決・和解、事故・不祥事、社会貢献等について記載することが考えられるが、これらの事項は「事業の経過及びその成果」や「対処すべき課題」に記載することも考えられる。
> 　なお、いわゆる後発事象については、計算関係書類に関連する事実は、計算書類の注記（会社計算規則第114条）に移動しており、事業報告への記載は、原則として求められていない。もっとも、事業年度の末日後に生じた財産・損益に影響を与えない重要な事象が生じた場合には、本部分において記載することが求められる。

　本項目においては、1-9までに明文で記載が求められている事項以外で、事業報告作成会社（企業集団の状況について記載する場合には企業集団）の現況を正しく示すために重要な事項を記載しなければならない。経団連モデルが指摘するとおり、本項目について個別の項目を設けて記載する必要はなく、「事業の経過及びその成果」(1-1) や「対処すべき課題」(1-4) に併せて記載することも考えられる。

第Ⅰ章 事業報告

第2節

株式に関する事項

第1 経団連モデルの記載例（株式に関する事項）

経団連モデル

> 2．株式に関する事項
> 2-1．上位10名の株主の状況
> ［会社法施行規則の条項］
> 　会社法施行規則第122条第1項第1号に対応する事項である。
> ［記載方法の説明］
> 　当該事業年度の末日において自己株式を除く発行済株式総数に対する株式の保有割合の高い上位10名の株主につき，その氏名又は名称，持株数（種類株式発行会社については株式の種類及び種類ごとの数を含む）及び株式の保有割合を記載する。なお，保有割合を計算する際には，議決権の有無や割合は考慮せず，株主名簿における保有株式数のみを基準として形式的に算出するものとし，かつ，分母及び分子から自己株式は控除される。
> 　また，種類株式を発行している会社においては，割合の計算に当たっては，種類とは無関係に発行済株式の総数に対する保有株式数の割合の順に上位10名の株主を確定し，その10名の株主について，それぞれ保有株式の種類とそれぞれの種類ごとの数を記載することとなる。

2-2. 事業年度中に会社役員（会社役員であった者を含む）に対して職務執行の対価として交付された株式に関する事項

[会社法施行規則の条項]
　会社法施行規則第122条第1項第2号に対応する事項である。

[記載方法の説明]
　事業年度中に事業報告作成会社の会社役員（会社役員であった者を含む）に対して「職務執行の対価として当該会社が交付した」当該会社の株式がある場合，次に定める会社役員（会社役員であった者を含む）の区分ごとに株式の種類，種類ごとの数及び交付を受けた者の人数をそれぞれ記載する。

① 取締役（指名委員会等設置会社においては取締役及び執行役）のうち，監査等委員又は社外役員でないもの
② 社外役員である社外取締役のうち，監査等委員でないもの
③ 監査等委員である取締役
④ 取締役及び執行役以外の会社役員（監査役及び会計参与）

　会社役員の区分ごとに交付した株式の数及び人数を記載すれば足り，交付を受けた者の氏名や個人別の交付株式数まで記載する必要はない。
　事業報告作成会社の株式を職務執行の対価として直接交付する場合（会社法第202条の2）のみならず，事業報告作成会社が会社役員に対して職務執行の対価として当該会社の募集株式と引換えにする払込みに充てるための金銭を交付し，当該金銭の払込みと引換えに株式を交付した場合も記載の対象となるが，それぞれを区別して記載する必要はない。
　記載の要否は「事業年度中に交付した」か否かで判断される。したがって，事前交付型の譲渡制限付株式については，譲渡制限の解除に関わらず交付された時点で記載が必要となり，事後交付型の株式報酬（株式交付信託を含む）については，具体的な交付予定が存在したとしても，実際に交付されるまで記載を要しない。
　なお，事業報告作成会社が当該会社の株式の購入資金に充てるために会社役員に対し報酬等として金銭を支給している場合において，当該金銭を用いて当該会社役員が，市場又は持株会等を通じて当該会社の株式を取得した場合は，当該株式会社から株式の交付を受けたわけではないから記載の対象とならない。
　会社役員であった者に対して，退任から一定期間経過した後に株式を交付

第Ⅰ章 事業報告

する場合なども記載対象となるが，その場合でも，①から④のそれぞれの区分において，「会社役員であるもの」と「会社役員であった者」とを区分して記載することまでは求められていない。

2-3. その他株式に関する重要な事項
［会社法施行規則の条項］
　会社法施行規則第122条第1項第3号に対応する事項である。
［記載方法の説明］
　会社法施行規則において，事業報告の内容として具体的に記載が求められている事項は 2-1 及び 2-2 に掲げる事項のみである。ただし，株式に関する重要な事項として，発行可能株式総数や発行済株式の総数，当該事業年度末の株主数を記載することが考えられる。

［記載例］
① 発行可能株式総数　　　〇〇〇〇株
② 発行済株式の総数　　　〇〇〇〇株（自己株式〇〇株を除く）
③ 当事業年度末の株主数　〇〇〇〇名
④ 上位10名の株主

株　主　名	持　株　数	持　株　比　率

⑤ 当事業年度中に当社役員に対して職務執行の対価として交付された株式の状況

	株式の種類及び数	交付された者の人数
取締役 （社外取締役を除く）	当社普通株式 〇〇株	〇名
社外取締役	当社普通株式 〇〇株	〇名
監査役	当社普通株式 〇〇株	〇名

第2 上位10名の株主の状況

(1) 上位10名の株主への該当性についての判断

　会社法施行規則において記載が求められる「当該事業年度の末日において発行済株式（自己株式を除く）の総数に対するその有する株式の数の割合が高いことにおいて上位となる10名の株主」に該当するか否かを判断するに際しては、株主名簿における保有株式数を基準として形式的に判断し、相互保有株式など議決権の有無にかかわらず、すべての発行済株式の総数を基準にし、かつ、割合の計算における分母および分子から自己株式は除外して判断することとなる。また、種類株式発行会社の場合には、議決権を有しない株式（法108条1項3号参照）を含むすべての種類株式の発行済株式数の総数を基準にして上位10名の株主を判断し、その10名について、それぞれ保有株式の種類とそれぞれの種類ごとの数を記載することとなる（小松岳志＝澁谷亮・前掲16頁）。

(2) 具体的記載事項

　会社法施行規則において、具体的に記載が求められている事項は、当該事業年度の末日において発行済株式（自己株式を除く）の総数に対するその有する株式の数の割合が高いことにおいて上位となる10名の株主に関する、①株主の氏名または名称、②持株数（種類株式発行会社については株式の種類および種類ごとの数）であるが（施行規則122条1項1号）、これに加えて、③当該上位株主による事業報告作成会社への出資比率を記載することも考えられる。持株数の記載のみでは、上位株主が保有する株式の数の割合が一見して明らかではないことから、株主の理解を容易にする観点からもかかる記載を行うことが望ましい。なお、事業報告作成会社による上位株主に対する出資の状況（出資の比率を含む）については、あえて記載する必要はないと考えられる。

なお，有価証券報告書においても，上位10名程度の大株主の記載が求められているが，有価証券報告書においては，本項目による記載と異なり，「実質所有により記載すること」とされていることに留意する必要がある（企業内容等の開示に関する内閣府令第三号様式記載上の注意(25)b参照）。

（参考例）
④　上位10名の株主

株主名	当社への出資状況	
	持株数	出資比率
●●株式会社	株	％
株式会社△△		
財団法人■■		
○○　○○		
□□　□□		
▲▲▲▲（常任代理人○○○○）		
××信託銀行株式会社（信託口）		
■■　■■		
■■株式会社		
●●　●●		

（注）1. 出資比率は，自己株式○○株を除いて計算しております。
　　　2. 当社は，自己株式○○株を保有しておりますが，上記大株主から除外しております。
　　　3. ××信託銀行株式会社（信託口）の持株数は，同行の信託業務に係るものです。
　　　4. ○年○月○日付で，○○○○株式会社より，当社株式に係る大量保有報告書が関東財務局長に提出されております。当該大量保有報告書の内容は，同社が○年○月○日現在で当社株式○○株を保有しているというものでありますが，同社は当事業年度末における株主名簿では確認できておりません。

また，平成30年法務省令第5号による改正で，定時株主総会の議決権行使の基準日を事業年度の末日後の日と定めた場合には，上位10名の株主の状況については，当該基準日におけるものとすることも許容されることとなった（施行規則122条2項）。必要があれば，3月期決算会社の定時株主総会を7月に遅らせるなど，株主が議案の十分な検討期間を確保することができるよう株主総会の日程を設定すべきであり，それに支障となりうる開示書類の記載について，適切な手当てを行うことが考えられる旨の指摘（「金融審議会ディスクロージャーワーキング・グループ報告――建設的な対話の促進に向けて」(2016年4月18日）11〜12頁）がなされたこと等を踏まえたものである。

　ただし，この場合には，事業報告において，当該基準日がいつであるのかをあわせて明らかにする必要がある（施行規則122条2項第2文）。また，当該基準日を定めた場合でも，株式会社が任意に「事業年度の末日」を事業報告の記載の基準時点とすることは可能である（福永宏ほか「会社法施行規則及び会社計算規則の一部を改正する省令の解説――平成30年法務省令第5号」商事法務2164号（2018）6頁）。

第3　事業年度中に会社役員（会社役員であった者を含む）に対して職務執行の対価として交付された株式に関する事項

　令和2年法務省令改正により新規に開示事項とされたものであり，株式報酬に関する情報開示の充実を図るため，当該事業年度において株式報酬として付与した株式の交付状況の開示を求めるものである。

　具体的には，事業報告作成会社が当該事業年度中に会社役員（会社役員であった者を含む）に対して職務執行の対価として交付した株式に関して，①取締役（指名委員会等設置会社においては取締役及び執行役）のうち，監査等委員又は社外役員でないもの，②社外役員である社外取締役のうち，監査等委員でないもの，③監査等委員である取締役，および，④取締役及び執行役以外の会社役員（監査役及び会計参与）の区分ごとの株式の数（種類株式発行会社では，株式の種類および種類ごとの数）ならびに株式の交付を受けた者の人数を記載することとなる（施行規則122条1項2号）。

　経団連モデルでも説明されるとおり，記載の要否は「事業年度中に交付した」か否かで判断されるため，事前交付型の譲渡制限付株式については，譲渡制限の解除に関わらず交付された時点で記載が必要となり，事後交付型の株式報酬（株式交付信託を含む）については，具体的な交付予定が存在したとしても，実際に交付されるまで記載を要しない。他方で，「事業年度中に交付した」か否かが判断基準であり，当該事業年度の末日において会社役員が当該株式を既に売却等して保有していない場合でも記載対象となる。また，「会社役員」には，会社役員であった者（すなわち，事業報告作成会社の会社役員を既に退任している者）も含まれる。株式報酬の設計によっては，会社役員の退任後に株式が交付される場合もあり得るが，当該事業年度中に交付された場合には，記載対象となる。

　なお，記載対象となる株式は，職務執行の対価として株式を直接交付された場合（会社法202条の2）に限らず，いわゆる現物出資構成により交付された

株式（株式報酬の払込みに充てるための金銭報酬債権を付与し，当該報酬債権を現物出資するのと引換えに株式を交付した場合における当該株式）も含まれる（施行規則122条1項2号柱書の括弧書）。

　具体的な記載方法としては，経団連モデルでも説明されるとおり，上記会社役員の区分ごとに交付した株式の数および人数を記載すれば足り，交付を受けた者の氏名や個人別の交付株式数まで記載する必要はない。また，「会社役員であるもの」と「会社役員であった者」とを区分して記載することまでは求められていないが，当該事業年度において在任していた会社役員の員数との間に齟齬が生じる場合等は，株主の理解の観点から任意に既に退任済みの会社役員に対する株式の交付を含む等の注記を行うことも考えられる。

（参考例）
⑤　当事業年度中に当社役員に対して職務執行の対価として交付された株式の状況

	株式の種類及び数	交付された者の人数
取締役 （社外取締役を除く）	当社普通株式 ○○株	○名
社外取締役	当社普通株式 ○○株	○名
監査役	当社普通株式 ○○株	○名

（注）1.　当事業年度中に交付した株式の内容は，一定の譲渡制限期間及び当社による無償取得事由等の定めに服する当社普通株式（譲渡制限付株式）であります。
　　　2.　上記の取締役（社外取締役を除く）の交付された者の人数には，○年○月○日開催の第○期定時株主総会の終結の時をもって退任した取締役1名を含んでいます。

第4　株式会社の株式に関する重要な事項

　会社法施行規則において，具体的に記載が求められている事項は，上記第2および第3で説明した事項のみであるが，会社法施行規則122条1項3号は，「前二号に掲げるもののほか，株式会社の株式に関する重要な事項」を記載することを求めている。

　そこで，「株式に関する重要な事項」として，経団連モデルが指摘する発行可能株式総数，発行済株式の総数，自己株式の数および当事業年度末の株主数を記載することが考えられる。発行済株式の総数等については，事業年度中に増減等がある場合，その要因（例えば，株式分割・株式併合等）も含めて注記を行うことも考えられる。また，事業年度の末日後に株式に関する重要な事項が生じた場合には，本項目において記載することが求められる。

（参考例）
① 　発行可能株式総数　　　　　　　○○株
　（注）○年○月○日開催の取締役会において，○年○月○日付で1株を○株に分割するとともに，同日付で当社定款第○条に定める発行可能株式総数を変更する旨を決議いたしました。これにより，同日付をもって，発行可能株式総数が○○株増加しております。
② 　発行済株式の総数　　　　　　　○○株（うち自己株式○○株）
　（注）1．当事業年度中において第○回新株予約権および第○回新株予約権の権利行使により，発行済株式の総数が○○株増加しております。
　　　　2．○年○月○日開催の取締役会において，○年○月○日付で1株を○株に分割する旨を決議いたしました。これにより，同日付をもって，発行済株式の総数が○○株増加しております。
③ 　当事業年度末の株主数　　　　　○○名（前事業年度末比○○名増）
④ 　上位10名の株主
　　　　　　　　　　　　（略）

第3節 新株予約権等に関する事項

第1 経団連モデルの記載例（新株予約権に関する事項）

経団連モデル

> 3．新株予約権等に関する事項
> 3-1．会社役員が有する新株予約権等のうち，職務執行の対価として交付されたものに関する事項
> 3-2．事業年度中に使用人等に対して職務執行の対価として交付された新株予約権等に関する事項
> 3-3．その他新株予約権等に関する重要な事項
> ［会社法施行規則の条項］
> 　会社法施行規則第123条第1号から第3号までに対応する事項である。
> ［記載方法の説明］
> 　「新株予約権等」とは，会社法施行規則第2条第3項第14号に「新株予約権その他当該法人等に対して行使することにより当該法人等の株式その他の持分の交付を受けることができる権利（株式引受権（会社計算規則第2条第3項第34号に規定する株式引受権をいう。以下同じ。）を除く。）」と定義されている。したがって，新株予約権以外にも，新株予約権と類似した内容を有する権利についても記載の対象となる。
> 　新株予約権等については，次の事項を記載する。

第3節　新株予約権等に関する事項

(1) 事業年度の末日時点において在任している会社役員が「職務執行の対価として当該株式会社が交付した」新株予約権等を同末日時点において有している場合

　次に定める役員の区分ごとに当該新株予約権等の内容の概要及び新株予約権等を有する者の人数をそれぞれ記載する。なお，事業報告作成会社が新株予約権を職務執行の対価として直接交付する場合のみならず，事業報告作成会社が会社役員に対して職務執行の対価として当該会社の募集新株予約権と引換えにする払込みに充てるための金銭を交付し，当該金銭の払込みと引換えに新株予約権を交付した場合も記載の対象となるが，それぞれを区別して記載する必要はない。

　① 取締役（指名委員会等設置会社においては取締役及び執行役）のうち，監査等委員又は社外役員でないもの
　② 社外役員である社外取締役のうち，監査等委員でないもの
　③ 監査等委員である取締役
　④ 取締役及び執行役以外の会社役員（監査役及び会計参与）

「職務執行の対価として当該株式会社が交付した」か否かの判断に際しては，「特に有利な条件又は金額」により発行されたか否か（会社法第238条第3項各号）を問わない。

「新株予約権等の内容の概要」としては，会社法第236条で定める「新株予約権の内容」を勘案して記載することとなるが，目的である株式の種類及び数や，発行価額，行使の条件等を記載することが考えられる。

(2) 事業年度中に以下の①②の使用人等（「当社従業員・子会社取締役等」といった適宜の用語を用いることで構わない。）に対し，新株予約権等を職務執行の対価として交付した場合

　① 事業報告作成会社の使用人（事業報告作成会社の会社役員を兼ねている者を除く。）
　② 事業報告作成会社の子会社の役員及び使用人（事業報告作成会社の会社役員又は①を兼ねている者を除く。）

記載対象者の区分ごとに，新株予約権等の内容の概要及び交付した者の人数をそれぞれ記載する。

[記載例]
　当社の新株予約権等に関する事項
　① 当事業年度の末日に当社役員が有する職務執行の対価として交付された新株予約権等の内容の概要

名　称	第○回新株予約権
新株予約権の数	○個
保有人数	
当社取締役（社外役員を除く）	○名
当社社外取締役（社外役員に限る）	○名
当社監査役	○名
新株予約権の目的である株式の種類及び数	当社普通株式　○○株
新株予約権の発行価額	
新株予約権の行使に際して出資される財産の価額	
新株予約権の行使期間	
新株予約権の主な行使条件	

　② 当事業年度中に当社使用人，子会社役員及び使用人に対して職務執行の対価として交付された新株予約権の内容の概要

名　称	第○回新株予約権
発行決議の日	○年○月○日
新株予約権の数	○個
交付された者の人数	
当社使用人（当社の役員を兼ねている者を除く。）	○名
当社の子会社の役員及び使用人（当社の役員又は使用人を兼ねている者を除く。）	○名
新株予約権の目的である株式の種類及び数	当社普通株式　○○株
新株予約権の発行価額	
新株予約権の行使に際して出資される財産の価額	
新株予約権の行使期間	
新株予約権の主な行使条件	

(記載上の注意)
(1)「交付された者の人数」としては,交付時の人数を記載すれば足り,事業年度末時点における保有状況を記載する必要はない。
(2)「交付された者」のうち,「子会社の役員及び使用人」については,合算開示ではなく,子会社取締役・子会社監査役・子会社使用人に区分して開示することも考えられる。
(3)「交付された者」とは,交付時に使用人等であった者を意味する。したがって,事業年度中に使用人等となった者や使用人等でなくなった者であっても,交付時に使用人等でありさえすれば記載の対象となる。

第2　職務執行の対価として交付した新株予約権等

　会社法施行規則123条1号・2号は，「職務執行の対価」として会社が交付した新株予約権等について，事業報告への記載を求めている。
　この点，会社法では，ストック・オプション目的での新株予約権の交付は，
① 　報酬や賞与の支払方法の一方法として新株予約権を与えるもの（金銭による支払に代えて新株予約権を与えようとするもの）
② 　将来の株価の値上がりに対する期待感を与えるという，新株予約権を交付することによって，被付与者からよりよいサービスの提供を受けるということを目的に新株予約権を与えるもの（使用人等の役務の提供に対するインセンティブを与えること，または，福利厚生を目的として，株式会社が一定の費用を負担し，または支出をするという観点から，新株予約権を与えるもの）
という考え方を前提とした規律の整理が行われており，いずれの場合であっても，広い意味での「職務執行の対価」として交付されるものという整理がされている（郡谷大輔＝和久友子編著，細川充＝石井裕介＝小松岳志＝澁谷亮著『会社法の計算詳解〔第2版〕』（中央経済社，2008）262頁）。
　また，新株予約権の発行手続のいかんによって，「職務執行の対価」として交付するか否かが決定されるわけではなく，「職務執行の対価として当該株式会社が交付した」か否かの判断に際しては，「特に有利な条件または金額」により発行されたか否かも問わないとされる（郡谷大輔＝和久友子編著・前掲263頁）。
　したがって，会社法下で，ストック・オプションとして付与した新株予約権については，その発行の方式を問わず，「職務執行の対価」として交付された新株予約権等に該当し，本項目における開示の対象となる。
　なお，令和2年法務省令改正により，いわゆる相殺構成により交付された新株予約権も会社法施行規則123条1号・2号の記載対象に含まれることが明

確化された（施行規則123条1号括弧書）。令和元年会社法改正において，取締役の報酬等として募集新株予約権を直接付与する場合と募集新株予約権と引換えにする払込みに充てるための金銭を付与する場合とが区別されたこと（法361条1項4号・5号ロ参照）を踏まえ，「新株予約権等」に職務執行の対価として付与された金銭の払込みと引換えに交付された新株予約権を含むことが明確化されたものである。

　なお，経団連モデルでも説明されるとおり，本項目においては，会社法施行規則2条3項14号が定める「新株予約権等」が記載対象となっており，新株予約権以外にも新株予約権と類似した内容を有する権利も記載対象となる。この点，いわゆる事後交付型の株式報酬は，取締役等が一定の期間株式会社に対して職務の執行として役務を提供し，その後株式の交付を受けるものであり，将来的に株式の交付を受ける権利を有するという点では，新株予約権と類似する面もあるものの，かかる権利（令和2年法務省令改正により新設された会社計算規則2条3項34号に定める「株式引受権」）は，会社法施行規則2条3項14号の「新株予約権等」に含まれないこととされた（同号括弧書）。このため，いわゆる事後交付型の株式報酬を付与する場合について，本項目における新株予約権等として記載することは要しない（渡辺諭ほか・前掲商事法務2252号21頁）。

第３　事業年度の末日において会社役員が保有する新株予約権等

　会社法施行規則123条１号は，当該事業年度の末日において，事業報告作成会社の会社役員が現に保有する事業報告作成会社の新株予約権等（職務執行の対価として交付されたもの）について，その新株予約権等の内容の概要と新株予約権等を有する者の人数を，（ⅰ）取締役（監査等委員および社外役員でない者）および執行役，（ⅱ）社外役員である社外取締役（監査等委員を除く），（ⅲ）監査等委員である取締役，（ⅳ）取締役または執行役以外の会社役員（監査役および会計参与）という類型ごとに区分して記載することを求めている。社外取締役（法２条15号）に該当する者であっても，社外役員（施行規則２条３項５号）に該当しない者については，業務執行取締役・執行役と同じ会社法施行規則123条１号イの区分に記載しなければならないことに留意する必要がある。

　会社法施行規則123条１号における「会社役員」については，平成21年４月日施行の会社法施行規則の改正により，当該事業年度の末日において在任している会社役員に限定されることが明確化された（施行規則123条１号括弧書）。当該会社役員が保有する新株予約権等のうち，当該会社役員が「会社役員」に就任する以前に職務執行の対価として付与されたもの（例えば，従業員時代に付与されたストック・オプション）については，条文上必ずしも明確ではないが，当該事業年度の末日における会社役員が保有しているものである以上，本号における記載対象となるものと思われる。

　また，新株予約権等の内容の概要として，いかなる項目を記載すべきかについては，経団連モデルが指摘するとおり，会社法236条が定める「新株予約権の内容」を勘案して記載することとなる。具体的には，目的である株式の種類および数や，発行価額，行使の条件，権利行使期間等を記載することが考えられ，開示を受けた株主において，会社役員が保有する新株予約権の有する経済的価値をおおむね把握することが可能となる程度の事項を適宜選

択して記載することとなる。職務執行の対価としての新株予約権が複数回交付されている場合において、これらの事項について、共通する事項がある場合には、適宜まとめて記載することも可能である。

なお、当該事業年度中において、新株予約権等の交付を受けた会社役員が、当該事業年度の末日までに、当該新株予約権等を行使した場合には（例えば、いわゆる株式報酬型ストック・オプションにおいては、新株予約権の割当日後、直ちに行使できるような設計とされることがある）、当該事業年度の末日には、当該新株予約権等は保有していないので、本項目においては、これを記載する必要はない。もっとも、会社役員に対して、ストック・オプションとして新株予約権が報酬等として付与されたことについては、別途事業報告において非金銭報酬等として開示がなされる（施行規則121条4号・5号の3・124条5号）。

(参考例)
当事業年度の末日に当社役員が有する職務執行の対価として交付された新株予約権等の内容の概要

名　　称	第○回 新株予約権	第△回 新株予約権	第□回 新株予約権
保有人数 　当社取締役（社外役員を除く） 　当社社外取締役（社外役員に限る） 　当社監査役	○名 ○名 ○名	△名 △名 △名	□名 □名 □名
新株予約権の目的となる株式の種類	当社普通株式		
新株予約権の目的となる株式の数	○○株	△△株	□□株
新株予約権の発行価額	無償		
新株予約権の行使に際して出資される財産の価額	○○円	△△円	□□円
権利行使期間	○年○月○日～ ○年○月○日	△年△月△日～ △年△月△日	□年□月□日～ □年□月□日
新株予約権の主な行使条件			

第4　事業年度中に使用人等に対して交付した新株予約権等

　会社法施行規則123条2号は，事業報告作成会社が，当該事業年度中に，（ⅰ）事業報告作成会社の使用人（事業報告作成会社の会社役員（施行規則2条3項4号）を兼ねている者を除く），（ⅱ）事業報告作成会社の子会社の役員（同項3号）および使用人（事業報告作成会社の会社役員または使用人を兼ねている者を除く。以下，（ⅰ）（ⅱ）を総称して「使用人等」という）に対して，職務執行の対価として交付した新株予約権等について，その新株予約権等の内容の概要と交付した者の人数を，（ⅰ）（ⅱ）の類型ごとに区分して記載することを求めている。

　新株予約権等の内容の概要として，具体的にいかなる項目を，いかなる形式で記載すべきかについては，上記第3と同様の議論が当てはまる。

　なお，経団連モデルも指摘するとおり，本項目においては，前述の第3と異なり，当該事業年度中の新株予約権等の交付時を基準とした内容を記載することが求められていることから，当該事業年度中に，新株予約権等の交付を受けた使用人等が，当該事業年度の末日において，すでに発行会社を退職し失権している場合や，あるいは，当該事業年度中に新株予約権等を行使している等の事情があったとしても，記載内容に影響はなく，新株予約権等の交付時を基準時として当該新株予約権等の内容の概要および交付された者の人数を記載すれば足りる。

第5　当該株式会社の新株予約権等に関する重要な事項

　会社法施行規則123条3号は，「前2号に掲げるもののほか，当該株式会社の新株予約権等に関する重要な事項」を記載することを求めている。

　現に発行している新株予約権（権利行使期間の初日が到来していないものを除く）に関する事項については，株主資本等変動計算書の注記事項として整理されているが（計算規則105条5号），転換社債型新株予約権付社債等，ストック・オプション以外の新株予約権等についても，重要性に応じ，「新株予約権等に関する重要な事項」として，事業報告に記載することが考えられる。なお，「職務執行の対価」として交付されるのではなく会社の役職員が自らの資金で新株予約権の払込金額を払い込むようないわゆる有償ストック・オプションも本号に基づいて開示することが考えられる。

第Ⅰ章 事業報告

第4節

会社役員に関する事項

第1 記載の対象となる会社役員の範囲

経団連モデル

> **4. 会社役員に関する事項**
>   事業報告における記載の対象となる会社役員は、次のとおり、記載事項によりその範囲を異にするものとして取り扱われている。
> (1) 在任時期の限定が付されているもの
>   会社役員に関する記載事項のうち、①氏名、②地位及び担当、③重要な兼職の状況、④財務及び会計に関する相当程度の知見、⑤責任限定契約に関する事項並びに⑥補償契約に関する事項（後記4-1から4-3まで、4-5、4-7及び4-8）については、対象となる会社役員につき、「直前の定時株主総会の終結の日の翌日以降に在任していた者に限る」との限定が付されている（会社法施行規則第121条第1号、第2号、第3号、第3号の2、第8号及び第9号）。この場合、事業報告の対象となる事業年度中に在任していた会社役員であっても、事業年度中に開催された定時株主総会の終結の時をもって退任した者などは、事業報告の記載対象とはならない。
>   なお、事業年度中に開催された定時株主総会の終結の日の翌日以降在任していた会社役員のうち、事業年度の末日に在任していない者については、事業報告の記載対象となる。

第4節　会社役員に関する事項

(2) 在任時期の限定が付されていないもの

　会社役員に関する記載事項のうち，⑦辞任した会社役員又は解任された会社役員に関する事項，⑧役員等賠償責任保険契約に関する事項，⑨取締役，会計参与，監査役又は執行役ごとの報酬等の総額（業績連動報酬等，非金銭報酬等，それら以外の総額），⑩業績連動報酬等に関する事項，⑪非金銭報酬等に関する事項，⑫報酬等に関する定款の定め又は株主総会決議に関する事項，⑬各会社役員の報酬等の額又はその算定方法に係る決定方針に関する事項，⑭各取締役（監査等委員である取締役を除く）の報酬等の額の決定の委任に関する事項及び⑮（監査等委員会設置会社又は指名委員会等設置会社における）常勤で監査を行う者の選定の有無及びその理由，並びに⑯その他会社役員に関する重要な事項（後記4-4，4-6及び4-10から4-17まで）については，対象となる会社役員につき，特段の限定が付されておらず，また，⑰補償契約に基づく補償に関する事項については「当該事業年度の前事業年度の末日までに退任した者を含む」とされている（後記4-9。会社法施行規則第121条第3号の3から第7号まで及び第10号から第11号まで）。この場合，事業報告の対象となる事業年度において在任していたか否かを問わず，事業報告作成会社における全ての会社役員が事業報告の記載対象となる。

　ただし，実際には，「当該事業年度に係る」との限定が付されている事項（会社法施行規則第121条第4号）は，事業報告の対象となる事業年度において一時的にでも在任していた会社役員について記載することとなる。また，事業報告とは，報告の対象となる事業年度における事業の経過及び成果を株主に対して報告するという性質のものであるため，原則として，対象となる事業年度の初日から末日までに発生ないし変動した事象を内容とすれば足りる。事業年度末日後に生じた事象については，株主にとり重要な事項に限り「会社役員に関する重要な事項」（会社法施行規則第121条第11号）や「当該株式会社の状況に関する重要な事項」（会社法施行規則第118条第1号）として事業報告の内容とすることが考えられる。

　したがって，当該事業年度において在任していない会社役員について記載が求められる可能性がある事項は，以下のものに限られる。

① 事業報告作成会社が会社役員に対して補償契約に基づき会社法第430条

の2第1項第1号の費用を補償した場合において，当該事業報告作成会社が，当該事業年度に，当該会社役員が同号の職務の執行に関し法令の規定に違反したこと又は責任を負うことを知ったときには，当該会社役員が事業報告の対象となる事業年度において全く在任していなかった会社役員についてであっても，知った旨を事業報告に記載する必要がある。
② 当該事業年度において，事業報告作成会社が会社役員に対して補償契約に基づき会社法第430条の2第1項第2号の損失を補償した場合，当該会社役員が事業報告の対象となる事業年度において全く在任していなかった会社役員に対するものであっても，補償した旨及び補償した金額を記載する必要がある。
③ 当該事業年度において受け，又は受ける見込みの額が明らかとなった会社役員の報酬等がある場合，事業報告の対象となる事業年度において全く在任していなかった会社役員であっても事業報告の記載対象となることがある（会社法施行規則第121条第5号）。たとえば，事業報告の対象となる事業年度の開始前に退任した会社役員に対して，当該事業年度になって退職慰労金を支給した場合や，退職慰労金の支給見込額が明らかとなった場合において，当該退職慰労金につき，事業報告への記載が必要となるときがある。
④ 各会社役員の報酬等の額又はその算定方法に係る決定方針に関する事項（会社法施行規則第121条第6号及び第6号の2）として，どの時点において存在する方針について記載すべきかについては，事業報告の作成時又は当該事業年度末日のいずれの考え方もあり得ると考えられる。ただし，いずれの考え方による場合であっても，当該事業年度に係る取締役又は執行役の個人別の報酬等の内容が当該方針に沿うものであると取締役会が判断した理由の記載が求められていることから，事業年度中又は事業年度末日後に当該方針について変更があった場合には，変更前の当該方針についても当該理由の説明のために必要な記載をすることが考えられる。
⑤ 会社役員が辞任し又は解任された場合に，辞任後又は解任後開催される株主総会において意見又は辞任した理由が述べられることがある（会社法345条参照）。この意見又は理由については，実際に辞任し又は解任された

> 事業年度であるか否かにかかわらず，述べられる予定の意見が判明した事業年度又は当該意見若しくは理由が実際に株主総会で述べられた事業年度に係る事業報告へ記載することとなる。したがって，例えば，ある事業年度において辞任した又は解任された会社役員につき，当該事業年度中には意見又は理由が述べられず又は判明もしなかったが，翌事業年度等において述べられた又は判明した場合には，当該翌事業年度等に係る事業報告に意見又は理由の内容を記載することとなる。
> ⑥　会社法施行規則第121条第1号から第10号までに掲げる事項の他に，会社役員につき重要な事項があれば，「会社役員に関する重要な事項」（会社法施行規則第121条第11号）として記載することとなる。

(1) 事業報告の記載対象となる「会社役員」の範囲について

　会社法施行規則の下では，事業報告の記載対象となる「会社役員」の範囲につき，記載事項ごとに対象となる範囲を異にするものとして取り扱われている。

　会社役員に関する事業報告の各記載事項と，記載の対象となる「会社役員」の範囲との関係は以下のとおりとなる。

記載事項	「会社役員」の範囲
氏名	直前の定時総会の翌日以降在任していた者に限る
地位および担当	直前の定時総会の翌日以降在任していた者に限る
当該事業年度に係る重要な兼職の状況（会計参与を除く）	直前の定時総会の翌日以降在任していた者に限る
事業報告の対象となる事業年度に係る報酬等に関する事項	在任時期による限定なし
事業報告の対象となる事業年度において受け，または受ける見込みの額が明らかとなった報酬等に関する事項	在任時期による限定なし

報酬等に関する定款の定めまたは株主総会決議に関する事項	在任時期による限定なし
報酬等の額またはその算定方法に係る決定方針に関する事項	在任時期による限定なし
各取締役（監査等委員である取締役を除く）の報酬等の額の決定の委任に関する事項	在任時期による限定なし
辞任した会社役員または解任された会社役員に関する事項（株主総会決議によって解任されたものを除く）	在任時期による限定なし
監査役，監査等委員または監査委員が財務および会計に関する相当程度の知見を有しているものであるときは，その事実	直前の定時総会の翌日以降在任していた者に限る
常勤で監査を行う監査等委員または監査委員選定の有無およびその理由（監査等委員会設置会社または指名委員会等設置会社に限る）	在任時期による限定なし
会社役員が会社との間で責任限定契約を締結している場合の当該契約の内容の概要	直前の定時総会の翌日以降在任していた者に限る
会社役員が会社との間で補償契約を締結している場合の当該会社役員の氏名および当該契約の内容の概要	直前の定時総会の翌日以降在任していた者に限る
会社役員に対する補償契約に基づく補償に関する事項	在任時期による限定なし（当該事業年度の前事業年度の末日までに退任した者を含む旨が明記）
役員等賠償責任保険契約を締結している場合の当該契約の内容の概要等	在任時期による限定なし
その他会社役員に関する重要な事項	在任時期による限定なし

※網掛け部分は在任時期による限定のないもの

(2) 在任時期による限定が付された記載事項についての，記載の対象となる会社役員の範囲

　在任時期による限定が付された記載事項については，事業報告の対象となる事業年度中に在任していた会社役員の範囲と，実際に事業報告の記載対象

第4節　会社役員に関する事項

となる「会社役員」の範囲とは，次のとおり，一致しないこととなる。
① 事業報告の対象となる事業年度中に在任していた会社役員であっても，当該事業年度中に開催された定時株主総会前に退任した者や，定時株主総会の終結の時をもって退任した者は，事業報告の記載対象とならない。
② 事業報告の対象となる事業年度中に開催された定時株主総会の翌日以降に在任していた会社役員であれば，当該事業年度の末日に在任していない者であっても，事業報告の記載対象となる。
③ 事業報告の対象となる事業年度の末日後に就任した会社役員は，原則として，事業報告の記載対象とならない。

つまり，直前の定時総会の翌日以降事業年度の末日までの間に一時的にでも在任していた者が，記載対象となる。

〔具体例〕公開会社であるA社（事業年度は，4月1日から3月31日まで）の例

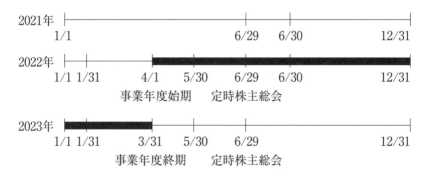

① 取締役甲は，2021年6月29日の定時株主総会で就任した後，2022年5月30日付で辞任した。
② 取締役乙は，2021年6月29日の定時株主総会で就任した後，2022年6月29日の定時株主総会の終結をもって任期満了により退任した。
③ 監査役丙は，2022年6月29日の定時株主総会で就任し，2023年3月31日に至るまで，在任している。

第Ⅰ章 事業報告

④ 監査役丁は，2022年6月29日の定時株主総会で就任し，2023年3月31日に至るまで，在任していたが，2023年5月30日付で辞任した。
⑤ 取締役戊は，2022年6月29日の定時株主総会で就任し，2023年1月31日付で辞任した。
⑥ 取締役己は，2021年6月29日の定時株主総会で就任した後，2021年12月31日に逝去した。
⑦ 監査役庚は，2021年6月29日の定時株主総会で就任した後，2022年1月31日付で辞任した。

2023年3月31日に終了する事業年度に関する事業報告への上記各役員に関する事項の記載の要否をまとめると，次のとおりとなる。

	対象となる役員	在任時期による限定が付された会社役員に関する事項の記載の要否	理　　由
①	取締役 甲	×	直前の定時総会（2022年6月29日の定時総会）の翌日以降に在任していない（定時総会前に辞任している）ため
②	取締役 乙	×	直前の定時総会（2022年6月29日の定時総会）の翌日以降に在任していない（定時総会の日に退任している）ため
③	監査役 丙	○	
④	監査役 丁	○	
⑤	取締役 戊	○	
⑥	取締役 己	×	直前の定時総会（2022年6月29日の定時総会）の翌日以降に在任していない（定時総会前に退任している）ため
⑦	監査役 庚	×	直前の定時総会（2022年6月29日の定時総会）の翌日以降に在任していない（定時総会前に辞任している）ため

（3）在任時期による限定が付されていない記載事項についての，記載の対象となる会社役員の範囲

　在任時期による限定が付されていない記載事項については，過去の一時期に在任してさえいれば，事業報告の記載の対象となる事業年度に在任していたか否かを問わず，事業報告作成会社におけるすべての役員が事業報告の記載対象となる。もっとも，経団連モデルのとおり，実際には，多くの記載事項については，その規定ぶりまたは開示事項の性質上，事業報告の記載対象となる事業年度において一時的にでも在任していた者（取締役甲から取締役戊までの者）についてのみ記載すれば足りることとなる。

　ただし，役員報酬（特に退職慰労金）に関する事項や辞任に関する事項の場合，退任後の事業年度において報酬が支給されることや，辞任の理由を述べることが起こり得るため，注意する必要がある。また，補償契約に基づく補償に関する事項については，「当該事業年度の前事業年度の末日までに退任した者を含む」旨が明記されている。従って，補償契約に基づき防御費用を会社役員（退任した者を含む）に対して補償しており，当該補償をした件に関して，当該事業年度中に当該会社役員について法令違反があったことまたは責任があったことを知った場合には，当該会社役員が当該事業年度において全く在任していなかった場合であっても，当該補償に関する事項を記載する必要がある。また，当該事業年度中に，補償契約に基づき賠償金・和解金を会社役員（退任した者を含む）に対して補償している場合には，当該会社役員が当該事業年度において全く在任していなかった場合であっても，当該補償に関する事項を記載する必要がある。

　(2)の①から⑦までの例において「会社役員に関する事項の記載の必要がない」とされた役員（取締役甲，乙および己ならびに監査役庚）につき，次の事項は事業報告の内容とする必要がある。

　①の例の取締役甲に関して，2022年4月1日から開始された事業年度に係る報酬等に関する事項や，同事業年度中に退職慰労金を支給した場合や支給見込額が明らかとなった場合の退職慰労金に関する事項，辞任に関する事項，

防御費用を補償をした件に関して同事業年度中に法令違反があったことまたは責任があったことを知った場合における当該補償に関する事項，同事業年度中に賠償金・和解金を補償した場合における当該補償に関する事項は事業報告の記載対象となる。

②の例の取締役乙に関して，2022年4月1日から開始された事業年度に係る報酬等に関する事項や，同事業年度中に退職慰労金を支給した場合や支給見込額が明らかとなった場合の退職慰労金に関する事項，防御費用を補償をした件に関して同事業年度中に法令違反があったことまたは責任があったことを知った場合における当該補償に関する事項，同事業年度中に賠償金・和解金を補償した場合における当該補償に関する事項は事業報告の記載対象となる。

⑥の例の取締役己に関して，2022年4月1日から開始された事業年度に入って，退職慰労金を支給した場合や，支給見込額が明らかとなった場合の退職慰労金に関する事項，防御費用を補償をした件に関して同事業年度に入って法令違反があったことまたは責任があったことを知った場合における当該補償に関する事項，同事業年度に入って賠償金・和解金を補償した場合における当該補償に関する事項が記載対象となる。

⑦の例の監査役庚に関して，2022年4月1日から開始された事業年度に入って，退職慰労金を支給した場合や，支給見込額が明らかとなった場合の退職慰労金に関する事項，2023年6月の定時株主総会において述べられる予定の辞任に関する他の監査役の意見または2022年6月の定時株主総会において述べられた辞任の理由（2022年3月期に係る事業報告に記載されたものを除く），防御費用を補償をした件に関して同事業年度に入って法令違反があったことまたは責任があったことを知った場合における当該補償に関する事項，同事業年度に入って賠償金・和解金を補償した場合における当該補償に関する事項などが記載対象となる。

なお，このほかにこれらの者についての重要な事項があれば，「会社役員に関する重要な事項」(施行規則121条11号) として記載が必要となることが考えられる。

第4節　会社役員に関する事項

(4) 執行役員に関する事項

　執行役員は会社役員（施行規則2条3項4号）には含まれないため，取締役が執行役員を兼ねている場合を除き，執行役員に関する事項を事業報告における「会社役員に関する事項」として記載する必要はない。ただし，会社の業務執行体制にとって執行役員制度が重要なものである場合などにおいては，執行役員に関する事項を事業報告に記載することが考えられる。この場合の執行役員に関する事項は「会社役員に関する事項」ではなく，「株式会社の状況に関する重要な事項」（施行規則118条1号）または「株式会社の現況に関する重要な事項」（施行規則120条1項9号）として取り扱われる事項であるが，事業報告への記載場所としては，会社役員に関する事項に続けて，例えば次のとおり記載することが考えられる。

（参考例）
　（取締役のうち，執行役員を兼務する者が存する場合）
　（注）当社は執行役員制を採用しており，※印の各氏は執行役員を兼務しております。○年○月○日現在の取締役以外の執行役員は，次のとおりであります。
　　　専務執行役員　●●●●，××××，△△△△
　　　執行役員　　　○○○○，▲▲▲▲，□□□□

（参考例）
　（取締役のうち，執行役員を兼務する者が存しない場）
　（注）当社は，業務執行の迅速性・効率性を高めるため，執行役員制度を導入しております。○年○月○日現在の執行役員は次のとおりであります。
　　　　　○○○○　　××担当
　　　　　●●●●　　◇◇担当
　　　　　△△△△　　○○担当

---

(5) 補欠役員に関する事項

　補欠役員は，補欠である間は，役員として会社の事業に関与することがない。したがって，補欠就任の条件が成就して正規の役員とならない限り，原則として，補欠役員に関する事項を事業報告に記載することは求められていない。ただし，会社法では，補欠役員の補欠期間が補欠選任後1年（一事業年度）を超えることを認めていることから（施行規則96条3項），そのような場合，補欠役員の存在を株主に対して明らかにする目的で，事業報告において，会社役員に関する事項の注記として，例えば次のとおり記載することも考えられる。

> **（参考例）**
> （注）監査役が法定の員数を欠くこととなる場合に備えるため，2022年6月26日開催の定時株主総会において補欠の監査役として○○○○氏（弁護士）が選任されております。

第2　氏名・地位および担当

経団連モデル

> 4-1. 氏名
> 4-2. 地位及び担当
> ［会社法施行規則の条項］
> 　会社法施行規則第121条第1号及び第2号に対応する事項である。
> ［記載方法の説明］
> 　当該事業年度における取締役及び監査役（指名委員会等設置会社の場合は取締役及び執行役）の氏名，会社における地位及び担当（代表取締役若しくは代表執行役，又は使用人兼務取締役若しくは執行役である旨の記載，監査等委員である旨の記載，業務担当取締役の「○○担当」といった記載を含む。）を記載する。取締役であっても，固有の担当がない場合には，担当の箇所には特段の記載を要しない。なお，監査役については，職務の分担を定めることは可能と解されているものの，各人について固有の担当は存しないものと解されているため（会社法施行規則第76条第2項第3号参照），担当については特段の記載を要しない。これに対し，監査等委員については，監査等委員会は，独任制の機関である監査役と異なり，会議体として組織的な監査を行うため，その構成員である監査等委員には「担当」があり得ると解されている。
> 　また，指名委員会等設置会社にあっては，所属する委員会があれば，その名称，執行役兼務取締役であれば，その旨も記載する。
> 　社外取締役あるいは社外監査役については，社外役員（会社法施行規則第2条第3項第5号）である場合についてのみ，その旨を注記することが考えられる。
> 　なお，「主な職業」については，事業報告においては，必ずしも記載が求められていない。ただし，主な職業が事業報告作成会社の役員のほかにあるときは，「重要な兼職の状況」（会社法施行規則第121条第8号）として記載する又は「会社役員に関する重要な事項」（会社法施行規則第121条第11号）として，その職業を注記することが考えられる。

(1) 氏名・地位および担当

　取締役および監査役（指名委員会等設置会社の場合は取締役および執行役）の氏名，事業報告作成会社における地位および担当を記載する。会計参与設置会社においては，会計参与についても氏名等を記載する必要がある。

　なお，担当については，取締役および監査役の全員が必ずしも固有の担当を有するとは限らないため，担当がない場合には，特段の記載を要しない。特に，監査役については，経団連モデルでも説明されているとおり，職務の分担を定めることは可能と解されているものの，各人について固有の担当は存しないものと解されているため（施行規則76条2項3号参照），担当についての記載を要しない。

　これに対し，監査等委員については，取締役ではあるものの，監査等委員以外の取締役とは区別して選任されることから（法329条項，施行規則74条の3），監査役と同様に，監査等委員を地位として記載することが考えられる。また，監査等委員会設置会社の監査等委員会は，独任制の機関である監査役と異なり，会議体として組織的な監査を行うため，その構成員である監査等委員には「担当」が存し得ると解されている（施行規則74条の3第2項3号参照）。

　事業報告が事業年度中に事業報告作成会社に生じた事項を報告するものである以上，事業年度中に地位や担当が変更された場合には，原則として，当該変更も事業報告の内容に含める必要があると考えられる。ただし，記載方法としては，事業年度末日時点のものを記載することとし，期中の変動は注記することが考えられる。また，事業年度終了後に地位や担当が変更された場合には，原則として，事業報告の内容とする必要はないと考えられるが，当該変更が「会社役員に関する重要な事項」（施行規則121条11号）に該当すれば，注記等の方法により，事業報告の内容とする必要がある。

(参考例)
(注) 事業年度中における担当の変更
事業年度中における取締役の担当の変更は，以下のとおりであります。

氏名	変更前		変更後		変更日
	地位	担当等	地位	担当等	

(参考例)
(注) 事業年度終了後の担当の変更
〇年〇月〇日，取締役の担当が次のとおり変更となりました。

氏名	地位	担当等

(2) 社外取締役または社外監査役である旨

　社外取締役または社外監査役である旨は，必ずしも事業報告に記載することは求められていない。ただし，会社法では，監査等委員会設置会社や指名委員会等設置会社，監査役会設置会社の役員構成において，社外取締役や社外監査役につき異なる取扱いをしている（法327条の2・331条6項・335条3項・400条3項）。

　これらの点に鑑み，社外取締役または社外監査役については社外取締役または社外監査役である旨を事業報告に記載することも考えられる。

　社外取締役または社外監査役の中には社外取締役または社外監査役として事業報告等に表示することによって初めて社外役員に該当することとなる者も存する（施行規則2条3項5号ロ(3)）。そこで，事業報告における社外取締役または社外監査役である旨の注記としては，会社法施行規則を引用して「会社

法施行規則第2条第3項第5号に定める社外役員であります」とするのではなく，経団連モデルのとおり，取締役については「会社法第2条第15号に定める社外取締役であります。」，監査役については「会社法第2条第16号に定める社外監査役であります。」とすることが考えられる。

(3) 独立役員である旨

　事業報告作成会社が株式会社東京証券取引所へ上場している場合，社外取締役または社外監査役の中から，「一般株主と利益相反が生じるおそれのない者」(独立役員) を1名以上確保することが求められている (有価証券上場規程436条の2第1項)。株式会社東京証券取引所に上場している会社は，独立役員の確保の状況を記載した独立役員届出書を取引所に提出し，提出した独立役員届出書の内容に変更が生じる場合には，原則として，変更が生じる日の2週間前までに変更内容を反映した独立役員届出書をさらに提出するものとされている (同条第2項・東京証券取引所有価証券上場規程施行規則436条の2)。この「独立役員」に関する事項は，会社法施行規則上は，社外取締役または社外監査役に関する記載項目に含まれていないため，独立役員が存したとしても，その旨を事業報告に記載することは義務付けられていない。

　ただし，株主への情報提供の充実の観点から，社外取締役または社外監査役の中に独立役員として指定した者が含まれている場合，事業報告においても，注記として，「社外取締役○○については，東京証券取引所規則の定める独立役員として，同取引所に対する届出を行っております」や，「当社は，○○○○氏を東京証券取引所の定めに基づく独立役員として指定し，同取引所に届け出ております。」などと注記することが考えられる。

　なお，東京証券取引所は，独立役員に関する情報を株主総会の議決権行使に役立てやすい形で株主に提供すること (事業報告の会社役員に関する事項の欄において，独立役員に指定されている社外役員を明示すること等) を求めている (東京証券取引所有価証券上場規程445条の6)。ただし，これは上場会社が「努めるものとする」とされていることから，実際に記載するか否かにつ

いては，各社の判断に委ねられている。

　また，2021年6月に改訂されたコーポレートガバナンス・コードにおいては，上場会社に対して，独立社外取締役を少なくとも2名以上（プライム市場上場会社においては3分の1以上）選任することが求められている（原則4-8）。加えて，支配株主を有する上場会社は，取締役会において支配株主からの独立性を有する独立社外取締役を少なくとも3分の1以上（プライム市場上場会社においては過半数）選任するか，または支配株主と少数株主との利益が相反する重要な取引・行為について審議・検討を行う，独立社外取締役を含む独立性を有する者で構成された特別委員会を設置すべきとされる（補充原則4-8③）。ただし，コーポレートガバナンス・コードに基づく要請については，Comply or Explain（コンプライ・オア・エクスプレイン）の原則に従い，要請に応ずることも，要請に応ずることなく，コーポレート・ガバナンス報告書において理由を説明することも可能である。

第3　重要な兼職の状況

経団連モデル

> 4-3．重要な兼職の状況
> ［会社法施行規則の条項］
> 　会社法施行規則第121条第8号に対応する事項である。
> ［記載方法の説明］
> 　会計参与を除く会社役員の重要な兼職の状況を記載する。会社役員が他の法人等の代表者であったとしても，当然には本項目の記載対象とはならず，当該兼任のうち「重要な兼職」に該当するもののみを記載すれば足りる。重要な兼職であるか否かは，兼職先が取引上重要な存在であるか否か，当該取締役等が兼職先で重要な職務を担当するか否か等を総合的に考慮して判断するため，兼職先の代表者であったとしても「重要な兼職」に該当しない場合もありうる。
> 　例えば，事業報告作成会社と全く取引のない団体や単なる財産管理会社，休眠会社の代表者である場合などは，「重要な兼職」には該当しないものと解されうる。「兼職の状況」としては，兼職先や兼職先での地位を記載することが考えられる。
> 　記載の方法としては，後記記載例のとおり，会社役員に関する事項中に氏名や地位及び担当と並べて重要な兼職の状況を記載する方法のほか，兼職状況について会社役員に関する事項とは別の一覧表を作成する方法が考えられる。

（1）記載事項

　会計参与を除く会社役員の重要な兼職の状況を記載する。

　経団連モデルにおいても説明されているとおり，重要な兼職であるか否かは，兼職先が事業報告作成会社にとって取引上重要な存在であるか否か，当該取締役等が兼職先で重要な職務を担当するか否か等を総合的に考慮して判

断される。この結果，会社役員が他の法人等の代表者であったとしても，当該事実は必ずしも本項目の記載対象とはならず，「重要な兼職」に該当するもののみを記載すれば足りる。この重要性の判断にあたっては，事業報告作成会社からみた重要性で判断すれば足り，当該他の法人等にとっての重要性は考慮する必要はないと解される。したがって，例えば，事業報告作成会社と全く取引のない団体や単なる財産管理会社や休眠会社の代表者である場合などは，「重要な兼職」には該当しないものと解され得る。

「兼職の状況」としては，兼職先の名称や兼職先での地位を記載することが考えられる。

なお，コーポレートガバナンス・コードにおいては，上場会社に対して，取締役および監査役が他の上場会社の役員を兼任する場合には，その兼任状況を開示することを求めている（補充原則4-11②）。

(2) 記載の方法

重要な兼職の状況の記載の方法としては，後記記載例（第7参照）のとおり，会社役員に関する事項中に氏名や地位および担当と並べて重要な兼職の状況を記載する方法のほか，以下の参考例のとおり，兼職状況について会社役員に関する事項とは別の一覧表を作成する方法も考えられる。

(参考例)
取締役および監査役の重要な兼職の状況

区分	氏名	兼職先の名称	兼職の内容	兼職の内容摘要
取締役	○○○○		代表取締役社長	
			支配人	
			無限責任社員	
	××××		執行役	
監査役	●●●●		常勤監査役	
	△△△△		無限責任社員	

(3) 重要な兼職の状況が変動した場合

　本項目において記載すべき事項は，事業報告の対象となる事業年度に係る重要な兼職の状況であるため，事業年度中に兼職の状況が変動した場合には，当該変動が「重要な事実」に該当するのであれば，その変動の内容も事業報告の内容とする必要がある。「兼職の状況が変動した場合」には，会社役員が兼職先で新たな地位に就いた場合や兼職先での地位を失った場合に限らず，事業報告作成会社と兼職先との関係そのものが変化したことにより，事業年度の途中で重要な兼職ではなくなった場合および重要な兼職となった場合も含まれる。

　また，事業年度終了後に兼職の状況が変動した場合には，原則として事業報告の内容とする必要はないが，当該変動が「会社役員に関する重要な事項」（施行規則121条11号）に該当すれば，注記等の方法により，事業報告の内容とする必要がある。

第4 事業年度中に辞任した会社役員または解任された会社役員に関する事項

経団連モデル

> **4-4. 辞任した会社役員又は解任された会社役員に関する事項**
> [会社法施行規則の条項]
> 　会社法施行規則第121条第7号に対応する事項である。
> [記載方法の説明]
> 　辞任した又は解任された会社役員(株主総会又は種類株主総会の決議によって解任されたものを除く。)が存するときは,次の事項を記載する。なお,任期満了により退任した会社役員は含まれない。
> 　① 氏名
> 　② 辞任又は解任について株主総会において述べられる予定の又は述べられた意見(会社法第342条の2第1項又は第345条第1項・第4項)があるときは,その意見の内容(監査等委員である取締役,会計参与又は監査役に限る。)
> 　③ 辞任した者により株主総会において述べられる予定の又は述べられた辞任の理由(会社法第342条の2第2項又は第345条第2項・第4項)があるときは,その理由(監査等委員である取締役,会計参与又は監査役に限る。)
> 　上記に加えて,監査等委員会設置会社においては,監査等委員会が選定する監査等委員は,株主総会において,監査等委員である取締役以外の取締役の選任若しくは解任又は辞任について意見を述べることができる(会社法第342条の2第4項)。したがって,監査等委員である取締役以外の取締役の辞任又は解任について,監査等委員会が選定する監査等委員により株主総会において述べられる予定の意見又は述べられた意見があるときは,その意見の内容も事業報告に記載することとなる。
> 　本項目における「会社役員」については,在任時期の限定が付されていないため,過去に辞任した又は解任された全ての会社役員(株主総会又は種類

第Ⅰ章 事業報告

株主総会の決議によって解任されたものを除く。）が対象となる。
　ただし，事業報告とは，報告の対象となる事業年度における事業の経過及び成果を株主に対して報告するという性質のものであるため，原則として，対象となる事業年度の初日から末日までに発生ないし変動した事象を内容とすれば足りる。
　したがって，事業報告の対象となる事業年度中に（ⅰ）辞任又は解任という事象が生じた場合，（ⅱ）辞任又は解任について株主総会において述べられる予定の意見又は辞任した理由が判明した場合，（ⅲ）辞任又は解任についての意見又は辞任した理由が株主総会において述べられた場合又は（ⅳ）事業報告に記載された意見と株主総会で実際に述べられた意見が異なる場合などにおいて記載の要否を検討することとなる。
　また，会社法施行規則第121条第7号には，「当該事業年度前の事業年度に係る事業報告の内容としたものを除く」との限定が付されている。ある事業年度において辞任し又は解任された会社役員（株主総会又は種類株主総会の決議によって解任されたものを除く。）が存した場合，当該事業年度に係る事業報告に少なくとも当該会社役員の氏名（①）は記載される。
　したがって，事業報告の対象となる事業年度より前に辞任し又は解任された者について事業報告への記載が必要になる場合とは，辞任し又は解任された事業年度後に②又は③の事項が生じ，かつ，当該事項がこれまでの事業報告に記載されていない場合に限られる。なお，事業年度末から当該事業年度に係る事業報告の作成時点までの間に，会社役員が辞任した場合には，当該会社役員等に関する①から③までの事項が「重要な事項」（会社法施行規則第121条第11号又は第118条第1号）に該当するのであれば，事業報告に記載することとなる。この場合には，翌事業年度に係る事業報告には，上記①から③までの事項を重複して記載する必要はなくなる。

（1）記載事項

　辞任した会社役員または解任された会社役員（株主総会または種類株主総会の決議によって解任されたものを除く）が存するときは，次の①から③までの事項を記載する。

① 氏名
② 辞任または解任について株主総会において述べられる予定のまたは述べられた意見（法342条の2第1項，345条1項・4項）があるときは，その意見の内容（監査等委員である取締役，会計参与または監査役についてのものに限る）
③ 辞任した者により株主総会において述べられる予定のまたは述べられた辞任した理由（法342条の第2項，345条2項・4項）があるときは，その理由（監査等委員である取締役，会計参与または監査役であったものについてのものに限る）

さらに，監査等委員会設置会社においては，監査等委員会が選定する監査等委員は，株主総会において，監査等委員である取締役以外の取締役の選任もしくは解任または辞任についても意見を述べることができる（法342条の2第4項）。したがって，監査等委員である取締役以外の取締役の辞任または解任について，監査等委員会が選定する監査等委員により株主総会において述べられる予定のまたは述べられた意見があるときは，その意見の内容も事業報告に記載することとなる。

(2) 記載の対象となる会社役員の範囲

経団連モデルにおいても説明されているとおり，本項目の対象となる「会社役員」については，在任時期の限定が付されていないため，事業報告の対象となる事業年度に辞任したまたは解任された会社役員にとどまらず，過去に辞任した，または解任されたすべての会社役員が対象となる。

(3) 本項目の記載の要否を検討すべき場合

事業報告とは，報告の対象となる事業年度における事業の経過および成果を株主に対して報告するという性質のものであるため，原則として，対象となる事業年度の初日から末日までに発生ないし変動した事象を内容とすれば足りる。

したがって，事業報告の対象となる事業年度中に辞任または解任の事実が発生した場合以外に，事業報告の対象となる事業年度前に辞任したまたは解任された会社役員に関する記載がなされる場合とは，事業報告の対象となる事業年度中に解任についての意見等が述べられた，または述べられる予定の意見が事前に判明した場合など，何らかの事象が生じた場合に限定される。

また，会社法施行規則第121条第7号には，「当該事業年度前の事業年度に係る事業報告の内容としたものを除く」との限定が付されている。したがって，例えば，ある事業年度中に辞任した会社役員につき，当該事業年度に係る事業報告において，辞任した会社役員の氏名および辞任について株主総会において述べられる予定の辞任理由が記載された場合，その後の株主総会において現に辞任理由が述べられたとしても，すでに事業報告に記載された内容と同内容であれば，翌事業年度に係る事業報告において「現に述べられた辞任理由」につき重ねて記載する必要はない。

なお，事業年度末から当該事業年度に係る事業報告の作成時点までの間に，会社役員が辞任した場合には，当該会社役員等に関する①から③までの事項が「重要な事項」(施行規則121条11号または118条1号) に該当するのであれば，事業報告に記載することが考えられる。

以上の整理に従えば，事業報告の内容として記載の求められる辞任または解任に関する事項は以下のとおりとなる（小松岳志＝澁谷亮・前掲16頁）。

① 当該事業年度中に会社役員が辞任し，または解任された場合における当該会社役員の氏名または名称
② 会社役員の辞任または解任について次の株主総会で述べられる予定の意見または理由が当該事業年度中に判明した場合における当該意見または理由
③ 当該意見または理由の陳述が当該事業年度中の株主総会において行われた場合における当該意見または理由

なお，任期満了により株主総会終結時で退任する取締役および監査役については，退任した旨の記載をすることは必ずしも求められていないが，記載

する場合には，辞任や解任による退任でないことを明らかとする趣旨で，「取締役○○氏及び××氏は，○年○月○日の定時株主総会終結の時をもって任期満了により退任いたしました。」などと記載することが考えられる。

第5　財務および会計に関する相当程度の知見

経団連モデル

> **4-5．財務及び会計に関する相当程度の知見**
> ［会社法施行規則の条項］
> 　会社法施行規則第121条第9号に対応する事項である。
> ［記載方法の説明］
> 　監査役，監査等委員又は監査委員が財務及び会計に関する相当程度の知見を有している場合には，その内容を記載する。
> 　「相当程度の知見を有している場合」の範囲は，公認会計士資格や税理士資格など一定の法的な資格を有する場合に限定されず，「会社の経理部門において○年間勤務した経験を有する」といった内容でも構わない。
> 　記載場所としては，役員の地位・担当等を記載する際にあわせて注記として記載することが考えられる。

　会社法施行規則では，監査役，監査等委員または監査委員が財務および会計に関する相当程度の知見を有している場合には，事業報告にその内容を記載することが求められているが，「財務及び会計に関する相当程度の知見を有している」ことは，監査役，監査等委員または監査委員の要件とされているものではない。本事項はあくまで知見を有している場合の記載事項であるため，知見を有していない場合には，記載の必要はない。

　「相当程度の知見を有している場合」の範囲については，会社法施行規則上は，特段の基準は設けられていない。ただし，立案担当者解説によれば，「財務・会計に関する相当程度の知見を有するという事実とは，公認会計士や税理士など一定の法的な資格を有する場合に限定されるものではない。たとえば，経理部門で経験を積んできているなど事実上のものでも差し支えない」とされている（相澤哲＝郡谷大輔・前掲46頁）。

上記趣旨からすれば，事業報告の作成時点において，会社が「相当程度の知見を有している」と判断するのであれば，広くその内容を記載することも妨げられないと解されよう。例えば，「当社の経理部門において〇年間勤務した経験を有する」などのほか，経理部門における経験は自社でのものに限られず，他社でのものでも構わない。逆に，「簿記〇級」といった会計に関する何らかの資格を有している場合に必ずその旨を記載しなければならないと解する必要もない。

コーポレートガバナンス・コードにおいては，上場会社に対して，監査役に財務・会計に関する十分な知見を有している者が1名以上選任されることを求めている（原則4-11）。

第Ⅰ章 事業報告

第6 常勤で監査を行う者の選定の有無およびその理由

経団連モデル

> 4-6. 常勤で監査を行う者の選定の有無及びその理由
> ［会社法施行規則の条項］
> 　会社法施行規則第121条第10号に対応する事項である。
> ［記載方法の説明］
> 　事業報告作成会社が事業年度の末日において監査等委員会設置会社又は指名委員会等設置会社である場合，常勤の監査等委員又は監査委員の選定の有無及びその理由を記載する。

　事業報告作成会社が事業年度の末日において監査等委員会設置会社または指名委員会等設置会社である場合，常勤の監査等委員または監査委員の選定の有無およびその理由を記載することが求められている。

　「理由」については，常勤の者を選定していない場合に限らず，選定している場合であっても記載が求められる。

　例えば，下記のように会社役員に関する事項の注記として記載することなどが考えられる。

> **(参考例)**（常勤の者を選定していない場合）
> 注●　当社は，内部統制システムを通じた組織的監査を実施することにより監査の実効性を確保していることから，常勤の［監査等委員／監査委員］を選定しておりません。

> **(参考例)**（常勤の者を選定している場合）
> 注●　当社は，監査の実効性を高めるために，常勤の［監査等委員／監査委員］を選定しております。

第7　責任限定契約に関する事項

経団連モデル

> **4-7. 責任限定契約に関する事項**
> ［会社法施行規則の条項］
> 　会社法施行規則第121条第3号に対応する事項である。
> ［記載方法の説明］
> 　事業報告作成会社が取締役又は監査役との間で責任限定契約（会社法第427条第1項の契約）を締結している場合には，契約の相手方と共に，当該契約の内容の概要を記載する。「契約の内容の概要」としては，責任の限度額及び法令に定める事項以外に責任が制限されるための特段の条件を定めていれば当該条件を記載することが考えられるが，これに加え，契約によって当該役員の職務の執行の適正性が損なわれないようにするための措置を講じている場合にはその内容をも記載することとなる。
> 　記載の方法としては，会社役員に関する事項に注記する方法や，責任限定契約に関する事項として，別項目を立てて記載する方法が考えられる。なお，社外役員とのみ責任限定契約を締結するのであれば，社外役員に関する記載事項とすることでも差し支えない。

　事業報告作成会社が取締役または監査役との間で責任限定契約を締結している場合には，契約の相手方とともに，当該契約の内容の概要を記載する。

　会社法上，責任限定契約を締結することができる取締役または監査役の範囲は，社外役員に限定されておらず，定款による定めを設ければ，業務執行取締役等を除く取締役およびすべての監査役が責任限定契約を締結することができる（法427条1項）。

　「契約の内容の概要」としては，経団連モデルにおいても説明されているとおり，責任の限度額および法令に定める事項以外に責任が制限されるための

特段の条件を定めていれば当該条件を記載することが考えられる。また，契約によって当該役員の職務の適正性が損なわれないようにするための措置を講じている場合にはその内容を記載する必要がある。契約において責任の限度額を確定額で定めていない場合には，責任限度額については，単に「会社法第425条第1項に定める最低責任限度額を限度として」や「当該契約に基づく責任の限度額は，法令が規定する額とする」などと記載することとなる。

「役員の職務の執行の適正性が損なわれないようにするための措置」については，会社法施行規則には特に要件は定められていないため，さまざまな取組みが当該措置に該当しうると考えることが可能と解される。

立案担当者によれば，社内規則により社外役員が積極的に会社の情報の収集に努める旨やコンプライアンス研修に出席する旨などの定めを設けている場合や，社外役員につき3年で絶対退任することとしている場合なども，当該措置に該当しうると説明されている(相澤哲ほか「座談会　解説書には載っていない会社法における実務上の疑問点 (1)」Lexis 企業法務1巻9号（2006）〔相澤発言〕)。

上記趣旨からすれば，責任限定契約において法令に定める事項以外に責任が制限されるための特段の要件（「事業年度中における取締役会への出席率が○割を下回らないこと」など）を定めている場合なども当該措置に該当しうると解される。

なお，経団連モデルでは，次のように第2～第8までおよび第10をまとめて表示する例と，責任限定契約について別項目を立てて記載する例を示している。

第4節　会社役員に関する事項

経団連モデル

[記載例]
当社の会社役員に関する事項

氏　名	地位及び担当	重要な兼職の状況
	代表取締役会長 ○○担当	
	代表取締役社長 ○○担当	
	代表取締役副社長 ○○担当	
	専務取締役 ○○担当	
	常務取締役 ○○担当	
	取締役 ○○担当	
××××	取締役	○○株主会社代表取締役
●●	常勤監査役	
○○	監査役	
△△	監査役	

注1. 取締役××××氏は，会社法第2条第15号に定める社外取締役であります。
注2. 監査役○○氏及び△△氏は，会社法第2条第16号に定める社外監査役であります。
注3. 常勤監査役●●氏は，○年間当社の経理業務を担当しており，財務及び会計に関する相当程度の知見を有するものであります。
　　　監査役○○氏は，公認会計士の資格を有しており，財務及び会計に関する相当程度の知見を有するものであります。
注4. 取締役○○○○氏は，○年○月○日辞任いたしました。
注5. 監査役△△△△氏は，○年○月○日辞任いたしました。当該辞任に関し，△△△△氏より，次のとおり辞任の理由が述べられております。

注6．当事業年度の末日後に◎◎氏が当社取締役（××担当）として就任しております。
注7．○○株式会社は，当社と○○という関係にあります。
注8．当社の親会社である●●の代表取締役は，社外取締役××××氏の三親等内の親族であります。
注9．社外監査役△△氏の甥は，当社の経理部長として勤務しております。
注10．当社は社外取締役◎◎氏，監査役●●氏及び社外監査役××氏との間で，その職務を行うにつき善意でありかつ重大な過失がなかったときは，金○○円又は会社法第425条第1項に定める最低責任限度額のいずれか高い額をその責任の限度とする旨の契約を締結しております。
注11．当社は取締役◎◎氏，監査役●●氏との間で，会社法第430条の2第1項に規定する補償契約を締結しております。当該補償契約では，同項第1号の費用及び同項第2号の損失を法令の定める範囲内において当社が補償することとしております。
注12．当社は当社及び当社子会社である○○株式会社の取締役及び監査役の全員を被保険者とする会社法第430条の3第1項に規定する役員等賠償責任保険契約を保険会社との間で締結しております。当該保険契約では，被保険者が会社の役員等の地位に基づき行った行為（不作為を含みます。）に起因して損害賠償請求がなされたことにより，被保険者が被る損害賠償金や訴訟費用等が塡補されることとなります。

［記載例］（別項目を立てて記載する際の例）
（責任限定契約の内容の概要）
　　当社は，○年○月○日開催の第○回定時株主総会で定款を変更し，取締役（業務執行取締役等を除く）及び監査役の責任限定契約に関する規定を設けております。
　　当該定款に基づき当社が取締役○○○○氏及び監査役の全員と締結した責任限定契約の内容の概要は次のとおりであります。
① 取締役の責任限定契約
　取締役は，本契約締結後，会社法第423条第1項の責任について，その職

務を行うにつき善意でありかつ重大な過失がなかったときは，金〇〇円又は会社法第425条第1項に定める最低責任限度額のいずれか高い額を限度として損害賠償責任を負担するものとする。

② 監査役の責任限定契約

　監査役は，本契約締結後，会社法第423条第1項の責任について，その職務を行うにつき善意でありかつ重大な過失がなかったときは，金〇〇円又は会社法第425条第1項に定める最低責任限度額のいずれか高い額を限度として損害賠償責任を負担するものとする。

第8　補償契約に関する事項

経団連モデル

> **4-8．補償契約に関する事項**
> ［会社法施行規則の条項］
> 　会社法施行規則第121条第3号の2に対応する事項である。
> ［記載方法の説明］
> 　事業報告作成会社が取締役，監査役又は執行役との間で補償契約（会社法第430条の2第1項の契約）を締結している場合には，①契約の相手方の氏名と共に，②当該契約の内容の概要を記載する。
> 　「契約の内容の概要」としては，補償の対象（会社法第430条の2第1項各号のいずれの事項が補償の対象となるか）を記載することが考えられるが，これに加え，契約によって当該取締役，監査役又は執行役の職務の執行の適正性が損なわれないようにするための措置を講じている場合（補償契約において事業報告作成会社が補償する額について限度額を設けた場合や，事業報告作成会社が当該取締役，監査役又は執行役に対して責任を追及する場合及び当該役員に故意又は重過失が認められる場合には当該役員に生じる防御費用については補償することができないこととした場合など）には，その内容をも記載することとなる。
> 　記載の方法としては，会社役員に関する事項に注記する方法や，補償契約に関する事項として，別項目を立てて記載する方法が考えられる。

(1) 記載事項

　事業報告作成会社が取締役，監査役または執行役との間で補償契約を締結している場合には，契約の相手方の氏名と共に，当該契約の内容の概要を記載する。補償契約とは，株式会社が，役員等（取締役，会計参与，監査役，執行役または会計監査人）に対して次に掲げる費用等の全部または一部を当該株式会社が補償することを約する契約である（法430条の2）。①が防御費用，

②Aが賠償金，②Bが和解金を指している。
① 当該役員等が，その職務の執行に関し，法令の規定に違反したことが疑われ，または責任の追及に係る請求を受けたことに対処するために支出する費用（法430条の2第1項第1号）
② 当該役員等が，その職務の執行に関し，第三者に生じた損害を賠償する責任を負う場合における次に掲げる損失（法430条の2第1項第2号）
　A　当該損害を当該役員等が賠償することにより生ずる損失
　B　当該損害の賠償に関する紛争について当事者間に和解が成立したときは，当該役員等が当該和解に基づく金銭を支払うことにより生ずる損失

　「契約の内容の概要」としては，経団連モデルにおいても説明されているとおり，上記の費用等の種類のうちいずれを補償の対象とするのかを記載することが考えられるが，これに加えて，契約において「職務の執行の適正性が損なわれないための措置」を講じている場合にはその内容も記載することとなる。なお，「職務の執行の適正性が損なわれないための措置」については「内容」を記載することが求められているが，細目的に記載する必要はなく，重要な事項についての必要な記載をすれば足りる。契約による「職務の執行の適正性が損なわれないための措置」としては，例えば，補償契約において会社が補償する額について限度額を設けること，補償についての一定の除外事由（例えば，会社が補償契約の相手方に対して責任を追及する場合や当該補償契約の相手方に故意・重過失がある場合の防御費用など）を定めること，会社が補償する義務を負うこととせずに，裁量的に補償することができる旨を定めることなどが考えられる。「職務の執行の適正性が損なわれないための措置」は契約条件として定めたものに限らず，例えば，義務ではない裁量的な補償事由を補償契約において定めている場合において，当該裁量的な補償の要否の検討を独立性ある特別な委員会で検討することとすることなどもこれに該当する。なお，特段の措置を講じていない場合には，記載することを要しない。

記載の方法としては、会社役員に関する事項に注記する方法や、補償契約に関する事項として別項目を立てて記載する方法が考えられる。前者については、経団連モデル4-7において示されており（第7参照）、後者については例えば以下の記載が考えられる。

> **(参考例)**（別項目を立てて記載する際の例）
> （補償契約の内容の概要）
> ① 補償契約を締結している者の氏名
>   ●●, ●●
> ② 補償契約の内容の概要
>   補償契約の相手方に対して、会社法430条第1項第1号の費用および同項第2号の損失を法令の定める範囲内において当社が補償する。ただし、同項第2号の損失については当社が相当と認めた場合に限る。

(2) 在任時期との関係

取締役、監査役および執行役との間の補償契約に関しては、直前の定時株主総会の終結の日の翌日以降に在任していた者に限って開示が必要である（施行規則121条1号・3号の2参照）。したがって、それより前に退任した者との間で締結した補償契約に関しては開示が不要である。

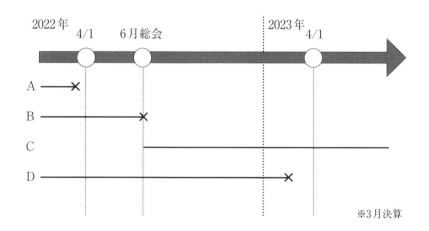

例えば，3月決算（6月定時株主総会）の会社において，2023年3月期の事業報告には，2022年6月の定時株主総会の日の翌日以降に在任していた者についてのみ開示対象であり，2022年6月の定時株主総会の終結をもって退任した取締役については，開示対象外である。上記の図でいえば，AおよびBについて開示不要であるが，CおよびDについて開示が必要となる。
　なお，補償契約に基づく補償に関する事項についての開示対象は，別に考える必要があるので，注意が必要である（第9参照）。

(3) 記載の対象となる補償契約

　記載の対象となる補償契約の範囲は，事業報告の対象となる事業年度の初日から末日までに有効であった全てのものである。なお，補償契約に関する事項については規定上「現に」といった文言が存在しないことからすると，当該事業年度の末日後に締結する契約は記載対象とならない。事業年度の末日後に締結をすることが「重要な事項」に該当する場合には会社法施行規則118条1号等に基づき後発事象として開示が必要となるということは一応考えられるが，単に補償契約を締結するのみでこれに該当するとまで考える必要はない。

第9 補償契約に基づく補償に関する事項

経団連モデル

> **4-9. 補償契約に基づく補償に関する事項**
> ［会社法施行規則の条項］
> 　会社法施行規則第121条第3号の3及び第3号の4に対応する事項である。
> ［記載方法の説明］
> 　補償契約を締結した事業報告作成会社が会社役員（取締役，監査役又は執行役に限る。以下4-9において同じ。）に対して補償契約に基づき補償を行った場合，その内容に応じて以下の事項を記載する。
> ① 会社法第430条の2第1項第1号の費用を補償した場合
> 　　事業報告作成会社が，当該事業年度において，当該会社役員が同号の職務の執行に関し法令の規定に違反したこと又は責任を負うことを知ったときは，その旨
> ② 会社法第430条の2第1項第2号の損失を補償した場合
> 　　その旨及び補償した金額
>
> 　①に該当する場合，当該事業年度において，「補償契約に基づき補償をした会社役員」が会社法第430条の2第1項第1号の職務の執行に関し，「法令の規定に違反したこと」又は「責任を負うこと」のいずれを知ったのかを明らかにして記載する必要があるが，費用の補償を受けた会社役員の氏名や法令違反等に該当する事実の概要等までを記載する必要はない。
>
> 　②に該当する場合，当該事業年度中に同一の事由に関して複数の会社役員に対して損失を補償したときであっても，個別の会社役員ごとに記載する必要はなく，当該会社役員らに対して補償した旨及び補償した金額の合計額をまとめて記載すれば足りる。なお，会社法第430条の2第1項第2号イ又はロの損失のいずれを補償したかを明らかにして記載する必要があるが，損失の補償を受けた会社役員の氏名や損失の具体的な内容等を記載する必要はなく，補償契約に基づき会社役員に対して会社法第430条の2第1項第2号イ（又はロ）に掲げる損失を補償した旨を記載すれば足りる。

> 記載の方法としては，会社役員に関する事項に注記する方法や，補償契約に基づく補償に関する事項として，別項目を立てて記載する方法が考えられる。

　事業報告作成会社が取締役，監査役または執行役との間で補償契約（法430条の2第1項）を締結している場合において，補償契約の相手方に対して契約に基づいて補償をした場合には，その補償した費用等の内容に応じて以下の事項の記載が必要となる。

(1) 防御費用（法430条の2第1項第1号）を補償した場合

　事業報告作成会社が，当該事業年度において，補償契約の相手方が防御費用を補償した件について法令の規定に違反したことまたは責任を負うことを知ったときは，その旨を記載する（施行規則121条3号の3）。立案担当官の解説によれば，「その旨」を記載すれば足りることから，防御費用の補償を受けた相手方の氏名を事業報告に記載する必要はないが，「法令の規定に違反したこと」または「責任を負うこと」のいずれを知ったのかを明らかにして記載することが相当とされている（渡辺諭ほか・前掲商事法務2252号16頁）。

> **(参考例)**
> （補償契約に基づく補償に関する事項）
> 　当社は補償契約に基づき一部の取締役に対して防御費用を補償しておりましたが，当事業年度において，原因となった職務の執行に関し，当該取締役に責任があることが判明いたしました。

　また，ここでの補償契約の相手方には，当該事業年度の末日までに退任した者を含むものとされている（施行規則121条3号の3）。したがって，補償契約に基づき防御費用を補償しており，当該補償をした件に関して，事業報告作成会社が，当該事業年度中に補償契約の相手方について法令違反があったこ

とまたは責任があったことを知った場合には、当該相手方が当該事業年度において会社役員として全く在任していなかった場合であっても、当該補償に関する事項を記載する必要がある。補償契約を締結した時期や防御費用を補償した時期も問わない。事業報告作成会社が当該事業年度中に「知った」かどうかが基準となる。

例えば、3月決算（6月定時株主総会）の会社において、補償契約に基づき防御費用を補償した件に関して、2022年4月1日から2023年3月31日までの間に、会社が補償した相手方が法令の規定に違反したことまたは責任を負うことを知ったときは、防御費用を補償した時期がいつであるかや、補償した相手方がいつ在任していたかにかかわらず、2023年3月期の事業報告での開示が必要となる。

(2) 賠償金・和解金（法430条の2第1項第2号）を補償した場合

事業報告作成会社が、補償契約の相手方に対して賠償金・和解金を補償した場合には、その旨および補償した金額を記載する。立案担当官の解説によれば、「その旨及び補償した金額」を記載すれば足りることから、補償を受けた相手方の氏名や、補償した件に関する事案の具体的な内容を事業報告に記載する必要はないが、会社法430条の2第1項2号イまたはロに掲げる損失のいずれを補償したのか（すなわち、賠償金と和解金のいずれを補償したのか）を明らかにして記載することが相当とされている（渡辺諭ほか・前掲商事法務2252号16頁）。また、同一事由に関して複数の会社役員（取締役、監査役または執行役）に対して補償したときは、当該会社役員らに対して補償した旨および補償した金額の合計額をまとめて記載すれば足り、会社役員ごとに区別して記載することは要しない（渡辺諭ほか・前掲商事法務2252号19頁）。

> **(参考例)**
> （補償契約に基づく補償に関する事項）
> 　当事業年度において，当社は補償契約に基づき同一の事由に関して複数の取締役に対して合計〇〇円の［賠償金］／［和解金］を補償いたしました。

　また，ここでの補償契約の相手方についても，当該事業年度の末日までに退任した者を含むものとされている（施行規則121条3号の3）。したがって，事業報告作成会社が，当該事業年度中に補償契約に基づき賠償金・和解金を補償していれば，当該相手方が当該事業年度において会社役員として全く在任していなかった場合であっても，当該補償に関する事項を記載する必要がある。補償契約を締結した時期や，相手方に責任があることを知った時期も問わない。賠償金・和解金の場合には，事業報告作成会社が当該事業年度中に「補償した」かどうかが基準となる。

　例えば，3月決算（6月定時株主総会）の会社においては，2022年4月1日から2023年3月31日までの間に会社が補償契約に基づき賠償金または和解金を補償していれば，補償契約を締結した時期，補償した相手方が法令の規定に違反したことまたは責任を負うことを知った時期，補償した相手方の在任時期にかかわらず，2023年3月期の事業報告での開示が必要となる。

第10 役員等賠償責任保険契約に関する事項

経団連モデル

> **4-10. 役員等賠償責任保険契約に関する事項**
> ［会社法施行規則の条項］
>   会社法施行規則第121条の2に対応する事項である。
> ［記載方法の説明］
>   事業報告作成会社が保険者との間で役員等賠償責任保険契約を締結している場合，以下の事項を記載する。
> ① 当該役員等賠償責任保険契約の被保険者の範囲
> ② 当該役員等賠償責任保険契約の内容の概要（被保険者が実質的に保険料を負担している場合にはその負担割合，塡補の対象とされる保険事故の概要及び当該役員等賠償責任保険契約によって被保険者である役員等（当該株式会社の役員等に限る）の職務の執行の適正性が損なわれないようにするための措置を講じている場合にはその内容を含む）
>   役員等賠償責任保険契約とは，株式会社が保険者との間で締結する保険契約のうち，役員等がその職務の執行に関し責任を負うこと又は当該責任の追及に係る請求を受けることによって生ずることのある損害を保険者が塡補することを約するものであって役員等を被保険者とするもののうち，以下のものを除くものとなる（会社法第430条の3第1項，会社法施行規則第115条の2）。
> (1) 被保険者に保険者との間で保険契約を締結する株式会社を含む保険契約であって，当該株式会社がその業務に関連し第三者に生じた損害を賠償する責任を負うこと又は当該責任の追及に係る請求を受けることによって当該株式会社に生ずることのある損害を保険者が塡補することを主たる目的として締結されるもの（いわゆる生産物賠償責任保険（PL保険），企業総合賠償責任保険（CGL保険），使用者賠償責任保険，個人情報漏洩保険等がこれに該当しうる。）
>   なお，主契約と特約が一体のものとして役員等賠償責任保険契約を構成する場合には，上記「主たる目的」は，主契約と特約を合わせた契約全体について判断されることとなる。また，被保険者に役員と会社の両方を含

む役員等賠償責任保険契約についても，それぞれを被保険者とする部分を別の保険契約であると整理することが適切でない場合には，契約全体について「主たる目的」が判断されることとなる。なお，これらの判断は，主契約か特約かなどの外形的な事情だけでなく，経済的な機能等にも着目し行う。

(2) 役員等が第三者に生じた損害を賠償する責任を負うこと又は当該責任の追及に係る請求を受けることによって当該役員等に生ずることのある損害（役員等がその職務上の義務に違反し若しくは職務を怠ったことによって第三者に生じた損害を賠償する責任を負うこと又は当該責任の追及に係る請求を受けることによって当該役員等に生ずることのある損害を除く。）を保険者が塡補することを目的として締結されるもの（自動車損害賠償責任保険，任意の自動車保険，海外旅行保険等がこれに該当しうる）

①については，当該役員等賠償責任保険契約の保険契約者である事業報告作成会社の役員等でない者が被保険者に含まれている場合，当該役員等でない者も記載の対象となる。被保険者の氏名の記載までは要しないが，被保険者の範囲等の記載により，被保険者となる者が特定できることが必要である。

②の「役員等賠償責任保険契約の内容の概要」については，当該役員等賠償責任保険契約の内容の重要な点（特約がある場合には，主契約と特約を合わせた契約全体の重要な点）を理解するに当たり必要な事項を記載することが求められ，「塡補の対象とされる保険事故」の概要としては，その重要な点を理解するに当たり必要な事項を記載することが求められる。

②の「被保険者である役員等の職務の執行の適正性が損なわれないようにするための措置」の一例としては，役員等賠償責任保険契約に免責額についての定めを設け，一定額に至らない損害については塡補の対象としないこととすることなどが考えられるが，特段の措置を講じていない場合には，記載を要しない。

記載の対象となる役員等賠償責任保険契約の範囲については，事業報告の対象とする事業年度の初日から末日までに有効であった全ての役員等賠償責任保険契約に関する記載が必要となる。

記載の方法としては，会社役員に関する事項に注記する方法や，役員等賠償責任保険契約に関する事項として，別項目を立てて記載する方法が考えられる。

(1) 記載事項

　事業報告作成会社が役員等賠償責任保険契約を締結している場合には，経団連モデルのとおり，当該契約の被保険者の範囲や当該契約の内容の概要について記載する必要がある。役員等賠償責任保険契約の定義（法430条の3，施行規則115条の2）も，経団連モデルの説明のとおりであるが，通常，D&O保険として締結される契約は，役員等賠償責任保険契約に該当する一方で，PL保険，CGL保険，使用者賠償責任保険，個人情報漏洩保険，自動車損害賠償責任保険，任意の自動車保険，海外旅行保険等は該当しない。なお，その名称等に限られず，事業報告作成会社が締結した保険契約であっても，会社法施行規則115条の2各号のいずれかに該当するもの，その他役員等賠償責任保険契約の定義に該当しないものは，事業報告への記載は不要である。

　「被保険者の範囲」については，「範囲」であるので，被保険者の範囲が特定することができる限り，被保険者の氏名の開示は不要である。また，事業報告作成会社の役員等（取締役，会計参与，監査役，執行役または会計監査人）以外の者が含まれている場合には，その者についても記載の対象となる。ただし，事業報告作成会社の役員等以外の被保険者を厳密に特定しようとすると記載が煩雑となる場合には，開示事項としての重要性の観点から，事業報告作成会社の役員等以外の特定よりも概括的な形での特定でも許容されるものと解される。

　「役員等賠償責任保険契約の内容の概要」については，経団連モデルの説明のとおり，その内容（特約がある場合には主契約と特約を合わせた契約全体の内容）の重要な点を理解するにあたり必要な事項を記載することが求められる。「填補の対象とされる保険事故の概要」「被保険者が実質的に保険料を負担している場合のその割合」や「被保険者である役員等の職務の執行の適正性が損なわれないようにするための措置」も同様に理解すればよく，細目的な内容の記載まで求められるわけではない。

　「被保険者が実質的に保険料を負担している場合のその割合」については，「負担している場合」にのみ記載が必要であるから，被保険者が保険料を全く

負担していない場合には，記載することを要しない。また，当該事業報告作成会社の役員等以外の者が被保険者に含まれている場合，当該役員等以外の者も含めた実質的な負担割合を記載する必要がある（渡辺諭ほか・前掲商事法務2252号20頁）。もっとも，負担割合を記載するにあたり，被保険者別の内訳等までを記載する必要はない。

「被保険者である役員等の職務の執行の適正性が損なわれないようにするための措置」については，例えば，経団連モデルにあるとおり，免責額についての定めを設けていることなどが考えられるが，特段の措置を講じていない場合には，記載は不要である。

なお，保険料や保険金額の記載については原則として開示する必要がない。また，実際に支払われた保険金についても原則として開示する必要がない（渡辺諭ほか・前掲商事法務2252号20頁）。

記載の方法としては，会社役員に関する事項に注記する方法や，役員等賠償責任保険に関する事項として別項目を立てて記載する方法が考えられる。前者については，経団連モデル4-7において示されており（第7参照），後者については経団連モデル4-10において示しているとおりである。

経団連モデル

> ［記載例］（別項目を立てて記載する際の例）
> （役員等賠償責任保険契約の内容の概要）
> ①　被保険者の範囲
> 　　当社および当社のすべての子会社のすべての取締役，執行役および監査役。
> ②　保険契約の内容の概要
> 　　被保険者が①の会社の役員としての業務につき行った行為（不作為を含む。）に起因して損害賠償請求がなされたことにより，被保険者が被る損害賠償金や争訟費用等を補償するもの。ただし，贈収賄などの犯罪行為や意図的に違法行為を行った役員自身の損害等は補償対象外とすることにより，役員等の職務の執行の適正性が損なわれないように措置を講じている。保険料は全額当社が負担する。

（2）開示対象となる役員等賠償責任保険契約の範囲

　経団連モデルのとおり，記載の対象となる役員等賠償責任保険契約の範囲は，事業報告の対象となる事業年度の初日から末日までに有効であった全てのものについて記載が必要となり，事業年度の途中で更新がされた場合には，更新前と更新後双方の契約について記載が必要となる。もっとも，更新の前後でその内容が実質的に異ならない場合には，更新した旨等を記載する必要まではない。

　また，役員等賠償責任保険契約に関する事項については規定上「現に」といった文言が存在しないことからすると，当該事業年度の末日後に締結する契約は記載対象とならない。事業年度の末日後に締結をすることが「重要な事項」に該当する場合には施行規則118条1号等に基づき後発事象として開示が必要となるということは一応考えられるが，単に契約を締結しまたは更新したのみでこれに該当するとまで考える必要はない。

　さらに，開示の対象は，事業報告作成会社が締結している契約であるから，事業報告作成会社の親会社が締結しており，当該契約の被保険者に当該事業報告作成会社の役員等が含まれている場合であっても，当該事業報告作成会社においての開示は不要である（この場合，親会社の事業報告において開示は必要となり得る）。これは，当該事業報告作成会社またはその役員等がその保険料を実質的に負担していたとしても同様である（渡辺諭ほか・前掲商事法務2252号20頁）。

第11 取締役，会計参与，監査役または執行役ごとの報酬等の総額（業績連動報酬等，非金銭報酬等，それら以外の報酬等の総額）

経団連モデル

> 4-11．取締役，会計参与，監査役又は執行役ごとの報酬等の総額（業績連動報酬等，非金銭報酬等，それら以外の報酬等の総額）
>
> ［会社法施行規則の条項］
> 　会社法施行規則第121条第4号及び第5号に対応する事項である。
>
> ［記載方法の説明］
> 　会社役員に支払った報酬その他の職務執行の対価である財産上の利益（以下「報酬等」という）の額を，①業績連動報酬等，②非金銭報酬等，③それら以外の報酬等の種類別に，かつ，取締役，会計参与及び監査役（監査等委員会設置会社の場合は監査等委員である取締役以外の取締役及び監査等委員である取締役並びに会計参与，指名委員会等設置会社の場合は取締役及び執行役並びに会計参与）ごとに区分して，それぞれの総額と員数を記載する。
> 　「業績連動報酬等」とは，報酬等のうち，利益の状況を示す指標，株式の市場価格の状況を示す指標その他の当該株式会社又はその関係会社（会社計算規則第2条第3項第25号に規定する関係会社をいう。）の業績を示す指標（連結業績を示す指標を含む。）を基礎としてその額又は数が算定されるものである（会社法施行規則第98条の5第2号）。
> 　「非金銭報酬等」とは，報酬等のうち，金銭でないもの（募集株式又は募集新株予約権と引換えにする払込みに充てるための金銭を取締役の報酬等とする場合における当該募集株式又は募集新株予約権を含む。）である。
> 　「それら以外の報酬等」とは，報酬等のうち，上記いずれにも該当しないものであるが，典型的には，固定額の金銭報酬などがこれに該当する。
> 　これらの結果，事業報告への記載の対象となる「報酬等」は次のとおり整理される。
>
> (1) 使用人兼務役員の使用人部分の給与等
> 　事業報告への記載の対象は，役員として受ける報酬等のみであり，使用人

兼務役員の使用人部分の給与等を「報酬等」に合算して記載することは認められない。

　使用人兼務役員の使用人部分の給与等については，原則として，事業報告への開示は不要であるが，使用人分給与等が多額である場合等には，別途，「株式会社の会社役員に関する重要な事項」（会社法施行規則第121条第11号）として記載することが求められる。

(2) 役員賞与

　役員賞与も，他の報酬等と同様，職務執行の対価であるので，①から③の区分に応じ，報酬等の総額に含めて記載することが求められる。事業報告への記載が求められる「当該事業年度に係る役員報酬等」に含まれる役員賞与とは，事業年度が終了した後に現実に支払われた賞与の額ではなく，当該事業年度の業績等を踏まえて，当該事業年度について給付するものと定めた額，すなわち，今後支払い予定であるが，未だ支払われていない額も含めた額である。

　したがって，役員賞与に関する議案を定時株主総会に提出する場合には，事後的に報酬等の総額が変更される場合がありうるが，事業報告の内容としては，あらかじめ定めていた額を記載することで差し支えない。ただし，実際に支給された賞与の総額があらかじめ定めていた額として事業報告に記載した額を上回った場合，その差額に相当する部分は，会社役員が当該賞与を受けた事業年度に係る事業報告において記載することとなる。なお，実際に支給された賞与の総額があらかじめ定めていた額を下回った場合については，差額の記載は不要である。事業報告の対象となる事業年度に客観的に対応する報酬等であっても，当該報酬等の額がその事業年度に係る事業報告作成時に判明しない場合には，その後に会社役員が当該報酬等を「受け，又は受ける見込みの額が明らかとなった」事業年度に係る事業報告において記載することとなる（会社法施行規則第121条第5号）。

(3) 株式報酬及びストック・オプション

　株式報酬及びストック・オプションは，その付与の際に株主総会の有利発行決議を経たか否かなどにかかわらず，職務執行の対価としての性格を有していれば，会社法上の報酬等として取り扱われる。この場合，株式報酬及び

第4節　会社役員に関する事項

ストック・オプションとして与えられた報酬等の総額も，②の非金銭報酬等として（業績連動報酬等の定義に当てはまる場合には業績連動報酬等としても），事業報告への記載が求められる。

具体的には，株式報酬及びストック・オプションの付与時期にかかわらず，会社役員に与えられた株式報酬及びストック・オプションの価値のうち，当該事業年度の報酬分に相当するものの記載が求められるが，会計基準において，当該事業年度において費用計上されるものが基準となる。

(4) 退職慰労金

退職慰労金も他の報酬等と同様，報酬等に含めて記載することが求められる。具体的には，退任時期等により，次のとおり記載することが考えられる。

① 事業報告の提出される定時株主総会において退任予定の会社役員への退職慰労金

当該事業年度に客観的に対応する額が特定されれば，当該事業年度に係る会社役員の報酬等（会社法施行規則第121条第4号）に含めて，それ以外は，当該事業年度において受ける見込みの額が明らかになった会社役員の報酬等（同第5号）として開示することとなる。退職慰労金の見込みの額が明らかにならない場合は，支給した事業年度又は支給する見込みの額が明らかになった事業年度の事業報告で開示する（同第5号）。

なお，当該事業年度において受け，又は受ける見込みの額が明らかになった会社役員の報酬等の開示にあたり，各事業年度毎に退職慰労金の引当金を積んでいるような場合において，各事業年度に係る事業報告（解釈上，会社法施行前の営業報告書も該当するものと考えられる。）に，当該事業年度分の報酬等の額として，当該引当金等の額を含めて記載しているときは，すでに各事業年度において開示がなされた額についての記載は不要となる（会社法施行規則第121条第5号括弧書き）。

② 退職慰労金の打ち切り支給を行う場合

退職慰労金の打ち切り支給を行う場合には，実際の支給時期にかかわらず，①と同様の基準により退職慰労金に関する事項の記載を行うこととなり，当該記載を行えば，その後，現に退職慰労金の支給が行われた事業年度においてすでに開示された内容につき重ねて開示を行う必要は

ない（会社法施行規則第121条第5号括弧書き）。ただし，支給される見込みの額として記載された額を超える額がその後の事業年度において現に支給され，又は支給される見込みとなった場合には，その差額は，「当該事業年度前の事業年度に係る事業報告の内容」とはされていないことになるので，現に支給が行われた，又は支給される見込みが明らかとなった事業年度に係る事業報告において記載する必要がある。なお，現に支給され，又は支給される見込みとなった額が支給される見込みの額として記載された額を下回った場合には，その差額の記載は不要である。

③ 既に退職慰労金制度の廃止及び退職慰労金の打ち切り支給を株主総会で決議し，支給対象役員が退任する際に支給することとしている場合

通常は，退職慰労金制度の廃止や退職慰労金の打ち切り支給を株主総会で決議した時点の事業報告において，①や②に従った開示が行われるので，支給時に改めて記載の必要はない。ただし，(i)当該事業年度前の事業年度に係る事業報告に一切記載しないまま退職慰労金を支払った場合における当該額，及び(ii)当該事業年度前の事業年度に係る事業報告において支給される見込みの額として記載された額を超える額がその後の事業年度において現に支給された場合における当該差額は，「当該事業年度前の事業年度に係る事業報告の内容」には含まれていないことになるので，現に支給が行われた事業年度に係る事業報告において記載する必要がある。なお，現に支給された額が支給される見込みの額として記載された額を下回った場合には，その差額の記載は不要である。

(5) 記載方法

報酬等について，①から③までの区分に応じてその総額を記載することが求められるが，それぞれの区分の中に複数の種類の報酬（株式報酬とストック・オプションなど）が含まれている場合でも，その内訳等を示す必要はなく，区分ごとの総額を開示することで足りる。

①業績連動報酬等，②非金銭報酬等，③それら以外の報酬等が区分して記載されていればよく，その具体的内容が分かる限りにおいて，それぞれにつき異なる名称を用いる（③について「基本報酬」や「固定報酬」とする）ことでも差し支えない。

第4節 会社役員に関する事項

[記載例]
(1) 当事業年度に係る役員の報酬等の総額等

区分	支給人数	報酬等の種類別の額			計	摘要
		基本報酬	業績連動報酬等	非金銭報酬等		
取締役	人	円	円	円	円	
監査役	人	円	円	円	円	
計	人	円	円	円	円	

注1. 上記業績連動報酬等の額には,第○回定時株主総会において決議予定の役員賞与○○円(取締役××円,監査役△△円)を含めております。
注2. 上記のほか,当事業年度に退任した取締役○名に対し業績連動報酬等と非金銭報酬等以外の報酬等である退職慰労金○円を支給しております。
注3. 上記業績連動報酬等は,○○(業績連動報酬等に関する事項を記載する)
注4. 上記非金銭報酬等は,○○(非金銭報酬等に関する事項を記載する)
(2) 取締役および監査役の報酬等についての株主総会の決議に関する事項
(3) 取締役の個人別の報酬等の内容に係る決定方針に関する事項
(4) 取締役の個人別の報酬等の決定に係る委任に関する事項

(記載上の注意)
(1) 監査等委員会設置会社においては,監査等委員である取締役以外の取締役と監査等委員である取締役とを区別して記載する。
(2) 指名委員会等設置会社においては,取締役の報酬等と執行役の報酬等とを記載する。
(3) 執行役兼務取締役がいる場合,それぞれの立場で区分掲記してもよいし,一つにまとめて記載し,摘要欄に内訳を明示することでも構わない。
(4) 業績条件を付した株式報酬など複数の区分に該当する性質を有する報酬等の場合,いずれかの区分において記載した上で,その旨及び額を注記することが考えられる。
(5) 取締役等の員数は,現に報酬等の支給の対象となった者の員数を記載する(無報酬の会社役員は含まれない)(会社法施行規則第121条第4号・第5号)。

> (6) 各項目の記載の順序について特に制限はなく，上記記載例のとおり，当事業年度にかかる報酬に関する事項を(1)として記載し，(2)以下で方針に関する事項を記載する方法や，有価証券報告書における記載順にならい，方針に関する事項を先に記載する方法などが考えられる。

(1) 事業報告の記載の対象となる報酬等

　事業報告における会社役員の報酬等の開示の制度の趣旨は，会社役員に対する報酬等の額が適正なものであるかどうかについての情報を株主に対して提供することにあると考えられている。このような趣旨からすれば，会社役員の就任時期および退任の時期ならびに実際に支払われたものであるか否かを問わず，ある事業年度において会社役員が受け，または受ける見込みとなった報酬等の額は，そのすべてが開示されるべき性質のものであると解されている（松本真＝小松岳志「会社法施行規則及び会社計算規則の一部を改正する省令の解説──平成20年法務省令第12号」商事法務1828号（2008）5頁，小松岳志＝澁谷亮・前掲14頁）。

　このような報酬等の開示制度の趣旨をまっとうするため，事業報告における報酬等の開示制度は，次のとおり定められている。

① 会社役員の範囲

　ある事業年度の事業報告において報酬等の開示が必要となる会社役員の範囲については，在任時期の限定は付されていない。

② 事業年度と対応関係がない報酬等の開示

　会社法施行規則第121条第5号により，事業報告の対象となる事業年度の職務執行と対応関係がない報酬等であっても，「当該事業年度に受け，又は受ける見込みの額が明らかとなった」場合には，当該報酬等を事業報告の内容とする必要がある。

③ 重複開示の省略

　事業年度と対応関係がない報酬等の開示の根拠規定である会社法施行規則

第121条第5号は，括弧書において，「当該事業年度に受け，又は受ける見込みの額が明らかとなった」場合の報酬等の額の開示につき，「前号の規定により……当該事業年度前の事業年度に係る事業報告の内容とした報酬等を除く」との規定を設け，重複した開示は不要である旨を明記している。つまり，ある事業年度に係る事業報告において，今後支給される見込みの報酬等の額が会社法施行規則第121条第4号または他の規定に基づきすでに開示されている場合には，その後，当該報酬等の支給が現に行われた事業年度に係る事業報告において重ねて開示を行う必要はない。

会社法施行規則第121条第5号括弧書により重複開示が不要とされる「報酬等」とは，次のいずれかの要件を満たすものである。

イ 「前号の規定により当該事業年度に係る事業報告の内容とする報酬等」
　第121条第5号に基づく開示の要否が検討される事業報告において，第121条第4号に基づき当該事業年度に係る報酬等として開示されるもの

ロ 「当該事業年度前の事業年度に係る事業報告の内容とした報酬等」
　第121条第5号に基づく開示の要否が検討される事業報告より前の事業報告において，第121条第4号に基づくものであるか否かにかかわらず，何らかの形で報酬等として開示されたもの

なお，会社法施行規則第121条第5号に従い，当該事業年度に受ける見込みの額が明らかとなった場合の当該額を事業報告に記載したときには，事業報告への記載後，何らかの事情により，当初見込まれた額と実際に支給された額とに差異が生ずることも考えられる。このような場合，会社法施行規則第121条第5号括弧書において重複開示が不要とされている趣旨からすれば，実際の支給額が事業報告に記載していた額を上回った場合については，その差額の開示が必要となるが，下回った場合については，差額の記載は不要であると解される。

また，「重複開示は不要である」との会社法施行規則第121条第5号括弧書の制度趣旨からすれば，会社法施行前に作成されていた営業報告書において開示されていた事項（例えば，すでに打切り支給決議のなされた退職慰労金

など）であっても，事業報告において開示が求められている報酬等の内容が明記されているものであれば，「当該事業年度前の事業年度に係る事業報告の内容とした報酬等」に該当する（小松岳志＝澁谷亮・前掲25頁注15）。

(2) 使用人兼務役員の使用人部分の給与等

　報酬等の総額（施行規則121条4号・5号）として事業報告への記載が求められているのは，会社役員として受ける報酬等のみであり，使用人兼務役員につき，使用人部分の給与等を記載する必要はない。

　使用人兼務役員につき，役員部分の報酬と使用人部分の給与等を合算して記載することは認められない。会社が任意に使用人部分の給与等につき事業報告へ記載する場合には，注記の方法によるなどして，本来の開示項目である報酬等とは区別した形で記載することが考えられる。

　ただし，使用人兼務役員について，その者が事業報告作成会社から受ける財産上の利益全体から判断して，使用人として受ける給与等の部分が重要である場合には，使用人として受ける給与等の部分は「株式会社の会社役員に関する重要な事項」（施行規則121条11号）に該当することとなり，役員報酬とは別個に事業報告に記載することが求められる。

　使用人部分の給与等を注記する場合，例えば次のとおりの記載が考えられる。

(参考例)
（注）上記のほか，使用人兼務取締役（○名）に対する使用人分給与として●●円支給しております。

(参考例)
（注）取締役の報酬等の額には，使用人兼務取締役○名の使用人分給与●●円は含まれておりません。

なお，施行規則上の要請ではないものの，取締役の報酬等の額には，使用人兼務役員の使用人分給与は含まれていない旨や，使用人兼務役員は存しない旨をあえて注記することも考えられる。この場合の記載例としては，例えば次の記載が考えられる。

(参考例)
(注) 取締役の報酬等の額には，使用人兼務取締役の使用人分給与は含まれておりません。

(参考例)
(注) 当社には使用人兼務役員は存しません。

---

(3) 報酬等の種類別の開示

令和2年法務省令改正により，事業報告においては，会社役員の報酬等について，①業績連動報酬等（利益の状況を示す指標，株式の市場価格の状況を示す指標その他の当該株式会社またはその関係会社の業績を示す指標を基礎としてその額または数が算定される報酬等），②非金銭報酬等（報酬等のうち，金銭でないもの。募集株式または募集新株予約権と引換えにする払込みに充てるための金銭を取締役の報酬等とする場合における当該募集株式または募集新株予約権を含む），③それら以外の報酬等に区分して，総額および員数を開示することとされた（施行規則98条の5第2号・3号，121条4号・5号）。このうち③については，典型的には固定額の金銭報酬等が該当する。

①～③のそれぞれの区分の中に複数の種類の報酬等（株式報酬とストック・オプションなど）が含まれる場合でも，その内訳等を示す必要はなく，上記①～③の区分ごとの総額を開示することで足りる（もちろん，そのような内訳等を示すことにも問題はない）。また，①～③については，その具体的内容が分かる限りにおいて，それぞれにつき異なる名称を用いる（例えば，③について「基本報酬」や「固定報酬」とする）ことでも差し支えない。さらに，

業績連動型の株式報酬のように，①および②の双方に該当する報酬等も考えられるが，その場合には，経団連モデル記載のように，いずれかの区分において記載をした上で，その旨及び額を注記することが考えられる。あるいは，次の参考例のように，「業績連動型金銭報酬」と「業績連動型株式報酬」を区分してそれぞれの総額を記載するなど，何らかの形で①および②の総額がそれぞれ理解できるように記載すれば足りると考えられる（次の参考例であれば，「業績連動型金銭報酬」と「業績連動型株式報酬」の合計額が①の総額であり，「業績連動型株式報酬」の金額が②の総額であることが合理的に理解できる）。

(参考例)

役員区分	支給人数	報酬等の種類別の額			報酬等の総額
		基本報酬	業績連動型金銭報酬	業績連動型株式報酬	
取締役 (うち社外取締役)	○名 (●名)	○百万円 (●百万円)	○百万円 (●百万円)	○百万円 (●百万円)	○百万円 (●百万円)
監査役 (うち社外監査役)	○名 (●名)	○百万円 (●百万円)	○百万円 (●百万円)	○百万円 (●百万円)	○百万円 (●百万円)
合計	○名	○百万円	○百万円	○百万円	○百万円

(4) 役員賞与

役員賞与については，事業報告の対象となる事業年度に係るもの，すなわち前事業年度が終了した後に前事業年度の職務執行に対する賞与として事業報告の対象となる事業年度中に現実に支払われた賞与の額ではなく，事業報告の対象となる事業年度の業績等を踏まえて，当該事業年度の職務執行の対価として給付するものと定めた額，すなわち，今後支払予定であるが，未だ支払われていない額を事業報告へ記載することが求められる（施行規則121条4号）。

実際の事業報告への記載にあたっては，上記趣旨を明確にするため，経団連モデルのとおり，今後支払予定である役員賞与を含めた金額を報酬等とし

て記載している旨を注記することが考えられる。

なお、経団連モデルでも説明されているとおり、事業報告の対象となる事業年度に客観的に対応する報酬等であっても、当該報酬等の額がその事業年度に係る事業報告作成時に判明しない場合には、その後、会社役員が当該報酬を「受け、又は受ける見込みの額が明らかになった」事業年度に係る事業報告に記載することとなる。

また、役員賞与が、利益の状況を示す指標、株式の市場価格の状況を示す指標その他の当該株式会社またはその関係会社の業績を示す指標を基礎としてその額または数が算定される報酬等（施行規則98条の5第2号）に該当する場合には、上記(3)①業績連動報酬等としての区分開示が必要となる。

(5) 株式報酬

令和元年会社法改正においては、取締役および執行役に対する報酬等のうち、当該株式会社の募集株式（当該株式会社が新規発行する株式または処分する自己株式をいう。法199条1項）を職務執行の対価として無償で付与する場合、および、募集株式と引換えにする払込みに充てるための金銭を報酬等として付与する場合について、株主総会（指名委員会等設置会社の場合は報酬委員会）において決定すべき内容が具体化された（法361条1項3号・5号イ、409条3項3号・5号イ）。上記(3)の報酬等の種類別の開示を求める改正も、かかる改正を前提としたものであり、これにより、株式報酬については、金銭報酬債権を現物出資する方式による場合を含め、上記(3)②非金銭報酬等としての区分開示が必要となった（業績連動型の株式報酬である場合には、上記(3)①業績連動報酬等としての区分開示も必要になる）。

なお、事業報告の対象となる事業年度中に株式報酬が付与された場合であっても、当該株式報酬の総額が必ずしも「当該事業年度に係る報酬等」（施行規則121条4号）、すなわち当該事業年度の職務執行の対価に相当するものとなるとは限らないことから、当該事業年度の報酬等としてその総額を事業報告に記載することにはならない場合がある。

株式報酬については，その付与時期にかかわらず，会社役員にこれまで付与された株式報酬の価値のうち，当該事業年度の職務執行の対価に相当する部分全ての記載が求められる。実際には「当該事業年度の職務執行の対価に相当する部分」の算出は容易ではないが，後記(6)のストック・オプションと同様，株式報酬に関する会計基準の適用により当該事業年度において費用計上されるものが基準となると考えられる。

例えば，事業報告の対象となる事業年度中に株式報酬を付与した場合，当該事業年度に係る報酬等に含まれるのは，付与した株式報酬の総額ではなく，総額のうち，株式報酬に関する会計基準を適用した場合に，当該事業年度の株式報酬費用として計上される金額のみとなる。

また，会社役員に対してこれまでに株式報酬が複数回にわたり付与されていた場合，それぞれの回次の株式報酬につき株式報酬に関する会計基準を適用した場合に，事業報告の対象となる事業年度の株式報酬費用として計上される額の合計額が，当該事業年度に係る報酬等として開示されることとなる。

(6) ストック・オプション

会社法下においては，職務執行の対価としての性格を有しているものであれば，ストック・オプションも会社法上の報酬等（法361条等）として取り扱われるため，ストック・オプションとして与えられた報酬等の総額（ストック・オプションの価値）も「報酬等」に含めて事業報告へ記載することが求められる。会社法施行後に付与されるストック・オプションは，原則として職務執行の対価としての性格を有するものと解される。この点については，令和元年会社法改正において，取締役および執行役に対する報酬等のうち，当該株式会社の募集新株予約権（当該株式会社が新規発行する新株予約権をいう。法238条1項）を職務執行の対価として無償で付与する場合，および，募集新株予約権と引換えにする払込みに宛てるための金銭を報酬等として付与する場合について，株主総会（指名委員会等設置会社の場合は報酬委員会）において決定すべき内容が具体化された（法361条1項4号・5号ロ，409条3項

4号・5号ロ)。上記(3)の報酬等の種類別の開示を求める改正も，かかる改正を前提としたものであり，これにより，ストック・オプションについては，金銭報酬債権の相殺構成による場合を含め，上記(3)②非金銭報酬等としての区分開示が必要となった（業績連動型のストック・オプションである場合には，上記(3)①業績連動報酬等としての区分開示も必要になる）。

なお，事業報告の対象となる事業年度中にストック・オプションが付与された場合であっても，当該ストック・オプションの総額が必ずしも「当該事業年度に係る報酬等」(施行規則121条4号)，すなわち当該事業年度の執務執行の対価に相当するものとなるとは限らないことから，当該事業年度の報酬等としてその総額を事業報告に記載することにはならない場合がある。

ストック・オプションについては，その付与時期にかかわらず，会社役員にこれまで付与されたストック・オプションの価値のうち，当該事業年度の職務執行の対価に相当する部分すべての記載が求められる。実際には「当該事業年度の職務執行の対価に相当する部分」の算出は容易ではないが，原則としては，ストック・オプションに関する会計基準を適用した場合に，当該事業年度において費用計上されるものが基準となる（相澤哲＝郡谷大輔・前掲48頁)。

例えば，事業報告の対象となる事業年度中にストック・オプションを付与した場合，当該事業年度に係る報酬等に含まれるのは，付与したストック・オプションの総額ではなく，総額のうち，ストック・オプションに関する会計基準を適用した場合に，当該事業年度の株式報酬費用として計上される額のみとなる。

また，会社役員に対してこれまでにストック・オプションが第1回・第2回・第3回と付与されていた場合，それぞれの回のストック・オプションにつきストック・オプションに関する会計基準を適用した場合に，事業報告の対象となる事業年度の株式報酬費用として計上される額（第1回につきα円，第2回につきβ円，第3回につきγ円）の合計額（$\alpha+\beta+\gamma$円）が，当該事業年度に係る報酬等として開示されることとなる。

> なお，会社法施行前に付与されたストック・オプションについては，「職務執行の対価ではない」との見解もあったところでもあり，原則として，事業報告への記載が求められる報酬等に含める必要はないと考えられる。

(7) 退職慰労金

退職慰労金は報酬の後払い的性格を有することから，他の報酬等と同様，「報酬等」に含めて事業報告へ記載することが求められる。

退職慰労金についても，株式報酬およびストック・オプションと同様，その総額が必ずしも「当該事業年度に係る報酬等」(施行規則121条4号)，すなわち当該事業年度の職務執行の対価に相当するものになるとは限らない。事業報告への記載との関係では，退職慰労金の総額のうち，事業報告の対象となる事業年度の職務執行の対価に相当する部分についてのみ，「当該事業年度に係る報酬等」として報酬等に含めて事業報告に記載することとなる。現に退職慰労金の支給を受けた場合のその余の支給部分，または事業年度中に将来の支給部分についての退職慰労金付与決議がなされた場合（退職慰労金の打切り支給決議がなされた場合など）の当該将来の支給部分については，「当該事業年度に受け，又は受ける見込みの額が明らかとなった報酬等」(施行規則121条5号)として事業報告に記載することとなる。退職慰労金については，特に，在任中の各事業年度の職務執行との対応関係が必ずしも明確でない場合が考えられるため，事業報告への記載としては，次の方法によることが考えられる（退職慰労金が，利益の状況を示す指標，株式の市場価格の状況を示す指標その他の当該株式会社またはその関係会社の業績を示す指標を基礎としてその額または数が算定される報酬等（施行規則98条の5第2号）に該当する場合には，上記(3)①業績連動報酬等としての区分開示も必要となる）。

① 事業年度ごとに退職慰労金の引当金を積んでいる場合

事業年度ごとに退職慰労金の引当金を積んでいる会社においては，内規に基づき計算される期末における要支給額に相当する額を貸借対照表上の引当

金として計上する場合がある。この場合，前事業年度における引当金の額からの増加額等を考慮することで，退職慰労金の額と各事業年度の職務執行との対応関係が比較的明確になるといえる。したがって，事業報告における「当該事業年度に係る報酬等」(施行規則121条4号) の中に，退職慰労金部分の報酬等の額として，当該事業年度に関する引当金の増加額を含めて記載することが考えられる。このような記載をしていた場合は，各事業年度ごとの報酬等の額として，各事業年度に対応する退職慰労金部分の額も含めて開示されているものとして取り扱われるため，「当該事業年度に受け，又は受ける見込みの額が明らかとなった報酬等」(同条5号) との関係では，「当該事業年度前の事業年度に係る事業報告の内容とした報酬等」に該当し，括弧書による除外対象となることから，退職慰労金支給決議時または実際の支給時に係る事業報告においても，これまですでに開示してきた退職慰労金部分については，再度の記載は不要となる (同号括弧書)。

なお，事業報告における退職慰労金の記載に関するこのような取扱いは，会社法施行規則の施行に伴い，旧商法下の取扱いから変更されたものであるが，会社法および会社法施行規則には，施行前から在任している会社役員に対する退職慰労金の開示について特段の経過規定は設けられていない。したがって，会社法施行前から在任している会社役員についても，各事業年度に対応する退職慰労金部分が明らかであれば，会社法施行後の事業年度に関する事業報告から「当該事業年度に係る報酬等」(施行規則121条4号) として各事業年度ごとの退職慰労金の引当金を含めた報酬等の記載を行うことは可能である。そしてこのような記載を行った場合，記載済の部分については，退職慰労金の支給決議時または実際の支給時に係る事業報告において，「当該事業年度に受け，又は受ける見込みの額が明らかとなった報酬等」(同条5号) から控除することが可能と考えられる。ただし，この場合でも，会社法施行前の職務執行に対応する部分の退職慰労金の額が過去の事業報告 (営業報告書は含まれるが，計算書類等は含まれない) において記載されていない限り，当該未開示部分の額は支給決議時または実際の支給時に係る事業報告において

記載する必要がある。

② 事業年度ごとに退職慰労金の引当金を積んでいない場合等

事業年度ごとに退職慰労金の引当金を積んでいない場合，または積んでいる場合であっても，退職慰労金の支給決議を行う以前の各事業年度の事業報告において報酬等に含めた記載を行っていない場合などには，退職慰労金の額と各事業年度の職務執行との対応関係が明確とならない。

このような場合，各事業年度において「当該事業年度に係る報酬等」(施行規則121条4号)としての記載を行うことはできないものの，支給予定額が算定可能となった事業年度あるいは退職慰労金を現実に支給した事業年度の事業報告において，「当該事業年度に受け，又は受ける見込みの額が明らかとなった報酬等」(同条5号)として退職慰労金の額を記載することとなる。

なお，退職慰労金の打切り支給を行う場合，当該退職慰労金は，実際の支給時期にかかわらず，打切り支給決議時までの職務執行の対価であると解される。したがって，打切り支給決議時の事業年度に係る事業報告においては，上記の要領に従い，支給予定額を「当該事業年度に係る報酬等」(施行規則121条4号)または，「当該事業年度に受け，又は受ける見込みの額が明らかとなった報酬等」(同条5号)として記載することとなるが，打切り支給決議後の事業年度においては，退職慰労金を「当該事業年度に係る報酬等」，すなわち，事業報告の対象となる事業年度の職務執行に対応する報酬として記載することはできない。この場合，支給予定額が算定可能となった事業年度あるいは退職慰労金を現実に支給した事業年度の事業報告において，「当該事業年度に受け，又は受ける見込みの額が明らかとなった報酬等」として記載することとなる。

報酬等のうち退職慰労金部分の事業報告への記載方法に関する以上の整理を図表化すると以下のとおりとなる。

第4節　会社役員に関する事項

	在任中の各事業年度に係る事業報告における開示	実際の退職慰労金支給決議時または支給予定額が明らかとなった事業年度に係る事業報告における開示
事業年度ごとに退職慰労金引当金を積むなど、各事業年度の職務執行と退職慰労金との対応関係が明らかな場合	事業年度ごとの引当金増加額など、**事業年度ごとの職務執行に対応する金額**を「当該事業年度に係る報酬等」（施行規則121条4号）として開示	① 原則 **開示は不要** ② 在任中の各事業年度に係る事業報告において開示してきた合計額と支給決議額または支給予定額との間に**差額が存する場合** 　これまでの開示額の合計額を支給決議額、支給予定額または実際の支給額が上回った場合に限り、**当該差額**を「当該事業年度に受け、又は受ける見込みの額が明らかとなった報酬等」（施行規則121条5号）として開示
各事業年度の職務執行と退職慰労金との対応関係が明らかでない場合	「当該事業年度に係る報酬等」（施行規則121条4号）としての**開示はできない**	支給決議額または支給予定額の**全額**を「当該事業年度に受け、又は受ける見込みの額が明らかとなった報酬等」（施行規則121条5号）として開示
退職慰労金の打切り支給を行う場合	① 打切り支給決議時まで各事業年度の職務執行と退職慰労金との対応関係が明らかであるか否かに従い、上記の基準に従って開示 ② 打切り支給決議後「当該事業年度に係る報酬等」（施行規則121条4号）としての**開示はできない**	在任中の各事業年度に係る事業報告において開示してきた合計額を支給決議額または支給予定額が**上回る場合には、その差額を**「当該事業年度に受け、又は受ける見込みの額が明らかとなった報酬等」（施行規則121条5号）として開示

(8) 記載方法

会社役員の報酬等については，上記(1)から(7)までの要領に従い，上記(3)①業績連動報酬等，②非金銭報酬等および③それら以外の報酬等に区分して，取締役，会計参与，監査役または執行役ごとに報酬等の総額および員数を記載する。監査等委員会設置会社においては，この報酬等の総額および員数についても，監査等委員である取締役についてのものと，監査等委員以外の取締役についてのものを区別して記載する。なお，「員数」には，無報酬の会社役員は含まれないと解されている。

第12　業績連動報酬等に関する事項

経団連モデル

> **4-12. 業績連動報酬等に関する事項**
> ［会社法施行規則の条項］
> 　会社法施行規則第121条第5号の2に対応する事項である。
> ［記載方法の説明］
> 　報酬等に業績連動報酬等が含まれている場合には，当該業績連動報酬等について次の事項を記載する必要がある。
> 　イ　当該業績連動報酬等の額又は数の算定の基礎として選定した業績指標の内容及び当該業績指標を選定した理由
> 　ロ　当該業績連動報酬等の額又は数の算定方法
> 　ハ　当該業績連動報酬等の額又は数の算定に用いたイの業績指標に関する実績
> 　イの業績指標の内容については，当該業績連動報酬等が会社役員に適切なインセンティブを付与するものであるかを判断するために必要な記載が求められるが，当該業績連動報酬等の算定の基礎として選定された全ての業績指標を網羅的に記載することが必ずしも求められるものではない。
> 　ロの業績連動報酬等の額又は数の算定方法については，業績連動報酬等と業績指標との関連性等，業績連動報酬等の算定に関する考え方を株主が理解することができる程度の記載が求められるが，計算式を記載することや，株主が開示された業績指標に関する実績等から業績連動報酬等の具体的な額又は数を導くことができるような記載が必ずしも求められるものではない。
> 　ハの業績指標に関する実績については，具体的な数値を記載することが考えられるが，必ずしも数値を記載することを求めるものではなく，有価証券報告書において「当該業績連動報酬に係る指標の『目標及び実績』」の記載が求められる（企業内容等の開示に関する内閣府令第二号様式記載上の注意(57) c)のと同様，実績について記載することでも足りる。

令和2年法務省令改正により，会社役員の報酬等に業績連動報酬等が含まれている場合には，その総額を区分開示するだけでなく，当該業績連動報酬等について次の事項を記載することとされた（施行規則121条5号の2）。

　イ　当該業績連動報酬等の額または数の算定の基礎として選定した業績指標の内容および当該業績指標を選定した理由
　ロ　当該業績連動報酬等の額または数の算定方法
　ハ　当該業績連動報酬等の額または数の算定に用いたイの業績指標に関する実績

　記載上の留意点は，経団連モデルに記載のとおりである。

第13　非金銭報酬等に関する事項

経団連モデル

> **4-13. 非金銭報酬等に関する事項**
> ［会社法施行規則の条項］
> 　会社法施行規則第121条第5号の3に対応する事項である。
> ［記載方法の説明］
> 　報酬等に非金銭報酬等が含まれている場合には，当該非金銭報酬等の内容を記載する必要がある。
> 　非金銭報酬等の内容としては，当該非金銭報酬等によって会社役員に対して適切なインセンティブが付与されているかを株主が判断するために必要な程度の記載が求められる。例えば，株式報酬の場合，当該株式の種類，数や当該株式を割り当てた際に付された条件の概要等を記載することが考えられる。

　令和2年法務省令改正により，会社役員の報酬等に非金銭報酬等が含まれている場合には，その総額を区分開示するだけでなく，当該非金銭報酬等の内容を記載することとされた（施行規則121条5号の3）。

　記載上の留意点は，経団連モデルに記載のとおりである。

　なお，ここで開示の対象となる「非金銭報酬等」は，「取締役の個人別の報酬等のうち，金銭でないもの」とされ，「募集株式又は募集新株予約権と引換えにする払込みに充てるための金銭を取締役の報酬等とする場合における当該募集株式又は募集新株予約権を含む」と定義されている（施行規則98条の5第3号）。かかる定義は，令和元年改正後の会社法361条1項3号～6号に対応するものであり，それらの規定の適用を受ける報酬等が「非金銭報酬等」に該当すると考えられることから，各社において，株主総会決議のとり方と平仄を合わせた開示を行うこととなる。

そのため，会社役員が当該株式会社の設定した信託から株式の交付を受ける，いわゆる株式交付信託についても，例えば会社法361条1項6号の適用を受けるものとして株主総会決議を得ている場合には，非金銭報酬等に該当するものとして開示をすることになる。他方，当該株式会社の株式の購入資金に充てるために会社役員に対し報酬等として金銭を支給している場合において，当該金銭を用いて当該会社役員が市場から直接または持株会を通じて当該株式会社の株式を取得したときは，当該会社役員が職務執行の対価として受け取ったのは金銭であり，また，当該金銭は募集株式（当該株式会社により発行または処分される株式）と引換えにする払込みに充てるための金銭（会社法361条1項5号イ）でもないことから，原則として非金銭報酬等には該当しないと解される。

第4節　会社役員に関する事項

第14　報酬等に関する定款の定めまたは株主総会決議に関する事項

経団連モデル

> 4-14. 報酬等に関する定款の定め又は株主総会決議に関する事項
> ［会社法施行規則の条項］
> 　会社法施行規則第121条第5号の4に対応する事項である。
> ［記載方法の説明］
> 　会社役員の報酬等についての定款の定め又は株主総会の決議による定めがある場合，それぞれにつき，以下の事項を記載する必要がある。
> 　イ　当該定款の定めを設けた日又は当該株主総会の決議の日
> 　ロ　当該定めの内容の概要
> 　ハ　当該定めに係る会社役員の員数
> 　ハの会社役員の員数については，イの定款の定めが設けられ，又は株主総会の決議がされた時点において，それらの定めの対象とされていた会社役員の員数を記載する必要がある。
> 　なお，会社役員の報酬等であっても，当該報酬等についての定款の定め又は株主総会の決議による定めがない場合には，記載は不要である。

　令和2年法務省令改正により，会社役員の報酬等についての定款の定め又は株主総会の決議による定めがある場合，それぞれにつき，以下の事項を記載することとされた（施行規則121条5号の4）。
　イ　当該定款の定めを設けた日または当該株主総会の決議の日
　ロ　当該定めの内容の概要
　ハ　当該定めに係る会社役員の員数
　記載上の留意点は経団連モデルに記載のとおりであるが，上記の記載事項が追加された趣旨は，会社役員の報酬等の内容に関して現在有効な定款の定めまたは株主総会の決議による定めに関する情報を提供し，会社役員への適

切なインセンティブ付与の観点から，当該定めによって取締役会へ決定が委任されている事項の範囲が適切であるかどうかについて株主が判断することができるようにすることにある。そのため，会社役員の報酬等に関する定款の定めまたは株主総会の決議による定めであっても，今後当該定めに基づいて会社役員に報酬等を付与することが見込まれないものについては記載を要しない（渡辺諭ほか・前掲商事法務2252号17頁）。例えば，過去に会社役員に対するストックオプション制度を導入し，そのための株主総会決議を得ていた会社であっても，他の株式報酬制度に切り替えるなどして，今後会社役員に対しストックオプションを付与することが見込まれないのであれば，ストックオプション制度に係る株主総会決議については記載を要しない。また，一定の期間を対象として会社役員の報酬等についての枠組みを設ける内容の定款の定めまたは株主総会の決議による定めについては，当該期間が経過し，当該枠組みによる報酬等が付与されるまでは，事業報告に記載することが必要となると考えられている（渡辺諭ほか・前掲商事法務2252号19頁）。例えば，一定の期間会社役員として職務を執行することを条件として，当該期間経過後に，当該会社役員に対して職務執行の対価として募集株式を付与することとし，かかる募集株式の報酬等としての付与について株主総会決議を得た場合には，当該期間が経過し募集株式の付与がされるまでの間，継続して，当該株主総会決議について記載をすることが必要となる。

第15 各会社役員の報酬等の額またはその算定方法に係る決定方針に関する事項

経団連モデル

> 4-15．各会社役員の報酬等の額又はその算定方法に係る決定方針に関する事項
> ［会社法施行規則の条項］
> 　会社法施行規則第121条第6号及び第6号の2に対応する事項である。
> ［記載方法の説明］
> 　株式会社において，各会社役員の報酬等の額又はその算定方法に係る決定方針（会社法第361条第7項の方針又は会社法第409条第1項の方針）を定めているときは，以下の事項を記載する。
> 　① 　当該方針の決定の方法
> 　② 　その方針の内容の概要
> 　③ 　当該事業年度に係る取締役（監査等委員である取締役を除き，指名委員会等設置会社にあっては，執行役等）の個人別の報酬等の内容が当該方針に沿うものであると取締役会（指名委員会等設置会社にあっては，報酬委員会）が判断した理由
> 　また，会社法第361条第7項の方針又は会社法第409条第1項の方針の対象外である会社役員（監査等委員である取締役，監査役又は会計参与）の報酬等の額又はその算定方法に係る決定に関する方針が任意に定められている場合，当該方針の決定の方法及びその方針の内容の概要についても事業報告に記載する必要がある。
> 　①の「当該方針の決定の方法」としては，取締役会の決議により決定したこと等に加えて，例えば，方針を決定するに当たって任意に設置した報酬諮問委員会の答申を得たことや外部の専門家の助言を受けたことなど，当該方針を決定する過程に関する重要な事実があれば，それを記載することが考えられる。
> 　②の方針の内容の概要について，その記載の順序等について特に定めはな

> く，また，「概要」であることから，会社法施行規則第98条の5各号の事項を網羅的に記載しなければならないわけでもない。そのため，会社が定めたいわゆる報酬プログラムや報酬ポリシーの中に同条各号に掲げる方針の内容の概要が含まれていれば，報酬プログラムや報酬ポリシーとしてまとめて開示することもできる。
> 　③の記載は，取締役の個人別の報酬等の内容についての決定の全部又は一部を取締役その他の第三者に委任する場合にも必要となる。
> 　事業報告に方針について記載する場合，どの時点において存在する方針について記載すべきかは，事業報告の作成時又は当該事業年度末日のいずれの考え方もあり得ると考えられる。ただし，事業年度中又は事業年度末日後に当該方針について変更があった場合には，変更前の当該方針についても，当該事業年度に係る取締役又は執行役の個人別の報酬等の内容が当該方針に沿うものであると取締役会が判断した理由の説明のために必要な記載をすることが考えられる。

　令和元年改正会社法により，定款または株主総会の決議で取締役の個人別の報酬等の内容が定められていないときは，社外取締役の選任が義務づけられる監査役会設置会社および監査等委員会設置会社においては，定款または株主総会決議の定めに基づく取締役の個人別の報酬等の決定方針として，一定の事項を決定しなければならないこととされた（法361条7項，施行規則98条の5）。社外取締役の選任が義務づけられる監査役会設置会社および監査等委員会設置会社に上記の規律の対象が限定されたのは，そのような会社においては，社外取締役の監督機能が期待されているので，上記決定方針を取締役会で決定しなければならないこととすることにより，取締役の報酬の内容の決定手続における社外取締役の関与を強めるべきと考えられたためである（竹林俊憲編著『一問一答令和元年改正会社法』(商事法務，2020) 77頁）。

　なお，指名委員会等設置会社においては，報酬委員会が，取締役および執行役の個人別の報酬等の内容を決定するところ，従来から，報酬委員会は，その前提として取締役および執行役の個人別の報酬等の内容に係る決定に関

する方針を定めなければならないこととされており（法409条1項），この点は令和元年改正会社法により変更されていない（当該方針についての従前の解釈を変更するものでもないとされている（法務省民事局参事官室「会社法の改正に伴う法務省関係政令及び会社法施行規則等の改正に関する意見募集の結果について」(2020年11月24日)第3・1(7)イ⑯））。

以上の規律を前提に，令和2年法務省令改正においては，①各会社役員の報酬等の額またはその算定方法に係る決定方針（法361条7項の方針または法409条1項の方針）を定めているときは，以下の事項を記載することとされた（施行規則121条6号）。

イ　当該方針の決定の方法
ロ　その方針の内容の概要
ハ　当該事業年度に係る取締役（監査等委員である取締役を除き，指名委員会等設置会社にあっては，執行役および取締役）の個人別の報酬等の内容が当該方針に沿うものであると取締役会（指名委員会等設置会社にあっては，報酬委員会）が判断した理由

このうちハの理由については，例えば，当該事業年度に係る取締役の個人別の報酬等の内容の決定に，社外取締役等で構成される任意の報酬委員会が関与しており，同委員会において当該方針との整合性を確認しているなど，個人別の報酬等の内容と当該方針との整合性を担保する手続をとっていることをもって，取締役会として個人別の報酬等の内容が当該方針に沿っていると判断した場合には，その旨を記載することが考えられる。

また，②会社法361条7項の方針または409条1項の方針の対象外である会社役員（監査等委員である取締役，監査役等）の報酬等の額またはその算定方法に係る決定に関する方針が任意に定められている場合，当該方針の決定の方法及びその方針の内容の概要についても事業報告に記載することとされた（施行規則121条6号の2）。

記載上の留意点は，経団連モデルに記載のとおりである。なお，事業報告における①および②の開示が義務付けられるのは，会社法361条7項の方針

または409条1項の方針を定めることを要する会社であり，それ以外の会社が，①または②に相当する方針を任意に定めた場合であっても，①および②の開示が義務付けられるわけではない（法務省民事局参事官室・前掲第3・1(7)イ⑰，施行規則121条柱書）。

第16　各会社役員の報酬等の額の決定の委任に関する事項

経団連モデル

> 4-16．各会社役員の報酬等の額の決定の委任に関する事項
> ［会社法施行規則の条項］
> 　会社法施行規則第121条第6号の3に対応する事項である。
> ［記載方法の説明］
> 　株式会社が当該事業年度の末日において取締役会設置会社（指名委員会等設置会社を除く。）である場合において，取締役会から委任を受けた取締役その他の第三者が当該事業年度に係る取締役（監査等委員である取締役を除く。）の個人別の報酬等の内容の全部又は一部を決定したときは，その旨及び以下の事項を記載する。
> 　① 当該委任を受けた者の氏名並びに当該内容を決定した日における当該株式会社における地位及び担当
> 　② ①の者に委任された権限の内容
> 　③ ①の者に②の権限を委任した理由
> 　④ ①の者により②の権限が適切に行使されるようにするための措置を講じた場合にあっては，その内容
> 　①について，社外取締役から構成される任意の報酬委員会が取締役の個人別の報酬等の内容の全部又は一部を決定したときは，当該委員会の各構成員が「当該委任を受けた者」に該当するものとして①の事項を記載する。
> 　④に該当する措置を講じていない場合には，特段の記載を要しない。

　令和2年法務省令改正により，株式会社が当該事業年度の末日において取締役会設置会社（指名委員会等設置会社を除く）である場合において，取締役会から委任を受けた取締役その他の第三者が当該事業年度に係る取締役（監査等委員である取締役を除く）の個人別の報酬等の内容の全部または一部を決定したときは，その旨および以下の事項を記載することとされた（施行規則121条6号の3）。

イ　当該委任を受けた者の氏名ならびに当該内容を決定した日における当該株式会社における地位および担当
　ロ　イの者に委任された権限の内容
　ハ　イの者にロの権限を委任した理由
　ニ　イの者によりロの権限が適切に行使されるようにするための措置を講じた場合にあっては，その内容

　記載上の留意点は経団連モデルに記載のとおりであるが，報酬等の内容についての決定に関して任意の委員会等を設置した場合であっても，当該委員会等がいわゆる諮問委員会として取締役会に対する答申等をしただけで取締役の個人別の報酬等の内容についての決定をしなかったのであれば，会社法施行規則121条6号の3に定める上記の事項を事業報告に記載することは要しない（渡辺諭ほか・前掲商事法務2252号18頁）。また，ハの委任した理由については，当該委任が会社法361条7項の取締役の個人別の報酬等の内容についての決定に関する方針に従ったものであったとしても（施行規則98条の5第6号参照），その旨のみを記載するのではなく，実質的な理由を記載することが相当であると考えられている（渡辺諭ほか・前掲商事法務2252号19頁）。

　なお，会社法施行規則121条6号の3において委任の相手方が「取締役その他の第三者」とされている点については，取締役の個人別の報酬等の内容の決定が業務執行に当たるのかとも関連して，「第三者」の具体的な範囲が問題となる。この点については，取締役の個人別の報酬等の内容の決定は業務執行に当たらない旨の見解もあり，例えば，取締役の個人別の報酬等の内容の決定の委任を受ける任意の報酬委員会の委員に，取締役のみならず監査役が含まれることは許容されると解される（藤田友敬ほか「新・改正会社法セミナー──令和元年・平成26年改正の検討　監査等委員会設置会社(1)」ジュリスト1556号（2021年）70頁〔田中亘発言〕参照）。

第17　その他会社役員に関する重要な事項

経団連モデル

> **4-17．その他会社役員に関する重要な事項**
> ［会社法施行規則の条項］
> 　会社法施行規則第121条第11号に対応する事項である。
> ［記載方法の説明］
> 　上記事項の他に，会社役員に関する重要な事項があれば，当該事項を記載する。
> 　なお，本項目における「会社役員」の範囲には，在任期間の限定が付されていない点に注意が必要である。具体的には，事業年度開始前にすでに役員を退任した者や，事業年度終了後，定時株主総会までの間に開催された臨時株主総会において役員に選任された者や，事業年度終了後に補欠役員から正規の役員に就任した者，事業年度終了後定時株主総会までの間に辞任した者等についても，重要な事項があれば記載することとなる。
> **【社外役員に関する開示】**
> 　社外役員についても，会社役員と同様，事業報告における記載の対象となるか否かは，記載事項によりその範囲を異にするものとして取り扱われている。具体的には，次のとおりとなる。
> (1) 在任時期の限定が付されているもの
> 　　社外役員に関する記載事項のうち，①他の法人等の業務執行者との重要な兼職に関する事項，②他の法人等の社外役員等との重要な兼職に関する事項，③自然人である親会社等，事業報告作成会社又は事業報告作成会社の特定関係事業者の業務執行者又は役員（業務執行者であるものを除く。）との親族関係及び④各社外役員の主な活動状況（後記4-18から4-21まで）については，対象となる社外役員につき，「直前の定時株主総会の終結の日の翌日以降に在任していた者に限る」との限定が付されている（会社法施行規則第124条第1号から第4号まで）。
> (2) 在任時期の限定が付されていないもの
> 　　社外役員に関する記載事項のうち，⑤社外役員の報酬等の総額（業績連

> 動報酬等，非金銭報酬等，それら以外の報酬等の総額），⑥親会社等，親会社等の子会社等（事業報告作成会社を除く）又は事業報告作成会社に親会社等がないときの子会社からの役員報酬等の総額，及び⑦記載内容についての社外役員の意見（後記4-22から4-24まで）については，対象となる会社役員につき，特段の限定が付されていない（会社法施行規則第124条第5号から第8号まで）。この場合，事業報告の対象となる事業年度において在任していない社外役員についても記載が求められる可能性がある。但し，社外役員の報酬等の額のうち，「当該事業年度に係る」という限定がついた社外役員の報酬等（会社法施行規則第124条第5号）や，「社外役員であった期間に受けたものに限る」という限定がついた事業報告作成会社に親会社等が存在する場合の当該親会社等若しくは当該親会社等の子会社等（事業報告作成会社を除く）又は事業報告作成会社に親会社等がないときの子会社からの役員報酬等の総額（会社法施行規則第124条第7号）については，事業報告の対象となる事業年度において一時的にでも在任していた社外役員について記載することとなる。

　会社法施行規則において具体的に記載の求められている事項のほかに，会社役員に関する重要な事項があれば，当該事項を事業報告へ記載することとなる。記載の方法としては，「その他会社役員に関する重要な事項」との独立の項目を設ける方法のほか，具体的に記載の求められている各項目に続けて記載する方法（例えば，会社役員の報酬等に関する項目において，使用人兼務取締役の使用人部分の給与等の額を記載することなど）が考えられる。

　なお，経団連モデルにおいても説明されているとおり，本項目における「会社役員」の範囲には，在任期間の限定が付されていないため，いわゆる「過去の役員」に関する事項であっても記載が必要となる場合がある。事業報告の性質上，過去の役員に関する事項を記載することは例外的であると考えられるが，例えば，当該過去の役員が事業報告作成会社の役員在任中に関与した当該会社の業務に関係した不祥事が事業年度中に発覚した場合には，その重要性が高いものであれば，当該事業年度に係る事業報告の内容とする必要があると考えられる。

第18　他の法人等の業務執行者との重要な兼職に関する事項

経団連モデル

> 4-18．他の法人等の業務執行者との重要な兼職に関する事項
> ［会社法施行規則の条項］
> 　会社法施行規則第124条第1号に対応する事項である。
> ［記載方法の説明］
> 　社外役員が他の法人等の業務執行者であることが会社法施行規則第121条第8号に定める「重要な兼職」に該当するときには，事業報告作成会社と当該他の法人等との関係を記載する（会社法施行規則第124条第1号）。
> 　「業務執行者」（会社法施行規則第2条第3項第6号）とは，業務執行取締役，執行役，業務を執行する社員若しくは持分会社の法人業務執行社員の職務を行うべき者その他これに類する者又は使用人を意味する。ただし，令和元年改正法第348条の2第1項及び第2項の規定による委託を受け，当該委託に基づき業務を執行した社外取締役はこれに該当しない。
> 　会社以外に兼職状況が問題となりうる法人等の例としては，業界団体などの協会や一般（公益）財団法人，一般（公益）社団法人，法人格のない社団などが考えられる。
> 　なお，重要な兼職に該当する場合に開示される「当該他の法人等との関係」については，明文上重要なものに限るという限定は特に付されていないが，社外役員としての職務執行に何ら影響を与えるおそれがない一般的な取引条件に基づく単なる取引関係等については，開示の対象とならないと解されている。
> 　兼職の状況そのもの（兼職先や兼職先での地位など）は，会社法施行規則において，社外役員の兼任等を含め，開示の必要となる兼職関係の概念をすべて「重要な兼職」として統一して整理したことに伴い，社外役員に関するものであっても他の会社役員と同様に会社役員に関する事項として開示される。これに対し，本項目における開示事項である「兼職先（他の法人等）との関係」は，社外役員に固有の開示事項である。しかしながら，開示内容の

> 一覧性の観点からすれば，兼職の状況そのもの（兼職先や兼職先での地位など）と密接な関連性を有する「兼職先との関係」についても，同一の箇所（本ひな型における「会社役員に関する事項」の一覧表）において開示することが考えられる。

(1) 社外役員の範囲

　公開会社において，会社役員の中に社外役員であるものが存する場合には，当該社外役員については，第17までにおいて記載が求められている事項に加え，重要な兼職に関する事項をはじめとする事項（第18以下）を事業報告に記載する必要がある。

　「社外役員」とは，過去勤務要件などの法定の社外要件（法2条15号・16号）に形式的に該当する取締役または監査役のうち，会社法または事業報告作成会社自身が，当該取締役または監査役を社外取締役または社外監査役として取り扱うものに限定されている（施行規則2条3項5号）。

　なお，社外役員に関する事項は，「株式会社の会社役員に関する事項」（施行規則119条2号）に含まれる事項として事業報告への記載が求められているが（施行規則124条本文），「株式会社の会社役員に関する事項」の事業報告への記載が求められるのは，公開会社のみである（施行規則119条）。したがって，事業報告作成会社が大会社であったとしても，公開会社でなければ，社外役員に関する事項の事業報告への記載は求められない。

　なお，事業報告の記載対象となる「社外役員」の範囲についても，「会社役員」の範囲と同様，在任時期を基準とした一律の取扱いはなされておらず，記載事項によりその範囲を異にするものとして取り扱われている。また，事業報告の趣旨からすれば，仮に事業年度中に社外役員がその社外性を喪失する事態が生じたとしても，事業報告にはその者が社外役員であった間における社外役員に関する事項の記載が必要となると考えられる。

　社外役員に関する事業報告の各記載事項と記載の対象となる「社外役員」の範囲との関係は以下のとおりとなる。

記載事項	「会社役員」の範囲
他の法人等の業務執行者との重要な兼職に関する事項	直前の定時総会の翌日以降在任していた者に限る
他の法人等の社外役員等との重要な兼職に関する事項	直前の定時総会の翌日以降在任していた者に限る
自然人である親会社等，会社または会社の特定関係事業者の業務執行者または役員（業務執行役員である者を除く）との親族関係	直前の定時総会の翌日以降在任していた者に限る
各社外役員の事業年度における主な活動状況	直前の定時総会の翌日以降在任していた者に限る →事業年度中に社外役員として活動していた者の活動であっても，直前の定時総会以前に退任した者についてのものであれば記載の対象とする必要はない。
事業報告の対象となる事業年度に係る報酬等に関する事項	在任時期による限定なし
事業報告の対象となる事業年度において受け，または受ける見込みの額が明らかとなった報酬等に関する事項	在任時期による限定なし
会社の親会社等または当該親会社等（親会社等のないときは当該会社）の子会社等から当該事業年度において役員として受けている報酬等の総額（社外役員であった期間に受けたものに限る）	在任時期による限定なし
社外役員についての各記載事項の内容に対する社外役員の意見（意見があるときに限る）	在任時期による限定なし

※網掛け部分は在任時期による限定のないもの

(2) 他の法人等の業務執行者との重要な兼職

　社外役員が他の法人等の業務執行者（業務執行取締役，執行役，業務を執行する社員もしくは持分会社の法人業務執行社員の職務を行うべき者その他これに類する者または使用人）である場合で，その兼職が「重要な兼職」に該当するときには，事業報告作成会社と当該他の法人等との関係を記載しなければならない（施行規則124条1号）。なお，社外役員が他の株式会社の社外取締役である場合において，会社法348条の2に基づく委託を受け，当該他の株式会社の業務を執行した場合であっても，当該業務の執行は，会社法2条15号イに規定する業務の執行に該当しないため（法348条の2第3項），それによって当該他の株式会社の業務執行取締役となるわけではない。

　兼職が問題となる対象は，「会社」にとどまらず「法人等」の業務執行者である点に留意が必要である。経団連モデルにおいても説明されているとおり，会社以外に兼職状況が問題となりうる法人等の例としては，業界団体などの協会や一般（公益）財団法人，一般（公益）社団法人，法人格のない社団などが考えられる。

(3) 重要な兼職に関する事項の内容

　重要な兼職に該当する場合，事業報告作成会社と当該他の法人等との関係を記載しなければならない（施行規則124条1号）。ただし，経団連モデルにおいても説明されているとおり，重要な兼職に該当する場合に開示される「当該他の法人等との関係」については，社外役員としての職務執行に何ら影響を与えるおそれがない一般的な取引条件に基づく単なる取引関係等は，開示の対象とならないと解されている。この場合には，関係について何ら言及しない方法のほか，「開示すべき関係はありません」といった記載を行う方法も考えられる。

　また，事業年度中または事業年度終了後に兼職状況に変動が生じた場合の事業報告への記載方法は会社役員についてのものと同様である。

(4) 事業報告における記載箇所

経団連モデルにおいても説明されているとおり、兼職の状況そのもの（兼職先の名称や兼職先での地位など）は、施行規則の条文上は、社外役員に関するものであっても他の会社役員と同様に会社役員に関する事項として開示される。これに対し、本項目における開示事項である「兼職先（他の法人等）との関係」は、社外役員に固有の開示事項である。

しかしながら、開示内容の一覧性の観点からすれば、兼職の状況そのもの（兼職先の名称や兼職先での地位など）と密接な関連性を有する「兼職先との関係」についても、同一の箇所（経団連モデルにおける「会社役員に関する事項」の一覧表（第7参照））において開示することが考えられる。

この他の方法としては、従来の経団連モデルどおり、社外役員固有の兼職状況一覧表を作成することも考えられるが、その場合の記載例は、例えば以下のとおりとなる。

（参考例）

社外役員の重要な兼職等に関する事項

区分	氏　　名	兼職先	兼職の内容	関係
社外取締役			業務執行者	
			理事	
			社外取締役	
社外監査役			業務執行者	
			社外取締役	
			社外監査役	

注1. 当社の親会社である●●の代表取締役は、社外取締役××××氏の三親等内の親族であります。
注2. 社外監査役△△氏の甥は、当社の経理部長として勤務しております。

なお、社外役員に固有の記載事項のみを記載する場合の記載例は、以下のとおりとなる。

(参考例)
社外役員の重要な兼職等に関する事項

区分	氏　名	兼職先との関係
社外取締役		
社外監査役		

注1. 当社の親会社である●●の代表取締役は、社外取締役××××氏の三親等内の親族であります。

注2. 社外監査役△△氏の甥は、当社の経理部長として勤務しております。

第19 他の法人等の社外役員等との重要な兼職に関する事項

経団連モデル

> 4-19. 他の法人等の社外役員等との重要な兼職に関する事項
> ［会社法施行規則の条項］
> 　会社法施行規則第124条第2号に対応する事項である。
> ［記載方法の説明］
> 　社外役員が他の法人等の社外役員その他これに類する者である場合で，その兼職が会社法施行規則第121条第8号に定める「重要な兼職」に該当するときには，当該他の法人等との関係を記載する（会社法施行規則第124条第2号）。本項目の記載の方法は4-18と同様である。

　社外役員が他の法人等の社外役員その他これに類する者を兼ねている場合で，その兼職が「重要な兼職」に該当するときは，当該他の法人等との関係を記載する。

　具体的な記載方法や記載の基準，事業年度中に兼職状況に変動が生じた場合の事業報告への記載方法は，第18と同様に判断することとなる。

第Ⅰ章 事業報告

第20 自然人である親会社等，事業報告作成会社または事業報告作成会社の特定関係事業者の業務執行者または役員との親族関係

経団連モデル

> 4-20. 自然人である親会社等，事業報告作成会社又は事業報告作成会社の特定関係事業者の業務執行者又は役員との親族関係（会社が知っているもののうち，重要なものに限る。）
>
> ［会社法施行規則の条項］
>   会社法施行規則第124条第3号に対応する事項である。
>
> ［記載方法の説明］
>   社外役員が，事業報告作成会社の自然人である親会社等，事業報告作成会社又はその特定関係事業者の業務執行者又は役員（業務執行者であるものを除く）の配偶者，三親等以内の親族その他これに準ずる者であることを事業報告作成会社が知っているときは，重要でないものを除き，当該事実を記載する（会社法施行規則第124条第3号）。
>
>   「親会社等」とは，①事業報告作成会社の親会社又は②事業報告作成会社の経営を支配している者（法人であるものを除く）として法務省令（会社法施行規則第3条の2）で定めるものである（会社法施行規則第2条第1項，会社法第2条第4号の2）。
>
>   「特定関係事業者」とは，①事業報告作成会社が親会社等を有する場合，当該親会社等並びに当該親会社等の子会社等（当該事業報告作成会社を除く）及び関連会社（当該親会社等が会社でない場合におけるその関連会社に相当するものを含む）と主要な取引先であり，②事業報告作成会社に親会社等がない場合には，当該事業報告作成会社と，主要な取引先である（会社法施行規則第2条第3項第19号）。
>
>   「主要な取引先」とは，当該株式会社における事業等の意思決定に対して，親子会社・関連会社と同程度の影響を与えうる取引関係がある取引先が当た

> る。具体的には，当該取引先との取引による売上高等が当該株式会社の売上高の相当部分を占めている相手や，当該株式会社の事業活動に欠くことのできないような商品・役務の提供を行っている相手などが考えられる。
> 　「重要でないもの」の判断に当たっては，当該事業報告作成会社又は当該事業報告作成会社の特定関係事業者における当該親族の役職の重要性及び社外役員と当該親族との交流の有無などが考慮される。
> 　「知っているとき」とは，当該事項が事業報告の記載事項となっていることを前提として行われた調査の結果，知っている場合を意味する。
> 　本項目の記載については，独立した記載項目として取り上げることのほか，社外役員の重要な兼職の状況と共に記載することが考えられる（本ひな型における「会社役員に関する事項」の一覧表参照）。

　社外役員が事業報告作成会社の自然人である親会社等，事業報告作成会社またはその特定関係事業者（施行規則2条3項19号）の業務執行者または役員（業務執行者であるものを除く）の配偶者，三親等以内の親族その他これに準ずる者であることを事業報告作成会社が知っているときは，重要でないものを除き，その事実を記載する。

　特定関係事業者には，「主要な取引先」が含まれるが，「主要な取引先」とは，立案担当者解説によれば，「当該株式会社における事業等の意思決定に対して，親子会社・関連会社と同程度の影響を与えうる取引関係がある取引先がこれに当たる」と説明されている（相澤哲＝郡谷大輔・前掲50頁）。したがって，取引先のうち，最も取引高が高い相手であっても，「主要な取引先」に該当しない場合がある。また，主要であるか否かの判断は，事業報告作成会社にとり主要な取引先であるか否かで判断することで足り，当該相手方にとり事業報告作成会社が主要な取引先であるかどうかは関係がないと解される。

　「知っているとき」とは，立案担当者解説によれば，「当該事項が開示事項とされていることを前提として行われる調査の結果として知っている場合を指し，十分な調査を行うことなく『知らない』という整理をすることを許容

するものではない」ため，事業報告の作成にあたっては，会社として，事前に社外役員に対して，本項目に関する該当事実の有無および該当事実がある場合にはその内容につき，確認することが必要となる。

なお，社外役員が当該株式会社の親会社等または当該株式会社もしくは当該株式会社の特定関係事業者の業務執行者もしくは役員の配偶者，三親等以内の親族その他これに準ずる者であることを株式会社が知っていることについては，株主総会参考書類においても記載が求められる（施行規則74条4項7号ホ・76条4項6号ホ）。ただし，株主総会参考書類においては「その旨」を記載すれば足りるのに対し（施行規則74条4項7号・76条4項6号），事業報告においては「その事実」の記載までが求められる（施行規則124条3号）。具体的には，株主総会参考書類においては，「候補者○○の三親等以内の親族が当社の特定関係事業者の業務執行者であります」または「候補者○○は会社法施行規則第74条第4項第7号に該当する候補者であります」との記載で足りるところ，事業報告においては，「当社の親会社である○○の代表取締役は，社外取締役×××氏の三親等内の親族であります」まで記載しなければならない。

社外役員に関する事項の記載方法としては，経団連モデルのように，各社外役員に関する状況を記載項目ごとにまとめて記載する方法のほかに，以下のとおり，記載事項を各社外役員ごとにまとめて記載する方法も考えられる。

(参考例)（全株懇モデル　2021年1月22日全国株懇連合会理事会決定）
(6) 社外役員に関する事項
　① 取締役　○○○○
　　ア．重要な兼職先と当社との関係
　　　○○○株式会社は，当社と……という関係にあります。
　　イ．主要取引先等特定関係事業者との関係
　　　当社の主要取引先である○○○○○株式会社の代表取締役社長は，○○（三親等以内の親族）であります。

ウ．当事業年度における主な活動状況
　（ア）取締役会への出席状況および発言状況
　　　　出席率は○％，発言は○回であります。
　（イ）取締役○○○○の意見により変更された事業方針
　　　　…………………………………。
　（ウ）当社の○○○（不祥事等の内容）に関する対応の概要
　　　　発生の予防のために，以下のような対応を行っていました。
　　　　…………………………………。
　　　　発生後は，以下のような対応を行いました。
　　　　…………………………………。
　（エ）社外取締役が果たすことが期待される役割に関して行った職務の概要
　　　　…………………………………。

② 監査役　○○○○
　ア．重要な兼職先と当社との関係
　　　○○○○株式会社は，当社と……という関係にあります。
　イ．当事業年度における主な活動状況
　　（ア）取締役会への出席状況および発言状況
　　　　　出席率は○％，発言は○回であります。
　　（イ）監査役会への出席状況および発言状況
　　　　　出席率は○％，発言は○回であります。
　　（ウ）当社の○○○（不祥事等の内容）に関する対応の概要
　　　　　発生の予防のために，以下のような対応を行ってまいりました。
　　　　　…………………………………。
　　　　　発生後は以下のような対応を行いました。
　　　　　…………………………………。

第21　各社外役員の主な活動状況

経団連モデル

> 4-21．各社外役員の主な活動状況
> ［会社法施行規則の条項］
> 　会社法施行規則第124条第4号に対応する事項である。
> ［記載方法の説明］
> 　各社外役員毎に①取締役会及び監査役会（監査等委員会，監査委員会）への出席の状況，②発言の状況について記載する。書面決議への参加は，出席には含まれない。出席の状況については，取締役会ごとの出欠状況まで明らかにする必要はないが，取締役会への社外役員の参加状況が明らかになるよう記載する。なお，欠席の理由等の記載は不要である。
> 　監査役，監査等委員及び監査委員については，取締役会と監査役会（監査等委員会，監査委員会）それぞれに対する出席・発言状況をあわせて記載することも考えられる。
> 　発言の状況については，どのような分野についてどのような観点で発言したか等，発言の概要を記載すれば足りる。
> 　また，③社外役員の意見により会社の事業の方針又は事業その他の事項に係る決定が変更されたときは，重要でないものを除き，その内容を記載する。ただし，企業秘密に該当する事項を記載する必要はなく，社外役員の意見によって変更されたか否かが判然としない場合には，記載する必要はない。通常の場合は開示すべき事項はないと考えられる。
> 　会社において法令又は定款に違反する事実その他不当な業務の執行（社外監査役の場合は，不正な業務の執行）が行われた場合，重要でないものを除き，各社外役員が当該事実の発生の予防のために行った行為及び当該事実の発生後の対応として行った行為の概要を記載する。不当・不正な行為がなければ，開示すべきものはない。
> 　さらに，社外役員のうち社外取締役については，上記①から③の事項に加え，④当該社外役員が果たすことが期待される役割に関して行った職務の概要を記載する。

第4節　会社役員に関する事項

　当該社外役員が果たすことが期待される役割に関して行った職務が上記①から③の事項と重複する場合であっても，社外役員が果たすことが期待される役割との関連性を示した上で，当該社外役員が行った職務の概要をより具体的に記載することとなる。なお，例えば，社外取締役が，事業報告作成会社に設置された任意の委員会（指名報酬委員会など）の委員となって活動している場合などにおいては，当該委員会における出席・発言等の状況なども職務の概要に該当すると考えられる。

　記載方法としては，④を別項目として記載する方法のほか，主な活動状況として，①②と同じ項目の中で記載することが考えられる。

［記載例］

（社外役員の主な活動状況）

区分	氏　名	主な活動状況
取締役		当事業年度開催の取締役会のほぼ全回に出席し，主に〇〇の観点から，議案・審議等につき必要な発言を適宜行っております。また，上記のほか，当社の経営陣幹部の人事などを審議する指名諮問委員会の委員長を務め，当事業年度開催の委員会の全て（〇回）に出席することなどにより，独立した客観的立場から会社の業績等の評価を人事に反映させるなど，経営陣の監督に務めております。
監査役		当事業年度開催の取締役会及び監査役会の全てに出席し，必要に応じ，主に弁護士としての専門的見地から，当社のコンプライアンス体制の構築・維持についての発言を行っております。
監査役		当事業年度開催の取締役会のうち8割に，また，当事業年度開催の監査役会のうち9割に出席し，必要に応じ，主に公認会計士としての専門的見地から，監査役会の場において，当社の経理システムの変更・当社監査基準の改定についての発言を行っております。

(1) 取締役会等への出席の状況

　経団連モデルにおいても説明されているとおり，社外役員ごとに取締役会および監査役会（監査等委員会，監査委員会）への出席の状況を記載する。出席の状況については，各回ごとの出欠状況まで明らかにする必要はないが，取締役会および監査役会（監査等委員会，監査委員会）への社外役員の参加状況が明らかになる程度の記載は必要であると解される。具体的には，次のとおり出席回数を明確に記載する方法のほか，経団連モデルのとおり，「ほぼ全回」や「○割」といったある程度抽象的な記載をする方法が考えられる。

　ただし，機関投資家や議決権行使助言サービス機関などにおいて，社外取締役や社外監査役の選任議案に対する議決権行使ないしその助言の基準として，年間の取締役会・監査役会の出席率が75％等の特定の割合以上であることが明らかでない場合，再任に反対するという趣旨の基準を定めているものも見受けられることから，抽象的な記載の当否については，留意が必要である。

（参考例）

　当事業年度開催の取締役会および監査役会への出席状況は次のとおりであります。

取締役	○○○○	取締役会	×回開催	うち	△回出席
監査役	●●●●	取締役会	×回開催	うち	▲回出席
		監査役会	■回開催	うち	○回出席
監査役	△△△△	取締役会	×回開催	うち	○回出席
		監査役会	■回開催	うち	×回出席

　事業報告の記載の対象となる事業年度の開始した後に社外役員に就任したものについては，就任後に開催された取締役会および監査役会（監査等委員会，監査委員会）についての出席状況を記載すれば足り，その場合には，例えば，「（注）取締役○○○○については，当事業年度中に開催された取締役会のうち，●●年6月29日の就任後に開催されたもののみを対象としており

ます。」などの記載を付記することが考えられる。

取締役会決議の省略（いわゆる書面決議）を行う場合には取締役会は開催されないため、取締役会決議の省略を行った場合に書面による同意の意思表示を行っても、出席回数には含まれない。

なお、出席状況については、取締役会と監査役会（監査等委員会、監査委員会）それぞれについての出席状況を区分して記載することは必ずしも求められていない。したがって、監査役、監査等委員および監査委員については、取締役会と監査役会（監査等委員会、監査委員会）に対する出席状況を併せて記載することも考えられる。

この場合の記載例としては、次のとおりの記載が考えられる。

> **（参考例）**
> 監査役〇〇〇〇は、当事業年度開催の取締役会および監査役会のうち、約9割に出席しております。

> **（参考例）**
> 監査役××××は、当事業年度開催の取締役会および監査役会全〇〇回のうち、△△回に出席しております。

(2) 取締役会等における発言の状況

社外役員ごとに取締役会および監査役会（監査等委員会、監査委員会）における発言の状況について記載する。記載が求められているのは「発言の内容」ではなく「発言の状況」であることから、取締役会議事録に記載された発言の具体的内容をそのまま記載する必要はない。また、取締役会議事録の記載との関係では、議事録に記載するのは「議事の経過の要領及びその結果」であることから（施行規則101条3項4号）、議事録に記載されていない発言内容を事業報告の内容とすることができない、または議事録に記載された発言内容を必ず事業報告の内容としなければならないという関係にはないと解

される。

　したがって，事業報告における発言の状況の記載については，ある程度の包括的記載で足りると解される。ただし，事業報告における社外役員についての開示の特例が設けられた趣旨が，「社外役員が期待されている機能を現に果たしているか（果たしうるか）という評価をするに資する情報を株主に提供させる」(相澤哲＝郡谷大輔・前掲49頁)，ことである点に鑑み，経団連モデルにおいても説明されているとおり，社外役員が，どのような分野についてどのような観点で発言したか等，発言の概要をある程度記載することが望ましいと考えられる。

(3) 社外役員の意見により会社の事業の方針または事業その他の事項に係る決定が変更された場合の記載

　社外役員の意見により会社の事業の方針または事業その他の事項に係る決定が変更されたときは，重要でないものを除き，その内容を記載する。記載すべき内容は「変更された旨」にとどまらず，具体的な内容の記載までが求められている。

(4) 事業年度中に法令または定款に違反する事実その他不当な業務の執行（社外監査役の場合は，不正な業務の執行）が行われた場合についての記載

　会社において法令または定款に違反する事実その他不当な業務の執行（社外監査役の場合は，不正な業務の執行）が行われた場合，重要でないものを除き，各社外役員が当該事実の発生の予防のために行った行為および当該事実の発生後の対応として行った行為の概要を記載する。

　この場合に事業報告に記載される行為について，特に要件は定められておらず，現に当該社外役員が行った行為であれば，例えば，不当な業務の執行が行われた後に，社外役員が他の取締役と共同して行った行為でも構わない。具体的な記載としては，例えば次の記載が考えられる。

(参考例)
(注) 不当な業務の執行の予防のために行った行為および発生後の対応
　本事業年度中の●月に，当社において，商標法違反事件が発生いたしました。
　社外取締役であった○○氏は，同事件発生まで当該事実を認識しておりませんでしたが，日頃から取締役会において法令遵守の視点に立った提言を行い，注意を喚起しておりました。また，発生後においては，内部統制の更なる強化を要請し，再発防止策と会社姿勢の外部への開示の強化等に向けた審議において意見を述べております。

　また，事業報告の対象となる社外役員の中に，法令または定款に違反する事実その他不当な業務の執行（社外監査役の場合は，不正な業務の執行）が行われた後に株主総会において新たに選任された社外役員が存する場合も考えられる。
　当該社外役員については，当該事実の発生時には社外役員に就任していなかったことから，事業報告記載事項のうち，「当該事実の発生の予防のために行った行為」は存しないが，「当該事実の発生後の対応として行った行為」として，例えば次の記載が考えられる。

(参考例)
(注) 不当な業務の執行の予防のために行った行為および発生後の対応
　前記●（当社グループの対処すべき課題）に記載のとおり，当社において，本事業年度中の●月に，●●違反事件が発生いたしました。
　社外取締役○○氏は，同事件発生後に当社社外取締役に就任いたしましたが，就任後，内部統制システムの基本方針の見直し，再発防止策の作成等の対応策について，意見を表明するなど適切に職務を遂行いたしております。

(5) 期待される役割に関して行った職務の概要

　社外取締役が果たすことが期待される役割に関して当該事業年度に行った職務の概要について記載する（施行規則124条4号ホ）。

　会社法施行規則の規定上は，記載が求められる事項は「行った職務の概要」を記載することが求められているが，「行った職務の概要」と社外取締役が果たすことが期待される役割との関連性を示して記載することが必要である（渡辺諭ほか・前掲商事法務2252号22頁）。

　社外取締役が果たすことが期待される役割とは，当該事業報告作成会社が当該社外取締役に期待した役割のことであり，社外取締役に一般的に期待される役割ではない。また，事業報告において，期待される役割に関して行った職務の概要を記載することとされた趣旨は，当該社外取締役が当該役割をどの程度果たしたかについて事後的に検証することができるようにすることにより，社外取締役による監督の実効性を担保することにあるところ（渡辺諭ほか・前掲商事法務2252号22頁），その観点からは，当該社外取締役が選任された際の株主総会参考書類において記載された「当該候補者が社外取締役に選任された場合に果たすことが期待される役割」に関して行った職務の概要を記載することが適切であると考えられる。

　当該職務の概要の内容が，会社法施行規則124条4号イ～ニに掲げる事項，すなわち取締役会への出席状況や発言状況と重複する場合には，それを重ねて記載することは要しないとされているが，経団連モデルのように，これらの事項を一体として記載することはできる。ただし，取締役会への出席状況等の記載に加えて，社外取締役が果たすことが期待される役割に関して行った職務の概要の記載が求められる趣旨は，当該社外取締役が行った職務の概要をより具体的に記載させることにあるとされており（法務省民事局参事官室「会社法の改正に伴う法務省関係政令及び会社法施行規則等の改正に関する意見募集の結果について」（2020年11月24日）第3・1(7)エ③），社外取締役の活動状況について，取締役会への出席状況等にとどまらない充実した具体的な記載をすることが望ましい。例えば，経団連モデルにあるとおり，社外取締役には，任意の指

名・報酬委員会の委員となって，取締役会による監督機能の強化に貢献することが期待されている場合があり，そのような場合には，当該委員会への出席状況や発言内容等について記載することが考えられる。また，社外取締役がM&Aにおける公正性を担保するための措置として設置される特別委員会（経済産業省「公正なM&Aの在り方に関する指針」（2019年6月28日）参照）や支配株主との利益相反取引を審議・検討する特別委員会（コーポレートガバナンス・コード補充原則4-8③参照）の委員として活動した場合にその旨および活動内容を記載すること，専門的な知見を活かして取締役会以外の場において当該会社に事業に関する有益な助言等をした場合にその内容等について記載することも考えられる。

　なお，この項目を記載することが求められるのは社外取締役のみであり，社外監査役について記載する必要はない。

第22　社外役員の報酬等

経団連モデル

> 4-22．社外役員の報酬等の総額（業績連動報酬等，非金銭報酬等，それら以外の報酬等の総額）
> 4-23．親会社等，親会社等の子会社等又は子会社からの役員報酬等の総額
> ［会社法施行規則の条項］
> 　会社法施行規則第124条第5号から第7号までに対応する事項である。
> ［記載方法の説明］
> 　社外役員については，通常の役員報酬の記載とは別に，社外役員全体の報酬等の総額と員数を，①業績連動報酬等，②非金銭報酬等，③それら以外の報酬等の種類別に記載する。また，社外役員のうちに，事業報告作成会社の親会社等又は当該親会社等の子会社等（当該事業報告作成会社を除く）又は事業報告作成会社に親会社等がない場合における当該事業報告作成会社の子会社の役員を兼ねている者がいる場合には，当該兼任者が当該兼任先の会社から受けた役員報酬等の総額のうち，当該事業年度において社外役員であった期間に受けたものを記載する。したがって，事業報告作成会社の経営を支配している者が会社等ではなく自然人である場合にも，当該自然人が経営を支配している他の子会社等から社外役員が受けている役員報酬等についても，事業報告への記載を要することとなる。ただし，役員としての報酬等を記載すれば足り，社外役員が親会社等，当該親会社等の子会社等又は事業報告作成会社の子会社の使用人を兼ねている場合における使用人分給与を記載する必要はない。また，兼任先の会社から受けた役員報酬については，種類別に記載する必要はない。
> 　各社外役員毎の内訳の記載はもとより，社外取締役と社外監査役が存する会社における，社外取締役と社外監査役との内訳の記載も義務付けられていないが，有価証券報告書やコーポレート・ガバナンスに関する報告書の記載実務に照らし，社外取締役と社外監査役とを区分して開示することも考えられる。

第4節 会社役員に関する事項

　記載方法としては，例えば次の方法のほか，社外役員が事業報告作成会社から受ける報酬等の額については，役員全体の報酬等を記載する箇所において，社外役員を区分開示する方法も考えられる。

[記載例]
（社外役員の報酬等の総額等）

支給人数	報酬等の種類別の額			計	親会社又は当該親会社等の子会社等からの役員報酬等
	基本報酬	業績連動報酬等	非金銭報酬等		
人	円	円	円	円	円

（記載上の注意）
(1) 業績条件を付した株式報酬など複数の区分に該当する性質を有する報酬等の場合，いずれかの区分において記載した上で，その旨及び額を注記することが考えられる。
(2) 当該事業年度に係る報酬等の額以外に，当該事業年度に受け又は受ける見込みの額が明らかになった報酬等の額があれば，総額と員数を注記する。
(3) 社外役員の員数は，現に報酬等の支給の対象となった者の員数を記載する（無報酬の社外役員は含まれない）（会社法施行規則第124条第5号・第6号）。
(4) 親会社等がない場合には，「親会社等又は当該親会社等の子会社等からの役員報酬等」の部分を「子会社からの役員報酬等」とする。

(1) 社外役員の報酬等の総額

　社外役員については，通常の役員報酬等の記載とは別に，社外役員全体の報酬等の総額および員数を記載することが求められる。「報酬等の総額」は，①業績連動報酬等，②非金銭報酬等，③それら以外の報酬等の種類別に記載する。「員数」には無報酬の者は含まれない。
　会社法施行規則上は，社外役員全体の報酬等と員数を記載することで足り，社外役員ごとの内訳の記載はもとより，社外取締役と社外監査役が存する会

社において，社外取締役分の総額と社外監査役分の総額とを分けて記載することも義務付けられていない。ただし，経団連モデルにおいても説明されているとおり，社外取締役分の総額と社外監査役分の総額とを区分して記載することも考えられる。

(参考例)
(社外役員の報酬等の総額)

	支給人数	報酬等の種類別の額			計
		基本報酬	業績連動報酬等	非金銭報酬等	
社外取締役	人	円	円	円	円
社外監査役	人	円	円	円	円

また，社外役員についての報酬等を別途独立して記載する方法のほか，次のとおり，役員全体の報酬等を記載する箇所において，社外役員が事業報告作成会社から受ける報酬等を区分して記載する方法も考えられる。

(参考例)
(取締役および監査役の報酬等の額)

	支給人数	報酬等の種類別の額			計
		基本報酬	業績連動報酬等	非金銭報酬等	
取締役 (うち社外取締役)	○人 (●人)	△△円 (▲▲円)	□□円 (■■円)	◇◇円 (◆◆円)	☆☆円 (★★円)
監査役 (うち社外取締役)	○人 (●人)	△△円 (▲▲円)	□□円 (■■円)	◇◇円 (◆◆円)	☆☆円 (★★円)

なお，社外役員についても，「当該事業年度に受け，又は受ける見込みの額が明らかになった報酬等」が別途存する場合には，会社役員の場合と同様，

その種類別の総額と員数を記載しなければならない。

(2) 親会社等，当該親会社等の子会社等または子会社の役員を兼任している場合の当該親会社等，当該親会社等の子会社等または子会社からの役員報酬等の総額

　社外役員のうちに，事業報告作成会社の親会社等，当該親会社等の子会社等（当該事業報告作成会社を除く）または事業報告作成会社に親会社等がない場合における当該事業報告作成会社の子会社の役員を兼ねている者が存する場合には，当該兼任者が当該兼任先の会社から受けた役員報酬等の総額のうち，当該事業年度において社外役員であった期間に受けたものを記載する。

　なお，記載の対象となる報酬等は，「当該事業年度に係る報酬等」ではなく，実際に「受けたもの」である点に留意が必要である。

　また，報酬等については，役員としての報酬等を記載すれば足り，社外役員が当該兼任先の使用人を兼ねている場合における使用人分給与等を記載する必要はない。

　なお，会社法施行規則上は，社外役員全体の総額を記載することで足り，社外役員ごとの内訳や社外取締役分の総額と社外監査役分の総額との内訳の記載が義務付けられていない点は，事業報告作成会社から受ける役員報酬等の場合と同様である。他方で，兼任先の会社から受けた報酬については，業績連動報酬等や非金銭報酬等の種類別に記載する必要はない。

　記載方法としては，本項目を単独で開示する方法のほか，社外役員が事業報告作成会社から受ける役員報酬等とともに開示する方法も考えられる。

第23　記載内容についての社外役員の意見

経団連モデル

> 4-24．記載内容についての社外役員の意見
> ［会社法施行規則の条項］
> 　会社法施行規則第124条第8号に対応する事項である。
> ［記載方法の説明］
> 　事業報告における社外役員についての記載内容に対して当該記載の対象となった社外役員の意見があるときは，その意見の内容を記載する。
> 　社外役員の意見がないときは，記載の必要はない。

　事業報告に記載される社外役員に関する事項につき，当該記載の対象となった社外役員の意見があるときは，意見の内容を記載する。事業報告への記載の方法としては，次のとおり，社外役員に関する事項の記載に続き，注記の形で意見の内容を記載することが考えられる。

> （参考例）
> （注）上記内容につき，社外取締役○○より次のとおりの意見が述べられております。
> 　　　……………………………………

　なお，「当該記載の対象となった社外役員」には，すでに退任し，当該事業報告の対象となる事業年度中には全く在任していなかった者も含まれる場合がある点に注意が必要である。

第5節

会計監査人に関する事項

第1　氏名または名称

経団連モデル

> 5-1．氏名又は名称
> ［会社法施行規則の条項］
> 　会社法施行規則第126条第1号に対応する事項である。
> ［記載方法の説明］
> 　事業年度の初日から末日までの間に在任していた会計監査人（途中で辞任した又は解任された者を含む。）の氏名又は名称を記載する。

　会計監査人の氏名または名称を記載する。なお，「会計監査人に関する事項」として事業報告への記載の対象となる会計監査人の範囲には，「会社役員に関する事項」(施行規則121条)の場合と異なり，在任時期による限定は付されていない。したがって，事業年度中に開催された定時株主総会において不再任となった会計監査人や定時株主総会以前に辞任したまたは解任された会計監査人も含め，事業年度中に在任していた会計監査人すべてが記載の対象となる。

　これに対し，「一時会計監査人の職務を行うべき者」は，厳密には会社法上

の会計監査人には含まれないものの，現に会計監査人としての職務を行うことから，この者についての情報は株主にとり重要な情報であるため，その者の氏名または名称も事業報告へ記載するべきであると解される。この場合，一時会計監査人の職務を行うべき者である旨を注記することが考えられる。

（参考例）

　　会計監査人の名称　　○○監査法人
　　　　　　　　　　　　××監査法人
　（注）当社の会計監査人であった○○監査法人が業務の一時停止の行政処分を受けたため，一時会計監査人として××監査法人を選任しております。

また，会計監査人が監査法人である場合において，事業年度中に監査法人の名称が変更されたときなどは，事業年度末日時点の名称を記載するとともに，名称変更がなされた旨を注記することが考えられる。

（参考例）

　　会計監査人の名称　　●●監査法人
　（注）当社の会計監査人である○○監査法人は，●年●月●日付で●●監査法人に名称変更しております。

（参考例）

　　会計監査人の名称　　○○有限責任監査法人
　（注）当社の会計監査人である○○監査法人は，監査法人の種類の変更により，●年●月●日付で○○有限責任監査法人となりました。

第2　辞任したまたは解任された会計監査人に関する事項

経団連モデル

> **5-2．辞任した又は解任された会計監査人に関する事項**
> ［会社法施行規則の条項］
> 　会社法施行規則第126条第9号に対応する事項である。
> ［記載方法の説明］
> 　4-4に準じた記載を行う。ただし、会計監査人の場合、辞任したときの意見又は理由に加え、解任（株主総会の決議による解任を除く。）されたときの解任についての意見も事業報告への記載の対象となる。

　辞任したまたは解任された会計監査人（株主総会の決議によって解任されたものを除く）が存するときは、次の事項を記載する。
　① 氏名または名称
　② 監査役、監査役会、監査等委員会または監査委員会により会計監査人が解任されたときは、株主総会で述べられる予定のまたは述べられた解任の理由
　③ 辞任または解任について株主総会において述べられる予定のまたは述べられた意見（法345条1項・5項）があるときは、その意見の内容　④ 辞任した者により辞任した理由また解任についての意見（法345条2項・5項）が株主総会において述べられる予定であるまたは述べられたときは、その理由および意見

　記載の要領は、原則として、会社役員の場合（第4節第4参照）と同様である。ただし、会計監査人の場合、経団連モデルにおいても説明されているとおり、会計監査人を解任された者の述べる解任についての意見も事業報告の記載の対象となる。なお、これらの事項の記載が求められるのは、会計監査

人の辞任または解任（株主総会決議による解任を除く）が生じた場合に限定され，不再任の場合には，記載は不要である。

　本項目の対象となる「会計監査人」についても，在任時期の限定が付されていないため，事業報告の対象となる事業年度に辞任したまたは解任された会計監査人にとどまらず，過去に辞任したまたは解任されたすべての会計監査人が対象となる。

　ただし，会社役員の場合（第4節第4参照）と同様，事業報告の対象となる事業年度前に辞任したまたは解任された会計監査人に関する記載がなされる場合とは，事業報告の対象となる事業年度中に解任についての意見等が述べられたまたは述べられる予定の意見が事前に判明した場合など，何らかの事象が生じた場合に限定される。

第3　現在の業務停止処分に関する事項

経団連モデル

> 5-3．現在の業務停止処分に関する事項
> ［会社法施行規則の条項］
> 　会社法施行規則第126条第5号に対応する事項である。
> ［記載方法の説明］
> 　会計監査人が現に業務停止期間中である場合には，当該業務停止処分の内容について記載する。この場合に対象となる業務停止の範囲は，監査業務に対する業務停止に限定されず，非監査業務等に対する業務停止も含まれる。
> 　「現に」とは，事業報告の作成日を意味する。

　会計監査人が現に業務停止期間中である場合には，当該業務停止処分に係る事項を記載する。「業務停止処分に係る事項」とは，処分の内容であると解され，処分の内容には業務停止処分の処分日や処分期間も含まれる。なお，経団連モデルにおいても説明されているとおり，記載の対象となる業務停止の範囲は，監査業務に対する業務停止に限定されず，非監査業務等に対する業務停止も含まれる。また，業務停止の範囲が，当該事業報告作成会社に対して提供される業務に及ばない場合であっても記載の対象となる。

　「現に」とは，事業報告の作成日である。事業報告の作成日については，会社法および会社法施行規則において一義的には定められていない（「事業報告の作成日」の考え方については，本章序（事業報告の構成）(3)（事業報告記載事項の基準時）参照）。

第4 過去2年間の業務停止処分に関する事項のうち，会社が事業報告の内容とすべきと判断した事項

経団連モデル

> 5-4．過去2年間の業務停止処分に関する事項のうち，会社が事業報告の内容とすべきと判断した事項
> ［会社法施行規則の条項］
> 　会社法施行規則第126条第6号に対応する事項である。
> ［記載方法の説明］
> 　会計監査人が過去2年間に業務の停止の処分を受けた者である場合には，当該処分に係る事項のうち，事業報告作成会社が事業報告の内容とすることが適切であるものと判断した事項を記載する。記載の対象となる業務停止の範囲は，監査業務に対する業務停止に限定されず，非監査業務等に対する業務停止も含まれる。
> 　「過去2年間」とは，「事業報告の作成日からさかのぼって2年間」を意味する。

　会計監査人が過去2年間に業務の停止の処分を受けた者である場合には，当該処分に係る事項のうち，当該株式会社が事業報告の内容とすることが適切であるものと判断した事項を記載する。

> （参考例）
> 　当社の会計監査人であります〇〇監査法人は，〇年〇月〇日付で金融庁より〇年〇月〇日から同年×月×日までの〇ヶ月間の△△業務の停止処分を受けました。同処分に伴い，〇〇監査法人は〇年〇月〇日付にて当社の会計監査人の資格を一旦喪失しておりますが，同監査法人の再発防止に向けた改革への取組みならびに同処分時までの当社に対する監査業務は適正かつ厳格に遂行されていたことを評価し，今後も，同監査法人による継続的な監査を行うことが最善との判断にいたり，〇年△月△日開催の当社株主総会において，同監査法人を改めて当社の会計監査人として選任しております。

第5　責任限定契約に関する事項

経団連モデル

> **5-5. 責任限定契約に関する事項**
> ［会社法施行規則の条項］
> 　会社法施行規則第126条第7号に対応する事項である。
> ［記載方法の説明］
> 　4-7に準じた記載を行う。
> 　ただし，会計監査人の場合，責任限定契約に関する事項について，「直前の定時株主総会の終結の日の翌日以降に在任していた者に限る」との限定がないことから，事業年度の初日から末日までの間に在任した者（途中で辞任，解任された者を含む）に関する記載も必要となる。
> 　また，会計監査人の場合，取締役，監査役，執行役とは異なり，記載が要求される会社は，公開会社に限られない。

　事業報告作成会社が会計監査人との間で責任限定契約（法427条1項の契約）を締結している場合には，契約の相手方とともに，当該契約の内容の概要を記載する。記載の対象となる会計監査人の範囲は，事業年度の初日から末日までの間に在任した会計監査人であり，事業年度中に辞任し，または解任された者も含まれる。記載の要領は会社役員の場合（第4節第7）と同様である。

第6　補償契約に関する事項および補償契約に基づく補償に関する事項

経団連モデル

> 5-6. 補償契約に関する事項
> 5-7. 補償契約に基づく補償に関する事項
> ［会社法施行規則の条項］
> 　会社法施行規則第126条第7号の2から第7号の4に対応する事項である。
> ［記載方法の説明］
> 　4-8及び4-9に準じた記載を行う。
> 　ただし，会計監査人の場合，補償契約に関する事項について，「直前の定時株主総会の終結の日の翌日以降に在任していた者に限る」との限定がないことから，事業年度の初日から末日までの間に在任した者（途中で辞任，解任された者を含む）に関する記載も必要となる。
> 　また，会計監査人の場合，取締役，監査役，執行役とは異なり，記載が要求される会社は，公開会社に限られない。

　事業報告作成会社が会計監査人との間で補償契約（法430条の2）を締結している場合には，当該契約の内容の概要を記載する。記載の対象となる会計監査人の範囲は，責任限定契約と同様，事業年度の初日から末日までの間に在任した会計監査人であり，事業年度中に辞任し，または解任された者も含まれる。記載の要領は会社役員の場合（第4節第8，第9）と同様である。

第5節　会計監査人に関する事項

第7　各会計監査人の報酬等の額および当該報酬等の額について監査役会が同意した理由

経団連モデル

> 5-8．各会計監査人の報酬等の額及び当該報酬等について監査役が同意した理由
> 5-9．公認会計士法第2条第1項の業務以外の業務（非監査業務）の内容
> 5-10．企業集団全体での報酬等
> ［会社法施行規則の条項］
> 　会社法施行規則第126条第2号，第3号及び第8号に対応する事項である。
> ［記載方法の説明］
> 　会計監査人の報酬等の関係では，以下の各事項について記載する（3・4は有価証券報告書提出大会社についてのみ）。
> 1．当該事業年度に係る各会計監査人の報酬等の額
> 2．当該報酬等の額について監査役会（監査等委員会，監査委員会）が会社法第399条第1項の同意を行った理由
> 3．会計監査人に対して公認会計士法第2条第1項の業務以外の業務（非監査業務）の対価を支払っているときは，その非監査業務の内容
> 4．会計監査人である公認会計士又は監査法人に事業報告作成会社及びその子会社が支払うべき金銭その他の財産上の利益の合計額（当該事業年度に係る連結損益計算書に計上すべきものに限る。）
> 5．事業報告作成会社の会計監査人以外の公認会計士又は監査法人が当該事業報告作成会社の子会社（重要なものに限る。）の計算関係書類（これに相当するものを含む。）の監査（会社法又は金融商品取引法（これらの法律に相当する外国の法令を含む。）の規定によるものに限る。）をしているときは，その事実

[記載例]

①	報酬等の額	○万円
②	当社及び当社子会社が支払うべき金銭その他の財産上の利益の合計額	○万円

注1. 当社監査役会は，日本監査役協会が公表する「会計監査人との連携に関する実務指針」を踏まえ，○○などを確認し，検討した結果，会計監査人の報酬等につき，会社法第399条第1項の同意を行っております。
注2. 当社は，会計監査人に対して，公認会計士法第2条第1項の業務以外の業務である，○○についての対価を支払っております。
注3. 当社の子会社である○○社は，当社の会計監査人以外の公認会計士（又は監査法人）の監査を受けております。

（記載上の注意）
(1) ①の金額は，事業報告作成会社の会社法上の会計監査人監査に対する報酬等である。会社法上の監査と金融商品取引法上の監査について，公認会計士又は監査法人との契約において明確に区分せず，かつ，実質的にも区分できない場合には，合わせて開示し，その旨を注記することが考えられる。
(2) 会計監査人の報酬等について監査役会が会社法第399条第1項の同意を行った理由は，各社の状況に応じたものとなるが，例えば，取締役，社内関係部署及び会計監査人からの必要な資料の入手や報告の聴取を通じて，会計監査人の監査計画の内容，従前の事業年度における職務執行状況や報酬見積もりの算出根拠などを検討して同意したといった内容を記載することが考えられる。
(3) ②の報酬等の合計額は，公認会計士法第2条第1項及び第2項に規定する業務に係る報酬等，その他会社が会計監査人に支払うその他の金銭・財産上の利益の合計額を記載する。
(4) ②の金額については，通常の交通費，宿泊費，食事代等は含まれない。

　会計監査人の報酬等については，次の各事項を記載する。ただし，④，⑤の事項は事業年度の末日において大会社かつ有価証券報告書提出会社である

会社についてのみ記載が求められる。
① 事業報告の対象となる事業年度に係る各会計監査人の報酬等の額
② 会計監査人の報酬等の額について監査役（監査役会，監査等委員会，監査委員会）が会社法第399条第1項の同意をした理由
③ 公認会計士法第2条第1項の業務以外の業務（非監査業務）の内容（対価が支払われている場合に限る）
④ 会計監査人である公認会計士または監査法人に当該事業報告作成会社およびその子会社が支払う金銭その他の財産上の利益の合計額（当該事業年度に係る連結損益計算書に計上すべきものに限る）
⑤ 会計監査人以外の公認会計士または監査法人が当該事業報告作成会社の子会社（重要なものに限る）の計算関係書類（これに相当するものを含む）の監査（会社法または金融商品取引法（これらの法律に相当する外国の法令を含む）の規定によるものに限る）をしているときは，その事実

上記①から⑤までの事項は，「各会計監査人」について記載することが求められているため，複数の会計監査人による共同監査を受けている場合はそれぞれの額について記載する必要があり，複数の会計監査人に対する額を合算して開示することは認められない。なお，会計監査人である監査法人と業務提携関係にある海外の会計事務所であっても，「会計監査人以外の公認会計士または監査法人」にあたる。「一時会計監査人の職務を行うべき者」は，厳密には会社法上の会計監査人には含まれないものの，現に会計監査人の職務を行うという点では，「一時会計監査人の職務を行うべき者」についての情報も，株主にとり重要な情報といえる。また，裁判所により選任され報酬が決定される一時取締役の職務を行うべき者と比して，一時会計監査人を行うべき者の選任や報酬の決定には裁判所は関与しないため，その情報を株主に開示する必要性はとりわけ高い。これらの事情に鑑みた場合，一時会計監査人の職務を行うべき者を選任した場合におけるその者への報酬等も個別に記載するべきであると解される。

(参考例)
会計監査人の状況
① 名称　　　　　　　　　　　　　　　○○有限責任監査法人
　　　　　　　　　　　　　　　　　　　××有限責任監査法人
② 当社の当事業年度に係る会計監査人の報酬等の額

	支払額（百万円）		
	○○ 有限責任 監査法人	×× 有限責任 監査法人	合計
①当社の報酬等の額	●	△	●●
②当社および当社子会社が支払うべき金銭その他の財産上の利益の合計額	△	－	△
合　計	●△	△	●×

(注) ①の金額は，すべて，公認会計士法第2条第1項の業務に係る報酬等の額であります。なお，当社と会計監査人との間の監査契約において，会社法に基づく監査と金融商品取引法に基づく監査の監査報酬等の額を明確に区分しておらず，実質的にも区分できませんので，当事業年度に係る報酬等の額にはこれらの合計額を記載しております。

　①の金額について，監査役会は，会計監査人から提出を受けた監査計画の内容および報酬見積もりの算出根拠，従前の事業年度における当該会計監査人の職務執行状況，取締役その他社内関係部署の意見に鑑み，相当と判断し，同意しております。

　当社の重要な子会社のうち，○○リミテッドおよび××有限公司は，当社の会計監査人以外の公認会計士または監査法人（外国におけるこれらの資格に相当する資格を有する者を含む）の監査（会社法または金融商品取引法（これらの法律に相当する外国の法令を含む）の規定によるものに限る）を受けております。

(参考例)
会計監査人の状況
① 名称　　　　　　　　　　　　　　　　　　　●●監査法人
② 報酬等の額

	支払額
・当事業年度に係る報酬等の額	○○千円
・当社および子会社が会計監査人に支払うべき金銭その他の財産上の利益の合計額	○○千円

(注) 上記報酬等の金額について，監査役会は，日本監査役協会が公表する「会計監査人との連携に関する実務指針」を踏まえ，監査項目別監査時間および監査報酬の推移ならびに過年度の監査計画と実績の状況を確認し，当事業年度の監査時間及び報酬額の見積りの妥当性を検討した結果，相当と判断し，同意しております。●●監査法人が業務の一時停止の行政処分を受けたため，一時会計監査人として××監査法人を選任し，当事業年度に係る報酬等の額として，別途△△千円を支払っております。

第Ⅰ章 事業報告

第8 公認会計士法第2条第1項の業務以外の業務(非監査業務)の内容

　会計監査人に対して，公認会計士法第2条第1項の業務以外の業務の対価を支払っている場合には，当該業務の内容を記載する。記載が求められているのは，業務の内容であり，対価の額の記載は不要である。非監査業務としては，国際財務報告基準（IFRS）助言・指導業務や，国際税務コンサルティング，コンフォートレターの作成業務，ファイナンシャル・デューデリジェンス業務などが考えられるが，記載例としては，例えば次の記載が考えられる。

（参考例）
非監査業務の内容
　当社は，会計監査人に対して，公認会計士法第2条第1項の業務以外にファイナンシャル・デューデリジェンス業務を委託し，対価を支払っております。

第5節　会計監査人に関する事項

第9　企業集団全体での報酬等

　事業年度の末日において大会社であって有価証券報告書を提出しなければならない会社については，事業報告に次の事項を記載しなければならない。
① 　当該事業報告作成会社およびその子会社が当該事業報告作成会社の会計監査人に払うべき金銭その他の財産上の利益の合計額（当該事業年度に係る連結損益計算書に計上すべきものに限る）
② 　当該事業報告作成会社の会計監査人以外の者が当該事業報告作成会社の重要な子会社の計算書類の監査をしているときはその事実
　なお，事業年度の末日において大会社であって有価証券報告書を提出しなければならない会社であっても，子会社を一切有しない会社などであれば連結損益計算書を含めた連結計算書類を作成することはないが，このような会社においては，①の財産上の利益としては，事業報告作成会社単体の損益計算書において計上すべき額を用いることとなる。
　①の事業報告作成会社およびその子会社が当該事業報告作成会社の会計監査人に支払うべき金銭その他の財産上の利益の具体的内容については，公認会計士協会からは以下の基準が公表されている（平成19年3月28日改正法規委員会研究報告第5号「会計監査人設置会社における会計監査人に関する事項にかかる事業報告の記載例（中間報告）」日本公認会計士協会）。
　ⅰ）公認会計士法第2条第1項の業務の対価として支払うべき報酬等の額
　　　支払の有無または費用計上の有無にかかわらず，当該会社またはその子会社が，会計監査人である公認会計士または監査法人との監査契約に基づき，連結計算書類作成の基礎とされたそれぞれの計算書類等（会計監査人設置会社が会社法第444条第3項に規定する大会社に該当するものの連結計算書類を作成していない場合には，会計監査人設置会社の計算書類）の監査に係る報酬等として支払うべき額を記載する。ただし，監査契約に基づき支払うべき報酬等の額が確定していない場合には，概

算額によることができる。その場合，その旨を脚注することが望ましい。
　ⅱ）公認会計士法第2条第1項の業務以外の業務（非監査業務）の対価として支払うべき報酬等の額

　　　連結損益計算書作成の基礎とされたそれぞれの損益計算書（会計監査人設置会社が会社法第444条第3項に規定する大会社に該当するものの連結計算書類を作成していない場合には，会計監査人設置会社の損益計算書）において費用計上した額を記載する。

　ただし，上記基準は，「連結損益計算書に計上すべきものに限る。」との会社法施行規則の文言とは必ずしも整合するものではないとも思われる。

第10　解任または不再任の決定の方針

経団連モデル

> **5-11．解任又は不再任の決定の方針**
> ［会社法施行規則の条項］
> 　会社法施行規則第126条第4号に対応する事項である。
> ［記載方法の説明］
> 　どのような場合に，監査役，監査等委員若しくは監査委員の全員の同意により会計監査人を解任するか又は会計監査人の解任又は不再任の議案を株主総会に提出するか等についての方針を定め，これを記載する。
> 　何ら方針を定めていない場合は，その旨を記載する。
> 　なお，監査役会設置会社，監査等委員会設置会社及び指名委員会等設置会社のいずれの会社においても，監査役会，監査等委員会，監査委員会のみが会計監査人の選解任・不再任議案を決定できる。
> 　会計監査人の解任又は不再任の議案の株主総会への提出に関する事業報告における記載としては，「当会社監査役会は，……場合には，会計監査人の解任又は不再任に関する議案を決定し，当会社取締役会は，当該決定に基づき，当該議案を株主総会に提出いたします。」といったものとなることが考えられる。
> 　なお，当該方針について，いつの時点における方針を事業報告に記載すべきかについては，会社法施行規則上，明確には定められていない。ただし，今後どのような方針に基づいて監査役会等が会計監査人の解任又は不再任の判断を行うのかをあらかじめ株主に対して情報として提供することの重要性に鑑み，事業報告作成時点における当該方針を事業報告の内容とすることが考えられる。

　どのような場合に，会計監査人の解任または不再任の議案を株主総会に提出するか等についての方針を記載する。

具体的記載としては,例えば次の記載が考えられる。

> (参考例)
> 　会計監査人の解任または不再任の決定の方針
> 　当社監査役会は,会計監査人が会社法第340条第1項各号に該当すると判断したときは,会計監査人を解任する方針です。また,会計監査人の職務の遂行に関する事項の整備状況などを勘案し,解任または不再任にかかる株主総会議案の決定を行う方針です。

> (参考例)
> 　会計監査人の解任または不再任の決定の方針
> 　当社監査役会は,会計監査人が会社法第340条第1項各号に該当すると認められる場合は,会計監査人を解任する方針です。そのほか,会計監査人の会社法等関連法令違反や,独立性,専門性,職務の執行状況,その他の諸般の事情を総合的に判断して会計監査を適切に遂行することが困難であると認められる場合,また,監査の適切性をより高めるために会計監査人の変更が妥当であると判断される場合には,会計監査人の解任または不再任に関する議案の内容を決定する方針です。

第6節

業務の適正を確保するための体制等の整備についての決議の内容の概要

経団連モデル

6. 業務の適正を確保するための体制等の整備に関する事項
6-1. 決議の内容の概要
［会社法施行規則の条項］
　会社法施行規則第118条第2号に対応する事項である。
［記載方法の説明］
　業務の適正を確保するための体制（会社法第348条第3項第4号，第362条第4項第6号，第399条の13第1項第1号ロ・ハ並びに第416条第1項第1号ロ・ホに規定する体制）を定めている場合には，当該体制の整備に関する決定をすることが会社法上義務づけられているか否かにかかわらず，当該事業年度における以下の各事項についての決定の概要を記載する（会社法施行規則第118条第2号）。ただし，業務の適正を確保するための体制としてすでに開示した事項があり，その全文を掲載した方が正確で分かりやすいと考えられる場合には，全文を記載することも考えられる。

　改正会社法施行規則により，「当該株式会社並びにその親会社及び子会社から成る企業集団における業務の適正を確保するための体制」について，「次に掲げる体制その他の」と例示する形で，子会社についての内部統制に関する規定が追加されている（会社法施行規則第98条第1項第5号，第100条第1項第5号，第110条の4第2項第5号，第112条第2項第5号）。

　この第5号に基づく決議の対象となる体制は，子会社における体制そのも

のではなく,「当該株式会社における体制」,すなわち親会社である事業報告作成会社における体制である。

また,改正会社法施行規則により,業務の適正を確保するための体制として,監査役などの監査機関の監査体制の強化に関する規定も新設されている(会社法施行規則第98条第4項第3号から第6号,第100条第3項第3号から第6号,第110条の4第1項第3号から第6号,第112条第1項第3号から第6号)。

業務の適正を確保するための体制につき,事業年度中に複数回決定を行った場合には,各項目についての最終的な決定内容の概要を記載した上で,事業年度中の決定内容の変更点の概要を重要性に応じて記載することが考えられ,個々の回の決定の概要を個別に記載する必要はない。

各事項につき当該体制を整備しない旨の決定を行った場合には,その旨を記載する。

なお,(1)から(13)までの項目ごとに説明する必要はなく,内容が網羅されていれば任意の記載形式で構わない。

【監査等委員会設置会社及び指名委員会等設置会社以外の会社】
(1) 事業報告作成会社の取締役の職務の執行が法令及び定款に適合することを確保するための体制
(2) 事業報告作成会社の取締役の職務の執行に係る情報の保存及び管理に関する体制
(3) 事業報告作成会社の損失の危険の管理に関する規程その他の体制
(4) 事業報告作成会社の取締役の職務の執行が効率的に行われることを確保するための体制
(5) 事業報告作成会社の使用人の職務の執行が法令及び定款に適合することを確保するための体制
(6) ①から④に掲げる体制その他の事業報告作成会社並びにその親会社及び子会社から成る企業集団における業務の適正を確保するための体制
　① 事業報告作成会社の子会社の取締役,執行役,業務を執行する社員,会社法第598条第1項の職務を行うべき者その他これらの者に相当する者(以下「取締役等」という)の職務の執行に係る事項の当該事業報告作成会社への報告に関する体制

② 事業報告作成会社の子会社の損失の危険の管理に関する規程その他の体制
③ 事業報告作成会社の子会社の取締役等の職務の執行が効率的に行われることを確保するための体制
④ 事業報告作成会社の子会社の取締役等及び使用人の職務の執行が法令及び定款に適合することを確保するための体制
(7) 事業報告作成会社の監査役がその職務を補助すべき使用人を置くことを求めた場合における当該使用人に関する事項
(8) (7) の使用人の事業報告作成会社の取締役からの独立性に関する事項
(9) 事業報告作成会社の監査役の (7) の使用人に対する指示の実効性の確保に関する事項
(10) ①及び②に掲げる体制その他の事業報告作成会社の監査役への報告に関する体制
① 当該事業報告作成会社の取締役及び会計参与並びに使用人が当該事業報告作成会社の監査役に報告をするための体制
② 当該事業報告作成会社の子会社の取締役,会計参与,監査役,執行役,業務を執行する社員,会社法第598条第1項の職務を行うべき者その他これらの者に相当する者及び使用人又はこれらの者から報告を受けた者が当該事業報告作成会社の監査役に報告をするための体制
(11) (10) の報告をした者が当該報告をしたことを理由として不利な取扱いを受けないことを確保するための体制
(12) 事業報告作成会社の監査役の職務の執行について生ずる費用の前払又は償還の手続その他の当該職務の執行について生ずる費用又は債務の処理に係る方針に関する事項
(13) その他事業報告作成会社の監査役の監査が実効的に行われることを確保するための体制
※ (1) から (12) までに掲げる事項以外で,監査役の監査が実効的に行われることを確保するための体制があれば,この項目として決定する。

【監査等委員会設置会社】
(1) 事業報告作成会社の取締役の職務の執行が法令及び定款に適合することを確保するための体制

(2) 事業報告作成会社の取締役の職務の執行に係る情報の保存及び管理に関する体制
(3) 事業報告作成会社の損失の危険の管理に関する規程その他の体制
(4) 事業報告作成会社の取締役の職務の執行が効率的に行われることを確保するための体制
(5) 事業報告作成会社の使用人の職務の執行が法令及び定款に適合することを確保するための体制
(6) ①から④に掲げる体制その他の事業報告作成会社並びにその親会社及び子会社から成る企業集団における業務の適正を確保するための体制
　① 事業報告作成会社の子会社の取締役，執行役，業務を執行する社員，会社法第598条第1項の職務を行うべき者その他これらの者に相当する者（以下「取締役等」という）の職務の執行に係る事項の当該事業報告作成会社への報告に関する体制
　② 事業報告作成会社の子会社の損失の危険の管理に関する規程その他の体制
　③ 事業報告作成会社の子会社の取締役等の職務の執行が効率的に行われることを確保するための体制
　④ 事業報告作成会社の子会社の取締役等及び使用人の職務の執行が法令及び定款に適合することを確保するための体制
(7) 事業報告作成会社の監査等委員会の職務を補助すべき取締役及び使用人に関する事項
(8) (7)記載の取締役及び使用人の事業報告作成会社の他の取締役（監査等委員である取締役を除く）からの独立性に関する事項
(9) 事業報告作成会社の監査等委員会の(7)の取締役及び使用人に対する指示の実効性の確保に関する事項
(10) ①及び②に掲げる体制その他の事業報告作成会社の監査等委員会への報告に関する体制
　① 当該事業報告作成会社の取締役（監査等委員である取締役を除く）及び会計参与並びに使用人が当該事業報告作成会社の監査等委員会に報告をするための体制
　② 当該事業報告作成会社の子会社の取締役，会計参与，監査役，執行役，

第6節　業務の適正を確保するための体制等の整備についての決議の内容の概要

業務を執行する社員，会社法第598条第1項の職務を行うべき者その他これらの者に相当する者及び使用人又はこれらの者から報告を受けた者が当該事業報告作成会社の監査等委員会に報告をするための体制
(11) (10)の報告をした者が当該報告をしたことを理由として不利な取扱いを受けないことを確保するための体制
(12) 事業報告作成会社の監査等委員の職務の執行（監査等委員会の職務の執行に関するものに限る）について生ずる費用の前払又は償還の手続その他の当該職務の執行について生ずる費用又は債務の処理に係る方針に関する事項
(13) その他事業報告作成会社の監査等委員会の監査が実効的に行われることを確保するための体制

【指名委員会等設置会社】
(1) 事業報告作成会社の執行役の職務の執行が法令及び定款に適合することを確保するための体制
(2) 事業報告作成会社の執行役の職務の執行に係る情報の保存及び管理に関する事項
(3) 事業報告作成会社の損失の危険の管理に関する規程その他の体制
(4) 事業報告作成会社の執行役の職務が効率的に行われることを確保するための体制
(5) 事業報告作成会社の使用人の職務の執行が法令及び定款に適合することを確保するための体制
(6) ①から④に掲げる体制その他の事業報告作成会社並びにその親会社及び子会社から成る企業集団における業務の適正を確保するための体制
　① 事業報告作成会社の子会社の取締役，執行役，業務を執行する社員，会社法第598条第1項の職務を行うべき者その他これらの者に相当する者（以下「取締役等」という）の職務の執行に係る事項の当該事業報告作成会社への報告に関する体制
　② 事業報告作成会社の子会社の損失の危険の管理に関する規程その他の体制
　③ 事業報告作成会社の子会社の取締役等の職務の執行が効率的に行われることを確保するための体制

④　事業報告作成会社の子会社の取締役等及び使用人の職務の執行が法令及び定款に適合することを確保するための体制
(7)　事業報告作成会社の監査委員会の職務を補助すべき取締役及び使用人に関する事項
(8)　(7)記載の取締役及び使用人の事業報告作成会社の執行役からの独立性の確保に関する事項
(9)　事業報告作成会社の監査委員会の(7)の取締役及び使用人に対する指示の実効性の確保に関する事項
(10)　①及び②に掲げる体制その他の事業報告作成会社の監査委員会への報告に関する体制
　　①　当該事業報告作成会社の取締役（監査委員である取締役を除く），執行役及び会計参与並びに使用人が当該事業報告作成会社の監査委員会に報告をするための体制
　　②　当該事業報告作成会社の子会社の取締役，会計参与，監査役，執行役，業務を執行する社員，会社法第598条第1項の職務を行うべき者その他これらの者に相当する者及び使用人又はこれらの者から報告を受けた者が当該事業報告作成会社の監査委員会に報告をするための体制
(11)　(10)の報告をした者が当該報告をしたことを理由として不利な取扱いを受けないことを確保するための体制
(12)　事業報告作成会社の監査委員の職務の執行（監査委員会の職務の執行に関するものに限る）について生ずる費用の前払又は償還の手続その他の当該職務の執行について生ずる費用又は債務の処理に係る方針に関する事項
(13)　その他事業報告作成会社の監査委員会の監査が実効的に行われることを確保するための体制

第6節　業務の適正を確保するための体制等の整備についての決議の内容の概要

6-2. 体制の運用状況の概要

［会社法施行規則の条項］

会社法施行規則第118条第2号に対応する事項である。

［記載方法の説明］

平成26年改正会社法により，業務の適正を確保するための体制について，当該体制の整備に関する決定の内容の概要に加えて，当該体制の運用状況の概要を記載することが求められることとなった。

「当該体制の運用状況の概要」は，各社の状況に応じた合理的な記載をすることで足りるが，客観的な運用状況を意味するものであり，運用状況の評価の記載を求めるものではない。ただし事業報告に運用状況の評価を記載することも妨げられない。

第Ⅰ章 事業報告

第1　内部統制システムに関する決議の内容の概要

　経団連モデルにおいても説明されているとおり，事業報告作成会社が，業務の適正を確保するための体制（法348条3項4号，362条4項6号，399条の13第1項1号ロ・ハ並びに416条1項1号ロ・ホに規定する体制，以下「内部統制システム」という）を定めている場合には，当該体制の整備に関する決定をすることが会社法上義務付けられているか否かにかかわらず，決定の内容の概要を記載する（施行規則118条2号）。

　なお，事業年度中に体制の整備に関する新たな決定を行った場合であっても，その開示事項としての性質上，特段の事情のない限り原則として事業年度末日における事実を記載すれば足りると解される。事業年度終了後に新たな決定を行った場合の処理については，本章序（事業報告の構成）(3)（事業報告記載事項の基準時）参照。

第2　内部統制システムに関する運用状況の概要

　内部統制システムについては，運用状況の概要も事業報告の記載事項となる。具体的な記載内容や形式については，会社法上特段の限定はなく，各社の状況に応じた合理的な記載が求められる。

(1) 記載の形式

　「運用状況の概要」を独立の項目とすることは必須ではない。すなわち，「業務の適正を確保するための体制およびその運用状況」等の見出しの下に，内部統制システムに関する決議内容の概要と，運用状況の概要を一体的に説明することも考えられる。なお，後記のように決議内容と運用状況とで異なる項目立てとする場合には，両者を分離して記載することになると考えられる。

　また，「運用状況の概要」の記載の内部における項目の立て方についても特段の制限は存しない。内部統制システムに関する決議内容の概要については，「取締役の職務の執行が法令および定款に適合することを確保するための体制」等，会社法および会社法施行規則の規定に沿った項目を立てる場合が多いところ，かかる決議内容との対応関係を明確にするという観点からは，運用状況の概要の項目もそれに合わせて記載することも考えられる。しかし，両者の項目立てを一致させることは必須ではなく，例えば，「コンプライアンス体制」「リスク管理体制」「子会社管理体制」「監査体制」等のカテゴリーごとに項目を立てて記載することも考えられる。また，「内部統制システム全般」との項目を立てることや，「内部統制システム基本方針の改定内容の周知」，「重要な会議の開催状況」や「主な教育・研修の実施状況」といった，決議内容とは異なる運用状況特有の事項を項目とすることも考えられる。

(2) 記載内容

　本項目で記載すべきは，内部統制システムに関する決議に基づく，当該システムの「運用状況」の概要である。当該システムの構築作業や，当該システムの評価，見直しの状況は必ずしも本来の記載対象ではないが，運用状況と関連する事項であるため，合わせて記載することも考えられる。

　記載内容としては，「内部統制に関する委員会の開催状況や社内研修の実施状況，内部統制・内部監査部門の活動状況等」を記載することが考えられると説明されているほか（坂本三郎ほか「会社法施行規則等の一部を改正する省令の解説〔Ⅱ〕」商事法務2061号（2015）21頁），具体的には，以下のような内容を記載することが考えられる（以下の事項を記載することが必須であるわけではなく，またこれら以外の事項の記載が妨げられるものでもない）。

・コンプライアンス委員会等の設置やその開催状況
・内部統制に関する重要な社内規則等の制定，改正
・内部通報制度の整備状況，周知状況，通報内容の報告状況
・役職員に対するコンプライアンス関連研修の実施状況
・リスク管理に関するマニュアルや計画の整備状況
・取締役会決議事項の範囲に関する規程等の整備状況
・内部監査の実施状況
・子会社管理の手段（役員の派遣，子会社に対する内部監査等）
・監査役の活動状況やその支援状況（重要な社内会議への出席，内部監査部門や会計監査人との意見交換等）

第3 インターネット開示

　事業報告の内容等につき，インターネット開示（施行規則133条3項）を行っている会社においては，本事項については，インターネットに開示することにより，株主に提供する事業報告の内容としないことが可能である。
　この場合，招集通知に以下の記載を行うことが考えられる。

(参考例)
株主総会参考書類および招集通知添付書類に関する事項

　株主総会参考書類ならびに招集通知に添付すべき事業報告，連結計算書類，計算書類および監査報告は〇頁から×頁までに記載のとおりです。ただし，以下の事項につきましては，法令および定款第△条の規定に基づき，インターネット上の当社ウェブサイト（アドレスhttp://www.......co.jp）に掲載していますので，本添付書類には記載しておりません。

① 事業報告の業務の適正を確保するための体制等の整備についての決議の内容の概要および当該体制の運用状況の概要
② ………
③ ………

第7節 株式会社の支配に関する基本方針

経団連モデル

> **7. 株式会社の支配に関する基本方針**
> ［会社法施行規則の条項］
>   会社法施行規則第118条第3号に対応する事項である。
> ［記載方法の説明］
>   事業報告作成会社が当該事業報告作成会社の財務及び事業の方針の決定を支配する者の在り方に関する基本方針を定めた場合には，事業報告に次の事項を記載しなければならない（会社法施行規則第118条第3号）。
> 1. 基本方針の内容の概要
> 2. 次に掲げる取組みの具体的な内容の概要
>   (1) 当該事業報告作成会社の財産の有効な活用，適切な企業集団の形成その他の基本方針の実現に資する特別な取組み
>   (2) 基本方針に照らして不適切な者によって当該事業報告作成会社の財務及び事業の方針の決定が支配されることを防止するための取組み
> 3. 2の取組みの次に掲げる要件への該当性に関する当該事業報告作成会社の取締役会の判断及びその判断に係る理由（当該理由が社外役員の存否に関する事項のみである場合における当該事項を除く。）
>   (1) 当該取組みが基本方針に沿うものであること。
>   (2) 当該取組みが当該事業報告作成会社の株主の共同の利益を損なうものではないこと。

第7節　株式会社の支配に関する基本方針

(3) 当該取組みが当該事業報告作成会社の会社役員の地位の維持を目的とするものではないこと。

　上記事項は、基本方針を定めている場合に限り記載が求められるものであり、そのような基本方針を定めていない場合は記載の必要はない。

　なお、「株式会社の財務及び事業の方針の決定を支配する者の在り方に関する基本方針」とは、いわゆる買収防衛策のみを対象にしているわけではない。基本方針の内容の概要については、特に規制はなく、定型のものがあるわけでもないため、各会社が基本方針として定めた内容をそのまま事業報告に記載することでも足りる。

第1　株式会社の支配に関する基本方針

　会社法施行規則118条3号は，財務および事業の方針の決定を支配する者の在り方に関する基本方針（以下「基本方針」という）を定めている場合の開示事項を定めているが，「基本方針を定めているとき」がいかなる場合であるかについては，条文上明らかではないため，本条の開示事項を検討する際には，まず自社が「基本方針を定めているとき」に該当するか否か判断する必要がある。

(1) 基本方針の内容
　「基本方針」とは，会社の経営方針の決定を支配することが可能な量の株式を保有する株主の取扱いについての基本的な対処方針をいうが（相澤哲ほか『論点解説新・会社法』(商事法務，2006) 453頁），会社法上，基本方針の策定を義務付ける規定や基本方針の内容それ自体を規制するような規定はなく，その決定，内容については各社の裁量に委ねられている。

　基本方針の具体的内容については，定型的なものは存在しないが，立案担当者の解説によれば，一例として以下のようなものが示されている（相澤哲ほか・前掲453～454頁）。
　① その会社の株主構成についての考え方
　　・特定の企業グループを構成するかどうか
　　・大量の株式保有者の存在を許容するかどうか
　　・株式の保有状況を分散させることを目指すか等
　② 買収に対する賛否の判断基準
　　・買収者が会社の収益力を買収前よりも向上させるための具体的な提案を行い，それに合理的根拠があれば，買収に賛同するかどうか
　　・特定の企業グループ以外の者による買収を許容するかどうか
　　・買収者の公開買付価格が時価の一定割合以上のものであれば，買収に

賛同するかどうか
- 使用人や主要な取引先等のステークホルダーが買収に賛成した場合には，買収に賛同するかどうか

③ 会社の意思に反する買収が進行している場合に，株主の共同の利益を確保し，かつ，買収者の権利を不当に侵害しないようにするために配慮すべき事項およびその基本的な対応方針
- 株主に買収防衛策の解除の機会を与えるかどうか
- 買収者の財産的利益を害することを許容するかどうか

　上記の例からも明らかなように，基本方針の内容はいわゆる買収防衛策に関するものに限られないことに留意する必要がある。すなわち，買収防衛策を導入していない会社であっても，基本方針を定めている場合には，会社法施行規則118条3号に定める開示が必要である。他方，買収防衛策を導入した会社であっても，基本方針を定めていなければ同条に定める開示は要求されない。もっとも，買収防衛策を導入した会社においては，基本方針を定めているのが通常と思われる。

　なお，基本方針の策定と買収防衛策の導入との関係については，会社法施行規則118条3号は，基本方針を定めることなく買収防衛に資する行為を行うことを制限するものではないが，何らの開示もなく新株予約権等を用いた買収防衛策を導入しようとした場合，裁判において，不公正な発行と認定されるリスクは高まるとの指摘がある（相澤哲ほか・前掲456頁）。

(2) 開示の要否についての判断基準

　会社法施行規則118条3号による開示のメルクマールは，「基本方針を定めているか否か」であるが，実際に自社が「基本方針を定めているとき」に該当するか否かの明確な基準は存在しない。

　この点，公開会社，特に上場会社では，株主の利害関係において，当該株式会社の財務および事業の方針の決定を支配する者のあり方に関する基本方針が決定されていないということは，通常考え難いとする見解もあるが（郡

谷大輔監修『会社法関係法務省令逐条実務詳解』(清文社，2006) 255 頁〔小室裕一〕)，当該見解の根拠は明らかでない。

　条文上「基本方針を定めているとき」と明記されていることからして，「基本方針を定めているとき」とは，取締役会等での決定により明示的に基本方針が策定された場合であると考えられ，そうでない場合には「基本方針を定めているとき」と評価すべきではないと考えられる。

　具体的には，「当社の支配に関する基本方針策定の件」として上記で列挙したような基本方針の策定を決定した場合や買収防衛策導入の際に基本方針を定めた場合（買収防衛策導入の際のプレスリリース等に記載されることが多い）等，取締役会等の決定により明示的に「基本方針」が策定された場合は「基本方針を定めている」場合に該当すると考えられる。

　なお，当該会社に親会社その他の大株主が存在する場合についても，一概に「基本方針を定めている」と評価すべきではなく，このことは，たとえ当該会社が上場子会社であっても同様である。例えば，当該会社が「今後も○○グループに属することで企業価値を高める」というように当該会社の今後の株主構成の方針を取締役会等の決定により明示的に策定したような場合には，「基本方針を定めているとき」に該当すると考えられるが，「親会社である○○社と連携し企業価値を向上させる」という方針を決定したとしても，これが資本関係における連携を意図していない場合には，当該会社の株主構成についての方針でもなく，会社支配との関係を離れた企業価値向上の方針である以上，それだけでは基本方針を決定したとはいえないと考えられる。

　また，コーポレートガバナンス・コード原則 1-3 は，「資本政策の基本的な方針」についての説明を求めているが，上場会社が当該原則に基づく説明のために「資本政策の基本的な方針」を定めたとしても，それをもって直ちに基本方針を決定したとはいえず，それが会社支配に関する内容を含んでいるか否かによって記載の要否を判断することになる。

(3) 基本方針の決定機関

　基本方針の決定機関については，条文上，特段の定めがないことからすれば，経営会議や代表取締役等において基本方針を決定した場合も「基本方針を定めている」場合に該当すると解することもできよう（相澤哲ほか・前掲453頁では「会社（業務執行者または取締役会等の意思決定機関）が，その基本方針を決定した場合……」とされている）。もっとも，実務的には，上記の基本方針の意義からして，取締役会で決定することになると考えられる。

(4) 記載の方法

　基本方針の内容の概要を事業報告に記載するにあたっては，特に形式も定められておらず，基本方針の内容のすべてを記載しても通常はそれほどの分量にならないことから，概要ではなく各社が定めた内容をそのまま記載することでも構わない。

　基本方針を定めていない場合の記載方法については，条文上「基本方針を定めているときは，次に掲げる事項」を記載しなければならないとされていることから，基本方針を定めていないことについての記載は要求されていないと考えられる。そのため，「株式会社の支配に関する基本方針」という項目の記載そのものを省略することができる。

第2 基本方針の実現のための取組み

　会社法施行規則118条3号ロは，基本方針を実現するための取組みとして，「当該株式会社の財産の有効な活用，適切な企業集団の形成その他の基本方針の実現に資する特別な取組み」（以下「基本方針実現に資する特別な取組み」という）および「基本方針に照らして不適切な者によって当該株式会社の財務および事業の方針の決定が支配されることを防止するための取組み」（以下「不適切な者による支配を防止する取組み」という）の開示を要求している。

　なお，基本方針を定めた場合でも，これらの取組みを必ず採用しなければならないというわけではなく，いずれか一方を採用することやいずれも採用しないことでも構わない（相澤哲ほか・前掲455頁）。

(1) 基本方針実現に資する特別な取組み

　「基本方針実現に資する特別な取組み」とは，遊休不動産の新規事業への活用，余剰現金の運用（投資や配当への分配等），企業グループの形成や関係強化等を通じて，企業価値ひいては株式の価値を高めることにより，不当な支配を行われにくくする方策をいう（相澤哲ほか・前掲454頁）。また，上記で挙げられた方策以外にも，コーポレートガバナンスの強化や企業の社会的責任（CSR）を果たすといったことも，企業価値の向上に資する方策であるといえよう。これらの方策により，会社の価値を維持・増大させ，市場の評価を通じて，敵対的買収等を防止することとなる場合には，その方策を事業報告に記載することも考えられる。

　なお，会社法施行規則118条3号ロにより開示が求められているのは，あくまで基本方針実現に資する特別な取組みであることから，基本方針を定めない場合にはもちろんのこと，基本方針を定めた場合であっても，単に経営計画等で企業価値を高める方策があるというだけでは「特別な」取組みには

あたらず，開示する必要はないと考えられる。

(2) 不適切な者による支配を防止する取組み

「不適切な者による支配を防止する取組み」とは，株式や新株予約権を用いた敵対的買収防衛策の導入や，取締役の解任，合併等についての株主総会の決議の要件の引上げ等の方策である（相澤哲ほか・前掲454頁）。このほか，主要取引先・同業者との資本提携や発行可能株式総数増加の定款変更も買収防衛を企図してなされた場合には，不適切な者による支配を防止する取組みに該当すると考えられる。

(3) 記載の方法

「基本方針実現に資する特別な取組み」を事業報告に記載するにあたっては，「取組みの具体的な内容の概要」を記載する必要があることから，経営計画等に記載された企業価値向上のための具体的方策について，項目の列挙にとどまらず，株主が基本方針実現に資する取組みであることを十分に把握できる程度の記載をしなければならないと考えられる。

「不適切な者による支配を防止する取組み」を事業報告に記載するにあたっても「取組みの具体的な内容の概要」を記載する必要がある。あくまで記載が必要とされるのは「概要」であるため，例えば買収防衛策導入のプレスリリース等で開示した事項をそのまま記載することまでは要求されていない。ただし，この点に関し，立案担当者の解説では「株式や新株予約権を用いた敵対的買収防衛策については，定款，登記等によって権利の内容自体は公示されているので，その株式や新株予約権がどのように機能して敵対的買収を防止するかについての概要を記載することになるが，その中で買収防衛策の導入や発動によって会社や株主に生ずる利益および不利益（課税リスク等を含む），発動の基準，株主により買収防衛策を解除する方法の有無等を株主にもわかりやすく記載することが求められる」とされている（相澤哲ほか・前掲454〜455頁）ことから，「取組みの具体的な内容の概要」として，株主にわ

かりやすいように当該買収防衛策の概要（上記見解で列挙されている事項等）を記載する必要があると考えられる。

このように事業報告には「基本方針実現に資する特別な取組み」および「不適切な者による支配を防止する取組み」の具体的な内容の概要を記載する必要があるが，当該事業報告の対象となる事業年度に係る定時株主総会において買収防衛策に関する議案が提出される場合には，これらの取組みの具体的な内容の概要につき「株主総会参考書類○頁をご参照下さい」とすることが考えられる。この場合，株主総会参考書類に記載のある事項については事業報告への記載を省略することができる（施行規則73条4項）ことから，これらの取組みの具体的な内容の概要が株主総会参考書類に記載されているのであれば，株主に対して提供する事業報告についてはこれらの取組みの具体的な内容の概要を重ねて記載する必要はない。ただし，事業報告の監査との関係では，参照先の記載内容についても監査を受ける必要があり，また，事業報告の備置義務との関係では，参照先の記載内容についても備置義務が生ずる点に留意が必要である。なお，実務上は，株主の理解のためにより詳細な情報を提供する趣旨で，株主の参考情報として「詳細については，当社ホームページ（URL）をご参照下さい」といった内容を事業報告に記載する例もあるが，これはあくまで任意の情報開示として行われているものであり，通常インターネット開示（施行規則133条3項）を目的として行われているものではない。

基本方針を定めているもののこれらの取組みを採用していない会社や取組みを廃止した会社については，事業報告に取組みを採用していない旨を記載するかまたは取組みについては言及しないことが考えられる。

(4) 記 載 例
① 買収防衛策を廃止する場合

定時株主総会の前に買収防衛策の廃止を決定し，当該定時株主総会の終結の時をもって買収防衛策を廃止する場合，事業報告作成時点では買収防衛策は廃止されていない。そのため，事業報告では，基本方針に照らして不適切

な者による支配を防止する取組みである買収防衛策の概要について言及する必要があるが，これに加え，買収防衛策の廃止の決定がなされていることについて言及することが考えられる。言及する場合の記載例としては以下のようなものが考えられる。

(参考例)
(2) 基本方針に照らして不適切な者による支配を防止する取組み
【買収防衛策の内容を記載】

(ご参考)
　本取組みの有効期間は，○年○月○日開催の第○期定時株主総会の終結の時となっております。本取組み導入後の金融商品取引法の改正により，株式の大規模買付行為に対する手続きが整備，変更され，株主の皆様が大規模買付行為を適切に判断するための情報と時間を確保するという買収防衛策導入の目的は，一定程度担保されたため，当社は，これを踏まえ，○年○月○日開催の取締役会において本取組みを継続しないことを決議しております。

---

② 買収防衛策を廃止した場合
　定時株主総会の終結の時をもって買収防衛策を廃止した場合，その後に作成される事業報告においては，買収防衛策について言及しないことも可能であるが，言及する場合の記載例としては以下のようなものが考えられる。

(参考例)
(2) 基本方針に照らして不適切な者による支配を防止する取組み
　該当事項はありません。
　なお，○年○月○日開催の第○期定時株主総会において導入について承認された「当社株式の大規模買付行為に関する対応策」につきましては，○年○月○日開催の第○期定時株主総会の終結の時をもって有効期間は満了しております。

第3 基本方針の実現のための取組みについての取締役等の判断およびその理由

(1) 取締役等の判断および理由を記載する趣旨

　会社法施行規則118条3号ハでは，基本方針の実現のための取組みの次に掲げる要件への該当性に関する当該株式会社の取締役等の判断およびその判断に係る理由（当該理由が社外役員の存否に関する事項のみである場合における当該事項を除く）の開示が求められている。

① 当該取組みが基本方針に沿うものであること。
② 当該取組みが当該株式会社の株主の共同の利益を損なうものではないこと。
③ 当該取組みが当該株式会社の会社役員の地位の維持を目的とするものではないこと。

　①～③の開示が要求されているのは，各種取組みが基本方針実現を目的とするものであるにもかかわらず，それが経営者の保身等のために用いられ，ひいては株主共同の利益を害するおそれがあるためである。すなわち，株主としては，このような取組みの是非を判断するために資料が必要であるし，会社としても，とりわけ「不適切な者による支配を防止する取組み」については，一見しただけでは経営者の保身と直接的に結びつくものと捉えられるおそれもあるため，その理由を説明する必要があることから，これらの事項の開示が必要になると考えられる。

　本条括弧書で「当該理由が社外役員の存否に関する事項のみである場合における当該事項を除く。」とされているのは，社外役員であっても会社役員にほかならないから，形式的に社外役員が存在するというだけで，上記①～③の要件の該当性に何らの影響も与えないためであるとされている（相澤哲＝郡谷大輔・前掲56頁）。確かに，社外役員が存在することのみでは直ちに①～③の要件の該当性に関連するとは思われないが，例えば買収防衛策の発動の

際に，独立性の高い社外役員で構成された特別（独立）委員会の決議が必要であるという設計をしているような場合には，会社法上の社外役員たる地位とは別途，社外役員に特別の意義をもたせ，業務執行取締役等の監督機能を強化しているといえるため，「当該理由が社外役員の存否に関する事項のみである場合」には該当しない。

(2) 記載の方法

　基本方針の実現のための取組みの上記①～③の要件への該当性を事業報告に記載するにあたっては，「基本方針実現に資する特別な取組み」および「不適切な者による支配を防止する取組み」の各取組みにつき，①～③の要件への該当性を各要件ごとに記載しても構わないが，各要件のいずれにも対応する理由も考えられることから，①～③の要件の該当性をまとめて記載することも考えられる。

　「基本方針実現に資する特別な取組み」については，企業価値ひいては株式の価値を高めることを主たる目的としており，通常は当該会社の経営計画やコーポレートガバナンス体制等が記載されると考えられることから，①～③の要件が問題となることは考えにくい。そのため，「基本方針実現に資する特別な取組み」の具体的内容の箇所で十分な記載があれば，①～③の要件の該当性は簡略に記載すれば足りる場合が多いと考えられる。

　他方，「不適切な者による支配を防止する取組み」については，上記のように，その性質上経営者の保身等との疑念を招きやすいものであるから，①～③の要件の該当性は詳細に記載する必要がある。もっとも，いわゆる買収防衛策を導入した会社においては，その合理性についてもプレスリリース等で開示するのが通常であるため，「不適切な者による支配を防止する取組み」の①～③への該当性を事業報告に記載するにあたっては，当該プレスリリース等で公表した事項を参考にすれば良いものと考えられる。

第8節 特定完全子会社に関する事項

経団連モデル

> **8. 特定完全子会社に関する事項**
> ［会社法施行規則の条項］
> 　会社法施行規則第118第4号に対応する事項である。
> ［記載方法の説明］
> 　平成26年改正会社法では，一定の要件の下で，親会社の株主が，子会社の取締役等の責任を追及することを認める制度（最終完全親会社等の株主による特定責任追及の訴えの制度，いわゆる「多重代表訴訟制度」）が新設された（会社法第847条の3第1項）。
> 　この最終完全親会社等の株主による特定責任追及の訴えは，責任追及の対象となる子会社を，企業集団内でも特に重要な完全子会社に限定している。具体的には，責任追及の対象となる子会社は，当該子会社において責任の原因となった事実が生じた日において最終完全親会社等及びその完全子会社等における当該子会社の株式の帳簿価額が当該最終完全親会社等の総資産額として会社法施行規則第218条の6で定める方法により算定される額の5分の1（定款でこれを下回る割合を定めた場合はその割合）を超える会社に限定される（会社法第847条の3第4項）。
> 　このように，「5分の1を超える」か否かは，本来，当該子会社において責任の原因となった事実が生じた日における数値に基づき判断されるものであるが，事業報告においては，各事業年度の末日の数値を基準として，事業報

告作成会社が特定完全子会社（各事業年度の末日の数値を基準として上記「5分の1を超える」との要件を満たす完全子会社）を有する場合，以下の内容を記載する必要がある。
　①　特定完全子会社の名称及び住所
　②　事業報告作成会社及びその完全子会社等における当該特定完全子会社の株式の当該事業年度の末日における帳簿価額の合計額
　③　事業報告作成会社の当該事業年度に係る貸借対照表上の総資産額
　記載方法としては，独立した項目を設ける方法のほか，「重要な親会社及び子会社の状況」(1-7) の一項目として記載することも考えられる。

[記載例]
　特定完全子会社に関する事項

名称	住所	帳簿価額の合計額	当社の総資産額
○○株式会社		○百万円	○百万円

第1 特定完全子会社の意義

平成26年会社法改正により，最終完全親会社等の株主による特定責任追及の訴え（いわゆる多重代表訴訟）の制度が創設されたことに伴い，「特定完全子会社」に関する一定の事項を事業報告に記載しなければならないものとされた（施行規則118条4号）。

「特定完全子会社」は，当該事業年度の末日において，当該株式会社およびその完全子会社等における当該株式会社のある完全子会社等の株式の帳簿価額が当該株式会社の当該事業年度に係る貸借対照表の資産の部に計上した額の合計額の5分の1（これを下回る割合を定款で定めた場合には，その割合）を超える場合における当該ある完全子会社等をいう。

上記の「完全子会社等」とは，株式会社がその株式または持分の全部を有する法人であり（施行規則2条2項124号，法847条の3第2項2号），間接保有の法人も完全子会社等とみなされる（法847条の3第3項）。「完全子会社等」には，株式会社以外の法人も含まれるが，このうち特定完全子会社に該当するのは，株式会社に限るものとされている。

図表1の事例でいえば，X社・Y社は，いずれも，A社・B社が直接または間接にその株式または持分の全部を有する法人であり，A社・B社から見て完全子会社等に該当する。もっとも，X社は合同会社であるため，A社・B社の特定完全子会社には該当しない。これに対して，Y社は株式会社であるため，5分の1という規模要件を満たせば，A社・B社の特定完全子会社に該当することとなる。

第8節 特定完全子会社に関する事項

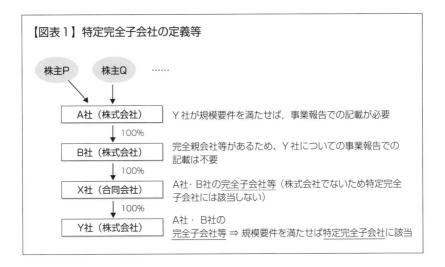

事業報告への記載との関係では，5分の1という規模要件は，各事業年度の末日を基準とし，当該事業年度に係る貸借対照表の資産の部に計上した額を分母として判断される。分子は，当該株式会社およびその完全子会社等における株式の帳簿価額の合計額とされる。

例えば，**図表2**の事例でいえば，分母は，A社の貸借対照表上の総資産の額である100億円となる。また，分子は，A社の貸借対照表上のX社株式の帳簿価額が10億円，A社の完全子会社等であるB社の貸借対照表上のX社株式の帳簿価額が15億円であるため，その合計額である25億円となる。したがって，この事例では，X社はA社との関係で規模要件を満たし，A社の特定完全子会社となる。

第Ⅰ章 事業報告

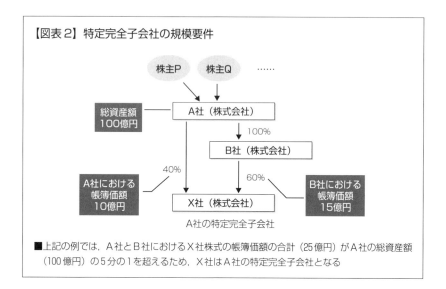

　経団連モデルにおいても説明されているとおり，ある子会社が多重代表訴訟の対象となるかどうかは，責任の原因となった事実が生じた日における数値に基づき判断されるものであるが（法847条の3第4項），事業報告においては，各事業年度の末日の数値を基準とすることとなる。このように基準時点が異なるため，多重代表訴訟の対象となる子会社の範囲と，特定完全子会社として事業報告に記載される子会社の範囲とは，常に一致するとは限らない（坂本三郎編著『一問一答平成26年改正会社法〔第2版〕』（商事法務，2015）188頁）。

第2　特定完全子会社に関する事項の記載を要する会社

　特定完全子会社に関する事項の記載を要するのは，特定完全子会社を有する株式会社であるが，このうち，「当該事業年度の末日において，その完全親会社等があるもの」は除外されている(施行規則118条4号)。

　「完全親会社等」とは，①完全親会社（法847条の2第1項，施行規則218条の3），および，②株式会社の発行済株式の全部を(a)他の株式会社およびその完全子会社等または(b)他の株式会社の完全子会社等が有する場合における当該他の株式会社（完全親会社を除く）を意味する（法847条の3第2項）。このような「完全親会社等」を有する株式会社（いわゆる中間子会社）の事業報告においては，特定完全子会社に関する事項の記載は不要であり，特定完全子会社に関する事項は，完全親子会社関係にある企業結合集団の最上位に位置する株式会社の事業報告において記載すれば足りる。

　図表1の事例でいえば，A社は，B社から見て完全親会社等に該当することとなる。そのため，B社は，その事業報告において，特定完全子会社に関する事項を記載する必要はない。

第Ⅰ章 事業報告

第3 特定完全子会社に関する記載事項

　経団連モデルにおいても説明されているとおり，特定完全子会社に関する事項を記載すべき場合における記載事項は，以下のとおりである。
　① 当該特定完全子会社の名称および住所
　② 当該株式会社およびその完全子会社等における当該特定完全子会社の株式の当該事業年度の末日における帳簿価額の合計額
　③ 当該株式会社の当該事業年度に係る貸借対照表の資産の部に計上した額の合計額
　なお，上記②および③は，5分の1という規模要件を判断する際の分子（②）および分母（③）の数値である。
　具体的記載としては，例えば次のような記載が考えられる。

（参考例）
特定完全子会社に関する事項
　1．特定完全子会社の名称および住所
　　　〇〇株式会社
　　　東京都〇〇区〇〇　〇丁目〇番〇号
　2．当社および完全子会社等における特定完全子会社の株式の当事業年度の末日における帳簿価額の合計額
　　　〇百万円
　3．当社の当事業年度に係る貸借対照表の資産の部に計上した額の合計額
　　　〇百万円

第9節

親会社等との間の取引に関する事項

経団連モデル

> **9.親会社等との間の取引に関する事項**
> ［会社法施行規則の条項］
> 　会社法施行規則第118条第5号に対応する事項である。
> ［記載方法の説明］
> 　改正会社法施行規則では，会計監査人設置会社の事業報告において，親会社等との間の取引（第三者との間の取引で事業報告作成会社とその親会社等との間の利益が相反するものを含む）のうち，当該事業年度に係る個別注記表において関連当事者取引注記（会社計算規則第112条第1項）を要するものについて，以下の記載を行うことを求めている。
> 　① 当該取引をするに当たり当該株式会社の利益を害さないように留意した事項（当該事項がない場合にあっては，その旨）
> 　② 当該取引が当該株式会社の利益を害さないかどうかについての当該株式会社の取締役会の判断及びその理由
> 　③ 社外取締役を置く株式会社において②の取締役会の判断が社外取締役の意見と異なる場合には，その意見
> 　②の「取締役会」の「判断及びその理由」については，事業報告への記載の対象となる取引について，個別に又は取引の時点で判断をすることまで求めるものではなく，取引の類型ごとに包括的に判断し，また，当該判断の内容が記載された事業報告の承認をもって取締役会の判断とすることも許容さ

> れる。
> 　記載方法としては，独立した項目を設ける方法のほか，「重要な親会社及び子会社の状況」(1-7) の一項目として記載することも考えられる。
> 　なお，会計監査人設置会社以外の公開会社においても，関連当事者取引注記のうち取引の内容等の会社計算規則第112条第1項第4号から第6号まで及び第8号に掲げる事項の全部又は一部を個別注記表において記載する場合には，事業報告において，以上と同様の開示をすることが必要となる。

　会社法施行規則118条5号は，当該株式会社とその親会社等との間の一定の利益相反取引について，事業報告における一定の事項の記載を求めている。また，かかる記載の内容は，監査役等による監査の対象となり，その内容についての意見が監査報告に記載される（施行規則129条1項6号，130条2項2号等）。

　これは，子会社である株式会社の少数株主等を保護する観点から，親会社等との利益相反取引の取引条件等の適正を確保することを目的としたものである（坂本三郎編著・前掲247頁）。

第1 記載対象となる取引

　記載対象となる取引の範囲は，以下のように定められている（施行規則118条5号柱書）。

　① 当該株式会社とその親会社等との間の取引（当該株式会社と第三者との間の取引で当該株式会社とその親会社等との間の利益が相反するものを含む）であって，

　② 当該株式会社の当該事業年度に係る個別注記表において関連当事者取引注記（計算規則112条1項）を要するもの（同項ただし書の規定により同項第4号から第6号までおよび第8号に掲げる事項を省略するものを除く）

(1) 親会社等との利益相反取引

　上記①の「親会社等」とは，親会社のほか，株式会社の経営を支配している者（法人であるものを除く）として法務省令（施行規則3条の2第2項・3項）で定めるものをいう（施行規則2条1項，法2条4号の2）。したがって，例えば，議決権の過半数を保有し，株式会社の財務および事業の方針の決定を支配している自然人は，親会社には該当しないが，親会社等には該当することとなる。

　なお，記載対象となる「親会社等」からは，完全親会社は除外されていないため，完全親会社との間の取引も記載対象となる（坂本三郎編著・前掲248頁）。

　また，記載対象となる取引には，親会社等を直接の相手方とする取引（直接取引）のみならず，第三者を相手方とする取引であって当該株式会社とその親会社等との間の利益が相反するもの（間接取引）も含むものとされている。例えば，親会社等が負っている債務を当該株式会社が保証するような場合がこれに該当すると考えられる。

(2) 関連当事者取引注記を要する取引

　事業報告における記載が求められるのは，親会社等との間の取引のうち，個別注記表において関連当事者取引注記（計算規則112条1項）を要するものに限られている。

　この点，関連当事者取引注記の記載の要否等については，会社計算規則において，会社の類型に応じて異なる規律が定められている。

　まず，会計監査人設置会社に関しては，全て関連当事者取引注記が必要となる。したがって，事業報告においても，親会社等との間の取引に関する事項を記載する必要がある。

　これに対して，会計監査人設置会社ではなく，かつ，公開会社（法2条5号）でもない株式会社については，関連当事者取引注記は不要とされている（計算規則98条2項1号）。したがって，そのような株式会社においては，親会社等との間の取引に関する事項を事業報告に記載する必要はない。

　また，中間的な類型として，会計監査人設置会社でない公開会社は，関連当事者取引注記は必要であるが，取引の内容，取引の種類別の取引金額，取引条件および取引条件の決定方針並びに取引条件の変更内容等について，個別注記表では記載を省略し，その附属明細書に記載することが認められている（計算規則112条1項ただし書・117条4号）。かかる規律に従い，個別注記表の本体ではなく，その附属明細書に記載される親会社等との間の取引については，事業報告でも記載を省略し，その附属明細書に記載すべきものとされている（施行規則118条5号・128条3項）。

　以上の規律をまとめると，**図表3**のとおりとなる。

【図表3】関連当事者取引注記と事業報告上の記載

会社の類型	個別注記表 （関連当事者取引注記）	事業報告 （親会社等との間の取引に関する記載）
会計監査人設置会社	必要	必要
会計監査人設置会社でない公開会社	必要 （一定の事項は附属明細書に記載可能）	必要 （関連当事者取引注記に係る一定の事項を附属明細書に記載した場合は，附属明細書に記載）
会計監査人設置会社でなく，公開会社でもない株式会社	不要	不要

第2　親会社等との間の取引に関する記載事項

　経団連モデルにおいても説明されているとおり，親会社等との間の取引に関する事項を記載すべき場合における記載事項は，以下のとおりである（施行規則118条5号イ～ハ）。
　①　当該取引をするに当たり当該株式会社の利益を害さないように留意した事項（当該事項がない場合にあっては，その旨）
　②　当該取引が当該株式会社の利益を害さないかどうかについての当該株式会社の取締役（取締役会設置会社にあっては，取締役会）の判断およびその理由
　③　社外取締役を置く株式会社において，上記②の取締役の判断が社外取締役の意見と異なる場合には，その意見
　上記①の事項としては，例えば，（ⅰ）親会社等以外の独立した第三者との間の取引と同等の取引条件等であることを確認した旨，（ⅱ）独立した第三者同士の間の類似の取引と同等の取引条件等であることを確認した旨，（ⅲ）独立した第三者機関から取引条件等が適正であることの確認を得た旨等を記載すること等が考えられる。
　また，上記②に関して，取締役会の「判断」は，取締役会の決議による判断を意味し，また，その「理由」は，当該取締役会の決議による判断の理由を意味し，当該決議の審議の過程に即した内容とすることが求められる。もっとも，経団連モデルにおいても説明されているとおり，この取締役会または取締役の判断およびその理由については，開示の対象となる取引について，個別にまたは取引の時点で判断をすることまで求められるものではなく，取引の類型ごとに包括的に判断し，また，当該判断の内容が記載された事業報告またはその附属明細書の承認をもって取締役会または取締役の判断とすることも許容される。
　具体的記載としては，例えば次の記載が考えられる。

第9節　親会社等との間の取引に関する事項

(参考例)

　当社は，親会社等である○○株式会社との間で，主に○○取引，○○取引等を行っております。これらの取引に当たっては，対価その他の取引条件が市場実勢を勘案して通常の取引条件で行われるよう留意しております。当社取締役会は，取引の類型ごとに取引条件を把握した上で，包括的または個別の取引ごとに，取引条件の適正性・公正性を判断しており，これらの取引が当社の利益を害するものではないと判断しております。

(参考例)

　親会社等に該当する○○株式会社との取引を行う場合には，取引条件およびその決定方法については，他の取引先と同様の条件によることとしております。また，親会社等との間の重要な取引については，その取引条件等について，事前に親会社からの独立性を有する社外取締役の意見を聴取するとともに，定期的または随時に，取締役会への報告を行うこととしています。

　当社取締役会としては，社外取締役も含めた取締役の全員一致により，当事業年度における親会社等との間の取引は，適正な条件により行われており，当社の利益を害さないものと判断しております。

第Ⅰ章 事業報告

第10節

株式会社の状況に関する重要な事項

経団連モデル

> **10. 株式会社の状況に関する重要な事項**
> ［会社法施行規則の条項］
>   会社法施行規則第118条第1号に対応する事項である。
> ［記載方法の説明］
>   株式会社の状況に関する重要な事項については，特に具体的な事項は規定されていない。ただし，公開会社の特則（会社法施行規則第119条）以下に規定されている各事項は，会計参与及び会計監査人についての一部の事項（会社法施行規則第125条並びに第126条第1号及び5号から10号まで）を除き，公開会社の事業報告に記載されるべき事項とされているため，公開会社でない会社（全株譲渡制限会社。以下同じ。）でこれらの事項を記載する場合には，本項目として記載される。この場合に記載すべき事項及び記載方法については，会社法施行規則には特に規定は設けられていないが，公開会社における記載を参考に記載することが考えられる。
>   公開会社においては，必要的記載事項として具体的に規定されている事項があるため，基本的には本事項として重ねて記載する必要はないが，それ以外の事項で，事業報告作成会社にとり重要な事項は，本項目として記載する。

第Ⅱ章

附属明細書
（事業報告関係）

附属明細書

第1 附属明細書の体裁

経団連モデル

> Ⅱ 附属明細書(事業報告関係)
> 　会社法では,事業報告の附属明細書と計算書類の附属明細書は,別々のものとして定義された。実務上は,別々の書類として作成するのではなく,会社法施行前と同じく,合冊して作成する方法もありうるが,会社法では,事業報告と計算書類とでその附属明細書を含め,監査主体が異なることが想定されている点(会社法施行規則第129条,会社計算規則第126条・127条)に留意する必要がある。

　経団連モデルにおいても説明されているとおり,会社法では,事業報告の附属明細書については,監査役,監査等委員会または監査委員会のみが監査をするものとされ,会計監査人による監査は行われない。これに対し,計算書類の附属明細書は監査役,監査等委員会または監査委員会および会計監査人の双方が監査をするものとされている。

　なお,事業報告の附属明細書は,事業報告本体と異なり,株主に提供する必要はないが(法437条,施行規則133条),株主総会前から事業報告作成会社において備置し,株主等の閲覧に供する必要がある(法442条)。

第Ⅱ章 附属明細書（事業報告関係）

第2　会社役員の他の法人等の取締役等との兼職状況の明細

経団連モデル

> **1．会社役員の他の会社の業務執行取締役等との兼職状況の明細**
> ［会社法施行規則の条項］
> 　会社法施行規則第128条第2項に対応する事項である。
> ［記載方法の説明］
> 　会社役員が，他の法人等の業務執行取締役，執行役，業務を執行する社員又は会社法第598条第1項に定める職務を行うべき者その他これに類する者を兼ねている場合，その兼職が会社法施行規則第121条第8号の「重要な兼職」に該当すれば，兼職の状況の明細を重要でないものを除き，記載する。附属明細書においては，会計参与を除く全ての会社役員について，業務執行取締役等との兼職状況の明細の記載が求められる。
> 　兼職状況の明細としては，兼職先の他の法人等の事業が事業報告作成会社の事業と同一の部類のものであるときは，その旨の記載が求められる。
> 　この場合の「会社役員」の範囲は，会社役員のうち，直前の定時株主総会の終結の日の翌日から事業報告の対象となる事業年度の末日までの間に在任していた者（事業年度中に辞任した，又は解任された者を含む。）となる。
> 　なお，公開会社でない会社については記載が求められていない。
> 　附属明細書に記載すべき事項（他の法人等の業務執行取締役等との重要な兼職の状況の明細など）がすでに事業報告に記載されている場合には，事業報告の記載を補足するものであるとの附属明細書の趣旨に鑑み，同一の内容をあえて重複して記載することなく，「事業報告○ページに記載のとおり」といった形の記載とすることも可能と考えられる。

[記載例]
（他の法人等の業務執行取締役等との重要な兼職の状況）

区分	氏　　名	兼職先	兼職の内容	関係
取締役			業務執行取締役	
			代表取締役	
監査役			業務執行社員	
			業務執行社員	

2．親会社等との間の取引に関する事項

［会社法施行規則の条項］

会社法施行規則第128条第3項に対応する事項である。

［記載方法の説明］

会社法施行規則では、会計監査人設置会社以外の公開会社において、関連当事者取引注記のうち取引の内容等の会社計算規則第112条第1項第4号から第6号まで及び第8号の事項の全部を個別注記表ではなく計算書類の附属明細書において記載する場合には、事業報告の附属明細書において、親会社等との間の取引（第三者との間の取引で事業報告作成会社とその親会社等との間の利益が相反するものを含む）のうち、当該事業年度に係る個別注記表において関連当事者取引注記（会社計算規則第112条第1項）を要するものについて、以下の記載を行うことを求めている。

① 当該取引をするに当たり当該株式会社の利益を害さないように留意した事項（当該事項がない場合にあっては、その旨）
② 当該取引が当該株式会社の利益を害さないかどうかについての当該株式会社の取締役会の判断及びその理由
③ 社外取締役を置く株式会社において②の取締役会の判断が社外取締役の意見と異なる場合には、その意見

具体的な記載等についてはⅠ9を参照。

第Ⅱ章 附属明細書（事業報告関係）

　公開会社の附属明細書においては，会計参与を除く会社役員が，他の法人等の業務執行取締役，執行役，業務を執行する社員または会社法第598条第1項に定める職務を行うべき者その他これに類する者を兼ねている場合，その兼職が「重要な兼職」（施行規則121条8号）に該当すればその兼職の状況の明細（重要でないものを除く）を記載する。

　「兼職の状況の明細」としては，①兼職先の名称，②兼職の内容，③兼職先の法人等の事業が事業報告作成会社の事業と同一の部類のものであるときは，その旨を記載する。「重要な兼職」であるか否かは，兼職先が事業報告作成会社にとって取引上重要な相手であるか否か，当該取締役等が兼職先で重要な職務を担当しているか否か等を考慮して判断することとなる。

　経団連モデルにおいても説明されているとおり，兼職の状況について，附属明細書に記載すべき事項がすでに事業報告に記載されている場合には，「事業報告○ページに記載のとおり」といった形の記載を行うことも可能と解される。ただし，その場合でも，附属明細書における本項目そのものを削除することは，これを認める旨の規定が会社法および会社法施行規則に設けられていない以上，できないと解される。

第3　親会社等との間の取引に関する事項

　経団連モデルにおいても説明されているとおり，会計監査人設置会社でない公開会社が，親会社等との間の取引に係る関連当事者取引注記のうち一定の事項（取引の内容，取引の種類別の取引金額，取引条件および取引条件の決定方針並びに取引条件の変更内容等）について，個別注記表では記載を省略し，その附属明細書に記載する場合（計算規則112条1項ただし書・117条4号）には，当該取引については，事業報告でも記載を省略し，その附属明細書に記載すべきこととなる（施行規則118条5号・128条3項）。

　この場合の附属明細書における記載事項は，親会社等との間の取引に関する事項を事業報告に記載する場合と同様，以下のとおりである。

① 　当該取引をするに当たり当該株式会社の利益を害さないように留意した事項（当該事項がない場合にあっては，その旨）
② 　当該取引が当該株式会社の利益を害さないかどうかについての当該株式会社の取締役（取締役会設置会社にあっては，取締役会）の判断およびその理由
③ 　社外取締役を置く株式会社において，上記②の取締役の判断が社外取締役の意見と異なる場合には，その意見

　具体的記載については，第Ⅰ章第9節第2を参照されたい。

第4　事業報告の内容を補足する重要な事項

　事業報告の附属明細書の記載事項は会社法施行規則128条に規定されているが，同条は，業務執行取締役等の兼職状況の明細および親会社等との間の取引に関する事項を除き，一般的に「事業報告の内容を補足する重要な事項」を内容としなければならないとのみ定め，具体的な記載事項を定めていない。

　しかしながら，会社法および会社法施行規則においては，附属明細書の作成を省略できる旨の規定は設けられておらず，「重要な事項が何ら存しない」との理由で附属明細書を作成しないことはできないものと解される。

　また，実質的にも，各社においておよそ「事業報告の内容を補足する重要な事項」が存在しないということは，通常，想定しにくいと解される。

第Ⅲ章

計算書類

序

会社法における開示制度

第1 計算書類の開示

　会社法は，株式会社に対して，法務省令に従って，各事業年度の計算書類とその附属明細書を作成しなければならないと規定している（法435条）。

　計算書類とは，貸借対照表，損益計算書その他株式会社の財産および損益の状況を示すために必要かつ適当なものとして法務省令で定めるものである（法435条2項）。

　法務省令は，計算書類として，株主資本等変動計算書と個別注記表を規定しているので（計算規則59条1項），会社法における計算書類は次のものとなる。

　旧商法では，営業報告書の内容に会計に関する部分があったが，会社法では，会計に関する部分は計算書類およびその附属明細書の内容として規定されており，事業報告およびその附属明細書には，会計に関する部分はないものとして整理されている。

① 貸借対照表　　　　② 損益計算書
③ 株主資本等変動計算書　④ 個別注記表

第Ⅲ章 計算書類

第2　連結計算書類の開示

　会社法は，会計監査人設置会社は，法務省令に従って，各事業年度の連結計算書類を作成することができると規定している（法444条1項）。

　ただし，事業年度の末日に大会社であり，かつ有価証券報告書（金融商品取引法24条1項）の提出義務を負うものは，連結計算書類の作成が義務付けられている（法444条3項）。

　事業年度の末日において，上記の要件を満たしていたとしても，計算書類作成時において，有価証券報告書の提出が免除されることとなった場合には，連結計算書類の作成は義務付けられないこととなる（郡谷大輔＝和久友子編著・前掲46頁）。

　会計監査人設置会社とは，会計監査人を置く株式会社または会社法により会計監査人を置かなければならない株式会社のことである（法2条11号）。

　連結計算書類とは，会計監査人設置会社およびその子会社から成る企業集団の財産および損益の状況を示すために必要かつ適当なものとして法務省令で定めるものをいい，次のいずれかのものとなる（法444条1項，計算規則61条）。

Ⅰ．次のもの
　① 連結貸借対照表　　　　　② 連結損益計算書
　③ 連結株主資本等変動計算書　④ 連結注記表

Ⅱ．「国際会計基準で作成する連結計算書類に関する特則」（計算規則120条）に従って作成されるもの

Ⅲ．「修正国際基準で作成する連結計算書類に関する特則」（計算規則120条の2）に従って作成されるもの

Ⅳ．「米国基準で作成する連結計算書類に関する特則」（計算規則120条の3）に従って作成されるもの

第3　会社法における会計の原則と公正な会計慣行

　会社法431条は，株式会社の会計は一般に公正妥当と認められる企業会計の慣行に従うものとし，会社計算規則3条は，会社計算規則の用語の解釈および規定の適用に関しては，一般に公正妥当と認められる企業会計の基準その他の企業会計の慣行を斟酌しなければならないとしている。

　また，会社法は，株式会社に対して，法務省令に従って，適時に，正確な会計帳簿を作成するように規定し（会社法432条1項），計算書類およびその附属明細書は，会計帳簿に基づいて作成するとしている（計算規則59条3項）。

　会社法が公正な会計慣行に従うなどとしたのは，会社法や法務省令に規定がない場合だけでなく，それらに規定がある場合でも，会社の計算は，基本的には公正な会計慣行に従うということが先にあり，そうした慣行に基づいて各種の規定が作られていることを規定したものと考えられる（郡谷大輔＝和久友子編著・前掲9頁）。

　ただし，会社法および法務省令は，公正な会計慣行の内容について明示的に規定していない。

　そのため，公正な会計慣行の内容は解釈に委ねられることとなるが，企業会計基準委員会の設定した会計基準等，日本公認会計士協会が公表した各種実務指針等のほかに，一定の範囲の株式会社にとっては「中小企業の会計に関する指針」も該当するものと考えられている（郡谷大輔＝和久友子編著・前掲4～6頁）。

　また，会社計算規則では，財務諸表等規則などとの調整を図って規定されている事項もあるので，表示および注記に際しては，財務諸表等規則などの規定も参考になるものと考えられる。

第4 計算書類などの記載内容

(1) 会社計算規則の定めとその解釈

　計算書類およびその附属明細書は，会社法および会社計算規則にしたがって作成することとなる。会社計算規則の用語の解釈および規定の適用に関しては，一般に公正妥当と認められる企業会計の基準その他の企業会計の慣行を斟酌しなければならない（計算規則3条）とされており，会社計算規則で開示が求められる注記事項については，企業会計基準委員会が公表した会計基準などに照らして解釈することになる。

(2) 株式と記載順序

　会社法および会社計算規則が規定しているものは，計算書類およびその附属明細書に記載すべき内容であり，記載の様式まで示しているものではないと考えられる。

　したがって，法令が要求する内容が，計算書類および附属明細書に記載されていればよく，例えば，会社計算規則の規定の順序どおりに，計算書類および附属明細書に記載する事項を並べる必要はないと考えられる。

(3) 記載内容（項目）と重要性

　例えば，企業会計基準第29号「収益認識に関する会計基準」（企業会計基準委員会。以下「収益認識会計基準」という）では，「開示目的」を規定し，各注記事項のうち，開示目的に照らして重要性に乏しいと認められる注記事項については，記載しないことができると規定している（「収益認識会計基準」80-4項・80-5項）。

　また，企業会計基準第31号「会計上の見積りの開示に関する会計基準」（企業会計基準委員会。以下「見積開示会計基準」という）でも，「開示目的」を規定しており，会計上の見積りの開示について包括的に定めた会計基準において原

則(開示目的)を示し,開示する具体的な項目およびその注記内容については当該原則(開示目的)に照らして判断することを企業に求めることが適切と考えられるとしている(「見積開示会計基準」4項・16項)。

上記のように開示目的に照らして,各社において適切に判断するとする趣旨の規定が設けられていることに鑑み,また,重要性の原則などを考慮し,各社において,経団連モデルなどを参考に,株主などにわかりやすく記載することになると考えられる。

(4) 計算書類にかかる追加記載

会社法および会社計算規則は,法令として規律を要する最低限の項目を列挙したものと考えられる。

そのため,会社法および会社計算規則に開示を要求する特段の規定がない事項であったとしても,株主などへの情報提供を考えて,計算書類などに追加して記載することは妨げられないと考えられる。

例えば,退職給付に関する注記について,会社計算規則では,直接注記を要求する規定はないが,「退職給付に関する会計基準」(企業会計基準委員会)や財務諸表等規則で,退職給付に関する注記を規定していることを踏まえ,計算書類などに追加記載することは妨げられないものと考えられる。

第5　表示の原則

経団連モデル

> **Ⅲ　計算書類**
> 【通則的事項】
> 　計算関係書類に係る事項の金額は，一円単位，千円単位または百万円単位をもって表示する。なお，表示単位未満の端数処理について注記することも考えられる。

　「株式会社の貸借対照表，損益計算書，営業報告書及び附属明細書に関する規則」3条の5は，次のように規定していた。

> 　貸借対照表，損益計算書及び附属明細書に記載すべき金額は，千円未満の端数を切り捨てて表示することができる。ただし，商法特例法第2条に規定する株式会社（以下「大会社」という。）にあつては，百万円未満の端数を切り捨てて表示することを妨げない。

　このため，当時の計算書類の作成に際しては，表示単位未満の端数処理については，切捨方式しか認められていなかった。切捨方式だけを規定したのは，四捨五入や切上方式に比べて簡明であり，会社の恣意的な取扱いを許すと，計算書類の利用者を困惑させるおそれがあると考えられたためである（濱克彦＝郡谷大輔＝和久友子「平成14年商法改正に伴う改正商法施行規則の解説〔Ⅱ〕」商事法務1658号（2003）21～22頁）。

　財務諸表等規則は「財務諸表に掲記される科目その他の事項の金額は，百万円単位又は千円単位をもつて表示するものとする。」（財務諸表等規則10条の3）として，四捨五入，切捨て，切上げのいずれの方法も認めている。

　平成14年の商法施行規則の改正に際して，財務諸表等規則との不一致を惹

起してまで，切捨方式だけを規定する必要性が乏しいものと考えられたため，旧商法施行規則49条では，四捨五入，切捨て，切上げのいずれの方法も認められることとなった。

会社計算規則57条1項では，表示単位未満の端数処理についての特段の規定を設けず，次のように規定することにより，旧商法施行規則と同様に，いずれの方法も認めている。

> 計算関係書類に係る事項の金額は，一円単位，千円単位又は百万円単位をもって表示するものとする。

前述のように，会社計算規則では，表示単位未満の端数処理について，四捨五入，切捨て，切上げのいずれの方法も認められることから，経団連モデルの通則的事項において，計算書類の読者に資する情報と考えることもできるので，表示単位未満の端数処理について注記することも考えられるとしている。

会社計算規則は，注記の方法として，貸借対照表等，損益計算書等または株主資本等変動計算書等の特定の項目に関連する注記については，その関連を明らかにしなければならないとしている（計算規則99条）。

表示単位未満の端数処理に係る注記の記載箇所については，会社法および法務省令に特段の規定はなく，経団連モデルでも，特段の記載上の注意を設けていないことから，株主などの計算書類の読者にわかりやすい箇所に記載されていればよいと考えられる。

第1節 貸借対照表，損益計算書，株主資本等変動計算書

第1 貸借対照表

経団連モデル

第1　貸借対照表

[記載例]

貸借対照表
（○年○月○日現在）

（単位：百万円）

科　　目	金　額	科　　目	金　額
（資産の部）		（負債の部）	
流　動　資　産	×××	流　動　負　債	×××
現　金　及　び　預　金	×××	支　払　手　形	×××
受　取　手　形	×××	買　掛　金	×××
売　掛　金	×××	短　期　借　入　金	×××
契　約　資　産	×××	リ　ー　ス　債　務	×××
有　価　証　券	×××	未　払　金	×××
商　品　及　び　製　品	×××	未　払　費　用	×××
仕　掛　品	×××	未　払　法　人　税　等	×××
原材料及び貯蔵品	×××	契　約　負　債	×××
前　払　費　用	×××	前　受　金	×××
そ　の　他	×××	預　り　金	×××
貸　倒　引　当　金	△×××	前　受　収　益	×××

固定資産	×××	○ ○ 引 当 金	×××
有形固定資産	×××	そ の 他	×××
建　　　　　　　物	×××	固 定 負 債	
構　　築　　　　物	×××	社　　　　　　　債	×××
機　械　装　　置	×××	長　期　借　入　金	×××
車　両　運　搬　具	×××	リ　ー　ス　債　務	×××
工　具　器　具　備　品	×××	○ ○ 引 当 金	×××
土　　　　　　　地	×××	そ　　の　　他	×××
リ　ー　ス　資　産	×××	負　債　合　計	×××
建　設　仮　勘　定	×××	（純資産の部）	
そ　　の　　他	×××	株主資本	×××
無形固定資産	×××	資　　本　　金	×××
ソ フ ト ウ ェ ア	×××	資本剰余金	
リ　ー　ス　資　産	×××	資　本　準　備　金	×××
の　　れ　　ん	×××	その他資本剰余金	×××
そ　　の　　他	×××	利益剰余金	
投資その他の資産		利　益　準　備　金	×××
投　資　有　価　証　券	×××	その他利益剰余金	
関　係　会　社　株　式	×××	○ ○ 積 立 金	×××
長　期　貸　付　金	×××	繰越利益剰余金	×××
繰　延　税　金　資　産	×××	自　己　株　式	△×××
そ　　の　　他	×××	評価・換算差額等	×××
貸　倒　引　当　金	△×××	その他有価証券評価差額金	×××
繰　延　資　産	×××	繰延ヘッジ損益	×××
社　債　発　行　費	×××	土地再評価差額金	×××
		株式引受権	×××
		新株予約権	×××
		純　資　産　合　計	×××
資　　産　　合　　計	×××	負債・純資産合計	×××

（記載上の注意）
(1) 新株式申込証拠金あるいは自己株式申込証拠金がある場合には，純資産の部の株主資本の内訳項目として区分掲記する。
(2) ファイナンス・リース取引の貸主側の場合には，リース債権，リース投資資産により表示する。
(3) 「棚卸資産」として一括表示し，その内訳を示す科目及び金額を注記する

ことも考えられる。
(4) 資産除去債務については，1年内に履行されると認められるものは，流動負債において資産除去債務により表示し，それ以外のものは，固定負債において資産除去債務により表示する。
(5) 工事損失引当金の残高は，貸借対照表に流動負債として計上する。ただし，同一の工事契約に係る棚卸資産及び工事損失引当金がある場合には，両者を相殺した差額を棚卸資産または工事損失引当金として流動資産または流動負債に表示することができる。
(6) 企業会計基準第29号「収益認識に関する会計基準」を適用する会社については，原則として，契約資産，契約負債または顧客との契約から生じた債権を，適切な科目を用いて貸借対照表に表示するか，区分して表示しない場合には，それぞれの残高を注記する（会社計算規則第3条，第116条）。

(1) 西暦・和暦の表示

従来，経団連モデルでは，貸借対照表，損益計算書，株主資本等変動計算書などの事業年度の記載について，「平成○年○月○日」と和暦により表示していた。

2021年3月9日の経団連モデルの改訂に際して，「○年○月○日」と改訂することにより，西暦と和暦のいずれも用いて表示することができることを示している。

会社法および法務省令では，事業報告および計算書類に関して，西暦の使用を禁止する規定は設けられていないことから，西暦と和暦のいずれも用いて表示することができると考えられる。

「財務諸表等の用語，様式及び作成方法に関する規則」などの各種様式においても，従来の「平成○年」の表記から「○年」の表記へと改正されており，有価証券報告書などに記載される財務諸表などについても，西暦と和暦のいずれも用いて記載することができる（「無尽業法施行細則等の一部を改正する内閣府令」（令和元年5月7日，内閣府令第2号））。

(2) 概　　要

　貸借対照表は資産，負債，純資産の各部に区分して表示し，資産の部または負債の部の各項目は，当該項目に係る資産または負債を示す適当な名称を付すことが必要である(計算規則73条1項・2項)。

　会社計算規則では，最低限区分すべき項目を示しているが，財務諸表等規則のように区分掲記の具体的な基準までは定めていない。

　有価証券報告書を提出している会社が，会社法の計算書類として開示する貸借対照表について，財務諸表等規則に従った項目区分で開示することも可能であり，また，それをベースに適宜項目を集約して開示することも可能である。

　従来，財務諸表等規則17条では，棚卸資産は，商品，製品，半製品，原材料，仕掛品，貯蔵品として個別の科目ごとに表示されていた。

　平成20年内閣府令第50号による改正後の財務諸表等規則17条1項では，商品及び製品（半製品を含む），仕掛品，原材料及び貯蔵品の3区分で表示することとし，同条3項において，棚卸資産の科目をもって一括して掲記し，当該項目に属する資産の科目およびその金額を注記する方法も認めている。なお，同条2項により，従来どおり，個別の科目ごとに表示することも可能である。

　経団連モデルでは，棚卸資産の表示方法について，財務諸表等規則との整合性を考慮し，貸借対照表において3区分で表示する方法を示すとともに，記載上の注意(3)において，棚卸資産の科目をもって一括して表示し，当該項目に属する資産の科目およびその金額を注記する方法を示している。

　会社計算規則では，財務諸表等規則のように貸借対照表の表示方法を詳細に規定しているわけではないので，計算書類について財務諸表等規則と同様に表示することまでは要求されていない。このため，計算書類については，従来どおり，商品，製品，半製品，原材料，仕掛品，貯蔵品として個別の科目ごとに表示する方法も認められる。

(3) 資産の部の区分
① 概要

資産の部は流動資産,固定資産,繰延資産に区分し,固定資産は有形固定資産,無形固定資産,投資その他の資産に区分する必要がある。これらの各項目については,適当な項目に細分する必要がある(計算規則74条1項・2項)。

区分すべき項目	取扱い
流動資産	適当な項目に細分する
固定資産	
有形固定資産	適当な項目に細分する
無形固定資産	適当な項目に細分する
投資その他の資産	適当な項目に細分する
繰延資産	適当な項目に細分する

上表のとおり,各項目は適当な項目に細分することとされているが,例えば無形固定資産の合計金額が僅少な場合に,さらにその内訳項目を開示することまでは要求されないものと考えられる。

会社計算規則では,流動資産,有形固定資産,無形固定資産,投資その他の資産,繰延資産に属する資産について,74条3項で示しているが,貸借対照表に表示する具体的な名称までは示していない。

また,会社計算規則では,財務諸表等規則17条「流動資産の区分表示」,23条「有形固定資産の区分表示」,28条「無形固定資産の区分表示」,32条「投資その他の資産の区分表示」,37条「繰延資産の区分表示」のような区分表示の基準も定めていない。

そのため,計算書類の作成に際しては,金額的重要性,質的重要性等を勘案して,適当な項目に細分して記載することになると考えられる。

② 繰延資産の内容

繰延資産については,会社計算規則では,「繰延資産として計上することが適当であると認められるもの」を繰延資産に計上することとされているが,

具体的な項目は示されていない（計算規則74条3項5号）。したがって，繰延資産の具体的な内容等については一般に公正妥当と認められる企業会計の慣行に従うことになる。繰延資産に関しては，実務対応報告第19号「繰延資産の会計処理に関する当面の取扱い」（企業会計基準委員会）が公表されており，この中で以下の項目が繰延資産として取り扱われている。

- 株式交付費
- 社債発行費等（新株予約権の発行に係る費用を含む）
- 創立費
- 開業費
- 開発費

なお，これまで繰延資産として取り扱われていた社債発行差金については，実務対応報告第19号「繰延資産の会計処理に関する当面の取扱い」（企業会計基準委員会）および企業会計基準第10号「金融商品に関する会計基準」（企業会計基準委員会）により，繰延資産には計上しないこととなった。すなわち，社債を社債金額よりも低い価額または高い価額で発行した場合など，収入に基づく金額と債務額とが異なる場合には，償却原価法に基づいて算定された価額をもって，貸借対照表価額としなければならないこととされた。

③ 貸倒引当金等の表示

各資産にかかる引当金の表示方法には以下の方法がある（計算規則78条・103条2号）。

- 各資産の金額から直接控除し，その控除残高で貸借対照表に表示する方法（この場合には別途，引当金額についての注記が必要となる）
- 各資産項目に対する控除項目として，貸倒引当金その他当該引当金の設定目的を示す名称を付した項目をもって表示する方法
- 流動資産，投資その他の資産等の区分に応じて，これらに対する控除項目として一括して表示する方法

④ 有形固定資産に対する減価償却累計額の表示

各有形固定資産に対する減価償却累計額の表示方法には以下の方法がある（計算規則79条・103条3号）。

- 各有形固定資産の金額から直接控除し，その控除残高で貸借対照表に表示する方法（この場合には別途，減価償却累計額についての注記が必要となる）。
- 各有形固定資産の項目に対する控除項目として，減価償却累計額として表示する方法
- 有形固定資産に対する控除項目として一括して，減価償却累計額として表示する方法

⑤ 有形固定資産に対する減損損失累計額の表示

各有形固定資産に対する減損損失累計額の表示方法には以下の方法がある（計算規則80条・103条4号）。

- 各有形固定資産の金額から直接控除する方法（減価償却累計額を各有形固定資産から直接控除している場合は，控除後の金額から直接控除する）
- 有形固定資産（償却資産）に対する減損損失累計額を各有形固定資産の項目に対する控除項目として，減損損失累計額の項目をもって表示する方法
- 有形固定資産（償却資産）に対する減損損失累計額をこれらの有形固定資産に対する控除項目として，減損損失累計額の項目をもって一括して表示する方法

なお，減価償却累計額および減損損失累計額を控除項目として表示する場合には，減損損失累計額を減価償却累計額に合算して，減価償却累計額の項目をもって表示することができる（この場合には別途，減価償却累計額に減損損失累計額が含まれている旨の注記が必要となる）。

⑥ 関係会社株式等の表示

関係会社の株式または出資金については，関係会社株式または関係会社出資金の項目をもって貸借対照表に区分表示することとされている（計算規則82条）。

(4) 負債の部の区分

負債の部は流動負債，固定負債に区分し，これらの各項目については，適当な項目に細分する必要がある（計算規則75条1項）。

区分すべき項目	取扱い
流動負債	適当な項目に細分する
固定負債	適当な項目に細分する

会社計算規則では，流動負債，固定負債に属するものについて，75条2項で示しているが，貸借対照表に表示する具体的な名称までは示していない。また，会社計算規則では，財務諸表等規則49条「流動負債の区分表示」，52条「固定負債の区分表示」のような区分表示の基準を定めていないため，金額的重要性，質的重要性等を勘案して，適当な項目に細分して記載することになると考えられる。

(5) 契約資産，契約負債，前受金
① 貸借対照表科目

2021年3月9日の経団連モデルの改訂に際して，企業会計基準第29号「収益認識に関する会計基準」（企業会計基準委員会。以下「収益認識会計基準」という）および企業会計基準適用指針第30号「収益認識に関する会計基準の適用指針」（企業会計基準委員会。以下「収益認識適用指針」という）を適用する会社に対応するために，「契約資産」「契約負債」の科目を記載している。また，従来どおり，「前受金」の科目も記載している。

収益認識会計基準に対応して，2020（令和2）年8月12日，「会社計算規則

の一部を改正する省令」(法務省令第45号) が公布されている。法務省令第45号では，貸借対照表の資産の部の区分を定める会社計算規則74条および負債の部の区分を定める同75条は，貸借対照表に特定の名称を付した項目を表示すべきことを定めるものではないので，同74条および75条を改正しなくとも，計算書類において，「契約資産」，「契約負債」等の勘定科目を用いることができることから，貸借対照表の表示に関する法務省令の改正は行われていない (法務省『「会社計算規則の一部を改正する省令案」に関する意見募集の結果について』(2020年8月12日) 第3, 1。藺牟田泰隆ほか「会社計算規則の一部を改正する省令の解説——令和2年法務省令第45号」商事法務 2242号 (2020) 5頁)。

財務諸表等規則についても，収益認識会計基準に対応して，2020 (令和2) 年6月12日，「財務諸表等の用語，様式及び作成方法に関する規則等の一部を改正する内閣府令」(内閣府令第46号) が公布されている。

財務諸表等規則15条，47条では，「契約資産」，「契約負債」を次のように定義している。

用語	財務諸表等規則の定義
契約資産	顧客との契約に基づく財貨の交付又は役務の提供の対価として当該顧客から支払を受ける権利のうち，受取手形及び売掛金以外のものをいう。ただし，破産更生債権等で一年内に回収されないことが明らかなものを除く。
契約負債	顧客との契約に基づいて財貨もしくは役務を交付又は提供する義務に対して，当該顧客から支払を受けた対価又は当該対価を受領する期限が到来しているものであって，かつ，いまだ顧客との契約から生じる収益を認識していないものをいう。

また，従来，前受金は，財務諸表等規則47条3号において，「前受金(受注工事，受注品等に対する前受金をいう。以下同じ。)」と規定されていたが，内閣府令第46号により改正され，「(受注工事，受注品等に対する前受金をいう。以下同じ。)」の箇所が削除されている。当該改正の趣旨について，金融庁の立案担当官は，前受金は一般用語として用いるとともに，契約負債は流

動負債の範囲に属し，契約負債を示す名称を付した科目により区分表示することとしていると解説している（契約負債は他の負債と一括して表示し，残高を注記することもできる。小作恵右ほか「『会計上の見積りの開示に関する会計基準』，『会計方針の開示，会計上の変更及び誤謬の訂正に関する会計基準』及び『収益認識に関する会計基準等』等の公表に伴う財務諸表等規則等の改正について」週刊経営財務3467号（2020年）16頁）。

一方，会社計算規則75条2項1号ハでは，「前受金（受注工事，受注品等に対する前受金をいう。）」と規定しており，改正はされていない。これは，会社計算規則は，収益認識会計基準を適用しない会社についても規律の対象としているところ，同会計基準を適用しない会社においては，同会計基準における契約負債に該当する負債であっても，引き続き前受金の表示科目を用いることが想定されることから，その定義を変更しなかったものと考えられる。

② 貸借対照表科目と注記との関係

収益認識会計基準79項は，契約資産，契約負債または顧客との契約から生じた債権を，適切な科目をもって貸借対照表に表示すると規定している。そして，契約資産と顧客との契約から生じた債権のそれぞれについて，貸借対照表に他の資産と区分して表示しない場合には，それぞれの残高を注記するとし，また，契約負債を貸借対照表において他の負債と区分して表示しない場合には，契約負債の残高を注記すると規定している。

法務省令第45号は，収益認識会計基準などを受けて会社計算規則を改正するものであり（法務省「会社計算規則の一部を改正する省令案に関する概要説明」(2020年6月4日)），会社計算規則の用語の解釈に関しては，一般に公正妥当と認められる企業会計の基準を斟酌しなければならないとされていること（計算規則3条）を考えると，収益認識会計基準を適用する会社においては，計算書類（連結計算書類）においても，契約資産，契約負債または顧客との契約から生じた債権について，適切な科目をもって貸借対照表に表示し，これらを他の

資産または負債と区分して表示しない場合には，それぞれの残高を注記することが求められると考えられる。

会社計算規則において，収益認識会計基準に対応してそれぞれの残高について注記を求める具体的な規定は設けられていないが，収益認識会計基準を適用する会社においては，貸借対照表等，損益計算書等および株主資本等変動計算書等により会社（連結注記表にあっては，企業集団）の財産または損益の状態を正確に判断するために必要な事項と考えられることから，会社計算規則116条（その他の注記）に該当すると考えられる。

このため，経団連モデルでは，貸借対照表の記載上の注意(6)において，企業会計基準第29号「収益認識に関する会計基準」を適用する会社については，原則として，契約資産，契約負債または顧客との契約から生じた債権を，適切な科目を用いて貸借対照表に表示するか，区分して表示しない場合には，それぞれの残高を注記する（会社計算規則第3条，第116条）と記載している。

(6) 純資産の部の区分

純資産の部は株主資本，評価・換算差額等，株式引受権，新株予約権に区分する必要がある（計算規則76条1項1号）。

区分すべき項目	取扱い
株主資本	
資本金	
新株式申込証拠金	
資本剰余金	
資本準備金	
その他資本剰余金	適当な項目に細分する
利益剰余金	
利益準備金	
その他利益剰余金	適当な項目に細分する
自己株式	

自己株式申込証拠金	
評価・換算差額等	
その他有価証券評価差額金	
繰延ヘッジ損益	
土地再評価差額金	
株式引受権	
新株予約権	自己新株予約権は新株予約権の金額から直接控除する。ただし自己新株予約権を控除項目として表示することもできる。

　株主資本については資本金，新株式申込証拠金，資本剰余金，利益剰余金，自己株式，自己株式申込証拠金に区分し，資本剰余金は資本準備金，その他資本剰余金に区分し，利益剰余金は利益準備金，その他利益剰余金に区分する必要がある(計算規則76条2項・4項・5項)。その他資本剰余金，その他利益剰余金については適当な項目に細分することができる(同条6項)。

　企業会計基準第5号「貸借対照表の純資産の部の表示に関する会計基準」(企業会計基準委員会。以下「純資産表示会計基準」という)では，その他資本剰余金については内訳表示を要求していないが，その他利益剰余金については，任意積立金のように株主総会または取締役会の決議に基づき設定される項目については，その内容を示す科目をもって表示し，それ以外については繰越利益剰余金にて表示することとしている(「純資産表示会計基準」6項(2))。

　その他資本剰余金には，資本金および資本準備金の取崩しによって生ずる剰余金や自己株式処分差益等が含まれるが，これらの項目についての当期中の変動状況については株主資本等変動計算書で把握できることなどから，継続的に内訳を区分して把握しておく必然性が乏しいと考えられるため，純資産表示会計基準ではその他資本剰余金の内訳表示が要求されておらず，会社法における貸借対照表でもその他資本剰余金の内訳表示は要求されていない。

　その他利益剰余金については，会社計算規則では「適当な名称を付した項

目に細分することができる」と規定しているが，会社計算規則3条では，「この省令の用語の解釈及び規定の適用に関しては，一般に公正妥当と認められる企業会計の基準その他の企業会計の慣行をしん酌しなければならない」とする会計慣行の斟酌規定を設けており，その他利益剰余金の内訳表示に関して，純資産表示会計基準の定めを斟酌することが適当と考えられる。したがって，その他利益剰余金については，任意積立金のように株主総会または取締役会の決議に基づき設定される項目については，その内容を示す科目をもって表示し，それ以外については繰越利益剰余金にて表示することが適当と考えられる。

評価・換算差額等についてはその他有価証券評価差額金，繰延ヘッジ損益，土地再評価差額金その他適当な名称を付した項目に細分する必要がある（計算規則76条7項）。

株式引受権とは取締役または執行役がその職務の執行として株式会社に対して提供した役務の対価として当該株式会社の株式の交付を受けることができる権利（新株予約権を除く）をいう（計算規則2条3項34号）。2019年12月に成立した「会社法の一部を改正する法律」（令和元年法律第70号）により，会社法202条の2において，金融商品取引法2条16項に規定する金融商品取引所に上場されている株式を発行している株式会社が，取締役等の報酬等として株式の発行等をする場合には，金銭の払込み等を要しないことが新たに規定されている。

企業会計基準委員会は，当該会社法の改正に対応して，2021年1月28日に，実務対応報告第41号「取締役の報酬等として株式を無償交付する取引に関する取扱い」（企業会計基準委員会）を公表して「株式引受権」を規定するとともに，企業会計基準第5号「貸借対照表の純資産の部の表示に関する会計基準」および企業会計基準適用指針第8号「貸借対照表の純資産の部の表示に関する会計基準等の適用指針」を改正して「株式引受権」を規定している。

(7) 旧商法における貸借対照表との違い

旧商法における貸借対照表との主な違いを挙げると以下のとおりである。

① 純資産の部

旧商法における貸借対照表の区分は，資産の部，負債の部，資本の部となっていたが，会社計算規則では，資産の部，負債の部，純資産の部に変わった。純資産表示会計基準および企業会計基準適用指針第8号「貸借対照表の純資産の部の表示に関する会計基準等の適用指針」(企業会計基準委員会)が公表され，これに対応して純資産の部が設けられた。

② 繰延ヘッジ損益

繰延ヘッジ損益については，旧商法の下では税効果考慮前の金額で資産または負債に計上されていたが，会社法の下では，税効果考慮後の金額で純資産の部に計上されることとなった。

③ 繰越利益剰余金

旧商法の下では「当期未処分利益（または当期未処理損失）」と表示されていたが，会社法の下では，その他利益剰余金の内訳として「繰越利益剰余金」の表示が行われる。なお，繰越利益剰余金はプラスの場合とマイナスの場合が生じうるので，繰越利益剰余金がマイナスの場合には△表示することになる（「純資産表示会計基準」35項）。

④ 新株予約権

新株予約権については，旧商法の下では負債の部に表示されていたが，会社法の下では純資産の部の一項目として表示されることになった。

⑤ 関係会社株式

旧商法の下では子会社株式または出資金については区分して記載すること

が求められていたが,会社法の下では関係会社株式または関係会社出資金について区分して記載することが求められている(計算規則82条1項)。なお,子会社や関連会社については実質基準に基づいて判定することになる。

⑥ (特例)有限会社に対する出資

これまで有限会社に対する出資については出資金として表示されていたが,会社法の施行に伴う関係法律の整備等に関する法律2条2項により,特例有限会社に対する持分は株式とみなされるため,株式(有価証券)としての表示に変更することになる。すなわち,従来の有限会社法の規定による有限会社が引き続き商号中に「有限会社」の文字を用いて存続する場合であっても,当該会社に対する持分は株式として表示することになる。

第2 損益計算書

経団連モデル

第2 損益計算書

[記載例]

損益計算書
(自○年○月○日 至○年○月○日)

(単位：百万円)

科　　　　目	金	額
売　　上　　高		×××
売　　上　　原　　価		×××
売　上　総　利　益		×××
販売費及び一般管理費		×××
営　　業　　利　　益		×××
営　業　外　収　益		
受　取　利　息　及　び　配　当　金	×××	
そ　　　　の　　　　他	×××	×××
営　業　外　費　用		
支　　払　　利　　息	×××	
そ　　　　の　　　　他	×××	×××
経　　常　　利　　益		×××
特　別　利　益		
固　定　資　産　売　却　益	×××	
そ　　　　の　　　　他	×××	×××
特　別　損　失		
固　定　資　産　売　却　損	×××	
減　　損　　損　　失	×××	
そ　　　　の　　　　他	×××	×××
税　引　前　当　期　純　利　益		×××
法人税，住民税及び事業税	×××	
法　人　税　等　調　整　額	×××	×××
当　期　純　利　益		×××

> (記載上の注意)
> (1) 企業会計基準第29号「収益認識に関する会計基準」を適用する会社については、顧客との契約から生じる収益は、適切な科目をもって損益計算書に表示する。なお、顧客との契約から生じる収益については、原則として、それ以外の収益と区分して損益計算書に表示するか、区分して表示しない場合には、顧客との契約から生じる収益の額を注記する(会社計算規則第3条、第116条)。
> (2) 企業会計基準第24号「会計方針の開示、会計上の変更及び誤謬の訂正に関する会計基準」が適用される会社については、前期損益修正益または前期損益修正損の表示(会社計算規則第88条第2項、第3項参照)は認められないこととなる(会社計算規則第3条)。

(1) 概　要

　損益計算書は売上高、売上原価、販売費及び一般管理費、営業外収益、営業外費用、特別利益、特別損失に区分して表示し、各項目は、細分することが適当な場合には適当な項目に細分することができる(計算規則88条1項)。段階損益としては、売上総損益、営業損益、経常損益、税引前当期純損益、当期純損益の表示が必要である(計算規則89条～92条・94条)。

(2) 損益計算書の項目区分

　損益計算書の売上高、売上原価、販売費及び一般管理費、営業外収益、営業外費用については、細分することが適当な場合には適当な項目に細分することができるのに対して、特別損益項目については細分して表示することが原則とされている。金額が重要でない場合を除いて、特別利益については固定資産売却益、前期損益修正益、負ののれん発生益その他の項目の区分に従って細分し、特別損失については固定資産売却損、減損損失、災害による損失、前期損益修正損その他の項目の区分に従って細分する必要がある(計算規則88条1項～4項)。

区分すべき項目	区分すべき項目取扱い
売上高（売上高以外の名称を付すことが適当な場合には，当該名称を付した項目）	適当な項目に細分できる
売上原価	適当な項目に細分できる
売上総利益（売上総損失）	
販売費及び一般管理費	適当な項目に細分できる
営業利益（営業損失）	
営業外収益	適当な項目に細分できる
営業外費用	適当な項目に細分できる
経常利益（経常損失）	
特別利益	固定資産売却益，前期損益修正益，負ののれん発生益その他の項目の区分に従って細分する（金額が重要でない場合を除く）
特別損失	固定資産売却損，減損損失，災害による損失，前期損益修正損その他の項目の区分に従って細分する（金額が重要でない場合を除く）
税引前当期純利益（税引前当期純損失）	
法人税，住民税及び事業税	
法人税等調整額	
当期純利益（当期純損失）	

なお，会社計算規則では，財務諸表等規則85条「販売費及び一般管理費の表示方法」，90条「営業外収益の表示方法」，93条「営業外費用の表示方法」，95条の2「特別利益の表示方法」，95条の3「特別損失の表示方法」のような表示方法の基準を定めていない。

販売費及び一般管理費の明細については，計算書類にかかる附属明細書に記載されることから，損益計算書上は「販売費及び一般管理費」の項目で一括して記載するケースが多いものと考えられる。

第Ⅲ章 計算書類

営業外収益・営業外費用については，金額的重要性，質的重要性等を勘案して，財務諸表等規則と同様に，あるいは適宜要約して記載することが考えられる。

(3) 収益認識会計基準

① 売上高（収益）の表示

2021年3月9日の経団連モデルの改訂では，損益計算書の「記載例」は改訂していない。

収益認識会計基準に対応して，2020（令和2）年8月12日，「会社計算規則の一部を改正する省令」（法務省令第45号）が公布されている。法務省令第45号により，会社計算規則88条1項1号の売上高について，従来の「売上高」が「売上高（売上高以外の名称を付すことが適当な場合には，当該名称を付した項目。以下同じ。）」と改正されている。

収益認識会計基準78-2項は，顧客との契約から生じる収益を，適切な科目をもって損益計算書に表示すると規定し，収益認識適用指針は，顧客との契約から生じる収益については，例えば，売上高，売上収益，営業収益等として表示すると規定している（「収益認識適用指針」104-2項）。そして，顧客との契約から生じる収益については，それ以外の収益と区分して損益計算書に表示するか，または両者を区分して損益計算書に表示しない場合には，顧客との契約から生じる収益の額を注記すると規定している。

② 顧客との契約から生じる収益の区分表示

法務省令第45号は，収益認識会計基準などを受けて会社計算規則を改正するものであり（法務省「会社計算規則の一部を改正する省令案に関する概要説明」(2020年6月4日)），会社計算規則の用語の解釈に関しては，一般に公正妥当と認められる企業会計の基準を斟酌しなければならないとされていること（計算規則3条）を考えると，収益認識会計基準を適用する会社においては，計算書類（連結計算書類）においても，顧客との契約から生ずる収益を，それ以外の収

益と区分して損益計算書類に表示するか，または両者を区分して損益計算書に表示しない場合には，顧客との契約から生ずる収益の額を注記することが求められると考えられる。会社計算規則88条1項では，損益計算書等は，同88条1項に掲げる項目に区分して表示しなければならないとし，この場合において，各項目について細分することが適当な場合には適当な項目に細分することができると規定している。このため，収益認識会計基準を適用する会社において，収益を顧客との契約から生ずる収益とそれ以外の収益とに区分して表示する場合には，同88条1項柱書後段の「細分することが適当な場合」として，適切な名称の項目に細分することができる（繭牟田泰隆ほか・前掲商事法務2242号5頁）。

会社計算規則において，収益認識会計基準に対応して顧客との契約から生ずる収益を，それ以外の収益と区分して損益計算書に表示しない場合には，顧客との契約から生ずる収益の額について注記を求める具体的な規定は設けられていないが，収益認識会計基準を適用する会社においては，貸借対照表等，損益計算書等および株主資本等変動計算書等により会社（連結注記表にあっては，企業集団）の財産または損益の状態を正確に判断するために必要な事項と考えられることから，会社計算規則116条（その他の注記）に該当すると考えられる（繭牟田泰隆ほか・前掲商事法務2242号5頁）。

これらの理由から，収益認識会計基準78-2項の新設を受けて，会社計算規則を改正することは行われていない（繭牟田泰隆ほか・前掲商事法務2242号5頁）。

このため，経団連モデルでは，損益計算書の記載上の注意(1)において，企業会計基準第29号「収益認識に関する会計基準」を適用する会社については，顧客との契約から生じる収益は，適切な科目をもって損益計算書に表示すると記載し，顧客との契約から生じる収益については，原則として，それ以外の収益と区分して損益計算書に表示するか，区分して表示しない場合には，顧客との契約から生じる収益の額を注記する（会社計算規則第3条，第116条）と記載している。

(4) 前期損益修正益および前期損益修正損の表示

　平成21年12月4日に，企業会計基準委員会から，企業会計基準第24号「会計上の変更及び誤謬の訂正に関する会計基準」（企業会計基準委員会。以下「過年度遡及会計基準」という）および企業会計基準適用指針第24号「会計上の変更及び誤謬の訂正に関する会計基準の適用指針」（企業会計基準委員会。以下「過年度遡及適用指針」という）が公表されている。

　同会計基準等は，2020年3月31日に改正され，企業会計基準第24号「会計方針の開示，会計上の変更及び誤謬の訂正に関する会計基準」（企業会計基準委員会）および企業会計基準適用指針第24号「会計方針の開示，会計上の変更及び誤謬の訂正に関する会計基準の適用指針」（企業会計基準委員会）となっている。

　過年度遡及会計基準は，会計上の見積りの変更に関して規定するとともに（「過年度遡及会計基準」17項），引当額の過不足が計上時の見積り誤りに起因する場合には，過去の誤謬に該当するため，修正再表示を行うこととなるとしている（「過年度遡及会計基準」55項）。

　一方，過去の財務諸表作成時において入手可能な情報に基づき最善の見積りを行った場合には，当期中における状況の変化により会計上の見積りの変更を行ったときの差額，または実績が確定したときの見積金額との差額は，その変更のあった期，または実績が確定した期に，その性質により，営業損益または営業外損益として認識することとなる（「過年度遡及会計基準」55項）。

　このため，従来，「企業会計原則」注解12において，前期損益修正項目として取り扱われていた事項は，過年度遡及会計基準においては，過去の誤謬あるいは当期中の状況変化による会計上の見積りの変更または実績の確定として取り扱われるので，同会計基準適用後は，前期損益修正項目として取り扱うことはできないこととなる。従来，財務諸表等規則95条の2および95条の3では，前期損益修正益および前期損益修正損の名称が規定されていたが，これらの名称は削除されており，また，財務諸表等規則ガイドライン95の2.1に規定されていた前期損益修正益および前期損益修正損を示す科目について

も削除されている。

したがって，会社計算規則3条に基づいて，過年度遡及会計基準が適用される会社については，会社法の計算書類において，前期損益修正益または前期損益修正損の表示は認められないこととなる。

(5) 包括利益について

平成22年6月30日，企業会計基準委員会は，企業会計基準第25号「包括利益の表示に関する会計基準」（企業会計基準委員会。以下「包括利益会計基準」という）を公表しており，原則として，平成23年3月31日以後終了する連結会計年度の年度末に係る連結財務諸表から適用されている。

同会計基準の公表に対応して，会社法の計算書類および連結計算書類における包括利益の表示に関する取扱いが検討され，平成22年9月30日付で，「会社計算規則の一部を改正する省令」（平成22年法務省令第33号）が公布され，従来の会社計算規則95条の包括利益に関する規定が削除されている。

改正にあたり，法務省は「『会社計算規則の一部を改正する省令案』に関する意見募集の結果について」（以下「法務省の考え方」という）を公表し，また，法務省の担当官の解説（新井吐夢「会社計算規則の一部を改正する省令の解説—平成22年法務省令第33号」商事法務1911号（2010）22～26頁）があるので，改正内容を理解するうえで参考になる。

改正の理由について，「法務省の考え方」では，従来の会社計算規則95条は，当期純損益表示部分および包括利益表示部分が概念上の「損益計算書」を構成しうることを前提としているが，包括利益会計基準に関する，当期純損益表示部分のみが「損益計算書」であるとの整理とは必ずしも整合しているとはいえず，同条を削除しなければ実務上の混乱を招くおそれがあるからと述べている。

このため，現段階では，連結計算書類において，包括利益計算書の表示に関する根拠規定は設けられていない。ただし，会社が，任意に，参考資料として連結包括利益計算書を作成し，開示することまでは禁止されていない（連

結計算書類に係る第Ⅳ章第1節第2の「(4) 包括利益について」を参照)。

　また，連結計算書類として連結包括利益計算書の作成を義務付けるかどうかについては，包括利益に関する情報の株主・債権者にとっての有用性の程度等が明らかとなった将来において，単体の計算書類として，包括利益計算書の作成を義務付けるかどうかとあわせて検討することが適切であると考えられている(新井吐夢・前掲23頁)。

　包括利益会計基準の個別財務諸表への適用については，平成22年6月30日に同会計基準が公表された際には，公表から1年後を目途に判断するとされていた(「包括利益会計基準」39項)。その後，包括利益会計基準は，平成24年6月29日に改正され，「本会計基準は，当面の間，個別財務諸表には適用しないこととする。」とされた(「包括利益会計基準」16-2項)。

　ただし，会社が任意に，参考資料として単体の包括利益計算書を作成することまでは禁止されないと考えられる。

(6) 過年度遡及会計基準

　平成21年12月4日に，企業会計基準委員会から，過年度遡及会計基準および過年度遡及適用指針が公表されている。同会計基準は，平成23年4月1日以後開始する事業年度の期首以後に行われる会計上の変更及び過去の誤謬の訂正から適用されている(「過年度遡及会計基準」23項)。

　前述のとおり，同会計基準等は，2020年3月31日に改正され，企業会計基準第24号「会計方針の開示，会計上の変更及び誤謬の訂正に関する会計基準」(企業会計基準委員会)および企業会計基準適用指針第24号「会計方針の開示，会計上の変更及び誤謬の訂正に関する会計基準の適用指針」(企業会計基準委員会)となっている。

　平成21年12月4日の過年度遡及会計基準の公表に対応して，平成23年3月31日に，「会社計算規則の一部を改正する省令」(平成23年法務省令第6号)が公布され，同日，施行されている。

　会社法では，当期の計算書類の開示のみを要求している，いわゆる単年度

開示の制度であるので（髙木弘明＝新井吐夢「過年度遡及処理に関する会社計算規則の一部を改正する省令の解説——平成23年法務省令第6号」商事法務1930号（2011）5頁），過年度遡及会計基準に対応した会社計算規則の規律も，いわゆる単年度開示をベースにしたものとなっている。

一方，有価証券報告書における財務諸表の開示は，比較情報の概念を導入し，前事業年度の財務諸表と当事業年度の財務諸表が並列して開示される制度であるので，遡及適用による累積的影響額を表示する最も古い期間は，前期となることから，遡及適用による累積的影響額は，前期の期首の資産，負債および純資産の額に反映することとなる。

したがって，会社計算規則の前提とする遡及適用と，財務諸表等規則および連結財務諸表規則の前提とする遡及適用では，累積的影響額を反映させる時点が異なっていることになる（髙木弘明＝新井吐夢・前掲5頁）。

なお，会社が当期の計算書類に加えて，参考情報として前期の計算書類に係る事項を開示する場合であっても（計算規則133条3項），開示された前期の計算書類に係る事項は当期の計算書類を構成するものではないので，当期の監査対象となることはないと考えられている（髙木弘明＝新井吐夢・前掲5頁）。

また，改正前の会社計算規則126条3項において，会計方針の変更等の正当な理由により過年度の計算書類を遡及的に修正することを前提として，過年度事項に関する規定があったが，改正により，削除されている。

この理由について，法務省の「『会社計算規則の一部を改正する省令案』に関する意見募集の結果について」では，「第126条第3項に関し，新会社計算規則第96条第7項第1号により株主資本等変動計算書等に当期首残高に対する遡及適用又は誤謬の訂正による影響額が表示されることとなり，これが監査対象となることから，第126条第3項を設ける意義は乏しく，無用の誤解を避けるために同項を削除すべきであるとの意見」を受けたものであると述べられている。

(7) 旧商法における損益計算書との違い

① 部による区分

　旧商法の下での損益計算書は，経常損益の部，特別損益の部といった部に区分した表示が要求されていた。会社法の下での損益計算書では，このような部に区分した表示は要求されていない。

② 当期未処分利益の計算区分

　旧商法の下での損益計算書の末尾には，当期純損益の下に当期未処分利益（当期未処理損失）を計算する区分が設けられていた。例えば，当期純損益の下に前期繰越利益，中間配当額，中間配当に伴う利益準備金積立額等が加減され，損益計算書の末尾は当期未処分利益（当期未処理損失）となっていた。会社法の下では，損益計算書における当期未処分利益の計算区分は廃止され，損益計算書の末尾は当期純損益となり，かわりに株主資本等変動計算書を新たに作成することとなった。

③ 売上総利益の表示

　旧商法の下での損益計算書は，売上高から売上原価を控除して売上総損益を表示することは要求されていなかった。会社法の下での損益計算書では，売上高から売上原価を控除して売上総損益を表示することが必要となった。

第3 株主資本等変動計算書

経団連モデル

第3 株主資本等変動計算書

[記載例]

株主資本等変動計算書
（自〇年〇月〇日　至〇年〇月〇日）

（単位：百万円）

	株主資本									
		資本剰余金			利益剰余金					
	資本金	資本準備金	その他資本剰余金	資本剰余金合計	利益準備金	その他利益剰余金		利益剰余金合計	自己株式	株主資本合計
						〇〇積立金	繰越利益剰余金			
〇年〇月〇日残高	×××	×××	×××	×××	×××	×××	×××	×××	△×××	×××
事業年度中の変動額										
新株の発行	×××	×××		×××						×××
剰余金の配当					×××		△×××	△×××		△×××
当期純利益							×××	×××		×××
自己株式の処分									×××	×××
〇〇〇〇〇										
株主資本以外の項目の事業年度中の変動額（純額）										
事業年度中の変動額合計	×××	×××	―	×××	×××	―	×××	×××	×××	×××
〇年〇月〇日残高	×××	×××	×××	×××	×××	×××	×××	×××	△×××	×××

	評価・換算差額等				株式引受権	新株予約権	純資産合計
	その他有価証券評価差額金	繰延ヘッジ損益	土地再評価差額金	評価・換算差額等合計			
〇年〇月〇日残高	×××	×××	×××	×××	×××	×××	×××
事業年度中の変動額							
新株の発行							×××
剰余金の配当							△×××

当期純利益							×××
自己株式の処分							×××
○○○○○							
株主資本以外の項目の事業年度中の変動額（純額）	×××	×××	×××	×××	×××	×××	×××
事業年度中の変動額合計	×××	×××	×××	×××	×××	×××	×××
○年○月○日残高	×××	×××	×××	×××	×××	×××	×××

（記載上の注意）
(1) 株主資本等変動計算書の表示区分は，貸借対照表の純資産の部における各項目との整合性に留意する。
(2) 記載例中の「○年○月○日残高」を「当期首残高」または「当期末残高」，「事業年度中の変動額」を「当期変動額」と記載することもできる。
(3) 会社法上，株主資本等変動計算書の様式は規定されておらず，縦並び形式で作成することも考えられる。
(4)「当期首残高」の記載に際して，遡及適用，誤謬の訂正または当該事業年度の前事業年度における企業結合に係る暫定的な会計処理の確定をした場合には，下記の記載例のように，当期首残高及びこれに対する影響額を記載する。

　　下記の記載例では，遡及適用をした場合に対応して，「会計方針の変更による累積的影響額」及び「遡及処理後当期首残高」を用いているが，会計基準等における特定の経過的な取扱いにより，会計方針の変更による影響額を適用初年度の期首残高に加減することが定められている場合や，企業会計基準第21号「企業結合に関する会計基準」等に従って企業結合に係る暫定的な会計処理の確定が企業結合年度の翌年度に行われ，企業結合年度の翌年度のみの表示が行われる場合には，下記の記載例に準じて，期首残高に対する影響額を区分表示するとともに，当該影響額の反映後の期首残高を記載する。

　　例えば，会計基準等において，会計方針の変更による影響額を適用初年度の期首残高に加減することが定められている場合には，「遡及処理後当期首残高」を「会計方針の変更を反映した当期首残高」と記載することも考えられる。

[記載例]

株主資本等変動計算書
（自○年○月○日　至○年○月○日）

(単位：百万円)

	株主資本									
		資本剰余金			利益剰余金					
	資本金	資本準備金	その他資本剰余金	資本剰余金合計	利益準備金	その他利益剰余金		利益剰余金合計	自己株式	株主資本合計
						○○積立金	繰越利益剰余金			
○年○月○日残高	×××	×××	×××	×××	×××	×××	×××	×××	△×××	×××
会計方針の変更による累積的影響額							×××	×××		×××
遡及処理後当期首残高	×××	×××	×××	×××	×××	×××	×××	×××	△×××	×××
事業年度中の変動額										
新株の発行	×××	×××		×××						×××
剰余金の配当							△×××	△×××		△×××
当期純利益							×××	×××		×××
自己株式の処分									×××	×××
○○○○○										
株主資本以外の項目の事業年度中の変動額（純額）										
事業年度中の変動額合計	×××	×××	—	×××	×××	—	×××	×××		×××
○年○月○日残高	×××	×××	×××	×××	×××	×××	×××	×××		×××

	評価・換算差額等				株式引受権	新株予約権	純資産合計
	その他有価証券評価差額金	繰延ヘッジ損益	土地再評価差額金	評価・換算差額等合計			
○年○月○日残高	×××	×××	×××	×××	×××	×××	×××
会計方針の変更による累積的影響額							×××
遡及処理後当期首残高	×××	×××	×××	×××	×××	×××	×××
事業年度中の変動額							
新株の発行							×××
剰余金の配当							△×××
当期純利益							×××
自己株式の処分							×××
○○○○○							
株主資本以外の項目の事業年度中の変動額（純額）	×××	×××	×××	×××	×××	×××	×××
事業年度中の変動額合計	×××	×××	×××	×××	×××	×××	×××
○年○月○日残高	×××	×××	×××	×××	×××	×××	×××

(1) 概　要

　会社法の下では，株主資本等変動計算書を作成する。

　株主資本等変動計算書は，貸借対照表の純資産の部の一会計期間における変動額のうち，主として，株主に帰属する部分である株主資本の各項目の変動事由を報告するために作成するものである。

　旧商法下で作成していた利益処分案，損失処理案については，会社法の下では廃止された。

　また，旧商法の下では，損益計算書の末尾で当期未処分利益（当期未処理損失）の計算が行われていたが，株主資本等変動計算書を作成することに伴い，損益計算書においては当期未処分利益（当期未処理損失）は算出しなくなった。

(2) 株主資本等変動計算書の様式

　企業会計基準適用指針第9号「株主資本等変動計算書に関する会計基準の適用指針」(企業会計基準委員会)では，純資産の各項目を横に並べる様式と純資産の各項目を縦に並べる様式の2つの様式が示されている。

　会社計算規則では，株主資本等変動計算書の様式については特段の規定を置いていないため，純資産の各項目を横に並べる様式も縦に並べる様式も可能である。XBRL導入後の有価証券報告書に含まれる株主資本等変動計算書については，縦に並べる様式であった。平成25年8月21日，金融庁は「財務諸表等の用語，様式及び作成方法に関する規則等の一部を改正する内閣府令」(平成25年内閣府令第52号)を公表し，株主資本等変動計算書等について，純資産の各項目を縦に並べる様式から横に並べる様式に変更している。

　経団連モデルでは，従来から，純資産の各項目を横に並べる場合の記載例のみを示している。

　なお，経団連モデルでは，当期首残高の記載について，「○年○月○日残高」という記載例を示している。具体的な年月日を記載する場合，例えば，2022年3月決算会社であれば，当期首残高の欄は「2021年4月1日残高」と

記載することになる。

(3) 株主資本等変動計算書の項目区分

　株主資本等変動計算書は株主資本，評価・換算差額等，株式引受権，新株予約権に区分する必要がある（計算規則96条2項1号）。

　株主資本については資本金，新株式申込証拠金，資本剰余金，利益剰余金，自己株式，自己株式申込証拠金に区分し，資本剰余金は資本準備金，その他資本剰余金に区分し，利益剰余金は利益準備金，その他利益剰余金に区分する必要がある（計算規則96条3項1号・4項）。その他資本剰余金，その他利益剰余金については適当な項目に細分することができる（同条4項本文後段）。

　評価・換算差額等についてはその他有価証券評価差額金，繰延ヘッジ損益，土地再評価差額金その他適当な名称を付した項目に細分することができる（計算規則96条5項）。

　株式引受権については，「第1　貸借対照表　(6) 純資産の部の区分」で述べたとおりである。

区分すべき項目	項目区分にかかる取扱い	変動・残高にかかる取扱い
株主資本		
資本金		当期首残高，当期変動額，当期末残高を記載する。当期変動額については，変動事由ごとに当期変動額および変動事由を記載する。遡及適用，誤謬の訂正または当該事業年度の前事業年度における企業結合に係る暫定的な会計処理の確定をした場合には，当期首残高およびこれに対する影響額を記載する。
新株式申込証拠金		

資本剰余金		同上
資本準備金		
その他資本剰余金	適当な項目に細分できる	
利益剰余金		同上
利益準備金		
その他利益剰余金	適当な項目に細分できる	
自己株式		同上
自己株式申込証拠金		
評価・換算差額等	その他有価証券評価差額金，繰延ヘッジ損益，土地再評価差額金その他適当な項目に細分できる。	当期首残高，当期末残高，その差額（当期変動額）を記載する。主要な当期変動額について，その変動事由を記載することができる。遡及適用，誤謬の訂正または当該事業年度の前事業年度における企業結合に係る暫定的な会計処理の確定をした場合には，当期首残高およびこれに対する影響額を記載する。
株式引受権		同上
新株予約権	自己新株予約権を控除項目として区分できる。	同上

　会社計算規則において，貸借対照表では，評価・換算差額等はその他有価証券評価差額金，繰延ヘッジ損益，土地再評価差額金その他適当な名称を付した項目に細分することが要求されているのに対して，株主資本等変動計算書では，評価・換算差額等をその他有価証券評価差額金，繰延ヘッジ損益，土地再評価差額金その他適当な名称を付した項目に細分できるとしている点で，貸借対照表と株主資本等変動計算書では取扱いを異にしている。

　株主資本等変動計算書の表示区分について，企業会計基準第6号「株主資本等変動計算書に関する会計基準」（企業会計基準委員会。以下「株主資本等変動計

算書会計基準」という）では，株主資本等変動計算書の表示区分は，純資産表示会計基準に定める貸借対照表の表示区分に従うことと定めている（「株主資本等変動計算書会計基準」4項）。

　株主資本等変動計算書の表示区分について，会社計算規則では，その他資本剰余金，その他利益剰余金については「適当な名称を付した項目に細分することができる」と規定し，また評価・換算差額等についてはその他有価証券評価差額金，繰延ヘッジ損益，土地再評価差額金，「その他適当な名称を付した項目に細分することができる」と規定しているが，会社計算規則3条の会計慣行の斟酌規定を踏まえ，株主資本等変動計算書の表示区分に関して，株主資本等変動計算書会計基準の定めを斟酌することが適当と考えられる。したがって，株主資本等変動計算書の表示区分については，貸借対照表の純資産の部の表示区分と整合させることが適当と考えられる。

(4) 遡及適用または誤謬の訂正による期首残高の記載

① 過年度遡及会計基準の適用

　過年度遡及会計基準の適用により，会計方針の変更を行う場合には，新たな会計方針を遡及適用し，表示期間（当期の財務諸表およびこれに併せて過去の財務諸表が表示されている場合の，その表示期間）より前の期間に関する遡及適用による累積的影響額は，表示する財務諸表のうち，最も古い期間の期首の資産，負債および純資産の額に反映し，また，表示する過去の各期間の財務諸表には，当該各期間の影響額を反映するように規定されている（「過年度遡及会計基準」7項）。

　過去の誤謬が発見された場合には，表示期間より前の期間に関する修正再表示による累積的影響額は，表示する財務諸表のうち，最も古い期間の期首の資産，負債および純資産の額に反映し，また，表示する過去の各期間の財務諸表には，当該各期間の影響額を反映するように規定されている（「過年度遡及会計基準」21項）。

② 会社法の計算書類の開示

会社法では，当期の計算書類の開示のみを要求している，いわゆる単年度開示の制度であるので（髙木弘明＝新井吐夢・前掲5頁），遡及適用または修正再表示による累積的影響額を表示する最も古い期間は，当期となることから，遡及適用または修正再表示による累積的影響額は，当期の期首の資産，負債および純資産の額に反映することとなる。

このため，「会計方針の変更に関する注記」では，遡及適用をした場合には，当該事業年度の期首における純資産額に対する影響額を注記することとし（計算規則102条の2第1項3号），また，「誤謬の訂正に関する注記」では，当該事業年度の期首における純資産額に対する影響額を注記することとしている（計算規則102条の5第2号）。

株主資本等変動計算書については，旧会社計算規則96条7項1号では「前期末残高」と規定されていたが，過年度遡及会計基準に対応して，「当期首残高」へと改正し，遡及適用または誤謬の訂正をした場合には，当期首残高およびこれに対する影響額を明らかにするように規定している。

会社によっては，当期の計算書類に加えて参考として前期の計算書類に係る事項を開示する場合であっても（計算規則133条3項），開示された前期の計算書類に係る事項は当期の計算書類を構成するものではないので，当期の監査対象となることはないと考えられている（髙木弘明＝新井吐夢・前掲5頁）。

なお，過年度遡及会計基準以外の会計慣行が遡及処理（遡及適用または誤謬の訂正）を要求していない等の理由により，遡及処理していない場合は，当期首残高に対する影響額を明らかにする必要はないし，そもそも前期末残高と当期首残高の数値は一致するはずであると考えられている（髙木弘明＝新井吐夢・前掲6頁）。

③ 経団連モデルでの取扱い

経団連モデルでは，会計方針の変更による累積的影響額を当期の株主資本等変動計算書に記載する際に，「当期首残高（○年○月○日残高）」，「会計方

針の変更による累積的影響額」および「遡及処理後当期首残高」の3つに分けて表示している。

　会社計算規則上，遡及適用または誤謬の訂正をした場合には，当期首残高およびこれに対する影響額を明らかにすると規定しているが，条文上，遡及適用および誤謬の訂正後の当期首残高の記載を必ずしも要求しているわけではない。

　しかしながら，過年度遡及適用指針の設例では，これらを明示的に分けて例を示しており，財務諸表等規則様式第7号（株主資本等変動計算書）記載上の注意6では「遡及適用及び修正再表示（以下「遡及適用等」という。）を行った場合には，前事業年度の期首残高に対する累積的影響額及び遡及適用等の後の期首残高を区分表示すること。」と規定し，連結財務諸表規則様式第6号記載上の注意5も同様の規定を設けている。

　このため，経団連モデルでは，「当期首残高（○年○月○日残高）」，「会計方針の変更による累積的影響額」および「遡及処理後当期首残高」の3つに分けてこれらの金額を表示する記載例を示している。

④　会計基準等において遡及適用に関する経過措置が規定されている場合の開示

　例えば，企業会計基準第26号「退職給付に関する会計基準」37項は，その適用に際して，同会計基準34項および35項に従って「退職給付に関する会計基準」を適用するにあたり，過去の期間の財務諸表に対しては遡及処理しないと規定している。

　そして，「退職給付に関する会計基準」の適用に伴って生じる会計方針の変更の影響額については，同会計基準34項の適用に伴うものは純資産の部における退職給付に係る調整累計額（その他の包括利益累計額）に，同会計基準35項の適用に伴うものは期首の利益剰余金に加減すると規定している。

このように，新たな会計基準が設定され，過去の期間の財務諸表に対して遡及処理しないと規定されている場合，株主資本等変動計算書において，どの

ように記載するのかの論点がある。

このような場合について、財務諸表等規則様式第7号（株主資本等変動計算書）記載上の注意7では、「会計基準等に規定されている遡及適用に関する経過措置において、会計方針の変更による影響額を適用初年度の期首残高に加減することが定められている場合には、当事業年度の期首残高に対する影響額及び当該影響額の反映後の期首残高を区分表示すること。」と規定されている。

会社計算規則では、上記のケースに係る具体的な規定は設けられていないものの、遡及適用に関する規定（計算規則96条7項1号）を参考にし、また、実務上、有価証券報告書における株主資本等変動計算書と平仄をあわせて記載が行われることを考えると、財務諸表等規則様式第7号の記載上の注意と同様の取扱いとすることが考えられる。

そこで、経団連モデルでは、次のように記載上の注意において取扱いを示している。

経団連モデル

（記載上の注意）

(4) 「当期首残高」の記載に際して、遡及適用、誤謬の訂正または当該事業年度の前事業年度における企業結合に係る暫定的な会計処理の確定をした場合には、下記の記載例のように、当期首残高及びこれに対する影響額を記載する。

　下記の記載例では、遡及適用をした場合に対応して、「会計方針の変更による累積的影響額」及び「遡及処理後当期首残高」を用いているが、会計基準等における特定の経過的な取扱いにより、会計方針の変更による影響額を適用初年度の期首残高に加減することが定められている場合や、企業会計基準第21号「企業結合に関する会計基準」等に従って企業結合に係る暫定的な会計処理の確定が企業結合年度の翌年度に行われ、企業結合年度の翌年度のみの表示が行われる場合には、下記の記載例に準じて、期首残高に対する影響額を区分表示するとともに、当該影響額の反映後の期首残高を記載する。

> 例えば，会計基準等において，会計方針の変更による影響額を適用初年度の期首残高に加減することが定められている場合には，「遡及処理後当期首残高」を「会計方針の変更を反映した当期首残高」と記載することも考えられる。

⑤ 有価証券報告書の財務諸表の開示

　会社法では，当期の計算書類の開示のみを要求している，いわゆる単年度開示の制度であるが，有価証券報告書における財務諸表の開示は，比較情報の概念を導入し，前事業年度の財務諸表と当事業年度の財務諸表が並列して開示される制度である。

　このため，遡及適用による累積的影響額を表示する最も古い期間は，前期となることから，遡及適用による累積的影響額は，前期の期首の資産，負債および純資産の額に反映することとなる。

　つまり，会社計算規則の前提とする遡及適用と，財務諸表等規則および連結財務諸表規則の前提とする遡及適用では，累積的影響額を反映させる時点が異なっていることになる（髙木弘明＝新井吐夢・前掲5頁）。

(5) 変動事由の記載

　会社計算規則において，株主資本等変動計算書では，株主資本の項目については変動事由ごとに当期変動額および変動事由の記載が要求されているのに対して，株主資本以外の項目については当期変動額について，その主要なものを変動事由とともに明らかにすることを妨げないとするにとどまっており，株主資本の項目と株主資本以外の項目では異なる取扱いとなっている。このことは，財務諸表等規則と同様の取扱いとなっている。

　株主資本および株主資本以外の各項目の変動事由としては，例えば，下記の内容が考えられる。

区分	区分変動事由
株主資本の各項目	・当期純利益，当期純損失 ・新株の発行，自己株式の処分 ・剰余金（その他資本剰余金，その他利益剰余金）の配当 ・自己株式の取得 ・自己株式の消却 ・企業結合による増加，分割型の会社分割による減少 ・株主資本の計数の変動 　・資本金から準備金・剰余金への振替 　・準備金から資本金・剰余金への振替 　・剰余金から資本金・準備金への振替 　・剰余金の内訳科目間の振替
株主資本以外の各項目	①評価・換算差額等 ・その他有価証券評価差額金 　・その他有価証券の売却または減損処理による増減 　・純資産の部に直接計上されたその他有価証券評価差額金の増減 ・繰延ヘッジ損益 　・ヘッジ対象の損益認識またはヘッジ会計の終了による増減 　・純資産の部に直接計上された繰延ヘッジ損益の増減 ②株式引受権 ③新株予約権 　・新株予約権の発行，取得，行使，失効 　・自己新株予約権の消却，処分

　上記の「変動事由」は内容の例示であり，株主資本等変動計算書を作成するにあたっては，適宜内容を適切に表す項目で記載することになる。例えば，上表中に示した「新株の発行」を「増資による新株の発行」「ストック・オプションの行使による新株の発行」等の項目で記載することも可能である。

　株主資本以外の各項目の当期変動額は純額で表示するが，主な変動事由およびその金額を表示することができる。当該表示は，変動事由または金額の

重要性等を勘案し，事業年度ごと，項目ごとに選択できる。

なお，経団連モデルの記載例では，「○年○月○日残高」「事業年度中の変動額」の表現を用いているが，これは会社法での株主資本等変動計算書と旧財務諸表等規則に従った株主資本等変動計算書で特段用語を区別する意義が乏しいため，整合性を考慮したものである。記載例中の「○年○月○日残高」を「当期首残高」または「当期末残高」，「事業年度中の変動額」を「当期変動額」と記載しても差し支えない。

(6) 税法上の諸準備金にかかる処理

税法上の諸準備金等（圧縮積立金，特別償却準備金，その他租税特別措置法上の諸準備金）について，従来は利益処分方式による積立て・取崩しが認められていたが，会社法では利益処分案が廃止されたため，これらの諸準備金等の取扱いが問題となる。

会社法では，「株主総会の決議を経ないで剰余金の項目に係る額の増加または減少をすべき場合」として，法令または定款の規定により剰余金の項目に係る額の増加または減少をすべき場合が規定されている（計算規則153条2項1号）。

会社法の下では，当期の決算手続として会計処理することとなり，貸借対照表に諸準備金等の積立て・取崩しを反映（積立て・取崩しの相手勘定は繰越利益剰余金）させ，株主資本等変動計算書に諸準備金等の積立て・取崩額が記載されることになると考えられる。

第Ⅲ章 計算書類

第2節

個別注記表

第1 通則的事項

経団連モデル

> **第4 個別注記表**
> 【通則的事項】
> 1. 「個別注記表」「連結注記表」といった表題をつける必要はない。また独立した一表とする必要はなく，脚注方式で記載できる。
> 2. 該当事項がない場合は，記載を要しない（「該当事項なし」と特に記載する必要はない。）。
> 3. 作成すべき注記表は，会計監査人設置会社かどうか，公開会社かどうか，有価証券報告書の提出義務の有無により以下のように異なる。
>
> | 注記事項 | 個別注記表 | | | | 連結注記表 |
> |---|---|---|---|---|---|
> | | 会計監査人設置会社 | | 会計監査人設置会社以外 | | |
> | | 大会社であって有価証券報告書の提出義務のある会社[*1] | 左記以外の会社 | 公開会社 | 非公開会社 | |
> | ① 継続企業の前提に関する注記 | ○ | ○ | — | — | ○ |
> | ② 重要な会計方針に係る事項に関する注記[*2,3] | ○ | ○ | ○ | ○ | ○ |
> | ③ 会計方針の変更に関する注記[*5] | ○ | ○ | ○ | ○ | ○ |
> | ④ 表示方法の変更に関する注記[*6] | ○ | ○ | ○ | ○ | ○ |
> | ④-2 会計上の見積りに関する注記[*7] | ○ | ○ | — | — | ○ |

⑤ 会計上の見積りの変更に関する注記	○	○	—	—	○
⑥ 誤謬の訂正に関する注記	○	○	○	○	○
⑦ (連結)貸借対照表に関する注記※8	○	○	○	—	○
⑧ 損益計算書に関する注記	○	○	○	—	—
⑨ (連結)株主資本等変動計算書に関する注記※9	○	○	○	○	○
⑩ 税効果会計に関する注記	○	○	○	—	—
⑪ リースにより使用する固定資産に関する注記	○	○	○	—	—
⑫ 金融商品に関する注記※10	○	○	○	—	○
⑬ 賃貸等不動産に関する注記※10	○	○	○	—	○
⑭ 持分法損益等に関する注記※11	○	—	—	—	—
⑮ 関連当事者との取引に関する注記※12	○	○	○(一部は,附属明細書へ)	—	—
⑯ 1株当たり情報に関する注記	○	○	○	—	○
⑰ 重要な後発事象に関する注記	○	○	○	—	—
⑱ 連結配当規制適用会社に関する注記	○	○	—	—	—
⑱-2 収益認識に関する注記※4	○	○	—	—	—
⑲ その他の注記	○	○	○	○	○

※1 当該会社は，連結計算書類の作成義務のある会社である（会社法第444条第3項）。

※2 連結注記表にあっては「連結計算書類の作成のための基本となる重要な事項に関する注記等」となる。

※3 企業会計基準第29号「収益認識に関する会計基準」を適用する会社については，「収益及び費用の計上基準」には，次の事項を含む（会社計算規則第101条第2項）。

①　当該会社の主要な事業における顧客との契約に基づく主な義務の内容
②　①に規定する義務に係る収益を認識する通常の時点
③　①及び②のほか，当該会社が重要な会計方針に含まれると判断したもの

※4 会社計算規則第115条の2第1項の注記（収益認識に関する注記）は，企業会計基準第29号「収益認識に関する会計基準」を適用する株式会社を対象とするものである。

　「収益認識に関する会計基準」を適用しない株式会社は「収益認識に関する注記」を要しない。通常，会計監査人設置会社以外の株式会社は，「収益認識に関する会計基準」を適用しないものと考えられるので，上表では「−」と記載している。

第Ⅲ章 計算書類

　　また，連結計算書類の作成義務のある会社（会社法第444条第3項に規定する株式会社）以外の株式会社の個別注記表の収益認識に関する注記は，同条第1項第2号（収益を理解するための基礎となる情報）の記載のみとすることができ（会社計算規則第115条の2第1項ただし書），連結計算書類の作成義務のある会社が作成する個別注記表の収益認識に関する注記は，同号の記載のみで足りる（会社計算規則第115条の2第3項）。なお，当該内容は会社計算規則第101条の規定により注記すべき事項（重要な会計方針に係る事項に関する注記）にあわせて記載する方法も考えられる。（会社計算規則第115条の2第1項，第3項）。

※5　会計監査人設置会社以外の株式会社にあっては，会社計算規則第102条の2第1項第4号に掲げる事項については，「計算書類又は連結計算書類の主な項目に対する影響額」のみの記載とすることができる（同項）。

　　個別注記表に注記すべき事項（会社計算規則第102条の2第1項第3号ならびに第4号ロ及びハに掲げる事項に限る。）が連結注記表に注記すべき事項と同一である場合において，個別注記表にその旨を注記するときでも，①会計方針の変更の内容，②会計方針の変更の理由，及び③計算書類の主な項目に対する影響額（会計方針を変更した場合に，当事業年度より前の事業年度の全部または一部について遡及適用をしなかったとき）は省略できない（会社計算規則第102条の2第2項）。

※6　個別注記表に注記すべき事項（会社計算規則第102条の3第1項第2号（表示方法の変更の理由）に掲げる事項に限る。）が連結注記表に注記すべき事項と同一である場合において，個別注記表にその旨を注記するときは，「表示方法の変更の内容」のみの記載とすることができる（会社計算規則第102条の3第2項）。

※7　個別注記表に注記すべき事項（会社計算規則第102条の3の2第1項第3号（会計上の見積りの内容に関する理解に資する情報）に掲げる事項に限る。）が連結注記表に注記すべき事項と同一である場合において，個別注記表にその旨を注記するときは，次の①及び②について記載する（会社計算規則第102条の3の2第2項）。

① 　会計上の見積りにより当該事業年度に係る計算書類にその額を計上した項目であって，翌事業年度に係る計算書類に重要な影響を及ぼす可能性があるもの

② 　当該事業年度に係る計算書類の①の項目に計上した額

※8　連結注記表では，関係会社に対する金銭債権又は金銭債務の注記，取締役，監査役及び執行役との間の取引による取締役，監査役及び執行役に対する金銭債権又は金銭債務の注記，親会社株式の各表示区分別の金額の注記は記載しない（会社計算規則第103条第6号から第9号）。

※9　個別注記表には次の事項を記載する。ただし，連結注記表を作成する株式会社は，②以外の事項は，省略することができる。
　①　当該事業年度の末日における発行済株式の数（株式の種類ごと）
　②　当該事業年度の末日における自己株式の数（株式の種類ごと）
　③　当該事業年度中に行った剰余金の配当（当該事業年度の末日後に行う剰余金の配当のうち，剰余金の配当を受ける者を定めるための基準日が当該事業年度中のものを含む。）に関する次に掲げる事項その他の事項
　　イ　金銭配当の場合におけるその総額
　　ロ　金銭以外の配当の場合，配当した財産の帳簿価額の総額（当該剰余金の配当をした日において時価を付した場合，当該時価を付した後の帳簿価額）
　④　当該事業年度の末日における株式引受権に係る当該株式会社の株式の数（株式の種類ごと）
　⑤　当該事業年度の末日における当該株式会社が発行している新株予約権（行使期間の初日が到来していないものを除く。）の目的となる株式の数（株式の種類ごと）

※10　連結注記表を作成する株式会社は，個別注記表における注記を要しない（会社計算規則第109条第2項・第110条第2項）。

※11　連結計算書類を作成する株式会社は，個別注記表における注記を要しない（会社計算規則第111条第2項）。

※12　公開会社であっても，会計監査人設置会社以外の会社では，下の事項を省略することができる。その場合には省略した事項について，附属明細書に記載する（会社計算規則第112条第1項ただし書・第117条第4号）。
　①　取引の内容
　②　取引の種類別の取引金額
　③　取引条件及び取引条件の決定方針

> ④ 取引条件の変更があったときは，その旨，変更の内容及び当該変更が計算書類に与えている影響の内容
> 4. 貸借対照表，損益計算書または株主資本等変動計算書の特定の項目に関連する注記については，その関連を明らかにしなければならない。

(1) 概　要

　会社計算規則では，計算書類の1つとして注記表を規定している（計算規則59条1項・61条1号ニ・97条）。注記表には，計算書類に係る個別注記表と連結計算書類に係る連結注記表がある。

　旧商法施行規則では，貸借対照表に係る注記，損益計算書に係る注記として規定されていた（旧商法施行規則56条2項ほか）。

　会社計算規則では，継続企業の前提に関する注記など，貸借対照表または損益計算書に必ずしも直接に関連しない事項を含めて，注記表としてまとめて規定している（計算規則97条・98条）。

　作成すべき注記表は，会計監査人設置会社かどうか，公開会社かどうか，有価証券報告書の提出義務の有無により異なっている。経団連モデルの通則的事項3は，会社の機関設計などに応じて，実際に作成すべき注記表を一覧にまとめたものである。

(2) 注記表の名称

　前述のように会社計算規則は，注記表を，計算書類を構成するものとして規定している。

　そのため，計算書類を作成する場合に，貸借対照表，損益計算書と同様に，注記表を1つの書面として作成するのかどうかの論点がある。

　通常，計算書類（財務諸表）に係る注記は，計算書類本体と一体をなす事項と考えられており，それぞれが独立しているわけではない。

　会社計算規則は，計算関係書類（各事業年度に係る計算書類の附属明細書を除く）の作成については，貸借対照表，損益計算書その他計算関係書類を構

成するものごとに，一の書面その他の資料として作成をしなければならないものと解してはならないと規定し（計算規則57条3項），注記表について，独立の表形式で作成することを要求しているわけではないことを明確にしている。

したがって，従来どおり，注記を，貸借対照表または損益計算書に係る注記として記載することも可能であり，また，注記表（個別注記表または連結注記表）と表題を付して，独立の表形式で作成することも認められるものと考えられる。

経団連モデルでは，独立した一表（「個別注記表」「連結注記表」といった表題をつける方法）として作成せずに，脚注方式で記載する場合を示している。

(3) 会計監査人の監査報告書と注記表

「監査報告書の文例」（監査・保証実務委員会実務指針第85号）では，会社法監査の監査報告書の「文例11 計算書類」において，「（略）第×期事業年度の計算書類，すなわち，貸借対照表，損益計算書，株主資本等変動計算書及び個別注記表（注5）並びにその附属明細書（以下「計算書類等」という。）について監査を行った。」と記載文例を示している。

個別注記表には「注5」が付されており，会社計算規則57条3項の規定に基づき，個別注記表と題する計算関係書類を作成していない場合には，「貸借対照表，損益計算書，株主資本等変動計算書及び個別注記表並びにその附属明細書」を「貸借対照表，損益計算書，株主資本等変動計算書，重要な会計方針及びその他の注記並びにその附属明細書」とすると規定し，「個別注記表」を指定しないこととされている。

したがって，注記表を独立の表形式で作成した場合と，従来どおり，注記を，貸借対照表または損益計算書に係る注記として記載した場合では，会計監査人の監査報告書の記載内容が変わってくることになる。

「個別注記表」と表題を記載した一の書面として作成する場合は，計算書類の一書類としての位置付けとして監査対象となり，従来どおりに注記する場合は，貸借対照表または損益計算書などの計算書類本体と一体をなす部分と

いう取扱いとして監査対象となるものと考えられる。

(4) 注記が要求される項目

会社計算規則は,継続企業の前提に関する注記,重要な会計方針に係る事項に関する注記などについて,各項目に区分して表示しなければならないと規定している(計算規則98条1項)。

当該注記表の規定は,会社法および会社計算規則が要求する注記すべき内容を規定したものであり,法令として注記を要求する最低限の項目を列挙したものと考えられる。

そのため,会社計算規則に注記を要求する特段の規定がない事項であったとしても,株主などへの情報提供として,注記することは妨げられないと考えられる(計算規則98条1項19号・116条)。

(5) 該当事項のない場合の取扱い

会社計算規則において注記が要求されている事項であっても,会社によっては,注記対象となる事象または取引そのものがないことがある。

注記対象自体がないので,注記のしようがないことから,経団連モデルでも,「該当事項がない場合は,記載を要しない」としている(経団連モデルの通則的事項2)。

この場合,会社計算規則の規定する表題を記載し,「該当事項なし」と特に記載する必要もないと考えられる。

例えば,継続企業の前提に重要な疑義を生じさせるような事象または状況が存在しない場合には(計算規則100条),「継続企業の前提に関する注記」と表題を付し,「該当事項はない」と記載する必要はないと考えられる。同様に,重要な後発事象が発生していない場合には(計算規則114条),「重要な後発事象に関する注記」と表題を付し,「該当事項はない」と記載する必要はないと考えられる。

(6) 注記表の記載順序

前述のとおり，注記表は，会社法および会社計算規則が要求する注記すべき内容を規定したものであると考えられる。

つまり，会社計算規則98条以下は，注記すべき内容を示した規定であり，特に会社計算規則98条1項各号の順番で，当該項目ごとに注記することまでは要求しておらず，会社計算規則98条以下でいう内容が注記されていれば差し支えないと考えられる（郡谷大輔ほか「座談会　会社法の計算実務はこうなる」企業会計58巻10号（2006）8頁〔郡谷発言〕参照）。

従来，日本公認会計士協会の『営業報告書のひな型』（会計制度委員会研究報告第10号）の「Ⅱ　一般的事項　2」では「商法施行規則では営業報告書の記載項目の順序やその集約については規定されていないため，計算書類作成会社が明瞭性の観点から適宜工夫をこらす必要がある。」とされていた。

そのため，注記表の作成に際しては，会社計算規則98条に掲げる項目をそのまま表題とする必要はなく，また，当該規定の順序どおりに記載する必要もないものと考えられる。

例えば，「貸借対照表等に関する注記」（計算規則98条1項7号）と「損益計算書に関する注記」（計算規則98条1項8号）という異なる項目を1つにまとめ，「貸借対照表等および損益計算書に関する注記」という表題を付して，内容は会社計算規則が要求するものを記載することも可能と考えられる。

「損益計算書に関する注記」（計算規則104条）は，関係会社との取引高を記載する規定である。会計基準等では，減損損失に関する注記は，損益計算書（特別損失）の注記事項とされている（企業会計基準適用指針第6号「固定資産の減損に係る会計基準の適用指針」58項）。このような場合であっても，「損益計算書に関する注記」（計算規則104条）の表題のもとに，減損損失に係る注記をその一項目として記載することは可能であると考えられる。

「収益認識に関する注記」（計算規則115条の2）は，重要な会計方針である「収益及び費用の計上基準」（計算規則101条1項4号・2項）と密接に関連する事項であるので，両者の注記をできるだけ近づけて記載することも可能と考えられる。

(7) 注記の方法

　会社計算規則は，貸借対照表等，損益計算書等または株主資本等変動計算書等の特定の項目に関連する注記については，その関連を明らかにしなければならないと規定している（計算規則99条）。

　経団連モデルの通則的事項4も，同様に「貸借対照表，損益計算書または株主資本等変動計算書の特定の項目に関連する注記については，その関連を明らかにしなければならない。」としている。

　財務諸表等規則では「この規則の規定により特定の科目に関係ある注記を記載する場合には，当該科目に記号を付記する方法その他これに類する方法によつて，当該注記との関連を明らかにしなければならない。」と規定しており（財務諸表等規則9条5項），通常，「※1」などの番号を付記して，関連を明らかにしている。

　会社計算規則99条は，旧商法施行規則46条2項から，実質的に変更されたものとは解されないので（郡谷大輔ほか・前掲座談会82頁〔郡谷発言〕参照），財務諸表等規則のように記号を付記して記載することまでは要求されないと考えられる。

第2 注記事項

(1) 継続企業の前提に関する注記

経団連モデル

> **1. 継続企業の前提に関する注記**
>
> ［記載例］
>   ……………

(記載上の注意)
　事業年度の末日において，当該株式会社が将来にわたって事業を継続するとの前提に重要な疑義を生じさせるような事象または状況が存在する場合であって，当該事象または状況を解消し，又は改善するための対応をしてもなお継続企業の前提に関する重要な不確実性が認められるとき（当該事業年度の末日後に当該重要な不確実性が認められなくなった場合を除く。）に注記する。なお，継続企業の前提に関する重要な不確実性が認められるか否かについては，総合的かつ実質的に判断を行う。この場合，次の事項の記載が必要である。
　① 当該事象又は状況が存在する旨及びその内容
　② 当該事象又は状況を解消し，又は改善するための対応策（少なくとも当該事業年度の末日の翌日から1年内に講じるもの）
　③ 当該重要な不確実性が認められる旨及びその理由
　④ 当該重要な不確実性の影響を計算書類に反映しているか否かの別

① 概要

　継続企業の前提とは，会社が将来にわたって事業を継続するという前提のことである（計算規則100条）。

　会社計算規則は，事業年度の末日において，継続企業の前提に重要な疑義を生じさせるような事象または状況が存在する場合であって，当該事象または状況を解消し，又は改善するための対応をしてもなお継続企業の前提に関

する重要な不確実性が認められるとき（当該事業年度の末日後に当該重要な不確実性が認められなくなった場合を除く）に，次の事項を注記するように規定している（計算規則100条）。

　イ．当該事象又は状況が存在する旨及びその内容
　ロ．当該事象又は状況を解消し，又は改善するための対応策
　ハ．当該重要な不確実性が認められる旨及びその理由
　ニ．当該重要な不確実性の影響を計算書類に反映しているか否かの別

② 注記する内容

　継続企業の前提に関する注記は，各会社の置かれた状況によりさまざまな内容が考えられる。そのため，経団連モデルでは，特段の記載例を示していない。各社の置かれた状況を考えて，株主などに十分に理解されるように工夫して記載することになると考えられる。

　経団連モデルでは，記載上の注意において，継続企業の前提に関する重要な不確実性が認められるか否かについては，総合的かつ実質的に判断を行うことを述べている。これは，財務諸表等規則ガイドライン8の27-3において，継続企業の前提に関する重要な不確実性が認められるか否かについては，総合的かつ実質的に判断を行うものとしていることと同様である。

　また，継続企業の前提に重要な疑義を生じさせるような事象等を解消し，または改善するための対応策については，少なくとも当該事業年度の末日の翌日から1年内に講じるものとしている。これは，財務諸表等規則ガイドライン8の27-4において，当該対応策については，少なくとも貸借対照表日の翌日から1年間に講じるものを記載することに留意するとされていることと同様である。

③ 継続企業の前提に重要な疑義を生じさせるような事象等のない場合の取扱い

　経団連モデルでは，当該株式会社が将来にわたって事業を継続するとの前

提に重要な疑義を生じさせるような事象または状況が存在する場合であって，当該事象または状況を解消し，または改善するための対応をしてもなお継続企業の前提に関する重要な不確実性が認められるとき（当該事業年度の末日後に当該重要な不確実性が認められなくなった場合を除く）に注記するとされている。

このため，継続企業の前提に重要な疑義を生じさせるような事象等がなかったり，あるいは当該事象等があったとしても，当該事象等を解消し，または改善するための対応をすることにより，継続企業の前提に関する重要な不確実性が認められなかったりするときには，継続企業の前提に関する注記は不要になる。この場合，「継続企業の前提に関する注記」と表題を付して，「該当事項なし」と特に記載する必要もないと考えられる。

継続企業の前提に関する重要な不確実性が認められず当該注記を行わないとしても，例えば，事業報告において，一定の事象や経営者の対応策等を開示し，株主などに情報提供することが適切と考えられる。

④ 財務諸表等規則

会社計算規則は，継続企業の前提に関する注記として，それほど詳細な規定を設けているわけではない。

有価証券報告書等を提出する会社（金融商品取引法の対象となる会社）では，会社法の計算書類における継続企業の前提に関する注記と，有価証券報告書の財務諸表におけるそれとで整合性を図るものと考えられる。

財務諸表等規則は，貸借対照表日において，継続企業の前提に重要な疑義を生じさせるような事象または状況が存在する場合であって，当該事象または状況を解消し，又は改善するための対応をしてもなお継続企業の前提に関する重要な不確実性が認められるときは，次に掲げる事項を注記しなければならないとしている。ただし，貸借対照表日後において，当該重要な不確実性が認められなくなった場合は注記を要しない（財務諸表等規則8条の27）。

　イ．当該事象又は状況が存在する旨及びその内容

ロ．当該事象又は状況を解消し，又は改善するための対応策
ハ．当該重要な不確実性が認められる旨及びその理由
ニ．当該重要な不確実性の影響を財務諸表に反映しているか否かの別

　財務諸表等規則ガイドラインでは，継続企業の前提に重要な疑義を生じさせるような事象または状況については，監査基準にいう継続企業の前提に重要な疑義を生じさせるような事象または状況をいうものとし，次のものが含まれることに留意するとしている。また，これらの事象または状況が複合して，継続企業の前提に重要な疑義を生じさせるような事象または状況となる場合もあることに留意するとしている（財務諸表等規則ガイドライン8の27−2）。

イ．債務超過
ロ．売上高の著しい減少
ハ．継続的な営業損失の発生
ニ．継続的な営業キャッシュ・フローのマイナス
ホ．重要な債務の不履行
ヘ．重要な債務の返済の困難性
ト．新たな資金調達が困難な状況
チ．取引先からの与信の拒絶
リ．事業活動の継続に不可欠な重要な資産の毀損または喪失もしくは権利の失効
ヌ．重要な市場または取引先の喪失
ル．巨額の損害賠償の履行
ヲ．法令等に基づく事業活動の制約

⑤　決算日後の継続企業の前提に関する注記
　会社計算規則では，決算日後における継続企業の前提に重要な疑義を生じさせるような事象または状況の発生について，特段の規定を設けていない。株式会社の会計は公正な会計慣行に従うこととされ（法431条），会社計算規則

の解釈および適用に際しては公正な会計慣行を斟酌することから（計算規則3条），財務諸表等規則と同様に取り扱うことが考えられる。

　財務諸表等規則ガイドライン8の27-5では，継続企業の前提に関する注記について，貸借対照表日後に継続企業の前提に重要な疑義を生じさせるような事象または状況が発生した場合であって，当該事象または状況を解消し，または改善するための対応をしてもなお継続企業の前提に関する重要な不確実性が認められ，翌事業年度以降の財政状態，経営成績及びキャッシュ・フローの状況に重要な影響を及ぼすときは，当該重要な不確実性の存在は財務諸表等規則8条の4に規定する重要な後発事象に該当することに留意するとされている。

(2) 重要な会計方針に係る事項に関する注記
① 全般的事項

経団連モデル

> **2. 重要な会計方針に係る事項に関する注記**
> ［記載方法の説明］
> 　重要な会計方針に係る事項に関する注記として，次の事項（重要性の乏しいものを除く。）について記載する。
> 　① 資産の評価基準及び評価方法
> 　② 固定資産の減価償却の方法
> 　③ 引当金の計上基準
> 　④ 収益及び費用の計上基準
> 　⑤ その他計算書類の作成のための基本となる重要な事項

イ．概要

　会計方針とは，計算書類または連結計算書類の作成に当たって採用する会計処理の原則及び手続をいう（計算規則2条3項62号）。

　旧会社計算規則101条1項では，計算書類作成の作成のために採用してい

る会計処理の原則及び手続ならびに表示方法その他計算書類作成のための基本となる事項と定義されていた。

過年度遡及会計基準に対応して，平成23年3月31日に公布された「会社計算規則の一部を改正する省令」(平成23年法務省令第6号) により，あらためて会計方針の定義が規定されている。

過年度遡及会計基準は，会計方針と表示方法をわけて定義しているので(「過年度遡及会計基準」4項 (1) (2))，会社計算規則においても，会計方針と表示方法をわけて定義している (計算規則2条3項62号・64号)。

会社計算規則は，会計方針として，資産の評価基準および評価方法，固定資産の減価償却の方法などを注記するとしている (計算規則101条)。

ロ．重要な会計方針

会計方針に係る注記は，重要性の乏しいものは除かれるので (計算規則101条括弧書)，記載される事項は重要な会計方針ということになる。例えば，引当金を計上している場合でも，重要性の乏しい引当金であれば，必ずしも重要な会計方針として記載する必要はないと考えられる。

2009年12月4日に公表された企業会計基準第24号「会計上の変更及び誤謬の訂正に関する会計基準」(企業会計基準委員会) および企業会計基準適用指針第24号「会計上の変更及び誤謬の訂正に関する会計基準の適用指針」(企業会計基準委員会) は，2020年3月31日に改正され，企業会計基準第24号「会計方針の開示，会計上の変更及び誤謬の訂正に関する会計基準」(企業会計基準委員会) および企業会計基準適用指針第24号「会計方針の開示，会計上の変更及び誤謬の訂正に関する会計基準の適用指針」(企業会計基準委員会) となっている。

改正後の過年度遡及会計基準 (企業会計基準第24号「会計方針の開示，会計上の変更及び誤謬の訂正に関する会計基準」(企業会計基準委員会)) 4-5項では，「企業会計原則」注解1-2を引き継ぎ (「過年度遡及会計基準」29-2項)，会計方針の例として，有価証券の評価基準および評価方法，固定資産の減価償却の方法などをあげ，

重要性の乏しいものについては、注記を省略することができると規定している。

また、会計基準等の定めが明らかであり、当該会計基準等において代替的な会計処理の原則及び手続が認められていない場合には、会計方針に関する注記を省略することができる。これは、「企業会計原則」注解1-2の定めを引き継いだものである（「過年度遡及会計基準」4-6項・44-6項）。

「企業会計原則」注解1-2では、代替的な会計基準が認められていない場合には、会計方針の注記を省略することができるとしている。

しかしながら、記載すべき会計方針は、重要な会計方針であるので、例えば、デリバティブ取引や運用目的の金銭の信託のように時価法しか認められていない会計処理であっても、それらが自社にとって重要性が高いと判断されれば、重要な会計方針として記載することになると考えられる。

ハ．財務諸表等規則における重要な会計方針

財務諸表等規則は、会計方針を財務諸表の作成に当たって採用した会計処理の原則及び手続をいうとし、会計方針については、財務諸表作成のための基礎となる事項であって、投資者その他の財務諸表の利用者の理解に資するものを注記しなければならないと規定している（財務諸表等規則8条44項・8条の2）。

従来、財務諸表等規則は、有価証券の評価基準および評価方法、固定資産の減価償却の方法などを重要な会計方針として注記することを規定していたが、2020年3月31日に改正された過年度遡及会計基準を受けて、2020年6月12日に公布された「財務諸表等の用語、様式及び作成方法に関する規則等の一部を改正する内閣府令」（内閣府令第46号）等により財務諸表等規則が改正され、これらの会計方針として注記する事項が削除されている。

もっとも、同時に改正された財務諸表等規則ガイドライン8の2において、重要な会計方針には、例えば次の事項が含まれるものとすると規定していることから、実務上は、内閣府令第46号による改正前の財務諸表等規則の取扱

いと大きくことなるものではないと考えられる。
   a. 有価証券の評価基準及び評価方法
   b. 棚卸資産の評価基準及び評価方法
   c. 固定資産の減価償却の方法
   d. 繰延資産の処理方法
   e. 外貨建の資産及び負債の本邦通貨への換算基準
   f. 引当金の計上基準
   g. 収益及び費用の計上基準
   h. ヘッジ会計の方法
   i. キャッシュ・フロー計算書における資金の範囲
   j. その他財務諸表作成のための基本となる重要な事項

　改正された財務諸表等規則ガイドライン8の2は，重要な会計方針については，投資者その他の財務諸表の利用者が財務諸表作成のための基礎となる事項を理解するために，財務諸表提出会社が採用した会計処理の原則及び手続の概要を開示することを目的とした上で，当該会社において，当該目的に照らして記載内容及び記載方法が適切かどうかを判断して記載するものとすると規定している。なお，会計基準等の定めが明らかな場合であって，当該会計基準等において代替的な会計処理の原則及び手続が認められていない場合には，注記を省略することができる。

　会社計算規則101条は，重要な会計方針に係る事項に関する注記を規定している。同規則101条は，「企業会計原則」注解1-2を踏まえて規定しているものである。このため，2020年3月31日に過年度遡及会計基準は改正されているが，同会計基準は「企業会計原則」注解1-2を引き継いでいることから（「過年度遡及会計基準」29-2項），会社計算規則101条は改正されていない（藺牟田泰隆ほか・前掲商事法務2242号9頁）。

　会社計算規則で注記を明示的に要求していない会計方針であったとしても，過年度遡及会計基準または財務諸表等規則ガイドラインなどを参考にして，

各社における重要性などを考慮し，計算書類の作成のための基本となる重要な事項かどうかを検討する必要があると考えられる。

② 資産の評価基準および評価方法
経団連モデル

2-1. 資産の評価基準及び評価方法

[記載例]
1. 資産の評価基準及び評価方法
(1) 有価証券の評価基準及び評価方法
　　売買目的有価証券……………………時価法（売却原価は移動平均法により算定）
　　満期保有目的の債券………………償却原価法（定額法）
　　子会社株式及び関連会社株式……移動平均法による原価法
　　その他有価証券
　　　市場価格のない株式等以外のもの…時価法（評価差額は全部純資産直入法により処理し，売却原価は移動平均法により算定）
　　　市場価格のない株式等………………移動平均法による原価法
(2) デリバティブの評価基準及び評価方法
　　デリバティブ………………時価法
(3) 棚卸資産の評価基準及び評価方法
　　製品，原材料，仕掛品……移動平均法による原価法（貸借対照表価額は収益性の低下による簿価切下げの方法により算定）
　　貯　蔵　品………………最終仕入原価法

イ．概要

会社計算規則は，重要な会計方針として，資産の評価基準および評価方法などを注記するとしている（計算規則101条）。ただし，具体的な注記内容までは規定していない。

そのため，公正な会計慣行を斟酌し，「企業会計原則」，過年度遡及会計基準，財務諸表等規則ガイドラインなどを参考にして，経団連モデルは，有価証券の評価基準および評価方法，デリバティブの評価基準および評価方法，棚卸資産の評価基準および評価方法を示している。

ロ．有価証券の評価基準および評価方法

財務諸表等規則ガイドラインでは，有価証券の評価方法とは，例えば，取得原価を算定するために採用した方法（例えば，移動平均法，総平均法等），その他有価証券の時価評価を行うに際しての評価差額の取扱いをいうと規定している（財務諸表等規則ガイドライン8の2.3(1)②）。

2008年3月10日に改正された企業会計基準第10号「金融商品に関する会計基準」（企業会計基準委員会。以下「金融商品会計基準」という）では，「時価を把握することが極めて困難と認められる有価証券」の用語が用いられていたが，2019年7月4日に改正された金融商品会計基準では，「市場価格のない株式等」へと改正されている（「金融商品会計基準」19項）。また，その他有価証券の期末の貸借対照表価額に期末前1か月の市場価格の平均に基づいて算定された価額を用いることができる定めの削除（金融商品会計基準50-4項）および市場価格のない株式等以外の時価を把握することが極めて困難な有価証券の定めの削除（金融商品会計基準81-2項）など，時価の定義の見直しに伴う改正も行われている。

これは，2019年7月4日に，企業会計基準第30号「時価の算定に関する会計基準」（企業会計基準委員会。以下「時価算定会計基準」という）および企業会計基準適用指針第31号「時価の算定に関する会計基準の適用指針」（企業会計基準委員会）が公表されたことに伴うものであり，主として時価の定義を見直したこ

となど時価の算定に関する事項を改正したものである（「金融商品会計基準」50-4項）。

時価算定会計基準は，「時価」とは，算定日において市場参加者間で秩序ある取引が行われると想定した場合の，当該取引における資産の売却によって受け取る価格または負債の移転のために支払う価格をいうと定義している（「時価算定会計基準」5項）。

このため，経団連モデルでは，「有価証券の評価基準及び評価方法」において，その他有価証券を「市場価格のない株式等以外のもの」と「市場価格のない株式等」に分けて規定している。

ハ．デリバティブの評価基準および評価方法

金融商品会計基準では，デリバティブについては時価法しか認められていない。

代替的な会計基準が認められていないが，デリバティブが自社にとって重要性が高いと判断される場合には，当該会計方針を注記することがあるという趣旨である。

ニ．棚卸資産の評価基準および評価方法

財務諸表等規則ガイドラインは，棚卸資産の評価基準および評価方法とは，売上原価および期末棚卸高を算定するために採用した棚卸資産の評価基準および評価方法をいい，この場合の評価方法とは，例えば，個別法，先入先出法等をいうとしている（財務諸表等規則ガイドライン8の2.3(2)）。

平成20年9月26日に改正された企業会計基準第9号「棚卸資産の評価に関する会計基準」（以下「棚卸資産会計基準」という）では，選択できる棚卸資産の評価方法として後入先出法は認められていない（「棚卸資産会計基準」6-2項・34-12項）。

改正後の棚卸資産会計基準は，平成22年4月1日以後開始する事業年度から適用し，ただし，平成22年3月31日以前に開始する事業年度から適用で

きるとされている（「棚卸資産会計基準」21-2項）。

ホ．棚卸資産の評価に関する会計基準

平成20年4月1日以後開始する事業年度から，棚卸資産会計基準が適用されている。

同会計基準は，従来の原価法と低価法の選択適用を見直して，取得原価基準のもとで，回収可能性を反映させるように，収益性の低下による簿価切下げの考え方を基礎にし（「棚卸資産会計基準」36項），従来の正味実現可能価額に代えて正味売却価額の用語を用いている。

通常の販売目的で保有する棚卸資産は，取得原価をもって貸借対照表価額とし，期末における正味売却価額が取得原価よりも下落している場合には，収益性が低下しているものとみて，正味売却価額を貸借対照表価額とするとしている（「棚卸資産会計基準」7項・36項・37項・40項）。

財務諸表等規則は，棚卸資産会計基準に合わせて，平成18年12月26日付で改正されており，「低価基準によるたな卸資産の評価減に関する記載」（改正前財務諸表等規則81条・82条）が削除され，「たな卸資産の帳簿価額の切下げに関する記載」（改正後財務諸表等規則80条）が新設されている。なお，2020（令和2）年3月6日に改正された財務諸表等規則80条では，「棚卸資産の帳簿価額の切下げに関する記載」となっている。

経団連モデルでは，棚卸資産会計基準の適用を前提に，従来の低価法の記載に代えて，移動平均法による原価法，最終仕入原価法と記載し，原価法に係る説明として，括弧書きにより「貸借対照表価額は収益性の低下による簿価切下げの方法により算定」を記載している。

③　固定資産の減価償却の方法

経団連モデル

> **2-2. 固定資産の減価償却の方法**
>
> [記載例]
> 2. 固定資産の減価償却の方法
> (1) 有形固定資産（リース資産を除く）
> 　　定率法（ただし，1998年4月1日以降に取得した建物（附属設備を除く）並びに2016年4月1日以降に取得した建物附属設備及び構築物は定額法）を採用しております。
> (2) 無形固定資産（リース資産を除く）
> 　　定額法を採用しております。
> (3) リース資産
> 　　所有権移転ファイナンス・リース取引に係るリース資産
> 　　　自己所有の固定資産に適用する減価償却方法と同一の方法を採用しております。
> 　　所有権移転外ファイナンス・リース取引に係るリース資産
> 　　　リース期間を耐用年数とし，残存価額を零とする定額法を採用しております。

（記載上の注意）
(1) 有形固定資産の各項目別の主な耐用年数についても記載することが考えられる。この場合には，以下のような記載を追加することが考えられる。

> なお，主な耐用年数は次のとおりであります。
> 　　建物　　　　　　　　○年～○年
> 　　構築物　　　　　　　○年～○年
> 　　機械装置　　　　　　○年～○年
> 　　車両運搬具　　　　　○年～○年
> 　　工具器具備品　　　　○年～○年

(2) 無形固定資産の各項目別の主な耐用年数についても記載することが考えられる。この場合には，以下のような記載を追加することが考えられる。

> なお,主な耐用年数は次のとおりであります。
> 　自社利用のソフトウェア　　○年～○年
> 　のれん　　　　　　　　　　○年～○年

(3) 所有権移転外ファイナンス・リース取引(借主側)について,リース取引開始日が企業会計基準第13号「リース取引に関する会計基準」の適用初年度開始前のリース取引で,企業会計基準適用指針第16号「リース取引に関する会計基準の適用指針」第79項に基づいて,引き続き通常の賃貸借取引に係る方法に準じた会計処理を適用する場合には,その旨及び「リース取引に係る会計基準」で必要とされていた事項を注記するとされているので,以下の記載を追加することが考えられる。

> なお,リース物件の所有権が借主に移転すると認められるもの以外のファイナンス・リース取引のうち,リース取引開始日が企業会計基準第13号「リース取引に関する会計基準」の適用初年度開始前のリース取引については,通常の賃貸借取引に係る方法に準じた会計処理によっております。

イ.概要

「企業会計原則」は,固定資産の減価償却方法として,定額法,定率法,級数法,生産高比例法を示している(「企業会計原則」注解20)。

会社計算規則は,重要な会計方針として,固定資産の減価償却の方法を注記するとしているが,具体的な内容までは規定していない(計算規則101条)。

そこで,経団連モデルでは,「企業会計原則」や公正な会計慣行を勘案して,有形固定資産について定率法を採用している場合を示している。

固定資産の減価償却の方法としては,定率法などを記載することになるが,固定資産の各項目別の主な耐用年数について合わせて記載することも考えられる。このため,記載上の注意において,耐用年数を記載する例を示している。

ロ．のれんの減価償却の方法

のれん（借方）は無形固定資産に属する資産であり，負ののれん（貸方）は固定負債に属する負債である（計算規則74条3項3号リ・75条2項2号ヘ）。

計算書類において，のれん（借方）が生じている場合には，無形固定資産の減価償却の方法として記載することが考えられる。

企業会計基準第21号「企業結合に関する会計基準」では，重要性が乏しい場合を除いて，のれん（借方）は，20年以内の効果の及ぶ期間にわたって，定額法その他の合理的な方法により規則的に償却することとされている（「企業結合に関する会計基準」32項）。

「企業結合に関する会計基準」等および負ののれんに係る記載方法は，後述の第Ⅳ章第2節第2の「(2) 連結計算書類の作成のための基本となる重要な事項に関する注記等」を参照されたい。

ハ．ファイナンス・リース取引の会計処理の概要

企業会計基準委員会から，企業会計基準第13号「リース取引に関する会計基準」（以下「リース会計基準」という）および企業会計基準適用指針第16号「リース取引に関する会計基準の適用指針」（以下「リース適用指針」という）が公表されている。

「リース会計基準」では，ファイナンス・リース取引は，リース契約上の諸条件に照らしてリース物件の所有権が借手（借主側）に移転すると認められる取引（所有権移転ファイナンス・リース取引）と，それ以外の取引（所有権移転外ファイナンス・リース取引）に分類し，いずれも通常の売買取引に係る方法に準じて会計処理を行うとしている（「リース会計基準」8項・9項）。

従来，「リース取引に係る会計基準」では，ファイナンス・リース取引は，所有権移転ファイナンス・リース取引と所有権移転外ファイナンス・リース取引に分けられ，原則として，通常の売買取引に係る方法に準じた会計処理を採用することとされており，所有権移転外ファイナンス・リース取引については，一定の注記を条件に，通常の賃貸借取引に係る方法に準じた会計処

理が認められていた。

　リース会計基準では，所有権移転外ファイナンス・リース取引に係る通常の賃貸借取引に係る方法に準じた会計処理が廃止され，前述のようにファイナンス・リース取引については，通常の売買取引に係る方法に準じた会計処理に一本化されている（「リース会計基準」9項）。

ニ．所有権移転外ファイナンス・リース取引の借手の会計処理

　所有権移転外ファイナンス・リース取引の借手においては，リース取引開始日に，通常の売買取引に係る方法に準じた会計処理により，リース物件とこれに係る債務をリース資産およびリース債務として計上する（「リース会計基準」10項）。

　リース取引開始後の各期においては，原則として，リース資産の減価償却を行うとともに，支払リース料をリース債務の元本返済と支払利息に区分計算することになる（「リース会計基準」11項，「リース適用指針」23項）。

　リース資産については，自己所有の固定資産に適用する減価償却方法と同一の方法により減価償却費を算定する必要はなく，企業の実態に応じたものを選択する（「リース会計基準」12項，「リース適用指針」28項）。そのため，例えば，自己所有の固定資産に定率法を採用している場合でも，リース資産に定額法を採用することも認められる。

　リース資産の減価償却費は，原則として，リース期間を耐用年数とし，残存価額をゼロとして算定する（「リース会計基準」12項）。

ホ．所有権移転ファイナンス・リース取引の借手の会計処理

　所有権移転ファイナンス・リース取引の借手においては，リース取引開始日に，通常の売買取引に係る方法に準じた会計処理により，リース物件とこれに係る債務をリース資産およびリース債務として計上する（「リース会計基準」10項）。

　リース取引開始後の各期においては，原則として，リース資産の減価償却

を行うとともに，支払リース料をリース債務の元本返済と支払利息に区分計算することになる（「リース会計基準」11項，「リース適用指針」23項・38項）。

　所有権移転ファイナンス・リース取引に係るリース資産の減価償却費は，自己所有の固定資産に適用する減価償却方法と同一の方法により算定する（「リース会計基準」12項）。

ヘ．所有権移転外ファイナンス・リース取引の貸手の会計処理

　ファイナンス・リース取引については，通常の売買取引に係る方法に準じて会計処理を行う（「リース会計基準」9項）。貸手の行ったリース取引が所有権移転外ファイナンス・リース取引と判定された場合には，取引実態に応じ，次のいずれかの方法を選択し，継続的に適用する（「リース適用指針」51項）。

　経団連モデルは，ファイナンス・リース取引の借手（借主側）を前提に作成しているので，貸手（貸主側）については，「第1貸借対照表」の（記載上の注意）(2)において「ファイナンス・リース取引の貸主側の場合には，リース債権，リース投資資産により表示する。」と示している。

　a．リース取引開始日に売上高と売上原価を計上する方法（リース取引開始日に，リース料総額で売上高を計上し，同額でリース投資資産を計上する）

　b．リース料受取時に売上高と売上原価を計上する方法（リース取引開始日に，リース物件の現金購入価額により，リース投資資産を計上する）

　c．売上高を計上せずに利息相当額を各期へ配分する方法（リース取引開始日に，リース物件の現金購入価額により，リース投資資産を計上する）

ト．所有権移転ファイナンス・リース取引に係る貸手の会計処理

　貸手の行ったリース取引が所有権移転ファイナンス・リースと判定された場合の基本となる会計処理は，上記のヘ．と同様であり，「リース投資資産」は「リース債権」と読み替えて適用する（「リース適用指針」51項・61項）。経団連モデルについては，上記のヘ．を参照されたい。

チ．ファイナンス・リース取引に係る減価償却方法の記載

前述のとおり，ファイナンス・リース取引については，通常の売買取引に係る方法に準じて会計処理を行うことから，経団連モデルでは，ファイナンス・リース取引の借主側（借手）を前提に，ファイナンス・リース取引に係るリース資産の減価償却の方法について示している。

所有権移転ファイナンス・リース取引に係るリース資産と所有権移転外ファイナンス・リース取引に係るリース資産とでは，前述のとおり，減価償却方法の取扱いが異なるので，経団連モデルでは，それぞれにわけて減価償却方法を示している。

リ．リース会計基準適用初年度開始前の所有権移転外ファイナンス・リース取引の取扱い

リース会計基準適用初年度開始前の所有権移転外ファイナンス・リース取引については，次の会計処理が認められている。

a. 所有権移転外ファイナンス・リース取引について，賃貸借取引に準ずる処理から，売買取引に準ずる処理に変更し，既存分のリース取引についても，リース会計基準およびリース適用指針に定める方法により会計処理する方法（「リース適用指針」77項・80項）

b. 借手について，簡便的に既存分のリース取引について，リース会計基準適用初年度の前年度末における未経過リース料残高または未経過リース料期末残高相当額（利息相当額控除後）を取得価額とし，期首に取得したものとしてリース資産に計上する方法（「リース適用指針」78項）

　貸手について，簡便的に既存分のリース取引について，リース会計基準適用初年度の前年度末における固定資産の適正な帳簿価額（減価償却累計額控除後）をリース投資資産の期首の価額として計上する方法（「リース適用指針」81項）

c. 既存分のリース取引について，引き続き通常の賃貸借取引に係る方法に準じた会計処理を適用する方法（「リース適用指針」79項・82項）。ただし，

所有権移転外ファイナンス・リース取引の貸手において，リース取引を主たる事業としている企業は適用できない（「リース適用指針」83項）。

上記の会計処理のうちc.の方法を採用した場合には，リース適用指針79項において，引き続き通常の賃貸借取引に係る方法に準じた会計処理を適用している旨および「リース取引に係る会計基準」で必要とされていた事項を注記しなければならないとされている。そのため，経団連モデルでは，（記載上の注意）においてなお書の記載例を示している。

④ 引当金の計上基準

経団連モデル

2-3. 引当金の計上基準

［記載例］
3. 引当金の計上基準
(1) 貸倒引当金
　　売上債権，貸付金等の債権の貸倒れによる損失に備えるため，一般債権については貸倒実績率により，貸倒懸念債権等特定の債権については個別に回収可能性を検討し，回収不能見込額を計上しております。
(2) 退職給付引当金
　　従業員の退職給付に備えるため，当事業年度末における退職給付債務及び年金資産の見込額に基づき計上しております。
　　過去勤務債務は，その発生時の従業員の平均残存勤務期間以内の一定の年数（〇年）による定額法により費用処理しております。
　　数理計算上の差異は，各事業年度の発生時における従業員の平均残存勤務期間以内の一定の年数（〇年）による定額法により按分した額を，それぞれ発生の翌事業年度から費用処理しております。
(3) 役員退職慰労引当金
　　役員の退職慰労金の支給に備えるため，役員退職慰労金規程に基づく期末要支給額を計上しております。

> （記載上の注意）
>   退職給付見込額の期間帰属方法として「期間定額基準」と「給付算定式基準」があるが，いずれの方法を選択するのかは会計方針の選択適用にあたる（「退職給付に関する会計基準」第19項，第82項，「退職給付に関する会計基準の適用指針」第77項）。このため，退職給付引当金に関する計上基準の記載に際しては，「期間定額基準」と「給付算定式基準」の記載の要否について，各社において適切に判断する。

イ．概要

　引当金とは，将来の特定の費用または損失であって，その発生が当期以前の事象に起因し，発生の可能性が高く，かつ，その金額を合理的に見積ることができる場合に計上される貸方項目である（「企業会計原則」注解18）。

　会社計算規則では，取立不能のおそれのある債権については，事業年度の末日において，取り立てることができないと見込まれる額を債権から控除するとし，また，将来の費用または損失（収益の控除を含む）の発生に備えて，その合理的な見積額のうち当該事業年度の負担に属する金額を費用または損失として繰り入れることにより計上すべき引当金は，時価または適正な価格を付すことができるとされている（計算規則5条4項・6条2項）。

　引当金には，株主等に対して役務を提供する場合において計上すべき引当金が含まれるとされており（計算規則6条2項1号括弧書），これは，いわゆる株主優待制度を採用している会社で，引当金の要件を満たす場合に計上すべき引当金が該当するものと考えられる。

　経団連モデルでは，引当金の計上基準として，貸倒引当金，退職給付引当金，役員退職慰労引当金を示している。

　これら以外であっても，重要な引当金が計上されている場合には，重要な会計方針として注記することになる。記載すべき会計方針の重要性の程度は，各社の状況によって異なるので，各社において適切に判断する必要がある。

ロ．退職給付引当金の計上基準

　会社計算規則では，重要な会計方針として，引当金の計上基準を規定している（計算規則101条1項3号）。

　会社計算規則では，その制定時から，退職給付に関する注記についての明文の規定をおいていない。

　また，企業会計基準委員会による企業会計基準第26号「退職給付に関する会計基準」（企業会計基準委員会。平成24年5月17日）の公表に対応して，平成25年5月20日に公布された「会社計算規則の一部を改正する省令」（平成25年法務省令第16号）でも，退職給付に関する注記についての明文の規定は設けられなかった。なお，「会社計算規則の一部を改正する省令案」に関する意見募集では，退職給付の会計処理基準に関する事項や企業の採用する退職給付制度の概要等，退職給付会計基準が求めている注記について，計算書類または連結計算書類においても一定の記載を求めるよう改正すべきであるとの意見が寄せられたとのことである（法務省「『会社計算規則の一部を改正する省令案』に関する意見募集の結果について」平成25年5月20日）。

　そこで，退職給付に関する注記についての会社計算規則上の取扱いであるが，（単体の）計算書類について，退職給付の会計処理基準に関する事項や企業の採用する退職給付制度の概要が，会社の財産または損益の状態を正確に判断するために必要である場合には，退職給付の会計処理基準に関する事項については重要な会計方針に係る事項に関する注記（会社計算規則98条1項2号・101条3号）として，企業の採用する退職給付制度の概要についてはその他の注記（計算規則98条1項19号・116条）として，これらの事項を計算書類に記載することとなると考えられている（法務省「『会社計算規則の一部を改正する省令案』に関する意見募集の結果について」平成25年5月20日。髙木弘明「会社計算規則の一部を改正する省令の解説――平成25年法務省令第16号」商事法務2001号（2013）33頁）。

ハ．退職給付引当金に関する重要な会計方針の記載

　企業会計基準適用指針第25号「退職給付に関する会計基準の適用指針」

(企業会計基準委員会) 52項では,「会計方針に係る注記」を規定し,「退職給付の会計処理基準に関する事項」(「退職給付に関する会計基準」30項 (1)) には,次の項目が含まれると規定している。
 a. 退職給付見込額の期間帰属方法 (「退職給付に関する会計基準」19項)
 b. 数理計算上の差異および過去勤務費用の費用処理方法 (「退職給付に関する会計基準の適用指針」35項, 39項および42項) ならびに会計基準変更時差異の費用処理方法 (「退職給付に関する会計基準の適用指針」130項)

経団連モデルでは,「退職給付に関する会計基準」等の規定に合わせて,退職給付引当金の計上基準に関する記載例を示している。

「退職給付に係る会計基準」(平成10年6月16日,企業会計審議会) は,平成12年4月1日以後開始する事業年度から適用されている。会計基準変更時差異の費用処理方法は15年以内の一定の年数で費用処理するものとされている。

従来,経団連モデルでは,会計基準変更時差異の費用処理方法の記載例を示していた。しかしながら,平成12年4月1日以後開始する事業年度(平成13年3月期決算)から会計基準変更時差異を15年間で費用処理している場合,平成27年3月期で15年が経過することから,経団連モデルでは当該会計処理方法の記載を削除している。

ニ. 退職給付見込額の期間帰属方法の記載

経団連モデルの記載例では,前述の会社計算規則の趣旨に鑑みて,単体の計算書類では,退職給付見込額の期間帰属方法である「期間定額基準」と「給付算定式基準」の記載例は示していない。

しかしながら,記載上の注意において,退職給付見込額の期間帰属方法として「期間定額基準」と「給付算定式基準」があるが,いずれの方法を選択するのかは会計方針の選択適用にあたる (「退職給付に関する会計基準」19項・82項,「退職給付に関する会計基準の適用指針」77項) ことから,退職給付引当金に関する計上基準の記載に際しては,「期間定額基準」と「給付算定式基準」の記載の要否について,各社において適切に判断すると規定している。

経団連モデルの連結計算書類の記載例では「その他連結計算書類の作成のための基本となる重要な事項」の「③ 退職給付に係る会計処理の方法」において，退職給付見込額の期間帰属方法を記載しているので，これを参考にすると，単体の計算書類における退職給付引当金の計上基準としては，例えば，次のような記載が考えられる。

> (2) 退職給付引当金
> 　従業員の退職給付に備えるため，当事業年度末における退職給付債務及び年金資産の見込額に基づき計上しております。なお，退職給付債務の算定にあたり，退職給付見込額を当事業年度までの期間に帰属させる方法については，給付算定式基準によっております。
> 　過去勤務費用は，その発生時の従業員の平均残存勤務期間以内の一定の年数（○年）による定額法により費用処理しております。
> 　数理計算上の差異は，各事業年度の発生時における従業員の平均残存勤務期間以内の一定の年数（○年）による定額法により按分した額を，それぞれ発生の翌事業年度から費用処理しております。

⑤　収益および費用の計上基準

> 2-4. 収益及び費用の計上基準
>
> ［記載例］
> 4．収益及び費用の計上基準
> 　商品又は製品の販売に係る収益は，主に卸売又は製造等による販売であり，顧客との販売契約に基づいて商品又は製品を引き渡す履行義務を負っております。当該履行義務は，商品又は製品を引き渡す一時点において，顧客が当該商品又は製品に対する支配を獲得して充足されると判断し，引渡時点で収益を認識しております。
> 　保守サービスに係る収益は，主に商品又は製品の保守であり，顧客との保守契約に基づいて保守サービスを提供する履行義務を負っております。当該保守契約は，一定の期間にわたり履行義務を充足する取引であ

> り，履行義務の充足の進捗度に応じて収益を認識しております。
>   当社が代理人として商品の販売に関与している場合には，純額で収益を認識しております。

（記載上の注意）
(1) 企業会計基準第29号「収益認識に関する会計基準」及び企業会計基準適用指針第30号「収益認識に関する会計基準の適用指針」を適用する会社については，「収益及び費用の計上基準」には，次の事項を含む（会社計算規則第101条第2項）。
　① 当該会社の主要な事業における顧客との契約に基づく主な義務の内容
　② ①に規定する義務に係る収益を認識する通常の時点
　③ ①及び②のほか，当該会社が重要な会計方針に含まれると判断したもの
(2) 会社が(1)③に該当するものとして重要な会計方針に記載した事項（例えば，取引価格の算定に関する情報や履行義務への配分額の算定に関する情報）がある場合には，当該事項については「収益認識に関する注記」での記載は要しない。
(3) 「収益認識に関する会計基準」第80-2項(2)の「企業が当該履行義務を充足する通常の時点」と「収益を認識する通常の時点」は，通常は同じであると考えられる。しかし，例えば，「収益認識に関する会計基準の適用指針」第98項における代替的な取扱い（出荷基準等の取扱い）を適用した場合には，両時点が異なる場合がある。そのような場合には，重要な会計方針として「収益を認識する通常の時点」について注記する（「収益認識に関する会計基準」第163項）。
(4) 上記の記載例は，(1)③「当該会社が重要な会計方針に含まれると判断したもの」について，自社の実情を踏まえ，計算書類においては当該事項の注記を要しないと合理的に判断される場合である。例えば，支払条件，変動対価，独立販売価格の比率に基づいて取引価格の履行義務に対する配分が重要な会計方針に含まれるものと判断される場合の記載例は，以下のとおりである。この場合，当該事項については「収益認識に関する注記」での記載は要しない（会社計算規則第115条の2第2項）。

> [重要な会計方針に含まれると判断したものを記載する例]
> 　当社の取引に関する支払条件は，通常，短期のうちに支払期日が到来し，契約に重要な金融要素は含まれておりません。
> 　取引価格は，変動対価，変動対価の見積りの制限，契約における重要な金融要素，現金以外の対価などを考慮して算定しております。
> 　取引価格のそれぞれの履行義務に対する配分は，独立販売価格の比率に基づいて行っており，また，独立販売価格を直接観察できない場合には，独立販売価格を見積っております。

　会社計算規則は，重要な会計方針として，収益および費用の計上基準を規定している（計算規則101条1項4号）。

　2020年3月31日に改正された企業会計基準第29号「収益認識に関する会計基準」（企業会計基準委員会。以下「収益認識会計基準」という）および企業会計基準適用指針第30号「収益認識に関する会計基準の適用指針」（企業会計基準委員会。以下「収益認識適用指針」という）を受けて，2020（令和2）年8月12日に，「会社計算規則の一部を改正する省令」（法務省令第45号）が公布され，収益認識会計基準を適用する会社については，会社が顧客との契約に基づく義務の履行の状況に応じて当該契約から生ずる収益を認識するときは，収益および費用の計上基準に掲げる事項には，次に掲げる事項を含むものとすると規定している（計算規則101条1項4号・2項）。

a. 当該会社の主要な事業における顧客との契約に基づく主な義務の内容
b. ａに規定する義務に係る収益を認識する通常の時点
c. ａおよびｂに掲げるもののほか，当該会社が重要な会計方針に含まれると判断したもの

「会社が顧客との契約に基づく義務の履行の状況に応じて当該契約から生ずる収益を認識するとき」については，収益認識会計基準を適用する会社につ

いてであり，会社計算規則の規定は同会計基準等を受けて規定されたものである（「収益認識会計基準」80-2項・80-3項。藺牟田泰隆ほか・前掲商事法務2242号5〜6頁）。

　収益認識会計基準において，重要な会計方針として注記する内容は，同会計基準80-2項の2つの項目に限定することを意図して定めているものではなく，これら2つの項目以外にも，重要な会計方針に含まれると判断した内容については，重要な会計方針として注記することとされている（「収益認識会計基準」80-3項・164項）。

　会社計算規則でも，101条2項1号および2号に掲げるもののほか，当該会社が重要な会計方針に含まれると判断したものを，自社の実情を踏まえ，株主にとって重要な事項を記載することになる。

　経団連モデルの記載例は，自社の実情を踏まえ，計算書類においては「当該会社が重要な会計方針に含まれると判断したもの」についての注記を要しないと合理的に判断される場合であることに注意が必要である。会社計算規則101条2項1号および2号に掲げるもののほかには，当該会社が重要な会計方針に含まれると判断したものは存在しないとして，一律に，当該事項の記載は不要であるとするものではない。

　そこで，経団連モデルの記載上の注意(4)では，「重要な会計方針に含まれると判断したものを記載する例」として，例えば，支払条件，変動対価，独立販売価格の比率に基づいて取引価格の履行義務に対する配分が重要な会計方針に含まれるものと判断する場合の記載例を示している。

⑥ その他計算書類の作成のための基本となる重要な事項

経団連モデル

> **2-5. その他計算書類の作成のための基本となる重要な事項**
>
> ［記載例］
> 5．その他計算書類の作成のための基本となる重要な事項
> (1) 繰延資産の処理方法
>   株式交付費…支出時に全額費用として処理しております。
>   社債発行費…社債償還期間（○年間）にわたり均等償却しております。
> (2) ヘッジ会計の処理
>   原則として繰延ヘッジ処理によっております。なお，振当処理の要件を満たしている為替予約及び通貨スワップについては振当処理によっており，特例処理の要件を満たしている金利スワップについては特例処理によっております。
> (3) 消費税等の会計処理
>   消費税及び地方消費税の会計処理は，税抜方式によっております。

（記載上の注意）
(1) 「5．その他計算書類の作成のための基本となる重要な事項」には，会計方針のうち，上記1から4以外の重要なものを記載する。
(2) 「中小企業の会計に関する指針」の「75-3. 所有権移転外ファイナンス・リース取引に係る借手の会計処理」に基づいて，通常の賃貸借取引に係る方法に準じて会計処理を行う場合には，以下の記載を追加する。

> （○）リース取引の処理方法
>   リース物件の所有権が借主に移転すると認められるもの以外のファイナンス・リース取引については，通常の賃貸借取引に係る方法に準じた会計処理によっております。

(3) 企業会計基準第24号「会計方針の開示，会計上の変更及び誤謬の訂正に関する会計基準」第4-3項に規定する「関連する会計基準等の定めが明らかでない場合」に採用した会計処理の原則及び手続について，当該採用し

> た会計処理の原則及び手続が計算書類を理解するために重要であると考えられる場合には，会社計算規則第101条第1項第5号の「その他計算書類の作成のための基本となる重要な事項」に該当し，その概要を注記する必要がある。

イ．概要

会社計算規則では，「その他計算書類の作成のための基本となる重要な事項」が規定されている（計算規則101条1項5号）。

経団連モデルでは「5．その他計算書類の作成のための基本となる重要な事項」として繰延資産の処理方法，ヘッジ会計の処理，消費税等の会計処理を示している。

会社計算規則は，これらの記載方法について，詳細な規定を設けていないので，記載を行う場合には，財務諸表等規則ガイドラインなどを参考にすることになると考えられる。

ロ．繰延資産の処理方法

経団連モデルでは，株式交付費と社債発行費の処理方法について記載する例を示している。

繰延資産とは，将来の期間に影響する特定の費用であり，すでに代価の支払が完了しまたは支払義務が確定し，これに対応する役務の提供を受けたにもかかわらず，その効果が将来にわたって発現するものと期待される費用である（「企業会計原則」第三，1D・注解15）。

これらの費用は，その効果が及ぶ数期間に合理的に配分するため，経過的に貸借対照表の資産の部に，繰延資産として計上することができる（「企業会計原則」第三，1D・注解15）。

繰延資産の処理方法については，「企業会計原則」を踏襲するかたちで，実務対応報告第19号「繰延資産の会計処理に関する当面の取扱い」（企業会計基準委員会）が公表されている。

社債発行差金については金融商品会計基準において，社債金額から直接控除する方法として規定されており，社債の券面額と発行価額（収入に基づく金額）が異なる場合には，社債の貸借対照表価額は償却原価法により算定することとなる（「金融商品会計基準」26項）。

「繰延資産の会計処理に関する当面の取扱い」は，次のものを繰延資産としている。

a. 株式交付費
b. 社債発行費等（新株予約権の発行に係る費用を含む）
c. 創立費
d. 開業費
e. 開発費

ハ．財務諸表等規則における繰延資産の処理方法

　会社計算規則には繰延資産の処理方法についての詳細な規定がないので，具体的な会計方針の注記に際しては，財務諸表等規則ガイドラインなどを参考にすることになると考えられる。

　財務諸表等規則ガイドラインは，繰延資産の処理方法には，繰延資産として計上することが認められている株式交付費，社債発行費等について，支出時に全額費用として処理する方法を採用している場合が含まれることに留意するとし，また，株式交付費，社債発行費等を繰延資産に計上しているときは，償却期間および償却方法を記載するものとすると規定している（財務諸表等規則ガイドライン8の2.3(3)）。

　このため，繰延資産の処理方法に係る重要な会計方針の注記としては，支出額を繰延資産に計上し償却する場合だけでなく，支出時に全額費用として処理する方法を採用している場合も，注記が必要となる（経団連モデルの「株式交付費」を参照）。

ニ．リース取引の処理方法

　旧財務諸表等規則8条の2の「重要な会計方針の記載」では，従来，リース取引の処理方法が規定されていたが，リース会計基準の適用により，ファイナンス・リース取引については，通常の売買取引に係る方法に準じて会計処理を行うこととされたことから，リース取引の処理方法が削除されている。

　このため，経団連モデルでも，「その他計算書類作成のための基本となる重要な事項」から削除している。

　経団連モデルは，多くの会社の参考に資するものと考えられ，いわゆる中小企業においては，ファイナンス・リース取引の会計処理方法に関心が高いことから，「中小企業の会計に関する指針」に基づく会計処理を行う場合の記載方法について示している。「中小企業の会計に関する指針」の「75-3. 所有権移転外ファイナンス・リース取引に係る借手の会計処理」に基づいて，通常の賃貸借取引に係る方法に準じて会計処理を行う場合には，従来の経団連モデルと同様に，リース物件の所有権が借主に移転すると認められるもの以外のファイナンス・リース取引については，通常の賃貸借取引に係る方法に準じた会計処理によっている旨を記載することを示している。

ホ．ヘッジ会計の処理

　財務諸表等規則ガイドラインでは，ヘッジ会計の方法には，繰延ヘッジ等のヘッジ会計の方法に併せて，ヘッジ手段とヘッジ対象，ヘッジ方針，ヘッジ有効性評価の方法等リスク管理方針のうちヘッジ会計に係るものについても，概括的に記載するとされている（財務諸表等規則ガイドライン8の2.3(7)②）。

ヘ．外貨建の資産および負債の本邦通貨への換算基準

　経団連モデルでは，重要な会計方針として，外貨建の資産および負債の本邦通貨への換算基準の記載例を示していない。

　これは，財務諸表等規則ガイドラインにおいて，外貨建の資産および負債の本邦通貨への換算基準については，「外貨建取引等会計処理基準」（企業会計

審議会）に定めのない事項に関する換算基準または「外貨建取引等会計処理基準」を適用することが適当でないと認められる場合に，他の合理的な換算基準を採用した場合の当該他の換算基準等について記載するとされているためである（財務諸表等規則ガイドライン8の2.3(4)）。

そのため，通常，「外貨建取引等会計処理基準」に準拠して会計処理を行っているので，重要な会計方針に記載しないことが考えられる。

しかしながら，例えば，活発に外貨建取引を行っている会社のように，外貨建取引等の重要性が高いと判断される場合には，外貨建の資産および負債の本邦通貨への換算方法を開示することが適当と考えられる。

この場合，例えば，次のような記載例が考えられる。

---

(4) 外貨建の資産および負債の本邦通貨への換算基準
　外貨建金銭債権債務は，期末日の直物為替相場により円貨に換算し，換算差額は損益として処理している。

ト．関連する会計基準等の定めが明らかでない場合に採用した会計処理の原則及び手続

2020年3月31日に改正された過年度遡及会計基準では，会計処理の対象となる会計事象や取引に関連する会計基準等（過年度遡及適用指針5項の会計基準等をいう）の定めが明らかでない場合について，開示目的に照らして，重要な会計方針に関する注記として記載することがあることを規定している（「過年度遡及会計基準」4-2項・4-3項・44-3項～44-5項）。

財務諸表等規則ガイドラインでは，会計処理の対象となる会計事象や取引に関連する会計基準等の定めが明らかでない場合（特定の会計事象等に対して適用し得る具体的な会計基準等の定めが存在しないため，会計処理の原則及び手続を採用する場合や業界の実務慣行とされている会計処理の原則及び手続を適用する場合を含む）には，財務諸表提出会社が採用した会計処理の原則及び手続を記載するものとすると規定している（財務諸表等規則ガイドライ

ン8の2.3(8)④)。

　会社計算規則は，改正された過年度遡及会計基準に対応して，関連する会計基準等の定めが明らかでない場合に対応する具体的な規定は設けていない。しかしながら，会社計算規則101条１項５号に「その他計算書類の作成のための基本となる重要な事項」が規定されていることから，改正された過年度遡及会計基準に規定する「関連する会計基準等の定めが明らかでない場合」に採用した会計処理の原則及び手続について，当該採用した会計処理の原則及び手続が計算書類を理解するために重要であると考えられる場合には，「その他計算書類の作成のための基本となる重要な事項」に該当することになり，その概要の注記が必要となる(藺牟田泰隆ほか・前掲商事法務2242号9頁)。経団連モデルの記載上の注意(3)は，以上のことを示すものである。

チ．その他の会計方針

　財務諸表等規則ガイドラインにおいて，「その他財務諸表作成のための基礎となる事項」が規定されている(財務諸表等規則ガイドライン8の2.2(10))。

　これには，次の事項を記載するとされている(財務諸表等規則ガイドライン8の2.3(8))。

　a．支払利息を資産の取得原価に算入する会計処理の内容等，財務諸表について適正な判断を行うために必要と認められる事項

　b．退職給付に係る未認識数理計算上の差異，未認識過去勤務費用および会計基準変更時差異の未処理額の会計処理の方法が連結財務諸表におけるこれらの会計処理の方法と異なる場合には，その旨

　c．特定の市場リスク(財務諸表等規則8条の6の2第3項に規定する金利，通貨の価格，金融商品市場における相場その他の指標の数値の変動に係るリスクをいう)または特定の信用リスク(取引相手先の契約不履行に係るリスクをいう)に関して金融資産および金融負債を相殺した後の正味の資産または負債を基礎として，当該金融資産および金融負債のグループを単位とした時価を算定する場合には，その旨

d．会計処理の対象となる会計事象や取引に関連する会計基準等の定めが明らかでない場合（特定の会計事象等に対して適用し得る具体的な会計基準等の定めが存在しないため，会計処理の原則及び手続を採用する場合や業界の実務慣行とされている会計処理の原則及び手続を適用する場合を含む）には，財務諸表提出会社が採用した会計処理の原則及び手続

　その他の会計方針（その他計算書類の作成のための基本となる重要な事項）の注記に際しては，会社計算規則でも，財務諸表等規則ガイドラインなどを参考にして判断することになると考えられる。

　上記bで述べたように，財務諸表等規則ガイドラインでは，退職給付に係る未認識数理計算上の差異などの会計処理の方法について，個別財務諸表と連結財務諸表とで異なる場合には，その旨を記載するものとされている（財務諸表等規則ガイドライン8の2.3(8)②）。これは，企業会計基準第26号「退職給付に関する会計基準」（企業会計基準委員会）39項(4)の「連結財務諸表を作成する会社については，個別財務諸表において，未認識数理計算上の差異及び未認識過去勤務費用の貸借対照表における取扱いが連結財務諸表と異なる旨を注記する。」に対応するものである。

　会社計算規則では，これに対応する規定がないことから，経団連モデルの個別の計算書類では，特段の記載例を示していない。ただし，連結計算書類に関する「2-3-(5). その他連結計算書類の作成のための基本となる重要な事項」において，他の退職給付に係る会計処理の方法とともに，「未認識数理計算上の差異及び未認識過去勤務費用については，税効果を調整の上，純資産の部におけるその他の包括利益累計額の退職給付に係る調整累計額に計上しております。」の記載例を示すことにより，個別の計算書類と連結計算書類における会計処理の方法の相違を記載している。

　また，上記cで述べたように，財務諸表等規則ガイドラインでは，関連する会計基準等の定めが明らかでない場合には，財務諸表提出会社が採用した会計処理の原則及び手続について注記することを規定している。

（3）会計方針の変更に関する注記

経団連モデル

---

3. 会計方針の変更に関する注記

［記載例］
(1) ○○○の評価基準及び評価方法
　　○○○の評価基準及び評価方法は，従来，○○法によっておりましたが，当事業年度より○○法に変更いたしました。この変更は，○○○（変更理由を具体的に記載する）ために行ったものであります。当該会計方針の変更は遡及適用され，会計方針の変更の累積的影響額は当事業年度の期首の純資産の帳簿価額に反映されております。この結果，株主資本等変動計算書の利益剰余金の遡及適用後の期首残高は×××百万円増加しております。
(2) ○○○に関する会計基準の適用
　　当事業年度より，「○○○に関する会計基準」を適用しております。当該会計基準は遡及適用され，会計方針の変更の累積的影響額は当事業年度の期首の純資産の帳簿価額に反映されております。この結果，株主資本等変動計算書の利益剰余金の遡及適用後の期首残高は×××百万円増加しております。

（記載上の注意）
(1) 会計方針を変更した場合には，次の事項（重要性の乏しいものを除く。）を記載する。ただし，会計監査人設置会社以外の株式会社にあっては，会社計算規則第102条の2第1項第4号ロ（下記(2)②）及びハ（下記(2)③）に掲げる事項を省略することができる。
　① 会計方針の変更の内容
　② 会計方針の変更の理由
　③ 遡及適用をした場合には，当事業年度の期首における純資産額に対する影響額
(2) 会計方針を変更した場合に，当事業年度より前の事業年度の全部または一部について遡及適用をしなかったときには，次に掲げる事項（会計方針

> の変更を会計上の見積りの変更と区別することが困難なときは，②に掲げる事項を除く。）を記載する。
> ① 計算書類の主な項目に対する影響額
> ② 当該事業年度より前の事業年度の全部または一部について遡及適用をしなかった理由ならびに当該会計方針の変更の適用方法及び適用開始時期（会計基準等の改正等に伴う会計方針の変更をした場合において，経過的な取扱いに従って会計処理を行ったときは，その旨及び当該経過的な取扱いの概要を記載する。）
> ③ 会計方針の変更が当事業年度の翌事業年度以降の財産または損益に影響を及ぼす可能性がある場合であって，当該影響に関する事項を注記することが適切であるときは，当該事項（合理的に見積もることが困難である場合には，その旨を記載すれば足りる。）
> (3) 会計方針の変更については，重要な会計方針の記載の箇所にあわせて記載することができる。
> (4) 会計基準及び法令の改正等に伴い，会計方針を採用または変更した場合において，当該会計方針を適用すべき会計事象または取引が存在しないときは，会計方針の変更の記載を要しない。
> (5) 個別注記表に注記すべき事項（会社計算規則第102条の2第1項第3号ならびに第4号ロ及びハに掲げる事項に限る。）が連結注記表に注記すべき事項と同一である場合において，個別注記表にその旨を注記するときでも，(1)①会計方針の変更の内容，②会計方針の変更の理由，及び(2)①計算書類の主な項目に対する影響額は省略できない。

イ．概要

　会計方針とは，計算書類または連結計算書類の作成に当たって採用する会計処理の原則及び手続をいう（計算規則2条3項62号）。

　会計方針の変更とは，一般に公正妥当と認められる会計方針を他の一般に公正妥当と認められる会計方針に変更することである（計算規則102条の2第1項，「過年度遡及会計基準」4項(5)）。

　会社計算規則102条の2第1項における会計方針の変更には，会計基準等

の改正に伴う会計方針の変更と,それ以外の正当な理由による会計方針の変更（自発的な会計方針の変更）の両方が含まれている。

　遡及適用とは,新たな会計方針を当該事業年度より前の事業年度に係る計算書類または連結計算書類に遡って適用したと仮定して会計処理をすることである（計算規則2条3項63号）。

ロ．会計方針の変更の用語

　従来,経団連モデルでは「重要な会計方針の変更」として記載例を示していたが,現行の経団連モデルでは「会計方針の変更」と記載している。

　これは,会社計算規則において,「会計方針の変更に関する注記」(計算規則102条の2),「表示方法の変更に関する注記」(計算規則102条の3),「会計上の見積りの変更に関する注記」(計算規則102条の4),「誤謬の訂正に関する注記」(計算規則102条の5) と規定されていることから,それぞれに「重要な」の文言を記載する煩雑さを考慮したためである。

　もっとも,会社計算規則102条の2第1項などでは,「重要性の乏しいものを除く」と規定しているので,会計方針の変更を行った場合でも,重要性の乏しいものについては注記しないことができるので,その取扱いについては,従来と同様である。

ハ．会計方針の変更の注記の内容

　会計方針を変更した場合には,重要性の乏しいものを除いて,次の事項を注記する（計算規則102条の2）。

① 会計方針の変更の内容
② 会計方針の変更の理由
③ 遡及適用をした場合には,当事業年度の期首における純資産額に対する影響額

　会社法では,当期の計算書類の開示のみを要求している,いわゆる単年度開示の制度であるので（髙木弘明＝新井吐夢・前掲5頁）,遡及適用または修正再

表示による累積的影響額を表示する最も古い期間は，当期となることから，遡及適用または修正再表示による累積的影響額は，当期の期首の資産，負債および純資産の額に反映することとなる。

このため，「会計方針の変更に関する注記」では，遡及適用をした場合には，当該事業年度の期首における純資産額に対する影響額を注記することとしている（計算規則102条の2第1項3号）。

ニ．会計方針を変更した場合に，当事業年度より前の事業年度の全部または一部について遡及適用をしなかったケース

法務省の「『会社計算規則の一部を改正する省令案』に関する意見募集の結果について」では，「当該事業年度より前の事業年度の全部又は一部につき遡及適用しなかった場合」には次のものが含まれると述べられている。このほか，過年度遡及会計基準以外の会計慣行が遡及適用を要求していないため，遡及適用をしなかった場合が含まれる（髙木弘明＝新井吐夢・前掲7頁）。

① 会計基準等の改正等に伴う会計方針の変更であって，経過的な取扱いに従い，過去の事業年度の全部または一部につき遡及適用をしなかった場合
② 遡及適用の原則的な取扱いが実務上不可能な場合
③ 会計方針の変更を会計上の見積りの変更と区別することが困難である場合
④ 重要性の観点から遡及適用をしない場合

「会計方針の変更を会計上の見積りの変更と区別することが困難である場合」について，過年度遡及会計基準は，会計上の見積りの変更と同様に取り扱い，遡及適用は行わないと規定している（「過年度遡及会計基準」19項）。

これに該当するケースとして，有形固定資産等の減価償却方法および無形固定資産の償却方法の変更があげられる。減価償却方法の変更および償却方法の変更については，会計方針に該当するが，その変更については会計上の

見積りの変更と同様に取り扱い，遡及適用は行わないこととなる（「過年度遡及会計基準」20項）。

会計方針の変更を行い，遡及適用した場合に，影響がないまたは軽微であることが，実務上，考えられる。過年度遡及会計基準35項では「重要性」の考え方が示されており，重要性の乏しい場合にまで厳密な取扱いを求める必要はないと考えられる。

会社計算規則101条は，「重要な会計方針に係る事項に関する注記」を規定し，資産の評価基準および評価方法などを注記すると規定している。

過年度遡及会計基準35項は，本会計基準のすべての項目について，財務諸表利用者の意思決定への影響に照らした重要性が考慮されるとし，重要性の判断は，財務諸表に及ぼす金額的な面と質的な面の双方を考慮する必要があると規定している。

例えば，会計方針ではあるものの，そもそも「重要な会計方針」として開示していない事項について会計方針の変更を行い，その遡及適用による影響額に重要性が乏しい場合には，金額的にも質的にも重要性が乏しいと判断される可能性がある。このような場合であれば，会計方針の変更を行ったとしても，遡及適用しないことはありうると考えられるし，通常，このような場合には，会社計算規則102条の2第1項4号に掲げる事項についての注記は，重要性が乏しいとして注記自体を要しないことになるものと考えられる（高木弘明＝新井吐夢・前掲7頁）。

ホ．会計方針の変更による翌事業年度以降への影響に関する開示
　a．注記することが適切と判断されるケース

会社計算規則102条の2第1項4号ハは，「当該会計方針の変更が当該事業年度の翌事業年度以降の財産又は損益に影響を及ぼす可能性がある場合であって，当該影響に関する事項を注記することが適切であるときは，当該事項」を注記すると規定している。

これは，次の過年度遡及会計基準の規定に対応するものである。

どのような場合に，上記の注記を行うかについては，過年度遡及会計基準その他の一般に公正妥当と認められる企業会計の慣行に従って判断される（髙木弘明＝新井吐夢・前掲9頁）。

会計基準	内　　容
会計基準等の改正に伴う会計方針の変更 （過年度遡及会計基準10項(4)）	会計基準等の改正に伴う会計方針の変更の場合に注記する次の事項 ●経過的な取扱いが将来に影響を及ぼす可能性がある場合には，その旨および将来への影響。ただし，将来への影響が不明またはこれを合理的に見積ることが困難である場合には，その旨
会計方針の変更を会計上の見積りの変更と区別することが困難な場合 （過年度遡及会計基準18項(2)・19項）	会計方針の変更を会計上の見積りの変更と区別することが困難な場合に注記する次の事項 ●会計上の見積りの変更が，当期に影響を及ぼす場合は当期への影響額。当期への影響がない場合でも将来の期間に影響を及ぼす可能性があり，かつ，その影響額を合理的に見積ることができるときには，当該影響額。ただし，将来への影響額を合理的に見積ることが困難な場合には，その旨

　会計方針の変更が当事業年度の翌事業年度以降の財産または損益に影響を及ぼす可能性があるが，当該影響を合理的に見積もることが困難である場合には，その旨を記載すれば足りると考えられているので（髙木弘明＝新井吐夢・前掲9頁・11頁），経団連モデルの記載上の注意(2)③において，「合理的に見積もることが困難である場合には，その旨を記載すれば足りる。」と記載している。

　b. 重要性の判断に関する事項
　　財務諸表等規則ガイドライン8の3の5-3では，「会計方針の変更を会計上の見積りの変更と区別することが困難な場合の注記」に関して，次の規定を設けている。
　　すなわち，財務諸表等規則8条の3の6第4号イの規定における会計上の

見積りの変更が当事業年度の翌事業年度以降の財務諸表に与える影響について，当事業年度に係る財務諸表に与えている影響額に基づき，当該影響の概要を把握することができる場合には，財務諸表等規則8条の3の6ただし書に規定する重要性が乏しい場合に該当するものとして，注記を省略することができることに留意すると規定している。

当該事項は，重要性の判断に関する事項であり，会社計算規則上も「重要性」の判断に関する事項と解される。そこで，会社計算規則上の重要性を判断する場合に，「当事業年度に係る財務諸表に与えている影響額に基づき，当該影響の概要を把握することができる場合」は，財務諸表等規則ガイドライン8の3の5-3を参考にし，会社計算規則上も，「重要性の乏しい」事項として注記を省略することができると考えられる。

へ．同一期間に複数の会計方針の変更を行ったケース

過年度遡及適用指針では，同一の期間に複数の会計方針の変更を行った場合には，実務上可能な範囲において，変更の内容ごとにそれぞれ過年度遡及会計基準10項（会計基準等の改正に伴う会計方針の変更）または11項（その他の会計方針の変更）で定める事項を注記すると規定している（「過年度遡及適用指針」10項）。

ただし，変更の内容ごとに影響額を区分することが困難な場合には，その旨を注記すると規定している（「過年度遡及適用指針」10項）。

会社計算規則の解釈に際しては，一般に公正妥当と認められる企業会計の基準その他の企業会計の慣行を斟酌するので（計算規則3条），過年度遡及適用指針に規定されている上記の取扱いについては，会社計算規則上も同様に適用することが可能と解される。

ト．重要性が増したことに伴う本来の会計処理の原則及び手続への変更

従来から，会計上の見積りの変更のほか，会計処理の対象となる会計事象等の重要性が増したことに伴う本来の会計処理の原則及び手続への変更や，

会計処理の対象となる新たな事実の発生に伴う新たな会計処理の原則及び手続の採用については，会計方針の変更に該当しないものとされており，過年度遡及会計基準においても，この取扱いを踏襲している（「過年度遡及適用指針」8項・18項）。

　会計処理の対象となる会計事象等の重要性が増したことに伴う本来の会計処理の原則及び手続への変更は，従来，会計処理の対象となる会計事象等の重要性が乏しかったため，本来の会計処理によらずに簡便な会計処理を採用していたが，当該会計事象等の重要性が増したことにより，本来の会計処理へ変更する場合である。例えば，ある項目に対する会計方針を現金基準から発生基準へ変更する場合が該当する。

　重要性が増した会計事象等に対する現金基準の適用は一般に公正妥当と認められた会計処理にあたらないので，当該変更は会計方針の変更には該当しない（「過年度遡及会計基準」4項(5)）。この場合，従前の重要性の判断に誤りがない限り，過去の財務諸表に遡及的に処理を行う必要はなく，変更の影響額は関連する費用または収益に含めて処理することになると考えられる（「過年度遡及適用指針」18項）。

チ．会計基準等の改正の対象となる会計事象等がないケース

　旧財務諸表等規則ガイドラインでは，会計基準および法令の改正等（会計基準等の改正）に伴い，会計方針を採用または変更した場合に，当該会計方針を適用すべき会計事象または取引が存在しないときは，会計方針の変更に関する記載を要しないと規定されていた（旧財務諸表等規則ガイドライン8の3.1）。

　平成22年9月30日に，金融庁は「『連結財務諸表の用語，様式及び作成方法に関する規則等の一部を改正する内閣府令（案）』等に対するパブリックコメントの概要及びそれに対する金融庁の考え方」を公表しており，その「20」において，「会計方針を適用すべき会計事象又は取引が存在しない場合に，会計方針の変更に関する記載を要しないことについては，周知・定着してきていると考えられることから，原案どおり削除しました。」と述べている。

このように，財務諸表等規則ガイドラインから削除されているが，経団連モデルでは，実務に資するために，従来どおり，記載上の注意(4)において示している。

リ．会計方針の変更と表示方法の変更

従来，会計方針は，表示方法も含めて定義されていたが（旧計算規則101条1項），会社計算規則の改正により，会計方針と表示方法はわけて定義され，会計方針の変更と表示方法の変更について，それぞれ規定がおかれている（計算規則2条3項62号・64号・102条の2・102条の3）。表示方法の変更に関する取扱いは，後述の「表示方法の変更に関する注記」を参照されたい。

従来，監査委員会報告第78号「正当な理由による会計方針の変更」（日本公認会計士協会）では，流動資産から固定資産に区分を変更する，あるいは営業外損益区分から営業損益区分に変更するなど，財務諸表の表示区分を超えることにより財務情報に重要な影響を与えて表示方法を変更するものは，監査上，会計方針の変更として取り扱われてきた。

しかしながら，過年度遡及会計基準は，表示方法の変更には，財務諸表における同一区分内での科目の独立掲記，統合あるいは科目名の変更および重要性の増加に伴う表示方法の変更のほか，財務諸表の表示区分を超えた表示方法の変更が含まれると規定している（「過年度遡及会計基準」4項(6)，「過年度遡及適用指針」4項）。

過年度遡及適用指針は，会計処理の変更に伴って表示方法の変更が行われた場合は，会計方針の変更として取り扱うと規定している（「過年度遡及適用指針」7項）。つまり，会計方針の変更と表示方法の変更の区別について，表示区分の変更を超える変更であっても，会計処理の変更を伴うものでない限り，表示方法の変更として取り扱うことになる（「過年度遡及適用指針」7項・15項・19項）。

会計処理の変更を伴うという意味は，資産および負債ならびに損益の認識または測定について変更が行われる場合を指している（「過年度遡及適用指針」19項）。

例えば,ある収益取引について営業外収益から売上高に表示区分を変更する場合のように,売上総利益および営業利益といういわゆる段階損益を超える変更であっても,資産および負債ならびに損益の認識または測定について変更が行われないときには,表示方法の変更として取り扱われる。

(4) 収益認識に関する注記
経団連モデル

> **4. 収益認識に関する注記**
>
> ［記載例（連結計算書類の作成義務のある会社で,当事業年度及び翌事業年度以降の収益の金額を理解するための情報の注記を要しないと合理的に判断される場合）］
> (1) 収益の分解
> 　　当社は,〇〇事業,〇〇事業及びその他の事業を営んでおり,各事業の主な財又はサービスの種類は,△商品,△製品及び△保守サービスであります。
> 　　また,各事業の売上高は,×××百万円,×××百万円及び×××百万円であります。
> (2) 収益を理解するための基礎となる情報
> 　　「重要な会計方針に係る事項に関する注記」の「収益及び費用の計上基準」に記載のとおりであります。

（記載上の注意）
(1) 企業会計基準第29号「収益認識に関する会計基準」及び企業会計基準適用指針第30号「収益認識に関する会計基準の適用指針」を適用する会社については,「収益認識に関する注記」に掲げる事項は,重要性の乏しいものを除き,次の事項を記載することとされており,「収益認識に関する会計基準」及び「収益認識に関する会計基準の適用指針」を参考にし,各社の実情に応じて,必要な記載をする。ただし,連結計算書類の作成義務のある会社（会社法第444条第3項に規定する株式会社）以外の株式会社にあっては,①及び③に掲げる事項を省略することができる（会社計算規則第115条の2第1項）。

① 当該事業年度に認識した収益を，収益及びキャッシュ・フローの性質，金額，時期及び不確実性に影響を及ぼす主要な要因に基づいて区分をした場合における当該区分ごとの収益の額その他の事項
② 収益を理解するための基礎となる情報
③ 当該事業年度及び翌事業年度以降の収益の金額を理解するための情報

(2) (1)に掲げる事項が会社計算規則第101条の規定により注記すべき事項（収益の計上基準に関する記載内容）と同一であるときは，同項の規定による当該事項の注記を要しない（会社計算規則第115条の2第2項）。

(3) 連結計算書類を作成する株式会社は，個別注記表においては「収益を理解するための基礎となる情報」のみの記載とすることができる（会社計算規則第115条の2第3項）。また，個別注記表に注記すべき事項（会社計算規則第115条の2第1項第2号に掲げる事項に限る。）が連結注記表に注記すべき事項と同一である場合において，個別注記表にその旨を注記するときは，個別注記表における当該事項の注記を要しない（会社計算規則第115条の2第4項）。

(4) 会社計算規則の用語の解釈に関しては，一般に公正妥当と認められる企業会計の基準をしん酌しなければならないとされており（会社計算規則第3条），収益認識に関する注記の要否及びその内容は，「収益認識に関する会計基準」で定める開示目的（顧客との契約から生じる収益及びキャッシュ・フローの性質，金額，時期及び不確実性を財務諸表利用者が理解できるようにするための十分な情報を企業が開示すること）に照らして判断する。
「収益認識に関する注記」を記載するにあたっては，次のことに留意し，株主にとって重要な事項を記載する。なお，「収益認識に関する会計基準」において具体的に規定された事項であったとしても，各社の実情を踏まえ，計算書類においては当該事項の注記を要しないと合理的に判断される場合には，計算書類において当該事項について注記しないことも許容される。

① 「収益認識に関する会計基準」で規定する注記事項は，最低限の注記のチェックリストとして用いられることを意図したものではないとされている（「収益認識に関する会計基準」第167項）。
② 「収益認識に関する会計基準」においては，開示目的に照らして重要性に乏しいと認められるか否かの判断は，定量的な要因と定性的な要因の両方を考慮する必要があるが，その際，定量的な要因のみで判断

した場合に重要性がないとは言えない場合であっても，開示目的に照らして重要性に乏しいと判断される場合もあると考えられるとされている（「収益認識に関する会計基準」第168項）。
(5) 上記の記載例は，(1)③「当事業年度及び翌事業年度以降の収益の金額を理解するための情報」について，自社の実情を踏まえ，計算書類においては当該事項の注記を要しないと合理的に判断される場合である。「当事業年度及び翌事業年度以降の収益の金額を理解するための情報」について記載する場合の記載例は以下のとおりである。

[当事業年度及び翌事業年度以降の収益の金額を理解するための情報を記載する例]
　当事業年度末における残存履行義務に配分された取引価格の総額は，○○○百万円であり，当社は，当該残存履行義務について，履行義務の充足につれて○年から○年の間で収益を認識することを見込んでいます。

イ．概要

　会社計算規則は，「収益認識に関する注記」として，次の事項を注記すると規定している（計算規則98条1項18号の2, 115条の2第1項）。ただし，重要性の乏しいものは除かれ，また，連結計算書類の作成義務のある会社（法444条3項に規定する株式会社）以外の株式会社にあっては，①および③に掲げる事項を省略することができる。

① 当該事業年度に認識した収益を，収益及びキャッシュ・フローの性質，金額，時期および不確実性に影響を及ぼす主要な要因に基づいて区分をした場合における当該区分ごとの収益の額その他の事項
② 収益を理解するための基礎となる情報
③ 当該事業年度および翌事業年度以降の収益の金額を理解するための情報

　後述のように，2020（令和2）年8月12日，「会社計算規則の一部を改正する省令」（法務省令第45号）の公布に際して公表された法務省の「『会社計算規

則の一部を改正する省令案』に関する意見募集の結果について」(2020年8月12日)では，収益認識会計基準において具体的に規定された事項であったとしても，各株式会社の実情を踏まえ，計算書類においては当該事項の注記を要しないと合理的に判断される場合には，計算書類において当該事項について注記しないことも許容されるとの考え方が示されたことから，経団連モデルでは「連結計算書類の作成義務のある会社で，当事業年度及び翌事業年度以降の収益の金額を理解するための情報の注記を要しないと合理的に判断される場合」の記載例を示している。

　前述のように，会社計算規則は，上記の3つの事項（①から③）について，原則として，注記することを要求しているのであり，経団連モデルの記載例は，上記「③当該事業年度および翌事業年度以降の収益の金額を理解するための情報」の注記を要しないと合理的に判断される場合を示しており，一律に，当該事項の記載は不要であるとするものではないことに留意されたい。そこで，経団連モデルの記載上の注意(5)において，「当事業年度及び翌事業年度以降の収益の金額を理解するための情報」の記載例を示している。

　経団連モデルの記載例では，「(2) 収益を理解するための基礎となる情報」について，「『重要な会計方針に係る事項に関する注記』の『収益及び費用の計上基準』に記載のとおりであります」と記載されている。これは，収益認識会計基準において，収益認識会計基準80-2項および80-3項に従って重要な会計方針として注記している内容は，収益認識に関する注記として記載しないことができる（「収益認識会計基準」80-8項）と規定されていることによる。

　会社計算規則において，「収益認識に関する注記」は，会社計算規則98条（注記表の区分）1項18号の2に置かれており，「その他の注記」（同項19号）の直前の位置にある。同様に，「収益認識に関する注記」（計算規則115条の2）は，「その他の注記」（計算規則116条）の直前に置かれている。

　しかしながら，「収益認識に関する注記」の内容は，重要な会計方針である「収益及び費用の計上基準」（計算規則101条1項4号・2項）と密接に関連する事項であるので，両者の注記の記載位置はできるだけ近づけ，関連することが

わかるように記載したほうが株主の理解に資するものと考えられる。

そこで，経団連モデルでは，会社計算規則の規定の順序にかかわらず，「会計方針の変更に関する注記」の記載箇所の次に「収益認識に関する注記」を記載している。

会社法および会社計算規則で要求される内容が計算書類および附属明細書に記載されていればよく，会社計算規則の規定の順序どおりに記載する必要はないものと考えられる。

ロ．2018年3月30日公表の収益認識会計基準に対応する会社計算規則の改正

2018年3月30日公表の収益認識会計基準に対応して，2018（平成30）年10月15日，「会社計算規則の一部を改正する省令」(法務省令第27号)が公表されている。

法務省令第27号により，会社計算規則98条（注記表の区分）に，「収益認識に関する注記」が規定された（計算規則98条1項18号の2）。この際，会社計算規則98条2項の改正は行われていない。

会社計算規則98条2項は，会社の機関構成等に応じて，一定の注記項目の省略を認める規定であるが，収益認識会計基準を適用する場合には，損益計算書に計上された収益がいかなる義務から生じ，どの時点で認識されているかという点は，株主や会社債権者が計算書類を理解する上で重要な事項と考えられるので，会社の機関構成等にかかわらず，収益認識会計基準を適用する会社については，「収益認識に関する注記」の省略を認めるべきではないと考えられる（藺牟田泰隆ほか「会社計算規則の一部を改正する省令の解説──平成30年法務省令第27号」商事法務2182号（2018）16頁）。

他方，収益認識会計基準が強制適用されず，任意適用もしない会社については，そもそもその注記をする必要がないので，その省略を認める必要もないと考えられる。このため，前述のように，会社計算規則98条2項の改正は行われていない（藺牟田泰隆ほか・前掲商事法務2182号16頁）。

また，法務省令第27号により，「収益認識に関する注記」（計算規則115条の

2）が新設され，会社が顧客との契約に基づく義務の履行の状況に応じて当該契約から生ずる収益を認識する場合における所要の事項を注記することとされた。

会社計算規則115条の2第1項の「会社が顧客との契約に基づく義務の履行の状況に応じて当該契約から生ずる収益を認識する場合」とは，会社が収益認識会計基準を適用する場合をいい，収益認識会計基準を適用しない会社においては，同項所定の注記を要しないこととしている（法務省「『会社計算規則の一部を改正する省令案』に関する意見募集の結果について」(2018年10月15日) 第3,1。藺牟田泰隆ほか・前掲商事法務2182号16頁）。

収益認識会計基準を適用した場合には，損益計算書に計上された収益がいかなる義務から生じ，どの時点で認識されているかという点は，株主や会社債権者が計算書類を理解する上で重要な事項であるから，会社の主要な事業における顧客との契約に基づく主な義務の内容及び当該義務に係る収益を認識する通常の時点を，計算書類においても開示することが適切であると考えられる（法務省「『会社計算規則の一部を改正する省令案』に関する意見募集の結果について」(2018年10月15日) 第3,1)。

法務省令第27号による「収益認識に関する注記」(計算規則115条の2) で用いられている用語について，収益認識会計基準において用いられている「履行義務」という用語を用いずに，「義務の履行」や「義務」の用語としていることについては，会社計算規則の用語の解釈に関しては，一般に公正妥当と認められる企業会計の基準を斟酌しなければならないとされており（計算規則3条），会社計算規則の改正を行うこととした経緯等も踏まえれば，会社計算規則115条の2第1項が，(2020年3月31日の改正前の) 収益認識会計基準80項が定める注記事項と同一の事項について注記を求めていることは明らかであるとしている（法務省「『会社計算規則の一部を改正する省令案』に関する意見募集の結果について」(2018年10月15日) 第3,2)。

ハ．2020年3月31日に改正された収益認識会計基準に対応する会社計算規則の改正

　2020年3月31日に改正された収益認識会計基準に対応して，2020（令和2）年8月12日，「会社計算規則の一部を改正する省令」(法務省令第45号)が公布されている。

　法務省令第45号により，「収益認識に関する注記」(計算規則115条の2)が改正されている。有価証券報告書を提出しなければならない株式会社以外の株式会社に過大な負担となるおそれがあるという意見が比較的多く寄せられたことなどを踏まえ，法務省令案を修正し，会社法444条3項に規定する株式会社以外の株式会社にあっては，会社計算規則115条の2第1項1号および3号に掲げる事項を省略することができるとしている(法務省「『会社計算規則の一部を改正する省令案』に関する意見募集の結果について」(2020年8月12日)第3, 2)。

　前述のように，「収益認識に関する注記」(計算規則115条の2)として，3つの事項を注記することが要求されており，収益認識会計基準においては，「収益の分解情報」，「収益を理解するための基礎となる情報」および「当期及び翌期以降の収益の金額を理解するための情報」の各事項の具体的な内容について詳細な定めが置かれている(「収益認識会計基準」80-5項)。また，開示目的として「収益認識に関する注記における開示目的は，顧客との契約から生じる収益及びキャッシュ・フローの性質，金額，時期及び不確実性を財務諸表利用者が理解できるようにするための十分な情報を企業が開示することである」と規定している(「収益認識会計基準」80-4項)。

　他方で，これらの注記事項は，最低限の注記のチェックリストとして用いられることを意図したものではないとされ(「収益認識会計基準」167項)，これらの注記事項のうち，開示目的に照らして重要性に乏しいと認められる事項については，記載しないことができることとされている(「収益認識会計基準」80-5項)。これに加えて，会社計算規則は，有価証券報告書を提出する会社のみを対象としているものではないことや，有価証券報告書に加え，会社法上の計算書類においても当該事項の注記を求められることによる実務上の負担

等も考慮し，各株式会社の実情に応じて必要な限度での開示を可能とするため，「収益認識に関する注記」（計算規則115条の2）の内容は，収益認識会計基準における定めとは異なり，概括的に定めることとしている。したがって，収益認識会計基準において具体的に規定された事項であったとしても，各株式会社の実情を踏まえ，計算書類においては当該事項の注記を要しないと合理的に判断される場合には，計算書類において当該事項について注記しないことも許容されると考えられる（法務省「『会社計算規則の一部を改正する省令案』に関する意見募集の結果について」(2020年8月12日) 第3, 2・3。藺牟田泰隆ほか・前掲商事法務2242号6～7頁）。

　当該事項の注記の要否は，各株式会社において，その実情を踏まえ，個別に判断されるべきものであるから，そのような判断を要せずに画一的に，収益認識会計基準において注記を求められる事項の一部について，注記を要しないものとする規定等は設けないこととしている。また，株式会社の会計は，一般に公正妥当と認められる企業会計の慣行に従うものとすることとされている（法431条）ところ，収益認識会計基準は，IFRS第15号「顧客との契約から生じる収益」の注記事項が国際的に有用と考えられる項目として各国において開示されていることを踏まえると，財務諸表作成者に生ずる負担を考慮しても，その定めを基本的にすべて取り入れることが相当であるという方針の下で定められている。このことも踏まえると，会社計算規則において，収益認識会計基準において注記が求められている項目自体を修正等することは相当でないと考えられている（法務省「『会社計算規則の一部を改正する省令案』に関する意見募集の結果について」(2020年8月12日) 第3, 2)。

　なお，会社計算規則の規定との平仄等も踏まえ，収益認識会計基準に規定されている開示目的（「収益認識会計基準」80-4項・166項）に相当する事項は規定されていないが，会社計算規則の用語の解釈に関しては，一般に公正妥当と認められる企業会計の基準を斟酌しなければならないとされていること（計算規則3条）を踏まえれば，会社計算規則115条の2第1項柱書きの「重要性の乏しいもの」には，収益認識会計基準に規定された開示目的に照らして重要

性に乏しいと認められる場合も含まれると考えられる（法務省「会社計算規則の一部を改正する省令案」に関する意見募集の結果について」(2020年8月12日) 第3, 4)。

(5) 表示方法の変更に関する注記
経団連モデル

5．表示方法の変更に関する注記

［記載例］
（○○の表示方法の変更）
　○○の表示方法は，従来，貸借対照表上，○○（前事業年度×××百万円）に含めて表示しておりましたが，重要性が増したため，当事業年度より，○○（当事業年度×××百万円）として表示しております。

（記載上の注意）
(1) 表示方法を変更した場合には，次の事項（重要性の乏しいものを除く。）を記載する。
　① 表示方法の変更の内容
　② 表示方法の変更の理由
(2) 個別注記表に注記すべき事項（会社計算規則第102条の3第1項第2号に掲げる事項に限る。）が連結注記表に注記すべき事項と同一である場合において，個別注記表にその旨を注記するときは，「表示方法の変更の内容」のみの記載とすることができる（会社計算規則第102条の3第2項）。

イ．概要
　表示方法とは，計算書類または連結計算書類の作成に当たって採用する表示の方法をいう（計算規則2条3項64号）。
　表示方法の変更とは，一般に公正妥当と認められる表示方法を他の一般に公正妥当と認められる表示方法に変更することである（計算規則102条の3第1項，「過年度遡及会計基準」4項(6)）。

第Ⅲ章　計算書類

　従来，経団連モデルでは「重要な会計方針の変更」の記載例の中で，「表示方法の変更」の記載例を示していたが，過年度遡及会計基準に対応して，会社計算規則では，会計方針と表示方法をわけて規定し（計算規則2条3項62号・64号），「表示方法の変更に関する注記」（計算規則102条の3）が新設されたことから，経団連モデルでも，「表示方法の変更に関する注記」として示している。

　会社計算規則102条の3第1項では，「重要性の乏しいものを除く」と規定しているので，表示方法の変更を行った場合でも，重要性の乏しいものについては注記しないことができる。

ロ．表示方法の変更の注記の内容

　旧会社計算規則101条第2項では，「表示方法を変更したときは，その内容」を注記すると規定していた。

　改正後の会社計算規則102条の3第1項では，「当該表示方法の変更の内容」と「当該表示方法の変更の理由」の両方を注記することとしている。

　これは，過年度遡及会計基準において，「表示方法の変更に関する注記」として次の規定を設けたことに対応している（「過年度遡及会計基準」16項）。

① 財務諸表の組替えの内容
② 財務諸表の組替えを行った理由
③ 組替えられた過去の財務諸表の主な項目の金額
④ 原則的な取扱いが実務上不可能な場合（「過年度遡及会計基準」15項）には，その理由

　過年度遡及会計基準は，「財務諸表の組替え」を，新たな表示方法を過去の財務諸表に遡って適用していたかのように表示を変更することをいうと定義している（「過年度遡及会計基準」4項(10)）。

　ただし，会社法では，当期の計算書類の開示のみを要求している。いわゆる単年度開示の制度であるので（髙木弘明＝新井吐夢・前掲5頁），過年度遡及会計基準に対応した会社計算規則の規律も，いわゆる単年度開示をベースにしたものとなっている。

このため，いわゆる単年度開示の制度である計算書類では，「財務諸表の組替え」の対象となる過去の計算書類が開示されていないため，過年度遡及会計基準の「財務諸表の組替え」に対応する規定は設けられていない。

経団連モデルでは，計算書類がいわゆる単年度開示の制度であるとしても，表示方法の変更が行われた場合に，計算書類の比較可能性を担保し，株主等の計算書類の利用者に資する情報提供を行うという趣旨から，従来と同様の記載例としている。

(6) 会計上の見積りに関する注記
経団連モデル

> **6. 会計上の見積りに関する注記**
>
> ［記載例（会計上の見積りの内容に関する理解に資する情報の注記を要しないと合理的に判断される場合）］
>   会計上の見積りにより当事業年度に係る計算書類にその額を計上した項目であって，翌事業年度に係る計算書類に重要な影響を及ぼす可能性があるものは，次のとおりです。
>   繰延税金資産　×××百万円

（記載上の注意）
(1)「会計上の見積りに関する注記」は，次の事項を記載することとされており，企業会計基準第31号「会計上の見積りの開示に関する会計基準」を参考にし，各社の実情に応じて，必要な記載をする（会社計算規則第102条の3の2第1項）。
  ① 会計上の見積りにより当該事業年度に係る計算書類にその額を計上した項目であって，翌事業年度に係る計算書類に重要な影響を及ぼす可能性があるもの
  ② 当該事業年度に係る計算書類の①の項目に計上した額
  ③ ②のほか，①に掲げる項目に係る会計上の見積りの内容に関する理解に資する情報

(2) 個別注記表に注記すべき事項（会社計算規則第102条の3の2第1項第3号に掲げる事項に限る。）が連結注記表に注記すべき事項と同一である場合において，個別注記表にその旨を注記するときでも，(1)①計算書類に計上した項目および②計算書類に計上した額について記載する（会社計算規則第102条の3の2第2項）。
(3) 会社計算規則の用語の解釈に関しては，一般に公正妥当と認められる企業会計の基準をしん酌しなければならないとされており（会社計算規則第3条），会計上の見積りに関する注記の要否及びその内容は，「会計上の見積りの開示に関する会計基準」で定める開示目的（当年度の財務諸表に計上した金額が会計上の見積りによるもののうち，翌年度の財務諸表に重要な影響を及ぼすリスク（有利となる場合及び不利となる場合の双方が含まれる。）がある項目における会計上の見積りの内容について，財務諸表利用者の理解に資する情報を開示すること）に照らして判断する。

　「会計上の見積りに関する注記」を記載するにあたっては，次のことに留意し，株主にとって重要な事項を記載する。なお，「会計上の見積りに関する注記」を記載するにあたっては，「会計上の見積りの開示に関する会計基準」第8項において具体的に例示された事項であったとしても，各社の実情を踏まえ，計算書類においては当該事項の注記を要しないと合理的に判断される場合には，計算書類において当該事項について注記しないことも許容される。

・「会計上の見積りの開示に関する会計基準」においては，「会計上の見積りの内容について財務諸表利用者の理解に資するその他の情報」として，当年度の財務諸表に計上した金額の算出方法，当年度の財務諸表に計上した金額の算出に用いた主要な仮定及び翌年度の財務諸表に与える影響が例示されているが（同会計基準第8項），これらの注記事項は，チェックリストとして用いられるべきものではなく，例示であり，注記する事項は，開示目的に照らして判断することとされている（同会計基準第31項）。

(4) 上記の記載例は，(1)③「会計上の見積りの内容に関する理解に資する情報」について，自社の実情を踏まえ，計算書類においては当該事項の注記を要しないと合理的に判断される場合である。「会計上の見積りの内容に関する理解に資する情報」として記載する場合の記載例は以下のとおりである。

> [会計上の見積りの内容に関する理解に資する情報を記載する例]
> 　繰延税金資産の認識は，将来の事業計画に基づく課税所得の発生時期及び金額によって見積っております。当該見積りは，将来の不確実な経済条件の変動などによって影響を受ける可能性があり，実際に発生した課税所得の時期及び金額が見積りと異なった場合，翌事業年度の計算書類において，繰延税金資産の金額に重要な影響を与える可能性があります。

イ．概要

　会計上の見積りとは，計算書類または連結計算書類に表示すべき項目の金額に不確実性がある場合において，計算書類または連結計算書類の作成時に入手可能な情報に基づき，それらの合理的な金額を算定することをいう（計算規則2条3項65号）。

　会社計算規則は，「会計上の見積りに関する注記」として，次の事項を注記すると規定している（計算規則98条1項4号の2・102条の3の2第1項）。

① 　会計上の見積りにより当該事業年度に係る計算書類または連結計算書類にその額を計上した項目であって，翌事業年度に係る計算書類または連結計算書類に重要な影響を及ぼす可能性があるもの

② 　当該事業年度に係る計算書類または連結計算書類の①に掲げる項目に計上した額

③ 　②に掲げるもののほか，①に掲げる項目に係る会計上の見積りの内容に関する理解に資する情報

　上記の規定は，企業会計基準第31号「会計上の見積りの開示に関する会計基準」（企業会計基準委員会。以下「見積開示会計基準」という）を受けて設けられたものであり（法務省「会社計算規則の一部を改正する省令案に関する概要説明」（2020年6月4日）），2020（令和2）年8月12日，「会社計算規則の一部を改正する省令」（法務省令第45号）として公布されている。

後述のように、法務省令第45号の公布に際して公表された法務省の「『会社計算規則の一部を改正する省令案』に関する意見募集の結果について」(2020年8月12日)では、見積開示会計基準8項において具体的に例示された事項であったとしても、各株式会社の実情を踏まえ、計算書類においては当該事項の注記を要しないと合理的に判断される場合には、計算書類において当該事項について注記しないことも許容されると考えられるとの考え方が示されたことから、経団連モデルでは「会計上の見積りの内容に関する理解に資する情報の注記を要しないと合理的に判断される場合」の記載例を示している。

　前述のように、会社計算規則は、上記の3つの事項(①から③)について、原則として、注記することを要求しているのであり、経団連モデルの記載例は、上記「③　②に掲げるもののほか、①に掲げる項目に係る会計上の見積りの内容に関する理解に資する情報」の注記を要しないと合理的に判断される場合を示しており、一律に、当該事項の記載は不要であるとするものではないことに留意されたい。そこで、経団連モデルの記載上の注意(4)において、「会計上の見積りの内容に関する理解に資する情報」の記載例を示している。

　会計上の見積りは、財務諸表作成時に入手可能な情報に基づいて合理的な金額を算出するものであるが、財務諸表に計上する金額に係る見積りの方法や、見積りの基礎となる情報が財務諸表作成時にどの程度入手可能であるかは様々であり、その結果、財務諸表に計上する金額の不確実性の程度も様々となる(「見積開示会計基準」4項・15項)。

　また、会計上の見積りは、企業の置かれている状況に即して行われるものであることから、会計上の見積りの内容について財務諸表利用者の理解に資する情報を開示するためには、当該企業の置かれている状況について財務諸表利用者が理解できるような情報を開示する必要があると考えられる。企業の置かれている状況に加えて、企業による当該状況の評価に関する情報を開示することも財務諸表利用者が財務諸表を理解するために有用であると考えられる(「見積開示会計基準」18項)。

通常,有価証券報告書における記載と計算書類における記載は整合的なものとすることが適当と考えられることから,金商法適用会社においては,有価証券報告書における記載を想定した,より具体的な内容とすることが考えられる。

このように,会計上の見積りの開示は,各社の置かれた状況,財務諸表(計算書類)に計上する金額に係る見積りの方法や,見積りの基礎となる情報などによって大きく異なると考えられることから,経団連モデルの記載例を,自社の状況などを踏まえた検討を行わずにそのまま利用するのではなく,会計上の見積りに関する株主などの理解のために十分な内容のものであると言えるように開示する必要があると考えられる。

ロ.会計上の見積りに関する注記の内容

「会計上の見積りに関する注記」(計算規則102条の3の2)について,会計上の見積りにより計算書類に計上した金額の不確実性の程度は様々であり,当該金額の表示だけでは,当該金額に含まれる項目が翌年度の計算書類に影響を及ぼす可能性の有無を利害関係者が理解することは困難であり(「見積開示会計基準」4項),会計上の見積りの内容に関する理解に資する情報は,計算書類により会社の財産又は損益の状態を正確に判断するために重要な事項であると考えられる(法務省「会社計算規則の一部を改正する省令案」に関する意見募集の結果について」(2020年8月12日)第3,7。藺牟田泰隆ほか・前掲商事法務2242号8頁)。

前述のように,「会計上の見積りに関する注記」(計算規則102条の3の2)として,3つの事項を注記することが要求されており,見積開示会計基準においては,「識別した項目」,「当年度の財務諸表に計上した金額」および「会計上の見積りの内容について財務諸表利用者の理解に資するその他の情報」の各事項の具体的な内容について詳細な定めが置かれている(「見積開示会計基準」6項~8項)。また,開示目的として「当年度の財務諸表に計上した金額が会計上の見積りによるもののうち,翌年度の財務諸表に重要な影響を及ぼすリスク(有利となる場合及び不利となる場合の双方が含まれる。以下同

じ。）がある項目における会計上の見積りの内容について，財務諸表利用者の理解に資する情報を開示することを目的とする」と規定している（「見積開示会計基準」4項）。

　他方で，見積開示会計基準においては，「会計上の見積りの内容について財務諸表利用者の理解に資するその他の情報」として，当年度の財務諸表に計上した金額の算出方法，当年度の財務諸表に計上した金額の算出に用いた主要な仮定および翌年度の財務諸表に与える影響が例示されているが（「見積開示会計基準」8項），これらの注記事項は，チェックリストとして用いられるべきものではなく，例示であり，注記する事項は，開示目的に照らして判断することとされている（「見積開示会計基準」31項）。また，会社計算規則は，有価証券報告書を提出する会社のみを対象としているものではないことや，有価証券報告書に加え，会社法上の計算書類においても当該事項の注記を求められることによる実務上の負担等も考慮し，各株式会社の実情に応じて必要な限度での開示を可能とするため，概括的に，「当該事業年度に係る計算書類又は連結計算書類の前号の項目に計上した額その他当該項目に係る会計上の見積りの内容に関する理解に資する情報」としている。したがって，見積開示会計基準8項において具体的に例示された事項であったとしても，各株式会社の実情を踏まえ，計算書類においては当該事項の注記を要しないと合理的に判断される場合には，計算書類において当該事項について注記しないことも許容されると考えられる（法務省「『会社計算規則の一部を改正する省令案』に関する意見募集の結果について」(2020年8月12日) 第3，7。藺牟田泰隆ほか・前掲商事法務2242号8頁）。

　また，見積開示会計基準7項では，「当年度の財務諸表に計上した金額」および「会計上の見積りの内容について財務諸表利用者の理解に資するその他の情報」について，会計上の見積りの開示以外の注記に含めて財務諸表に記載している場合には，会計上の見積りに関する注記を記載するにあたり，当該他の注記事項を参照することにより当該事項の記載に代えることができると規定されている。会社計算規則では，当該規定に対応する具体的な規定を

設けなくとも，計算書類において，同一の記載を重ねて注記する必要はないことから，これに対応する改正は行われていない（藺牟田泰隆ほか・前掲商事法務2242号8〜9頁）。

なお，「会計上の見積りに関する注記」（計算規則102条の3の2）では，「会計上の見積りにより当該事業年度に係る計算書類又は連結計算書類にその額を計上した項目であって，翌事業年度に係る計算書類又は連結計算書類に重要な影響を及ぼす可能性があるもの」と規定しているが，ここにいう「可能性がある」とは，見積開示会計基準4項における「リスク（有利となる場合及び不利となる場合の双方が含まれる。）がある」と同義である。会社計算規則の用語の解釈に関しては，一般に公正妥当と認められる企業会計の基準を斟酌しなければならないとされており（計算規則3条），会社計算規則の改正を行うこととした経緯等も踏まえれば，会社計算規則102条の3の2第1項1号が，見積開示会計基準6項に規定された事項に相当する事項の注記を求めるものであることは明らかである（法務省「『会社計算規則の一部を改正する省令案』に関する意見募集の結果について」(2020年8月12日) 第3, 9)。

ハ．見積開示会計基準の適用に際しての留意点

見積開示会計基準では，当年度の財務諸表に計上した金額に重要性があるものに着目して開示する項目を識別するのではなく，当年度の財務諸表に計上した金額が会計上の見積りによるもののうち，翌年度の財務諸表に重要な影響を及ぼすリスクがあるものに着目して開示する項目を識別することとしたとしている。このため，例えば，固定資産について減損損失の認識は行わないとした場合でも，翌年度の財務諸表に重要な影響を及ぼすリスクを検討したうえで，当該固定資産を開示する項目として識別する可能性がある（「見積開示会計基準」23項）。

翌年度の財務諸表に重要な影響を及ぼすリスクがある場合には，当年度の財務諸表に計上した収益および費用，ならびに会計上の見積りの結果，当年度の財務諸表に計上しないこととした負債を識別することも可能であり，ま

た，注記において開示する金額を算出するにあたって見積りを行ったものについても，翌年度の財務諸表に重要な影響を及ぼすリスクがある場合には，これを識別することをもできる（「見積開示会計基準」23項）。

「会計上の見積りの内容について財務諸表利用者の理解に資するその他の情報」については，単に会計基準等における取扱いを算出方法として記載するのではなく，企業の置かれている状況が理解できるようにすることで，財務諸表利用者に有用な情報となると考えられる（「見積開示会計基準」29項）。

見積開示会計基準に基づく開示は，将来予測的な情報の開示を企業に求めるものではないが，開示する項目の識別に際しては，財務諸表利用者の理解に資する情報を開示するという開示目的を達成するために，翌年度の財務諸表に及ぼす影響を踏まえた判断を行うことを企業に求めている。この点，「翌年度以降の財務諸表に影響を及ぼす可能性がある項目とすべき」との意見もあったが，IAS 第1号「財務諸表の表示」125項の定めも踏まえた検討の結果，翌年度と規定している（「見積開示会計基準」19項）。

このように，会計上の見積りの開示は，各社の置かれた状況，財務諸表（計算書類）に計上する金額に係る見積りの方法や，見積りの基礎となる情報などによって大きく異なると考えられるので，特に，金商法監査の対象会社においては，有価証券報告書における記載と計算書類における記載を整合的なものとすることが適当と考えられることから，有価証券報告書における記載を想定した，より具体的な内容とし，株主などの理解のために十分な内容のものであると言えるように開示する必要があると考えられる。

第2節　個別注記表

(7) 会計上の見積りの変更に関する注記
経団連モデル

---
7. 会計上の見積りの変更に関する注記

［記載例］
　当社が保有する備品Xは，従来，耐用年数を10年として減価償却を行ってきましたが，当事業年度において，○○○（変更を行うこととした理由などの変更の内容を記載する。）により，耐用年数を6年に見直し，将来にわたり変更しております。
　この変更により，従来の方法と比べて，当事業年度の減価償却費が×××百万円増加し，営業利益，経常利益及び税引前当期純利益が同額減少しております。

（記載上の注意）
　会計上の見積りを変更した場合には，次の事項（重要性の乏しいものを除く。）を記載する。
　① 会計上の見積りの変更の内容
　② 会計上の見積りの変更の計算書類の項目に対する影響額
　③ 会計上の見積りの変更が当事業年度の翌事業年度以降の財産又は損益に影響を及ぼす可能性があるときは，当該影響に関する事項（合理的に見積もることが困難である場合には，その旨を記載すれば足りる。）

イ．概要

　会計上の見積りとは，計算書類または連結計算書類に表示すべき項目の金額に不確実性がある場合において，計算書類または連結計算書類の作成時に入手可能な情報に基づき，それらの合理的な金額を算定することをいう（計算規則2条3項65号）。

　会計上の見積りの変更とは，新たに入手可能となった情報に基づき，当該事業年度より前の事業年度に係る計算書類または連結計算書類の作成に当たってした会計上の見積りを変更することをいう（計算規則2条3項66号，「過年度

遡及会計基準」4項(7))。

　会社計算規則102条の4では,「重要性の乏しいものを除く」と規定しているので,会計上の見積りの変更を行った場合でも,重要性の乏しいものについては注記しないことができる。

ロ．会社計算規則の改正内容
　過年度遡及会計基準18項に対応して,重要性の乏しいものを除いて,次の事項を注記するように規定している(計算規則102条の4)。
　① 会計上の見積りの変更の内容
　② 会計上の見積りの変更の計算書類の項目に対する影響額
　③ 会計上の見積りの変更が当事業年度の翌事業年度以降の財産又は損益に影響を及ぼす可能性があるときは,当該影響に関する事項

　会計上の見積りの変更の例としては,有形固定資産に関する減価償却期間(耐用年数)について,生産性向上のための合理化や改善策が策定された結果,従来の減価償却期間と使用可能予測期間との乖離が明らかとなったことに伴い,新たな耐用年数を採用した場合などがあげられる(「過年度遡及会計基準」40項)。

　ただし,耐用年数の変更について,過去に定めた耐用年数がその時点での合理的な見積りに基づくものでなく,これを事後的に合理的な見積りに基づいたものに変更する場合には,過去の誤謬の訂正に該当するので,注意が必要である(監査・保証実務委員会実務指針第81号「減価償却に関する当面の監査上の取扱い」(日本公認会計士協会)17項)。

ハ．会計上の見積りの変更による翌事業年度以降への影響に関する開示
　a．注記するケース
　　会社計算規則102条の4第3号は,「当該会計上の見積りの変更が当該事業年度の翌事業年度以降の財産又は損益に影響を及ぼす可能性があるときは,当該影響に関する事項」を注記すると規定している。

これは，次の過年度遡及会計基準18項に対応するものである。

会計基準	内　容
会計上の見積りの変更 （過年度遡及会計基準18項 (2)）	会計上の見積りの変更が，当期に影響を及ぼす場合は当期への影響額。当期への影響がない場合でも将来の期間に影響を及ぼす可能性があり，かつ，その影響額を合理的に見積ることができるときには，当該影響額。ただし，将来への影響額を合理的に見積ることが困難な場合には，その旨

　会計上の見積りの変更が当事業年度の翌事業年度以降の財産または損益に影響を及ぼす可能性があるが，当該影響を合理的に見積もることが困難である場合には，その旨を記載すれば足りると考えられているので（髙木弘明＝新井吐夢・前掲9頁・11頁），経団連モデルの記載上の注意③において，「合理的に見積もることが困難である場合には，その旨を記載すれば足りる。」と記載している。

　b. 重要性の判断に関する事項

　　財務諸表等規則ガイドライン8の3の5－3では，「会計上の見積りの変更に関する注記」に関して，次の規定を設けている。

　　すなわち，財務諸表等規則8条の3の5第3号イの規定における会計上の見積りの変更が当事業年度の翌事業年度以降の財務諸表に与える影響について，当事業年度に係る財務諸表に与えている影響額に基づき，当該影響の概要を把握することができる場合には，財務諸表等規則8条の3の5ただし書に規定する重要性が乏しい場合に該当するものとして，注記を省略することができることに留意すると規定している。

　　当該事項は，重要性の判断に関する事項であり，会社計算規則上も「重要性」の判断に関する事項と解される。そこで，会社計算規則上の重要性を判断する場合に，「当事業年度に係る財務諸表に与えている影響額に基づき，当該影響の概要を把握することができる場合」は，財務諸表等規則ガイドライン8の3の5－3を参考にし，会社計算規則上も，「重要性の乏しい」事項として注記を省略することができると考えられる。

(8) 誤謬の訂正に関する注記

イ．概要

誤謬とは，意図的であるかどうかにかかわらず，計算書類または連結計算書類の作成時に入手可能な情報を使用しなかったことまたは誤って使用したことにより生じた誤りをいう（計算規則2条3項67号）。

誤謬の訂正とは，当該事業年度より前の事業年度に係る計算書類または連結計算書類における誤謬を訂正したと仮定して計算書類または連結計算書類を作成することをいう（計算規則2条3項68号）。

「誤謬の訂正」の用語は，過年度遡及会計基準の「修正再表示」に対応する概念であり，一般的意義としての「誤謬を訂正すること」とは異なると考えられている（髙木弘明＝新井吐夢・前掲6頁）。

「修正再表示」とは，過去の財務諸表における誤謬の訂正を財務諸表に反映することをいう（「過年度遡及会計基準」4項(11)）。

会社法では，当期の計算書類の開示のみを要求している，いわゆる単年度開示の制度であるので，「再表示」という用語がなじまないためである（髙木弘明＝新井吐夢・前掲5頁・6頁）。

経団連モデルでは，誤謬の訂正を行った場合の記載例を示していない。

過年度遡及適用指針では，参考として，「[設例5] 過去の誤謬の訂正」が示されているので，誤謬の訂正を行う場合には，実務上，当該設例を参考に，各社の状況に照らして適切な内容を注記することになると考えられる。

ロ．誤謬の訂正に関する注記の内容

会社計算規則は，誤謬の訂正をした場合における次に掲げる事項を注記すると規定している（計算規則102条の5）。

① 当該誤謬の内容
② 当該事業年度の期首における純資産額に対する影響額

誤謬の訂正の定義は前述のとおりであり，過去の誤謬について遡及処理をしていない場合には，会社計算規則102条の5による注記は不要となる。

過去の誤謬について遡及処理すべきかどうかについては，一般に公正妥当と認められる企業会計の慣行により決定されることになる（髙木弘明＝新井吐夢・前掲10頁）。

ハ．計算書類の確定

誤謬の訂正は，確定済みの過年度の計算関係書類自体を修正したり，手続または内容の誤りのために未確定となっている過年度の計算関係書類を確定させたりするような効果をもつものではないと考えられている。このため，会社計算規則102条の5の規定は，過年度の計算関係書類の確定または未確定とは無関係のものと整理されている（髙木弘明＝新井吐夢・前掲10頁）。

そのため，過年度の計算書類が確定していない場合には，改めて確定手続を行う必要がある。他方，過去の誤謬が存在したとしても，それが会社法上重要なものではなく，過年度の計算書類の確定を妨げるものではない場合，過年度の計算書類の変更をすることは必要ないし，また，変更することは許されない（小松岳志「過年度遡及処理における法務の側面からの検討」企業会計63巻3号（2011）80頁）。

ニ．修正再表示と訂正報告書の関係

過年度遡及会計基準では，修正再表示を規定し，過去の財務諸表における誤謬の訂正を財務諸表に反映する規定を設けている（「過年度遡及会計基準」21項・22項）。

一方，金融商品取引法では，重要な事項の変更等を発見した場合訂正報告書の提出が要求されている。

ここで，会計基準上の修正再表示と金融商品取引法上の訂正報告書の関係であるが，監査基準委員会報告書第63号「過年度の比較情報－対応数値と比較財務諸表」（日本公認会計士協会）の常務理事前書において次の記載がなされており，これを踏まえると，誤謬に関しては，基本的には訂正報告書の提出が求められることになると考えられる。

> なお，会計基準上，過去の財務諸表に重要な誤謬があった場合には，修正再表示を行うことになっております。一方，金融商品取引法上，重要な事項の変更等を発見した場合訂正報告書の提出が求められていることから，一般的には過去の誤謬を比較情報として示される前期数値を修正再表示することにより解消することはできないと考えられます。したがって，本報告書における過去の誤謬の修正再表示に関する要求事項等については，金融商品取引法の監査においては，通常は適用されないことにご留意ください。

ホ．会社法と訂正報告書の関係

金融商品取引法が適用される会社において，過去の財務諸表に関する訂正報告書を提出した場合に，会社法の計算書類における開示の方法が論点となる。

会社法においては，株式会社の会計は，一般に公正妥当と認められる企業会計の慣行に従うものとされており（法431条），金融商品取引法が適用される会社に適用される過去の誤謬の訂正に関する企業会計の慣行とは，過年度遡及会計基準であると考えられる。過年度遡及会計基準では，過去の財務諸表に誤謬が発見された場合には修正再表示することを規定している（「過年度遡及会計基準」21項）。このため，金融商品取引法が適用される会社が，過去の誤謬の訂正に関して，金融商品取引法上，訂正報告書を提出した場合には，会社法においても，過年度遡及会計基準に基づいて会計処理することになると考えられる（計算規則96条7項・8項・102条の5第2号）。すなわち，表示期間より前の期間に関する修正再表示による累積的影響額は，いわゆる単年度開示となる会社法の計算書類においては，当期首の資産，負債および純資産の額に反映することとなる。

なお，金融商品取引法において訂正報告書を提出した場合，定時株主総会で既に承認（または報告）された計算書類の取扱いについては，訂正報告書の対象となった誤謬の重要性などを踏まえながら，法律専門家と協議して慎重に対応する必要があると考えられる。

(9) 未適用の会計基準等に関する注記

会社計算規則では,「未適用の会計基準等に関する注記」は要求されていない。

過年度遡及会計基準では,「未適用の会計基準等に関する注記」として,すでに公表されているものの,いまだ適用されていない新しい会計基準等がある場合には,次の事項を注記すると規定している(「過年度遡及会計基準」22-2項)。

① 新しい会計基準等の名称および概要
② 適用予定日(早期適用する場合には早期適用予定日)に関する記述
③ 新しい会計基準等の適用による影響に関する記述

会社計算規則は,「未適用の会計基準等に関する注記」を要求していないが,株主等の意思決定に資するために,貸借対照表等,損益計算書等および株主資本等変動計算書等により会社(連結注記表にあっては,企業集団)の財産または損益の状態を正確に判断するために必要な事項として,その他の注記(計算規則116条)として記載することも考えられる。

(10) 貸借対照表に関する注記
① 担保に供している資産および担保に係る債務

経団連モデル

```
8. 貸借対照表に関する注記
8-1. 担保に供している資産及び担保に係る債務

[記載例]
1. 担保に供している資産及び担保に係る債務
   (1) 担保に供している資産
       定期預金      ×××  百万円
       建  物       ×××  百万円
       土  地       ×××  百万円
         計         ×××  百万円
```

```
(2) 担保に係る債務
    短期借入金      ×××  百万円
    長期借入金      ×××  百万円
       計         ×××  百万円
```

イ．概要

　資産が担保に供されている場合は，資産が担保に供されていること，担保提供資産の内容およびその金額，担保に係る債務の金額を注記する（計算規則103条1号）。

　担保資産および対応する債務の概要を開示することにより，株主等の利害関係者にとって資金調達の状況，担保余力や債権者への弁済能力等の把握に役立つものと考えられる。

ロ．担保提供資産の内容およびその金額

　会社計算規則は，資産が担保に供されていること，その資産の内容と金額を注記するとしているので，通常は，貸借対照表の科目に合わせて記載することになると考えられる。なお，経団連モデルでは表題で「担保に供している資産」としているので，資産が担保に供されていることをあらためて記載する必要はないと考えられる。

　財務諸表等規則ガイドラインでは，資産が財団抵当に供されている場合は，その旨，資産の種類，金額の合計，当該債務を示す科目の名称および金額を注記することとされており（財務諸表等規則ガイドライン43），計算書類においても同様に注記することが考えられる。

ハ．担保に係る債務

　担保に係る債務の金額は，通常は，貸借対照表の科目に合わせて，その金額を開示することになると考えられる。

財務諸表等規則ガイドラインは，担保資産が担保に供されている債務を示す科目の名称およびその金額を記載するとしており（財務諸表等規則ガイドライン43），計算書類においても同様に記載することが考えられる。

また，根抵当の場合には，担保されている債務の期末残高または極度額のいずれか少ない金額を担保に係る債務の金額として記載する方法のほか，極度額を記載する方法も考えられる。

② 資産から直接控除した引当金
経団連モデル

> 8-2．資産から直接控除した引当金
>
> ［記載例］
> 2．資産から直接控除した貸倒引当金
>   売　掛　金　　　　　×××　百万円
>   破産更生債権等　　　×××　百万円
>   長　期　貸　付　金　×××　百万円
>
> （記載上の注意）
> 　貸借対照表上，資産に係る引当金（貸倒引当金等）を直接控除して表示している場合には，各資産の資産項目別に当該引当金の金額を注記する。ただし，一括して注記することが適当な場合には，各資産について，流動資産，有形固定資産，無形固定資産，投資その他の資産または繰延資産ごとに一括した引当金の金額を注記する。

イ．概要

資産に係る引当金は，貸借対照表上，以下のいずれかの方法により表示する（計算規則78条）。

　a．各資産の項目に対する控除項目として，貸倒引当金等，当該引当金の設

定目的を示す名称を付した項目をもって表示する方法
  b. 流動資産，有形固定資産，無形固定資産，投資その他の資産または繰延資産の区分に応じ，これらの資産に対する控除項目として一括して表示する方法
  c. 各資産に係る引当金を当該各資産の金額から直接控除し，その控除残高を当該各資産の金額として表示する方法

 これらのうち，cの表示方法とした場合には，当該引当金の金額を注記することが必要である（計算規則103条2号）。

ロ．資産に係る引当金

 貸倒引当金や投資損失引当金，投資評価に係る引当金等のいわゆる評価性引当金が該当する。

ハ．その他の記載例（参考例）

 上記の経団連モデルによるほか，以下の記載が考えられる。

```
（勘定科目ごとに記載する場合）
資産から直接控除した引当金
    貸倒引当金
        売掛金              ×××  百万円
        破産更生債権等        ×××  百万円

    投資損失引当金
        関係会社株式         ×××  百万円
```

```
(一括して記載する場合)
資産から直接控除した引当金
    貸倒引当金
        流動資産              ×××  百万円
        投資その他の資産       ×××  百万円

    投資損失引当金
        投資その他の資産       ×××  百万円
```

③ 資産に係る減価償却累計額

経団連モデル

```
8-3. 資産に係る減価償却累計額

［記載例］
3. 有形固定資産の減価償却累計額   ×××  百万円

(記載上の注意)
　貸借対照表上，資産に係る減価償却累計額を直接控除して表示している場合には，各資産の資産項目別に減価償却累計額の金額を注記する。ただし，一括して注記することが適当な場合は，各資産について一括した減価償却累計額の金額を注記する。
```

イ．概要

　有形固定資産の減価償却累計額は，貸借対照表上，以下のいずれかの方法により表示する（計算規則79条）。

　a. 各有形固定資産の項目に対する控除項目として，減価償却累計額の項目をもって表示する方法

b．有形固定資産に対する控除項目として一括して表示する方法
　c．各資産に係る減価償却累計額を当該各資産の金額から直接控除し，その控除残高を当該各資産の金額として表示する方法

　このうち，cの表示方法を採用した場合には，減価償却累計額の金額を注記することが必要となる（計算規則103条3号）。

　当該注記に関し，会社計算規則は「資産」に係る減価償却累計額とし，有形固定資産に係る減価償却累計額に限られているわけではないと考えられる。

　しかしながら，当該注記事項は，上記c.の表示方法に対応したものと解されること，無形固定資産については，貸借対照表上は減価償却累計額を取得原価から直接控除して表示する方法だけが認められていることから，従来の実務慣行を考慮し，経団連モデルでは資産に係る減価償却累計額の注記の記載例は，有形固定資産に係る減価償却累計額としている。

　なお，投資その他の資産の部の記載項目である投資不動産に係る減価償却累計額の金額が重要な場合は，有形固定資産に係る減価償却累計額と同様の注記を行うことが適当と考えられる。

ロ．注記方法

　注記方法として，勘定科目別に減価償却累計額を表示する方法と，有形固定資産に係る減価償却累計額として一括して表示することが適当な場合に一括して注記する方法が認められている。

ハ．その他の記載例（参考例）

　勘定科目ごとに注記する場合は，以下の記載が考えられる。

第2節　個別注記表

```
有形固定資産の減価償却累計額
  建物            ×××百万円
  構築物          ×××百万円
  機械装置        ×××百万円
  車両運搬具      ×××百万円
  工具器具備品    ×××百万円
  その他          ×××百万円
    計           ×××百万円
```

④　資産に係る減損損失累計額

経団連モデル

8-4. 資産に係る減損損失累計額

[記載例]
4．有形固定資産の減損損失累計額
　貸借対照表上，減価償却累計額に含めて表示しております。

（記載上の注意）
　貸借対照表上，資産に係る減損損失累計額を減価償却累計額に合算して表示している場合に注記する。

　固定資産の減損会計の適用により，減損対象となった資産がある場合，有形固定資産の減損損失累計額は，貸借対照表上，以下のいずれかの方法により表示する（計算規則80条）。
　a. 各有形固定資産の金額から直接控除する方法（減価償却累計額を各有形固定資産から直接控除している場合は，控除後の金額から直接控除する）
　b. 有形固定資産（償却資産）に対する減損損失累計額を各有形固定資産

の項目に対する控除項目として，減損損失累計額の項目をもって表示する方法

c. 有形固定資産（償却資産）に対する減損損失累計額をこれらの有形固定資産に対する控除項目として，減損損失累計額の項目をもって一括して表示する方法

なお，減価償却累計額を間接控除方式により表示する場合，および上記bまたはcの場合は，減損損失累計額を減価償却累計額に合算して，減価償却累計額の項目をもって表示することができる。

無形固定資産については，貸借対照表上，減損損失累計額を控除した金額で表示することとされており，減価償却累計額と同様の取扱いとなっている（計算規則81条）。

有形固定資産のうち，減損損失累計額を減価償却累計額に合算して減価償却累計額の項目をもって表示した場合には，減価償却累計額に減損損失累計額が含まれている旨を注記することが必要となる（計算規則103条4号）。減損損失累計額の金額を開示することまでは求められていない。

当該注記も減価償却累計額の注記と同様，会社計算規則上の文言は，「資産に係る減損損失累計額」とされ，有形固定資産に係る減損損失累計額に限られているわけではないと考えられる。

しかしながら，当該注記事項は減損損失累計額を控除項目として減価償却累計額に合算して表示する場合に対応したものと考えられること，無形固定資産は貸借対照表上，直接控除により表示されていることから，従来の実務慣行を考慮し，経団連モデルでは資産に係る減損損失累計額の注記の記載例は，有形固定資産に係る減損損失累計額の注記としている。

なお，投資その他の資産の部の記載項目である投資不動産に係る減損損失累計額が重要な場合は，同様の注記を行うことが適当と考えられる。

⑤ 保証債務

経団連モデル

> **8-5. 保証債務**
>
> ［記載例］
>　5.　保証債務
>　　他の会社の金融機関等からの借入債務に対し，保証を行っております。
>　　　株式会社○○○　　　　　　×××　百万円
>　　　株式会社○○○　　　　　　×××　百万円
>　　　そ　の　他　　　　　　　　×××　百万円
>　　　　　計　　　　　　　　　　×××　百万円
>
> （記載上の注意）
> (1) 保証債務，手形遡求債務，重要な係争事件に係る損害賠償義務その他これらに準ずる債務（負債の部に計上したものを除く。）があるときは，当該債務の内容及び金額を注記する。
> (2) 重要なものは会社ごとに記載し，その他は一括して記載する。

イ．概要

　偶発債務は，貸借対照表日現在において，現実に発生していないものの将来において負担する可能性のある債務をいう。注記対象となるものは，保証債務，手形遡求債務（割引手形，裏書手形等），重要な係争事件に係る損害賠償義務その他これらに準ずる債務のうち，貸借対照表の負債の部に計上されていないものである（計算規則103条5号）。

ロ．対象となる債務

　会社計算規則に列挙されたもの以外に，引渡済みの請負作業または売渡済みの商品に対する各種の保証や後述する保証類似行為を記載することが考えられる。

偶発債務には，さまざまな種類があると考えられるため，取引の内容が利害関係者に理解しやすいように工夫して記載することが必要である。

ハ．保証類似行為の取扱い

監査・保証実務委員会実務指針第61号「債務保証及び保証類似行為の会計処理及び表示に関する監査上の取扱い」において，保証予約，経営指導念書等の差入れといった保証類似行為も偶発債務の注記に記載することとされている。実務指針において，注記対象として列挙される保証類似行為は，以下のとおりである。

a．停止条件付保証契約
b．保証契約締結義務型保証予約
c．法的効力が保証契約または保証予約契約と同様と認められる経営指導念書等の差入れ
d．上記以外でも債権者との関係および差入れの経緯から実質的に債務保証義務または損害担保義務を負っているまたは保証予約と同様であると認められるもの

ニ．留意事項

保証債務等の偶発債務の内容および金額の注記に際しては，その内容を具体的に記載することが適当と考えられる。

経団連モデルの記載例では，保証債務の注記に際しては，保証している相手に係る情報は，株主などの計算書類の読者にとって重要であると判断した場合について，財務諸表等規則ガイドライン58を参考に，相手先ごとの保証金額を記載している。保証債務の総額に重要性が乏しい場合など，相手先ごとの保証金額を記載する意義が乏しいときには，必ずしも相手先ごとの内訳の記載は要しないと考えられる。

ホ．その他の記載例（参考例）

```
割引手形残高　×××百万円
```

```
保証債務等
　以下の関係会社のリース会社との取引に係るリース債務残高に対し，経営
指導念書を差し入れております。
　　株式会社○○○　　　　　　　×××　百万円
　　株式会社○○○　　　　　　　×××　百万円
　　　　計　　　　　　　　　　　×××　百万円
```

```
訴　　訟
　当社は，平成○年○月，株式会社○○○から○○○○○に関して，×××
百万円の損害賠償を請求する訴訟を提起されています。当社は，現在，……
（概況を記載する）。
```

⑥　関係会社に対する金銭債権および金銭債務

経団連モデル

```
8-6．関係会社に対する金銭債権及び金銭債務

［記載例］
6．関係会社に対する金銭債権及び金銭債務（区分表示したものを除く）
　　短期金銭債権　　　　×××　百万円
　　長期金銭債権　　　　×××　百万円
　　短期金銭債務　　　　×××　百万円
　　長期金銭債務　　　　×××　百万円
```

> （記載上の注意）
> 　貸借対照表上，関係会社に対する金銭債権または金銭債務を他の金銭債権または金銭債務と区分して表示していない場合には，当該関係会社に対する勘定科目ごとの金額または複数の勘定科目について一括した金額を注記する。

イ．概要

　関係会社に対する金銭債権・金銭債務については，以下のいずれかの方法により表示する（計算規則103条6号）。

・貸借対照表上，他の金銭債権・金銭債務と区分して「関係会社長期貸付金」「関係会社長期借入金」など，勘定科目ごとに区分して表示する方法
・貸借対照表上は，関係会社以外に対する金銭債権・金銭債務と区分せず，注記においてその金額を開示する方法

　旧商法施行規則では，子会社に対する金銭債権または金銭債務および支配株主に対する金銭債権または金銭債務について規定されていた（旧商法施行規則55条・70条・80条・82条）。

　ただし，有報提出大会社は，子会社等に対する金銭債権または金銭債務および支配株主に対する金銭債権または金銭債務に代えて，関係会社に対する金銭債権または金銭債務として取り扱うことも妨げられないとされていた（旧商法施行規則55条3項・80条3項）。

　会社計算規則は，この旧商法施行規則の有報提出大会社に係る取扱いを一般化したものである。

　旧商法施行規則は子会社に対する金銭債権または金銭債務として規定していたが，会社計算規則は関係会社に対する金銭債権または金銭債務として規定している。つまり，子会社から関係会社へと注記する対象が拡大していることに注意が必要である。

　関係会社とは，株式会社の親会社，子会社および関連会社ならびに当該株式会社が他の会社等の関連会社である場合における当該他の会社等である（計算規則2条3項25号）。

ロ．記載方法

貸借対照表上，関係会社の金銭債権または金銭債務を区分して表示しなかった場合，注記することになる。

注記の方法には勘定科目ごとに残高を注記する方法，または複数の勘定科目について一括した金額を注記する方法が認められている（計算規則103条6号）。

ハ．その他の記載例（参考例）

勘定科目ごとの注記例を示すと以下のとおりである。

```
関係会社に対する金銭債権および金銭債務（区分表示したものを除く。）
    売掛金              ×××  百万円
    短期貸付金          ×××  百万円
    買掛金              ×××  百万円
    長期借入金          ×××  百万円
```

⑦ 取締役，監査役（執行役）に対する金銭債権および金銭債務

経団連モデル

```
8-7．取締役，監査役（執行役）に対する金銭債権及び金銭債務

［記載例］
 7．取締役，監査役（執行役）に対する金銭債権及び金銭債務
    金銭債権            ×××  百万円
    金銭債務            ×××  百万円
```

（記載上の注意）

取締役，監査役及び執行役との間の取引による取締役，監査役及び執行役に対する金銭債権，金銭債務それぞれの総額を注記する。

イ．概要

　取締役，監査役および執行役（以下「取締役等」という）との間の取引による取締役等に対する金銭債権または金銭債務がある場合，それぞれの総額を注記する（計算規則103条7号・8号）。

　注記対象となるのは，会社法356条1項2号（執行役は会社法419条2項により準用）で定められている，会社と取締役等との間の「直接取引」（会社と取締役等が契約当事者となる取引）の結果生じた取締役等に対する金銭債権または金銭債務である。直接取引であっても，第三者のために（取締役等が第三者の代理人・代表者として）会社と行う取引の結果生じた第三者に対する金銭債権または金銭債務は注記の対象外となる。

　また，「間接取引」の場合には，会社と取締役等との利益相反取引となるときであっても，関連する金銭債権または金銭債務については，注記対象外となる。

　会社計算規則においては，金銭債権または金銭債務の総額を記載することとされており，科目ごとの残高や流動・固定の区分別の金額を開示することとはされていない。また，取締役，監査役，執行役の区分別の記載は要求されていない。

会社と取締役等との取引の分類および記載箇所

区分	取引の形態	個別注記表 (取締役等に対する金銭債権債務) (計算規則103条7号・8号)	個別注記表 (関連当事者注記) (計算規則112条) ※1
直接取引	個人(取締役等)と会社との取引(自己の名義による取引)	○ (金銭債権および金銭債務)	○ (取引の内容および債権債務残高)
直接取引	取締役等が第三者のために(第三者の代理人・代表者として)行う会社との取引(第三者の名義による取引)	—	※2 (同上)
間接取引	会社と第三者との取引で,実質的に会社と取締役等との利益が相反する取引(例:会社が取締役の債務につき取締役の債権者に対して保証する取引)	—	(取引の内容および債権債務残高)

※1 関連当事者注記の記載対象となる会社役員には会計参与も含まれる。
※2 当該取引は,会社計算規則において,明示的に注記が要求されているものではない。
なお,関連当事者注記における記載については本章「第2節 第2(19)関連当事者との取引に関する注記 ⑱第三者のために行う取引・会社と第三者との間の取引で関連当事者が当該取引に関して重要な影響を及ぼしている場合」を参照されたい。

ロ. その他の記載例(参考例)

　注記の方法には,勘定科目ごとに残高を注記する方法,または複数の勘定科目について一括した金額を注記する方法が考えられる。

```
(一括して記載する場合)
 取締役,監査役(執行役)に対する金銭債権および金銭債務
  長期金銭債権       ×××  百万円
  長期金銭債務       ×××  百万円
```

```
(勘定科目ごとに記載する場合)
 取締役,監査役(執行役)に対する金銭債権および金銭債務
  長期貸付金         ×××  百万円
  未払金           ×××  百万円
```

ハ.留意事項

　注記対象となる会社役員に対する金銭債務には,取締役等の報酬に関する金銭債務も含まれることに留意する必要がある。例えば,金銭債務として法的に確定し,長期未払金に計上されている役員退職慰労金である。これは,取締役等に対する退職金制度を廃止した場合で,その時点における役員退職慰労金の支給総額につき株主総会の決議を経ており,かつ,個人別に支給額が確定している場合などが該当する。

⑧　親会社株式

経団連モデル

```
8-8.親会社株式

 [記載例]
 8.親会社株式
  流動資産(関係会社株式)　×××百万円
```

(記載上の注意)
(1) 親会社株式を保有している場合には,貸借対照表で関係会社株式の項目をもって別に表示するとともに,親会社株式の各表示区分別の金額を注記する。
(2) 連結配当規制適用会社の子会社に該当するなどの場合には,親会社株式を投資その他の資産の区分に計上することもありうる。

イ．概要

親会社株式を保有している場合には，貸借対照表上は関係会社株式の項目をもって表示し（計算規則82条1項），親会社株式の各表示区分別の金額を注記する（計算規則103条9号）。

子会社による親会社株式の取得は，原則として禁止されており，会社法上，一定の場合にのみ，その取得が認められる（法135条1項など）。

ロ．表示区分

会社法上，保有する親会社株式は相当の時期に処分することが要請されている（法135条3項）ため，原則として，流動資産に計上することになると考えられる。

ただし，例えば，連結配当規制適用会社の子会社に該当する場合には，子会社の保有する親会社株式の帳簿価額が分配可能額の算定上，考慮されることとなり，連結配当規制適用会社以外の会社に比べれば，相当の時期に処分する必要性が乏しいため，合理的な理由がある場合には，親会社株式を投資その他の資産の区分に計上することもありうる。

⑨　土地の再評価

経団連モデル

8-9．土地の再評価

［記載例］

9．土地の再評価

当社は，土地の再評価に関する法律（平成10年3月31日公布法律第34号）に基づき，事業用の土地の再評価を行い，土地再評価差額金を純資産の部に計上しております。

・再評価の方法……土地の再評価に関する法律施行令（平成10年3月31日公布政令第119号）第2条第〇号に定める〇〇〇に

> より算出
> ・再評価を行った年月日……〇年〇月〇日
> ・再評価を行った土地の当事業年度末における時価と再評価後の帳簿価額との差額　×××百万円
>
> (記載上の注意)
> 　土地の再評価に関する法律に基づき土地の再評価を行った会社において,再評価を行った事業用土地の再評価後の決算期における時価の合計額が,再評価後の帳簿価額の合計額を下回った場合,その差額を注記する。(土地の再評価に関する法律第10条)

　土地の再評価に関する法律(土地再評価法)により義務付けられている注記である。

　土地再評価法は,平成10年3月に時限立法として制定され,平成14年3月31日まで施行されていた。

　土地再評価法により,一定の条件を満たした会社は事業用土地(棚卸資産を除く)の再評価を行い,土地再評価差額金を計上することが可能であった。

　土地の再評価を行った場合,貸借対照表上の土地の金額を再評価後の金額とし,評価差額金は損益に影響させず,税効果を控除した上で,直接,土地再評価差額金として純資産の部(資本の部)に計上することとされている。

　土地再評価後の決算期において,再評価を行った事業用土地の決算日の時価の合計額が再評価後の帳簿価額の合計額を下回った場合には,その差額を貸借対照表に注記しなければならない(土地再評価法10条)。

　土地再評価法には注記方法に係る特段の規定はないので,経団連モデルを参考に注記することが考えられる。

(11) 損益計算書に関する注記
① 関係会社との取引高

経団連モデル

---

9. 損益計算書に関する注記

［記載例］
関係会社との取引高
　営業取引による取引高
　　売上高　　　　　　　　　×××　百万円
　　仕入高　　　　　　　　　×××　百万円
　営業取引以外の取引による取引高　×××　百万円

イ．概要

　損益計算書に関する注記として，関係会社との営業取引による取引高の総額および営業取引以外の取引による取引高の総額を注記することになる（計算規則104条）。

　旧商法の計算書類では，原則として，子会社・支配株主に対する取引高を注記事項としていた（旧商法施行規則97条1項・2項）。

　子会社に対する取引高の開示の趣旨は，親子会社は，法律的にはそれぞれ独立の人格であるが，実質的，経済的には同一体であって，その間の取引は一般の外部取引と同等には考えられないため，会社の取引の実体の把握を誤らせないように，取引高の総額を注記することと考えられていた（大谷禎男＝松本傳＝林代治＝遠藤博志「昭和63年改正計算規則・ひな型の解説」別冊商事法務104号（1988）12頁）。また，親子会社間取引は，粉飾決算のために利用される危険性があると考えられて，これを防止する意味も含まれていた。

　昭和63年6月20日の「株式会社の貸借対照表，損益計算書，営業報告書及び附属明細書に関する規則の一部を改正する省令」（昭和63年法務省令第30号）

により，子会社との取引高の総額を，営業取引によるものとそれ以外のものとを区分して，注記しなければならないとされた。それ以前は子会社との営業取引だけが開示対象であった。

その後，旧商法施行規則により，有報提出大会社は，子会社との取引による取引高の総額の注記に代えて，関係会社との取引による取引高の総額を，営業取引によるものとそれ以外のものとに区分して，注記することが妨げられないとされた（旧商法施行規則97条3項）。

会社計算規則は，この旧商法施行規則の有報提出大会社の取扱いを一般化したものである（郡谷大輔＝和久友子編著・前掲75頁）。

関係会社とは，株式会社の親会社，子会社および関連会社ならびに当該株式会社が他の会社等の関連会社である場合における当該他の会社等である（計算規則2条3項25号）。

本注記表は，「取引高」を記載対象としているため，取引行為に該当する事業譲渡は記載対象となるが，組織再編行為に該当する会社分割は記載対象とならないものと解される。

なお，組織再編行為の結果，計算書類作成会社に損益が発生しても，本注記表の記載対象にはならないと解されるが，会社計算規則116条の注記（その他の注記）に該当することはありうる。例えば，会社分割により子会社に事業を移転し，対価として現金を受け取った場合には，計算書類作成会社（分離元企業）では移転損益が計上されるが，その金額が重要な場合には，その他の注記として，特別損益の内容に関する記載を行うことが考えられる。

注記する範囲が子会社から関係会社へ拡大されたこと以外は，旧商法施行規則による取扱いからの変更はないが，以下では，営業取引による取引高と営業取引以外による取引高にわけて説明を行うこととする。

ロ．営業取引による取引高

会社計算規則は，関係会社との営業取引による取引高の総額を注記するとしている（計算規則104条）。

通常，営業取引としては，会社の営業活動にかかわる取引と考えられるので，基本的には売上高，仕入高が該当するものと考えられる。日本公認会計士協会・会計制度委員会報告「計算書類規則の改正に係る計算書類及びその附属明細書の記載方法と開示例」では，売上高の総額，仕入高の総額を記載するとされていた（大谷ほか・前掲38頁）。

また，例えば，販売費及び一般管理費に属する費用のように，仕入高以外の営業費用に関係会社との重要性の高い取引がある場合には，「その他の営業取引」として売上高・仕入高以外の取引の総額を注記することや，該当する科目を明示して注記することが考えられる。

会社計算規則は，開示の要否に係る重要性の判断基準については特に規定していない。

従来の実務慣行を考えると，旧商法の計算書類に関して，日本公認会計士協会から「改正計算書類規則に基づく『子会社との取引』の記載」（審理室コーナー）において，仕入高に加えて重要な営業取引を追加記載する場合の重要性の判断基準としては，例えば営業費用（売上原価と販売費及び一般管理費）の総額の10％以上という考え方が1つの参考になると述べられている。

会社法の計算書類の注記に際しても，これを1つの目安として考えることができると思われる。

ハ．営業取引以外の取引高

会社計算規則は，関係会社との，営業取引以外の取引による取引高についても，その総額を注記するとしている（計算規則104条）。

営業取引以外の取引による取引高に含まれる範囲は，会社計算規則に特段の規定はない。

「株式会社の貸借対照表，損益計算書，営業報告書及び附属明細書に関する規則」に係る解釈として，営業取引以外の，金銭貸借，立替え，不動産貸借等の取引高の総額も注記対象と考えられていた（大谷ほか・前掲12頁）。ただし，損益計算書の注記事項であることから考えて，金銭貸借を例にすれば，それ

から生ずる損益である受取利息あるいは支払利息の年間の累計額を注記することで足りるものとすべきであろうと考えられていた。

前述の日本公認会計士協会・会計制度委員会報告「計算書類規則の改正に係る計算書類及びその附属明細書の記載方法と開示例」では，営業取引以外の取引高として，受取利息，支払利息，資産譲渡，資産購入などがあげられており，取引の単純合計を記載することもできるし，また，発生態様別に区分して掲記することもできるとされていた（大谷ほか・前掲38頁）。

これらの項目以外でも，損益計算書の各項目に重要な取引があれば発生態様別にまたは単純合計に含めて掲記するとし，受取配当金が例示されている（大谷ほか・前掲70～72頁の「改正計算書類規則・ひな型について（座談会）」で議論が行われている）。

損益計算書における関係会社との取引高の注記に際しては，開示の趣旨および重要性の原則に鑑みて，適切な判断が必要である。

ニ．その他の記載例（参考例）

経団連モデル以外に，次のような記載が考えられる。

```
関係会社との取引高
  営業取引による取引高
    売上高                  ×××百万円
    仕入高および外注費      ×××百万円

  営業取引以外の取引による取引高
    受取利息                ×××百万円
    受取賃貸料              ×××百万円
    資産購入高              ×××百万円
```

(12) 株主資本等変動計算書に関する注記

経団連モデル

> **10. 株主資本等変動計算書に関する注記**
>
> ［記載例］
> 　当事業年度末における自己株式の種類及び株式数
> 　　普通株式　　　　　　　　　　　　　　　　　　〇〇　株
>
> （記載上の注意）
> (1) 次の事項を記載する。ただし，連結注記表を作成する株式会社は，②以外の事項は，省略することができる。上記の記載例は，連結注記表を作成する株式会社の記載例である。
> 　① 当該事業年度の末日における発行済株式の数（株式の種類ごと）
> 　② 当該事業年度の末日における自己株式の数（株式の種類ごと）
> 　③ 当該事業年度中に行った剰余金の配当（当該事業年度の末日後に行う剰余金の配当のうち，剰余金の配当を受ける者を定めるための基準日が当該事業年度中のものを含む。）に関する次に掲げる事項その他の事項
> 　　イ　金銭配当の場合におけるその総額
> 　　ロ　金銭以外の配当の場合，配当した財産の帳簿価額の総額（当該剰余金の配当をした日において時価を付した場合，当該時価を付した後の帳簿価額）
> 　④ 当該事業年度の末日における株式引受権に係る当該株式会社の株式の数（株式の種類ごと）
> 　⑤ 当該事業年度の末日における当該株式会社が発行している新株予約権（行使期間の初日が到来していないものを除く。）の目的となる株式の数（株式の種類ごと）
> (2) 上記の記載例の他，自己株式，発行済株式及び新株予約権について，当事業年度中に重要な変動があった場合は，変動事由の概要等を注記することが考えられる。

会社計算規則は「株主資本等変動計算書に関する会計基準」(企業会計基準第6号)および「株主資本等変動計算書に関する会計基準の適用指針」(企業会計基準適用指針第9号)に対応して,株主資本等変動計算書に関する注記と連結株主資本等変動計算書に関する注記を規定している(計算規則105条・106条)。

ただし,会社計算規則は,連結株主資本等変動計算書に関する注記を行う場合には,株主資本等変動計算書に関する注記には当該事業年度の末日における自己株式の数(株式の種類ごと)だけを注記すればよいとしている(計算規則105条柱書後段)。

経団連モデルも,連結株主資本等変動計算書に関する注記を行う会社を前提にして,計算書類に係る株主資本等変動計算書に関する注記としては,当事業年度末における自己株式の種類および株式数だけを示している。

連結株主資本等変動計算書に関する注記については,後述の第Ⅳ章第2節第2の「(9)連結株主資本等変動計算書に関する注記」を参照されたい。

(13) 税効果会計に関する注記
経団連モデル

---
11. 税効果会計に関する注記

［記載例］
　繰延税金資産の発生の主な原因は,減価償却限度超過額,退職給付引当金の否認等であり,繰延税金負債の発生の主な原因は,その他有価証券評価差額であります。

(記載上の注意)
(1) 繰延税金資産及び繰延税金負債の発生の主な原因を注記する。ただし,重要でないものは記載を要しない。
(2) 上記の記載例の他,会計基準の定めに準じて,原因別の内訳金額を記載することも考えられる。この場合の記載例は以下のとおりである。

```
[発生の原因別の内訳を記載する例]
繰延税金資産及び繰延税金負債の発生の主な原因別の内訳
    繰延税金資産
        減価償却費              ×××    百万円
        投資有価証券評価損        ×××    百万円
        退職給付引当金            ×××    百万円
        その他                  ×××    百万円
    繰延税金資産小計             ×××    百万円
    評価性引当額                △×××    百万円
    繰延税金資産合計             ×××    百万円

    繰延税金負債
        その他有価証券評価差額金  ×××    百万円
        その他                  ×××    百万円
    繰延税金負債合計             ×××    百万円
    繰延税金資産の純額           ×××    百万円
```

イ．概要

　繰延税金資産・負債の発生の主な原因を注記する（計算規則107条）。

　繰延税金資産および負債は，繰延税金資産に対する評価性引当額を控除した上で，流動・固定区分ごとに資産・負債を相殺した純額で貸借対照表に計上することとされている（ただし土地再評価差額金に係る繰延税金資産・負債は「再評価に係る繰延税金資産（または繰延税金負債）」として別掲する）。

　貸借対照表に計上されている繰延税金資産・負債について，その発生した原因を説明するための注記である。

ロ．注記方法

　「主な原因」は，繰延税金資産および繰延税金負債の発生の主な原因を記載する。

「税効果会計に係る会計基準」(企業会計審議会),企業会計基準第28号「『税効果会計に係る会計基準』の一部改正」(企業会計基準委員会)では,繰延税金資産および繰延税金負債に関連して以下の項目の注記が求められている。

a. 繰延税金資産および繰延税金負債の発生原因別の主な内訳(主な内訳金額を記載)
b. 税引前当期純利益に対する法人税等(法人税等調整額を含む)の比率と法定実効税率との間に重要な差異があるときは,当該差異の原因となった主要な項目別の内訳(税率差異の原因の主な内訳)
c. 税率の変更により繰延税金資産および繰延税金負債の金額が修正されたときは,その旨および修正額
d. 決算日後に税率の変更があった場合には,その内容およびその影響

財務諸表等規則では,上記の事項はすべて注記事項とされているが(財務諸表等規則8条の12),会社計算規則で必要とされている注記は,繰延税金資産および繰延税金負債の発生の主な原因(重要なもの)にとどまり,発生の主な原因別の金額その他の事項に関する注記までは求められていない。

もっとも,貸借対照表に計上された繰延税金資産・繰延税金負債に重要性がある場合には,内訳項目を文言で記載するだけでなく,会計基準等を参考にして,繰延税金資産・繰延税金負債の主な発生原因別の金額を注記することが考えられる。また,税率変更による影響が計算書類に重要な影響を与える場合にも,その旨および修正額を注記することが考えられる。

また,企業会計基準第28号「『税効果会計に係る会計基準』の一部改正」(企業会計基準委員会)により,繰延税金資産の発生原因別の主な内訳として税務上の繰越欠損金を記載している場合であって,当該税務上の繰越欠損金の額が重要であるときは,繰延税金資産から控除された額(評価性引当額)は,税務上の繰越欠損金に係る評価性引当額と将来減算一時差異等の合計に係る評価性引当額に区分して記載することが規定されている。さらに,繰延税金資産から控除された額(評価性引当額)に重要な変動が生じている場合,当該変動の主な内容を記載すること,繰延税金資産の発生原因別の主な内訳と

して税務上の繰越欠損金を記載している場合であって，当該税務上の繰越欠損金の額が重要であるときは，繰越期限別の税務上の繰越欠損金に係る金額，税務上の繰越欠損金に係る重要な繰延税金資産を計上している場合，当該繰延税金資産を回収可能と判断した主な理由を注記することが規定されている。財務諸表等規則では，「『税効果会計に係る会計基準』の一部改正」と同時に，これらの事項も注記することが規定されている（財務諸表等規則8条の12第2項・3項）が，会社計算規則では注記を要求する特段の規定はない。このため，経団連モデルでも，これらの注記に対応する記載例は示していない。

会社によっては，「『税効果会計に係る会計基準』の一部改正」に規定された事項は株主などにとって有用な情報であると判断し，計算書類においても注記することが考えられる。この場合の注記は，貸借対照表等，損益計算書等および株主資本等変動計算書等により会社の財産または損益の状態を正確に判断するために必要な事項（計算規則116条）に該当するものと考えられる。

(14) リースにより使用する固定資産に関する注記

経団連モデル

---

12. リースにより使用する固定資産に関する注記

［記載例］
　貸借対照表に計上した固定資産のほか，事務機器，製造設備等の一部については，所有権移転外ファイナンス・リース契約により使用しております。

（記載上の注意）
　固定資産に係る所有権移転外ファイナンス・リース取引について，借主が賃貸借取引として処理している場合に注記する。
　そのため，注記対象となるのは，所有権移転外ファイナンス・リース取引（借主側）について，リース取引開始日が企業会計基準第13号「リース取引に関する会計基準」の適用初年度開始前のリース取引で，企業会計基準適用指針第16号「リース取引に関する会計基準の適用指針」第79項に基づいて，引き続き通常の賃貸借取引に係る方法に準じた会計処理を適用する場合，あ

るいは「中小企業の会計に関する指針」の「75-3. 所有権移転外ファイナンス・リース取引に係る借手の会計処理」に基づいて，通常の賃貸借取引に係る方法に準じて会計処理を行う場合となる。

上記の記載例の他，会計基準の定めに準じて，当該リース物件の全部または一部に関して次の事項を注記することもできる。

① 期末日における取得原価相当額
② 期末日における減価償却累計額相当額
③ 期末日における未経過リース料相当額
④ その他，当該リース物件に係る重要な事項

この場合の記載例は以下のとおりである。

[取得原価相当額の金額等を記載した例]

貸借対照表に計上した固定資産のほか，事務機器，製造設備等の一部については，所有権移転外ファイナンス・リース契約により使用しております。

1. リース物件の取得原価相当額，減価償却累計額相当額及び期末残高相当額

	取得原価相当額	減価償却累計額相当額	期末残高相当額
建　物	×××百万円	×××百万円	×××百万円
機械装置	×××百万円	×××百万円	×××百万円
工具器具備品	×××百万円	×××百万円	×××百万円
合　計	×××百万円	×××百万円	×××百万円

2．未経過リース料期末残高相当額

　　1年内　　　××× 百万円
　　1年超　　　××× 百万円
　　合計　　　 ××× 百万円

3．支払リース料，減価償却費相当額及び支払利息相当額

　　支払リース料　　　　××× 百万円
　　減価償却費相当額　　××× 百万円
　　支払利息相当額　　　××× 百万円

4．減価償却費相当額の算定方法

　　リース期間を耐用年数とし，残存価額を零とする定額法によっております。

> 5．利息相当額の算定方法
>   リース料総額とリース物件の取得価額相当額との差額を利息相当額とし，各期への配分方法については，利息法によっております。

イ．概要

「リース会計基準」では，ファイナンス・リース取引については，通常の売買取引に係る方法に準じて会計処理するとされている。

会社計算規則108条では，リースにより使用する固定資産に関する注記が必要とされており，所有権移転外ファイナンス・リース取引の借主である会社が当該ファイナンス・リース取引について通常の売買取引に係る方法に準じて会計処理を行っていない場合には，リース物件（固定資産に限る）に関する事項を注記することとされている。

また，リース物件の全部または一部に係る事業年度の末日における取得原価相当額，減価償却累計額相当額および未経過リース料相当額，その他の当該リース物件に係る重要な事項についても，当該注記に含めることを妨げないとされている。

法務省の立案担当官は，リース取引の注記の内容は，旧商法施行規則66条に基づき記載されていた程度のもので足りると考えているようである（相澤哲＝和久友子「新会社法関係法務省令の解説(7) 計算関係書類」商事法務1765号（2006）16頁）。また，会社計算規則108条は，財務諸表等規則が定める「リース取引に関する注記」とは異なり，商法施行規則時代の規律を踏襲した会社法独自の観点からの注記として，賃貸借処理が採用された場合の「リースにより使用する固定資産に関する注記」を設けたものであると述べている（松本真＝小松岳志・前掲12頁）。

このため，注記対象となるのは，所有権移転外ファイナンス・リース取引（借主側）について，リース取引開始日が「リース会計基準」の適用初年度開始前のリース取引で，リース適用指針79項に基づいて，引き続き通常の賃貸

借取引に係る方法に準じた会計処理を適用する場合，あるいは「中小企業の会計に関する指針」の「75-3.所有権移転外ファイナンス・リース取引に係る借手の会計処理」に基づいて，通常の賃貸借取引に係る方法に準じて会計処理を行う場合となる。

ロ．注記方法

会社計算規則の規定は，上述のとおり「リース物件（固定資産に限る）に関する事項を注記する」こととされ，取得原価相当額等に関する事項は必須の記載事項ではない。このため，基本的には貸借対照表に計上した固定資産のほか，所有権移転外ファイナンス・リース契約により使用している固定資産があることと，その資産の内容を文章で記載することが考えられる。

ただし，重要なリース取引がある場合には，経団連モデルの記載上の注意のように取得原価相当額等の情報を開示することが考えられる。

（15）金融商品に関する注記

会社計算規則109条は「金融商品に関する注記」を規定しており，重要性の乏しいものを除いて，次の事項を記載するとしている。

a．金融商品の状況に関する事項
b．金融商品の時価等に関する事項
c．金融商品の時価の適切な区分ごとの内訳等に関する事項

会社計算規則は，連結注記表を作成する株式会社は，個別注記表における注記を要しないとしているので，「金融商品に関する注記」は，原則として，連結ベースで開示することとなる（計算規則109条2項）。

連結注記表を作成しない株式会社については，個別注記表において「金融商品に関する注記」を記載することとなる。具体的な記載例については，連結注記表を参照されたい。

(16) 賃貸等不動産に関する注記

会社計算規則110条は「賃貸等不動産に関する注記」を規定しており、重要性の乏しいものを除いて、次の事項を記載するとしている。

a. 賃貸等不動産の状況に関する事項
b. 賃貸等不動産の時価に関する事項

会社計算規則は、連結注記表を作成する株式会社は、個別注記表における注記を要しないとしているので、「賃貸等不動産に関する注記」は、原則として、連結ベースで開示することとなる(計算規則110条2項)。

連結注記表を作成しない株式会社については、個別注記表において「賃貸等不動産に関する注記」を記載することとなる。具体的な記載例については、連結注記表を参照されたい。

(17) 持分法損益に関する注記

経団連モデル

---

13. 持分法損益に関する注記

[記載例]

関連会社に対する投資の金額	×××	百万円
持分法を適用した場合の投資の金額	×××	百万円
持分法を適用した場合の投資利益の金額	×××	百万円

(記載上の注意)
(1) 損益及び利益剰余金からみて重要性の乏しい関連会社を除外することができる。
(2) 連結計算書類を作成する株式会社は、個別注記表における注記を要しない。

イ．概要

会社計算規則98条1項14号では「持分法損益等に関する注記」を規定し，同規則111条では次の事項を注記するように規定している。これは財務諸表等規則8条の9に対応するものである。

① 関連会社に関する注記（関連会社に対する投資の金額，持分法を適用した場合の投資の金額，投資利益又は投資損失の金額）

② 開示対象特別目的会社に関する注記

ロ．注記を行う会社

①関連会社に関する注記と②開示対象特別目的会社に関する注記は，個別注記表と連結注記表の対象である（計算規則97条・98条1項14号）。

個別の計算書類だけを作成する会社においては，個別注記表において，①関連会社に関する注記と②開示対象特別目的会社に関する注記を記載することとなる。

連結計算書類を作成する会社は，個別注記表における①関連会社に関する注記と②開示対象特別目的会社に関する注記を要しないとされているので（計算規則111条2項），連結計算書類を作成する会社の個別注記表においてはいずれの注記も行われないこととなる。

連結計算書類を作成する会社においては，②開示対象特別目的会社に関する注記は「連結計算書類の作成のための基本となる重要な事項に関する注記等」において規定されているので，当該箇所に記載することとなる（計算規則102条1項1号ホ）。

経団連モデルでは，個別の計算書類に係る①関連会社に関する注記と②開示対象特別目的会社に関する注記のうち，①関連会社に関する注記を「持分法損益に関する注記」として示しているが，②開示対象特別目的会社に関する注記については特に示していないので，個別の計算書類に当該事項を注記する場合には連結計算書類に関する注記を参照して頂きたい。

また，会計監査人設置会社であって，会社法444条3項に規定するもの以

外の株式会社の個別注記表では，①関連会社に関する注記と②開示対象特別目的会社に関する注記を要しないとされている（計算規則98条2項3号）。

　法務省の立案担当官の解説によると，「持分法損益等に関する注記」の趣旨は，連結計算書類の作成義務があるが，重要な子会社が存在しないために連結計算書類を作成しない株式会社について，①関連会社に関する注記と②開示対象特別目的会社に関する注記を開示させることに意味があるので，次の株式会社について当該注記を不要としている（大野晃宏＝小松岳志＝澁谷亮＝黒田裕＝和久友子「会社法施行規則，会社計算規則等の一部を改正する省令の解説――平成21年法務省令第7号」商事法務1862号（2009）15頁）。
　a.　会計監査人設置会社以外の株式会社（計算規則98条2項1号・2号）
　b.　会計監査人設置会社であって，会社法444条3項に規定するもの以外の株式会社（連結計算書類作成義務がある大会社の有価証券報告書提出会社以外の会計監査人設置会社）（計算規則98条2項3号）

　以上から，①関連会社に関する注記と②開示対象特別目的会社について，個別の計算書類に注記する会社は，連結計算書類の作成義務のある会社だが，子会社がないため連結計算書類を作成していないケース，または子会社のすべてが連結の範囲に含めない子会社であることにより連結計算書類を作成していないケースである。

ハ．注記する内容
　会社計算規則は，①関連会社に関する注記として，関連会社に対する投資の金額，当該投資に対して持分法を適用した場合の投資の金額，投資利益または投資損失の金額を注記することとしている（計算規則111条1項1号）。注記に際しては，損益および利益剰余金からみて重要性の乏しい関連会社を除外することができるとしている（計算規則111条1項柱書但書）。
　会社計算規則は具体的な注記の内容や計算方法などを規定していないが，日本公認会計士協会から監査・保証実務委員会実務指針第58号「個別財務諸

表における関連会社に持分法を適用した場合の投資損益等の注記に関する監査上の取扱い」が公表されているので，当該委員会報告に基づいて開示することが考えられる。

(18) 開示対象特別目的会社に関する注記

会社計算規則98条1項14号では「持分法損益等に関する注記」を規定し，同規則111条では次の事項を注記するように規定している。これは財務諸表等規則8条の9に対応するものである。

① 関連会社に関する注記（関連会社に対する投資の金額，持分法を適用した場合の投資の金額，投資利益又は投資損失の金額）
② 開示対象特別目的会社に関する注記

連結計算書類を作成する会社は，個別注記表における①関連会社に関する注記と②開示対象特別目的会社に関する注記を要しないとされているので（計算規則111条2項），個別の計算書類だけを作成する会社については，個別注記表において①関連会社に関する注記と②開示対象特別目的会社に関する注記を記載することとなる（計算規則97条・98条1項14号）。

経団連モデルでは，個別の計算書類に係る①関連会社に関する注記と②開示対象特別目的会社に関する注記のうち，①関連会社に関する注記を「持分法損益に関する注記」として示しているが，②開示対象特別目的会社に関する注記については特に示していないので，個別の計算書類に当該事項を注記する場合には連結計算書類に関する注記を参照して頂きたい。

(19) 関連当事者との取引に関する注記

経団連モデル

14. 関連当事者との取引に関する注記

[記載例]
1. 親会社及び法人主要株主等

(単位：百万円)

種類	会社等の名称	議決権等の所有（被所有）割合	関連当事者との関係	取引の内容	取引金額（注4）	科目	期末残高
親会社	A社	被所有 直接○％ 間接○％	当社製品の販売 役員の兼任	○○製品の販売（注1）	×××	売掛金	×××
その他の関係会社	B社	被所有 直接○％ 間接○％	B社製品の購入	原材料の購入（注2）	×××	買掛金	×××
主要株主 （会社等）	C社	被所有 直接○％ 間接○％	技術援助契約の締結	技術料の支払（注3）	×××	未払費用	×××

取引条件及び取引条件の決定方針等
(注1) 価格その他の取引条件は，市場実勢を勘案して当社が希望価格を提示し，価格交渉の上で決定しております。
(注2) 原材料の購入については，B社以外からも複数の見積りを入手し，市場の実勢価格を勘案して発注先及び価格を決定しております。
(注3) 技術料の支払については，C社より提示された料率を基礎として毎期交渉の上，決定しております。
(注4) 取引金額には消費税等を含めておりません。期末残高には消費税等を含めております。

2. 子会社及び関連会社等

(単位:百万円)

種　類	会社等の名称	議決権等の所有(被所有)割合	関連当事者との関係	取引の内容	取引金額(注4)	科　目	期末残高
子会社	D社	所有 直接○%	資金の援助 役員の兼任	資金の貸付 (注1) 利息の受取 (注1)	××× ×××	長期貸付金 その他流動資産	××× ×××
関連会社	E社	所有 直接○%	役務の受入れ 役員の兼任	増資の引受 (注2)	×××	－	－
関連会社の子会社	F社	なし	なし	債権放棄 (注3)	×××	－	－

取引条件及び取引条件の決定方針等
(注1) D社に対する資金の貸付については,市場金利を勘案して決定しており,返済条件は期間3年,半年賦返済としております。なお,担保は受け入れておりません。
(注2) 当社がE社の行った第三者割り当てを1株につき××円で引き受けたものであります。
(注3) 債権放棄については,経営不振のF社の清算結了により行ったものであります。
(注4) 取引金額には消費税等を含めておりません。期末残高には消費税等を含めております。

3. 兄弟会社等

(単位：百万円)

種　類	会社等の名称	議決権等の所有（被所有）割合	関連当事者との関係	取引の内容	取引金額（注3）	科　目	期末残高
親会社の子会社	G社	なし	事業譲渡	事業譲渡（注1） 譲渡資産合計 譲渡負債合計 譲渡対価 事業譲渡益	××× ××× ××× ×××	－ － － －	－ － － －
その他の関係会社の子会社	H社（B社の子会社）	所有 直接○％	なし	旧○○工場跡地の譲渡（注2） 売却代金 売却損	××× ×××	その他流動資産 －	××× －

取引条件及び取引条件の決定方針等
　（注1）事業譲渡については，親会社の方針に基づいて○○部門の事業を譲渡したものであり，当社の算定した対価に基づき交渉の上，決定しております。
　（注2）不動産鑑定士の鑑定価格を勘案して交渉により決定しており，支払条件は引渡時50％，残金は5年均等年賦払，金利は年○％であります。
　（注3）取引金額には消費税等を含めておりません。期末残高には消費税等を含めております。

4. 役員及び個人主要株主等

(単位:百万円)

種類	会社等の名称または氏名	議決権等の所有(被所有)割合	関連当事者との関係	取引の内容	取引金額(注8)	科目	期末残高
主要株主(個人)及びその近親者	a	被所有 直接○%	前当社取締役 当社の外注先であるJ社の代表取締役	コンピュータ・プログラムの製作(注1)	×××	未払金	×××
役員及びその近親者	b	被所有 直接○%	当社取締役 債務保証	債務保証(注2) 保証料の受入れ(注2)	××× ×××	ー ー	ー ー
役員及びその近親者	c	被所有 直接○%	当社取締役 債務被保証	当社銀行借入に対する債務被保証(注3)	×××	ー	ー
主要株主(個人)及びその近親者が議決権の過半数を所有している会社等	K社(注4)	なし	なし	有価証券の売却(注5) 売却代金 売却益	××× ×××	ー	ー
役員及びその近親者が議決権の過半数を所有している会社等	L社(注6)	なし	担保の被提供	当社の銀行借入金に対する土地の担保提供(注7)	×××	ー	ー

取引条件及び取引条件の決定方針等

(注1) コンピュータ・プログラムの製作については,J社から提示された価格と,他の外注先との取引価格を勘案してその都度交渉の上,決定しております。

(注2) bの銀行借入(×××百万円,期限○年)につき,債務保証を行ったものであり,年率○%の保証料を受領しております。

(注3) 当社は,銀行借入に対して取締役cより債務保証を受けております。なお,保証料の支払は行っておりません。

(注4) 当社の主要株主aが議決権の100%を直接所有しております。

(注5) 有価証券の売却価格は,独立した第三者による株価評価書を勘案して決定しており,支払条件は一括現金払であります。

(注6) 当社役員dが議決権の51%を直接保有しております。

(注7) 当社の銀行借入金に対する土地の担保提供については,L社からの

> 原材料購入のための資金借入に対するものであります。
> (注8) 取引金額には消費税等を含めておりません。期末残高には消費税等を含めております。

① 概要

　公開会社および会計監査人設置会社である非公開会社は，関連当事者との取引に関する注記（以下「関連当事者注記」という）が求められている（計算規則98条2項1号・112条）。これは，財務諸表等規則8条の10にならって会社法の下で新設された注記である。なお，会計監査人設置会社以外の非公開会社に関しては，関連当事者注記は求められていない。

　会社計算規則で新たに関連当事者注記が導入されたのは，利害関係者との間で取引が行われることにより会社の財産や損益の状況に影響がある場合，それを適正に開示するという財務諸表等規則と同様の趣旨に加えて，そのような取引を行っている業務執行者の経営や業務執行が適切であるかを判断するための情報を提供するという会社法独自の趣旨によるものである（群谷大輔＝細川充＝小松岳志＝和久友子「関連当事者との取引に関する注記」商事法務1768号（2006）28頁参照）。

　関連当事者注記の記載にあたっては，企業会計基準第11号「関連当事者の開示に関する会計基準」（企業会計基準委員会。以下「関連当事者会計基準」という）および企業会計基準適用指針第13号「関連当事者の開示に関する会計基準の適用指針」（企業会計基準委員会。以下「関連当事者会計基準適用指針」という）を参考にすることが考えられる。

　会社計算規則では関連当事者注記を個別注記表として位置付けているが，関連当事者会計基準では，原則として，連結財務諸表の注記として位置付けている。これにより，会社計算規則と関連当事者会計基準の規定にはいくつかの違いがある。主な相違点は下記のとおりである（詳細は②以降を参照されたい）。

イ．開示対象となる取引について，会社計算規則では計算書類作成会社と関連当事者との取引に限定されているが，関連当事者会計基準では，連結子会社と関連当事者との取引も開示対象に含まれる。

ロ．会社計算規則では計算書類作成会社と子会社の取引も開示対象に含まれるが，関連当事者会計基準では連結財務諸表上で相殺消去される連結子会社との取引は開示対象から除外される。

ハ．関連当事者の範囲について，関連当事者会計基準では重要な子会社の役員およびその近親者，これらの者が議決権の過半数を自己の計算で所有している会社およびその子会社が範囲に含まれているが，会社計算規則では範囲に含まれていない。

イ，ロを図に表すと，下記のようになる。

【図表】会社計算規則と関連当事者会計基準の関係

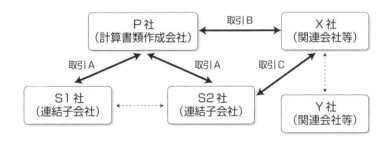

第2節　個別注記表

根拠規定	会社の分類	注記の開示場所	関連当事者の範囲	開示すべき取引
会社計算規則	非連結計算書類作成会社	個別注記表	S1社，S2社，X社，Y社	取引A，B
	連結計算書類作成会社	個別注記表（連結注記表は不要）	S1社，S2社，X社，Y社	取引A，B
関連当事者会計基準	非連結財務諸表作成会社	個別財務諸表注記	S1社，S2社，X社，Y社	取引A，B
	連結財務諸表作成会社	連結財務諸表注記（個別財務諸表注記は不要）	X社，Y社	取引B，C

(注)　1．上記図は連結財務諸表を作成する場合を想定しているため，S1社，S2社は「連結子会社」としている。
　　　2．点線矢印の取引は，いずれも開示の対象には含まれない。

② 開示の対象となる取引

経団連モデル

> **14．関連当事者との取引に関する注記**
> （記載上の注意）
> （1）株式会社と関連当事者との間に取引がある場合で，重要な取引について記載する（当該株式会社と第三者との間の取引で当該株式会社と当該関連当事者との間の利益が相反するものを含む。）。

　開示の対象となる取引は，株式会社と関連当事者との間に取引があり，その取引が重要な場合である。開示すべき取引を重要な取引と定めている点は，関連当事者会計基準や財務諸表等規則と同様である。
　従来，事業報告の附属明細書では，第三者との間の取引であって，株式会社と会社役員または支配株主との利益が相反するものの明細を記載するとされていた（旧施行規則128条2号）。
　会社計算規則112条1項括弧書では，関連当事者との取引には「当該株式

会社と第三者との間の取引で当該株式会社と当該関連当事者との間の利益が相反するものを含む。」として，関連当事者との取引には間接取引が含まれる旨の確認的な文言が規定されており，一方，旧会社法施行規則における事業報告の附属明細書における利益が相反するものの明細の規定が削除されていることから，開示の重複が起こらないようにしている（松本真＝小松岳志・前掲12〜13頁）。

開示対象となる取引の内容は，製品，商品，原材料等の購入や販売，役務の提供や受入，有価証券や固定資産等の売買・贈与・無償譲受け，賃貸借，リース，資金の借入・貸付，出資，債務保証・被保証，保証料の受取り，担保の提供，債権放棄・債務免除，株式の引受け，貸付利息の受取り・支払，その他経費関係の支払など，取引全般が含まれる。

関連当事者と組織再編を行うことがある。組織再編には，事業譲渡・譲受けなどの取引行為と，合併，会社分割などの組織再編行為がある。

事業譲渡・譲受けなどの取引行為は，取引であるので，関連当事者との取引として開示対象になると考えられる。

一方，合併，会社分割などの組織再編行為は，組織法上の行為なので，原則として，関連当事者との取引としては開示対象外になると考えられる。ただし，例えば，会社と当該会社の役員の個人会社とが合併し，会社の重要な資源が実質的に役員に移転しているように，ある組織再編が，会社と役員等との取引としての性格が強い場合には，「関連当事者会計基準」の設定趣旨などを踏まえ，会社法の計算書類においても，関連当事者との取引として開示対象になると考えられる（菊地伸＝布施伸章＝税理士法人トーマツ編著『企業再編』（清文社，2008）965頁，菊地伸＝有限責任監査法人トーマツ＝デロイト　トーマツ税理士法人編著，デロイト　トーマツ　フィナンシャルアドバイザリー合同会社著『企業再編〔第2版〕』（清文社，2015）1090頁）。

重要な取引の判断については後述（⑤）する。

③　関連当事者の範囲

経団連モデル

14．関連当事者との取引に関する注記
（記載上の注意）
(2) 関連当事者の範囲は次のとおりである。
　①　当該株式会社の親会社
　②　当該株式会社の子会社
　③　当該株式会社の親会社の子会社（当該親会社が会社でない場合には，当該親会社の子会社に相当するものを含む。）
　④　当該株式会社のその他の関係会社（当該株式会社が他の会社の関連会社である場合における当該他の会社をいう。以下同じ。）並びに当該その他の関係会社の親会社（当該その他の関係会社が株式会社でない場合には，親会社に相当するもの）及び子会社（当該その他の関係会社が会社でない場合には，子会社に相当するもの）
　⑤　当該株式会社の関連会社及び当該関連会社の子会社（当該関連会社が会社でない場合は，子会社に相当するもの）
　⑥　当該株式会社の主要株主（自己または他人の名義をもって当該株式会社の総株主の議決権の総数の100分の10以上の議決権（次に掲げる株式に係る議決権を除く。）を保有している株主をいう。）及びその近親者（二親等内の親族をいう。以下同じ）
　　イ　信託業を営む者が信託財産として所有する株式
　　ロ　有価証券関連業を営む者が引受けまたは売出しを行う業務により取得した株式
　　ハ　金融商品取引法第156条の24第1項に規定する業務を営む者がその業務として所有する株式
　⑦　当該株式会社の役員及びその近親者
　⑧　当該株式会社の親会社の役員又はこれらに準ずる者及びその近親者
　⑨　⑥から⑧に掲げる者が他の会社等の議決権の過半数を自己の計算において所有している場合における当該会社等及び当該会社等の子会社（当該会社等が会社でない場合には，子会社に相当するもの）
　⑩　従業員のための企業年金（当該株式会社と重要な取引（掛金の拠出を除く。）を行う場合に限る。）

イ．関連当事者の範囲に関する全般的事項

関連当事者の範囲は，会社計算規則112条4項に定められており，具体的には，経団連モデルの（記載上の注意）(2)のとおり，財務諸表等規則8条17項とほぼ同様の考え方である。

ロ．関連当事者の範囲の判定に関する事項

（記載上の注意）(2)の⑦の役員の範囲は，会社計算規則112条2項2号では，「取締役，会計参与，監査役又は執行役」を本条において「役員」というと規定している。

（記載上の注意）(2)の⑥から⑧で，主要株主などの近親者が関連当事者の範囲に含まれているが，これは近親者が家族関係を通じて主要株主などに影響を与える場合があるため，主要株主などと一体とみなしているためである。（記載上の注意）(2)の③では，「（当該親会社が会社でない場合には，当該親会社の子会社に相当するものを含む。）」とされている。これは会社法2条3号で，子会社は会社に支配されているもの，会社法2条4号で，親会社は原則として株式会社を子会社として支配しているもの，とされていることから，親会社が会社でない場合であっても関連当事者に含まれるようにするための規定である。なお，④⑤および⑨の括弧書も同様の趣旨である。

関連当事者会計基準では，（記載上の注意）(2)の①から⑤および⑨の「会社」には，組合その他これらに準ずる事業体が含まれることとしており，その場合に業務執行組合員が組合の財務および営業または事業の方針を決定しているときには，議決権を「業務執行を決定する権限」と読み替えることになる。会社計算規則における関連当事者の範囲に関しても，参考にすることが考えられる。

④ 関連当事者注記の記載内容
経団連モデル

> **14. 関連当事者との取引に関する注記**
> (記載上の注意)
> (3) 関連当事者との取引に関する注記には，関連当事者ごとに，下記の事項を記載する。
> 　① 関連当事者が会社等であるときは，次に掲げる事項
> 　　イ　その名称
> 　　ロ　関連当事者の総株主の議決権の総数に占める株式会社が有する議決権の数の割合
> 　　ハ　株式会社の総株主の議決権の総数に占める関連当事者が有する議決権の数の割合
> 　② 関連当事者が個人であるときは，次に掲げる事項
> 　　イ　その氏名
> 　　ロ　株式会社の総株主の議決権の総数に占める関連当事者が有する議決権の数の割合
> 　③ 株式会社と関連当事者との関係
> 　④ 取引の内容
> 　⑤ 取引の種類別の取引金額
> 　⑥ 取引条件及び取引条件の決定方針
> 　⑦ 取引により発生した債権または債務に係る主な項目別の当該事業年度の末日における残高
> 　⑧ 取引条件の変更があったときは，その旨，変更の内容及び当該変更が計算書類に与えている影響の内容

イ．記載内容に関する全般的事項

　関連当事者注記の記載内容は，会社計算規則112条1項に規定されており，その内容は，経団連モデルの記載上の注意 (3) と同様である。

　会社計算規則は，取引の内容，取引の種類別の取引金額などを注記するよ

うに規定しているが、それほど詳細には規定していない。

　財務諸表等規則8条の10第1項では、関連当事者が会社等である場合には、その所在地、資本金または出資金、事業の内容などを、関連当事者が個人である場合には、職業などを記載するとしている。

　また、関連当事者会計基準では、関連当事者に対する貸倒懸念債権および破産更生債権等に係る貸倒引当金繰入額や貸倒損失などの記載が求められている（「関連当事者会計基準」10項）。

　そのため、計算書類における関連当事者に係る注記において、財務諸表等規則や関連当事者会計基準を参考にして、記載内容を判断することが考えられる。

ロ．記載区分に関する事項

　注記は関連当事者ごとに記載する。ただし、経団連モデル（記載上の注意）(2)の区分を法人と個人の区別、支配・被支配の区別、影響力等をもとに分類し、「親会社および法人主要株主等」「子会社および関連会社等」「兄弟会社等」「役員および個人主要株主等」の4つに分けて記載することも考えられる。それぞれの区分に含まれる関連当事者は、後記⑤の重要な取引の判断における区分が参考になる。

　取引内容がおおむね同様の関連当事者が複数存在する場合（地域別に多数の販売会社が設立されている場合等）であっても、会社計算規則の趣旨（第Ⅲ章第2節第2(19)「①概要」参照）に鑑みて、重要な取引を個別に開示することが考えられる。

⑤ 重要な取引の判断
経団連モデル

> **14. 関連当事者との取引に関する注記**
> （記載上の注意）
> (5) 重要性の判断については，企業会計基準適用指針第13号「関連当事者の開示に関する会計基準の適用指針」第15項から第18項及び第20項等を参考に判断することが考えられる。この判断に際しては，原則として，各関連当事者との取引（類似・反復取引についてはその合計）ごとに行う。
> (13) 関連当事者との無償取引（無利子貸付や寄付など）や，低利貸付などのように取引金額が時価に比して著しく低い場合には，実際の取引金額ではなく，第三者間取引であると仮定した場合の金額を見積もって重要性の判断を行う。

　関連当事者注記の重要性の判断にあたっては，以下に示した関連当事者会計基準適用指針における重要性の判断基準を参考にすることが考えられる。重要性の判断は，原則として各関連当事者との取引（類似・反復取引についてはその合計）ごとに行う。

　なお，以下の規定は連結財務諸表を基準とした定めであり，計算書類の個別注記表の記載にあたって参考にする場合には，単体の財務諸表ベース（有価証券報告書）に読み替えて判断する必要がある。

　計算書類作成会社が持株会社の場合には，貸借対照表や損益計算書に計上される勘定科目や金額の多寡が通常の事業会社と異なるため，これを考慮して重要性の判断基準を適用することが考えられる。

【図表】関連当事者会計基準における重要性の判断基準

グループ	関連当事者（※）	重要性の判断基準
法人グループ 親会社および法人主要株主等（財務諸表作成会社の上位に位置する法人のグループ）	①親会社 ④財務諸表作成会社が他の会社の関連会社である場合における当該他の会社（以下「その他の関係会社」という。）および当該その他の関係会社の親会社 ⑥財務諸表作成会社の主要株主（法人）	(1) 連結損益計算書項目に属する科目 ①売上高，売上原価，販売費及び一般管理費 　売上高または売上原価と販売費及び一般管理費の合計額の10％を超える取引 ②営業外収益，営業外費用 　営業外収益または営業外費用の合計額の10％を超える損益に係る取引（その取引総額を開示し，取引総額と損益が相違する場合には損益を併せて開示する。） ③特別利益，特別損失 　1,000万円を超える損益に係る取引（その取引総額を開示し，取引総額と損益が相違する場合には損益を併せて開示する。） 　ただし，②および③の各項目に係る関連当事者との取引については，上記判断基準により開示対象となる場合であっても，その取引総額が，税金等調整前当期純損益または最近5年間の平均の税金等調整前当期純損益（当該期間中に税金等調整前当期純利益と税金等調整前当期純損失がある場合には，原則として税金等調整前当期純利益が発生した年度の平均とする。）の10％以下となる場合には，開示を要しない。 (2) 連結貸借対照表項目に属する科目の残高およびその注記事項に係る関連当事者との取引ならびに債務保証等および担保提供または受入れ ①その金額が総資産の1％を超える取引 ②資金貸借取引，有形固定資産や有価証券の購入・売却取引等については，それぞれの残高が総資産の1％以下であっても，取引の発生総額（資金貸付額等）が総資産の1％を超える取引（ただし，取引が反復的に行われている場合や，その発生総額の把握が困
関連会社等（財務諸表作成会社の下位に位置する法人のグループ）	②子会社 ⑤関連会社および当該関連会社の子会社 ⑩従業員のための企業年金（企業年金と会社の間で掛金の拠出以外の重要な取引を行う場合に限る。）	
兄弟会社等（財務諸表作成会社の上位に位置する法人の子会社のグループ）	③財務諸表作成会社と同一の親会社をもつ会社 ⑧その他の関係会社の子会社 ⑨財務諸表作成会社の主要株主(法人)が議決権の過半数を自己の計算において所有している会社およびその子会社	

			難である場合には，期中の平均残高が総資産の1%を超える取引を開示することもできる。) ③事業の譲受けまたは譲渡の場合には，対象となる資産または負債の総額のいずれか大きい額が，総資産の1%を超える取引
個人グループ	役員および個人主要株主等（財務諸表作成会社の役員・個人主要株主等のグループ）	⑥財務諸表作成会社の主要株主（個人）およびその近親者（Aとする。以下同じ。） ⑦財務諸表作成会社の役員およびその近親者（B） ⑧親会社の役員およびその近親者（C） ◎重要な子会社の役員およびその近親者（D） ⑨A，B，Cが議決権の過半数を自己の計算において所有している会社およびその子会社 ◎Dが議決権の過半数を自己の計算において所有している会社およびその子会社	連結損益計算書項目および連結貸借対照表項目等のいずれに係る取引についても，1,000万円を超える取引については，すべて開示対象とする。 ただし，会社の役員（親会社および重要な子会社の役員を含む。）もしくはその近親者が，他の法人の代表者を兼務しており（当該役員等が当該法人または当該法人の親会社の議決権の過半数を自己の計算において所有している場合を除く。），当該役員等がその法人の代表者として会社と取引を行うような場合には，法人間における商取引に該当すると考えられるため，関連当事者が個人グループの場合の取引としては扱わず，法人グループの場合の取引に属するものとして扱う。
すべての関連当事者共通		＜資金貸借取引，債務保証等および担保提供または受入れ＞ (1) 資金貸借取引 資金貸借取引の期末残高に重要性が乏しい場合であっても，その取引に係る利息に関して法人グループの重要性の基準(1)②に基づく重要性の判断を行うとともに，その取引の発生総額に関しても法人グループの重要性の基準(2)②に基づく重要性の判断を行う。 (2) 債務保証等 債務保証等の重要性の判断は，期末における保証債務等（被保証債務等）の金額で行う。 (3) 担保提供または受入れ 担保資産の重要性の判断は，期末における対応する債務の残高をもって行う。 ＜外注先等への有償支給取引の取扱い＞ 当該有償支給取引に係る一連の取引が連結財務諸表上相殺消去されている場合には，消去された後のそれぞれの取引金額について重要性の判断を行う。	

※　番号は経団連モデル（記載上の注意）(2)の関連当事者の番号と対応している。なお，◎は関連当事者注記の対象外となるが，関連当事者会計基準では関連当事者として取り扱っている者である。

　各資産の贈与・無償譲受け，債務保証，担保の提供，債務免除など，財産上の利益の供与にあたるものは，上記の金額的な重要性の判断に加えて，質的な重要性も考慮して開示する取引を決定することが望ましいと考えられる。

⑥　重要性の判断と開示の継続性
　関連当事者注記の重要性の判断にあたっては，開示の継続性が保たれるように留意する。例えば，これまで開示対象となっていた取引が，ある事業年度に重要性の判断基準を下回っても，それが一時的と判断される場合には継続的に開示することが考えられる。

⑦　連結計算書類を作成している会社での取扱い
経団連モデル

> **14. 関連当事者との取引に関する注記**
> （記載上の注意）
> (6) 企業会計基準第11号「関連当事者の開示に関する会計基準」では，連結子会社と関連当事者との間の取引は開示対象となるが，本注記表では開示対象とはならない。一方，同会計基準では，連結計算書類において相殺消去されている連結子会社との取引については開示対象とならないが，本注記表では開示対象となる。

　連結計算書類を作成している場合に，会社計算規則と関連当事者会計基準では，イ　連結子会社と関連当事者との間の取引の取扱いや，ロ　連結財務諸表において相殺消去されている連結子会社との取引の取扱いに違いがある。
　このため，実務において，有価証券報告書提出会社でかつ連結計算書類作成会社である場合には，開示対象の異なる2種類の関連当事者注記を作成す

ることに留意する。

イ．連結子会社と関連当事者との間の取引の取扱い
　関連当事者会計基準では，財務諸表作成会社と関連当事者との取引に加えて，連結子会社と関連当事者との取引も開示対象に含まれる。これに対し，会社計算規則では，計算書類作成会社と関連当事者との取引の開示のみを求めており，連結子会社と関連当事者の取引は開示対象に含まれていない。

ロ．連結財務諸表において相殺消去されている連結子会社との取引の取扱い
　関連当事者会計基準では，関連当事者注記は連結財務諸表に記載されるため，個別財務諸表における関連当事者注記は不要とされている。連結財務諸表において相殺消去されている連結子会社との取引は開示対象から除かれる。
　これに対し，会社計算規則では，連結計算書類を作成している会社であっても関連当事者注記は個別計算書類に係る注記となるため，連結計算書類上では相殺消去される連結子会社との取引も開示対象に含まれる（計算規則98条2項4号）。
　なお，会社計算規則において個別計算書類に係る関連当事者注記が求められているのは，以下の理由によるものと解される。
　　a．関連当事者注記を連結単位で記載するのは実務上の負担が大きいこと
　　b．会社計算規則で当該注記を要求している趣旨の1つが業務執行の適正性を判断するための情報の提供であるため，連結計算書類で相殺されているというだけの理由で連結子会社との取引を開示対象外とするのは適切ではないこと

⑧　開示の対象外となる取引
　開示の対象外となる取引として，会社計算規則112条2項では，以下のイロハが規定されている。このうち，イとロは財務諸表等規則でも開示対象外とされている（財務諸表等規則8条の10第3項）。

イ　一般競争入札による取引ならびに預金利息および配当金の受取りその他取引の性質からみて取引条件が一般の取引と同様であることが明白な取引
　ロ　取締役，会計参与，監査役または執行役に対する報酬等の給付
　ハ　イ・ロのほか，当該取引に係る条件につき市場価格その他当該取引に係る公正な価格を勘案して一般の取引の条件と同様のものを決定していることが明白な場合における当該取引

　ハについては，計算書類の作成スケジュールが金融商品取引法に基づく財務諸表等の作成スケジュールよりも短期間であること，⑦のとおり連結子会社との取引も開示対象としていることから，その実務上の負担を考慮したものである（郡谷大輔＝和久友子編著・前掲81頁）。

　イロハに関連する各留意事項は以下⑨⑩⑪を参照されたい。

⑨　取引条件が一般の取引と同様であることが明白な取引
経団連モデル

> **14．関連当事者との取引に関する注記**
> （記載上の注意）
> (7) 一般競争入札による取引並びに預金利息及び配当金の受取その他取引の性質からみて取引条件が一般の取引と同様であることが明白な取引は開示対象から除外される。
> (8) 会社と関連当事者との間での増資の引受けと自己株式の取得は，開示対象の取引となる。ただし，公募増資は，取引条件が一般の取引と同様であることが明白な取引に該当するため，開示対象外の取引と考えられる。

　会社と関連当事者との間での増資の引受けや自己株式の取得などの資本取引についても，関連当事者注記の開示対象となる。ただし，公募増資は，経団連モデル（記載上の注意）(7)の「取引条件が一般の取引と同様であることが明白な取引」に該当すると解されることから，開示対象からは除かれる

と考えられる。

なお，資本取引を開示する場合，関連当事者との関係は債権債務の関係とは異なるため，期末残高の開示は不要と考えられる。

⑩ 取締役，会計参与，監査役または執行役に対する報酬等の給付
経団連モデル

> **14．関連当事者との取引に関する注記**
> （記載上の注意）
> (9) 取締役，会計参与，監査役または執行役に対する報酬（ストック・オプションの付与を含む。），賞与及び退職慰労金の支払いは，開示対象外となる。関連当事者である役員と会社が報酬，賞与及び退職慰労金の支払い以外の取引をする場合においても，当該役員が従業員としての立場で行っていることが明らかな取引（例えば，使用人兼務役員が会社の福利厚生制度による融資を受ける場合など）は，開示対象外とする。

役員報酬は，会社法361条等にいう報酬等であり，報酬，賞与その他の職務執行の対価として株式会社から受ける財産上の利益のことである。
金銭以外の経済的利益の供与の場合でも，報酬等に該当するものは，役員に対する報酬等の給付として，関連当事者取引の注記の対象外になると考えられる（計算規則112条2項2号）。

取締役，会計参与，監査役または執行役に対する報酬等の給付のうち，使用人兼務取締役や使用人兼務執行役の使用人分の報酬等は，取締役等の報酬等の給付にあたらないため，一般の使用人の給与体系等を勘案し，それと大きく乖離しているなどの場合には，関連当事者との取引を記載することになると考えられる。

なお，取締役，会計参与，監査役または執行役の報酬等は，事業報告の「株式会社の会社役員に関する事項」に記載されることになる（施行規則121条）。

⑪　一般の取引の条件と同様のものを決定していることが明白な場合における当該取引

経団連モデル

> **14．関連当事者との取引に関する注記**
> （記載上の注意）
> (10) 会社計算規則第112条第2項第3号の規定は，本注記が連結子会社との取引も開示対象に含まれることなどから生ずる計算書類の作成のスケジュール上の制約や実務上の事務負担の問題等に鑑み，本注記を必要とすることとした趣旨からすれば開示させる必要が乏しいと思われる取引について，開示対象から外すことを明記したものである。この規定により開示対象から除外される「当該取引に係る条件につき市場価格その他当該取引に係る公正な価格を勘案して一般の取引の条件と同様のものを決定していることが明白」な取引とは，例えば，製品の販売等について市場価格を勘案して一般的な取引条件と同様に決定している場合や，建物の賃貸等で近隣の地代，取引実勢に基づいて一般的な取引条件と同様の賃料を決定している場合などが考えられる。一般の取引の条件とは，必ずしも一定の金額であるとは限らず，ある程度幅をもった金額の範囲内であることが通常と考えられる。また取引の条件を検討するにあたっては，社会通念上，取引条件を決定する要素はすべて考慮対象となり得，例えば，一般的には，長期的・継続的な取引であるという事情は考慮することとなる。

⑧に記載のハ「イ・ロのほか，当該取引に係る条件につき市場価格その他当該取引に係る公正な価格を勘案して一般の取引の条件と同様のものを決定していることが明白な場合における当該取引」の判断にあたっては，「一般の取引の条件と同様のものを決定している」ことと，それが「明白」であることがポイントとなる（郡谷大輔＝細川充＝小松岳志＝和久友子・前掲論文において，この点について解説がなされている）。

イ．「一般の取引の条件と同様のものを決定している」場合

「一般の取引の条件と同様のものを決定している」か否かの判断は，郡谷大輔＝細川充＝小松岳志＝和久友子＝前掲論文では，「当該取引の条件が，取引の要素が同じである取引において一般的とされる取引の条件と同様のものであるか否かという観点から行われる。」との見解が示されている。取引の要素は，市場価格をはじめとして，社会通念上，取引条件を決定する際に通常考慮するような各要素はすべて含まれる。

一般の取引条件については，「必ずしも，一定の金額とは限らず，ある程度の幅をもった金額の範囲内であることが通常であるものと思われる。」と述べられている。長期的・継続的な取引と一回限りの取引の条件の相違も考慮し，例えば「同程度の長期的・継続的な取引において一般的とされる条件と当該取引の条件とが同様であるか否かを検討することとなる。」との見解が示されている。

一般の取引条件よりも株式会社にとって有利な取引条件である場合にも，開示対象になると考えられる。「たとえば市場価格よりも著しく安価で仕入れを行っているというような場合については，当該取引だけに着目すれば当該株式会社にとっては不利益は生じていないといえるものの，前記のとおり一定の利害関係者との間の取引の適正を図るという，関連当事者注記の趣旨にかんがみれば，当然，開示すべきものといえる。」との見解が示されている。

ロ．明白

一般の取引条件と同様であることが「明白」であることが必要であるが，郡谷大輔＝細川充＝小松岳志＝和久友子・前掲論文では，「当然，その前提として，『一般の取引条件』の内容も明らかにされる必要がある。実務上は，この明白性を担保するため，通常，当該取引が一般の取引条件と同様の条件であることについての証拠を残すことになると思われるが，その形式については，特に制限はない。」との見解が示されている。

なお，郡谷大輔＝細川充＝小松岳志＝和久友子・前掲論文では，「会社計算

規則第140条2項3号（現行第112条2項3号，筆者挿入）の趣旨は，一般的な条件とは異なる条件で取引の内容等が決定されている取引を開示させるという点にあるが，特定の取引が一般的な取引条件によっているか否かは判断が分かれ得る評価の問題であるから，実際の開示においては，取引条件が明らかに異常ではないと認められない限り，同号の開示を行うべきこととなることに留意する必要がある。」との見解が示されている。

ハ．子会社との長期的・継続的な取引

子会社と長期的・継続的に取引が行われている場合や，同一グループ内で同じ取引条件によっている場合にも，それのみをもって「一般の取引」と判断するのは望ましくないと考えられる。例えば，株式会社と同業他社の子会社との取引等，グループ外の会社との取引条件と同様であるかの判断等が必要である。

⑫　議決権等の所有割合および株式会社と関連当事者との関係

関連当事者の株式会社に対する議決権割合または関連当事者に対する株式会社の議決権割合や，関連当事者との関係については，会社と関連当事者間の影響力の度合いを明らかにするために記載が求められている。

議決権等の所有割合の記載にあたっては，所有・被所有の別がわかるように記載する。

関連当事者との関係について，財務諸表等規則様式1号「関連当事者情報」の記載上の注意4のように，役員の兼任等を記載することも考えられる。役員の兼任等としては，兼任をしている役員の有無のほか，出向，転籍等の形態により派遣されている役員の期末日現在の状況を記載することが考えられる。

そのほか，資金援助，営業上の取引，設備の賃貸借，業務提携等の関係内容について簡潔に記載することが考えられる。関連当事者が第三者のために会社との間で行う取引については，その旨を併せて記載することも考えられる。

⑬ 取引条件および取引条件の決定方針の記載

　会社計算規則は，関連当事者注記において，取引条件および取引条件の決定方針を記載するとしている（計算規則112条1項6号）。

　関連当事者との取引は，その取引条件の決定が市場価格とは別に決定される可能性が高く，会社の財産および損益に重要な影響を与えるためと考えられる。

　なお，有価証券報告書における関連当事者注記では，継続的・通例的な取引に関しては取引条件の決定方針のみを記載している事例も見られる。具体的には，鑑定評価額などの第三者による評価に基づいていることや，市場価格等を勘案して決定していること，見積価格を提示して交渉の上決定していることなどが説明されている。

⑭ 取引の種類別の取引金額および取引により発生した債権または債務に係る主な項目別の当該事業年度の末日における残高の記載

　取引により発生した債権または債務の残高がある場合には，発生原因となった取引と対応させて事業年度末の残高を記載する。開示すべき債権または債務には，未払費用や未収収益等の経過勘定も含まれると考えられる。

　開示する取引と債権または債務は対応させて記載するため，例えば，1つの取引について売上高は重要だが売掛金には重要性がないと判断された場合にも，売上高と売掛金残高の両者の開示が必要となることに留意が必要である。

　関連当事者との取引や関連当事者に対する債権および債務の残高は，個別注記表の「関係会社に対する金銭債権及び金銭債務」や「取締役，監査役（執行役）に対する金銭債権及び金銭債務」，「関係会社との取引高」等の記載内容との関係にも留意する必要がある。

⑮　資金貸借取引、債務保証等および担保提供または受入れの記載方法
経団連モデル

> **14．関連当事者との取引に関する注記**
> （記載上の注意）
> (11) 資金貸借取引、債務保証等及び担保提供または受入れについても開示する場合は、資金貸借取引は貸付・借入金額を取引金額として記載するとともに、当該取引に関する期末残高を記載する。債務保証等は期末残高を取引金額として記載するとともに、保証・被保証の別や内容を注記する。担保提供または受入れは、担保資産に対応する債務の期末残高を取引金額として記載するとともに、担保提供・受入れの別や内容等を注記する。

　債務保証については、注記表の「保証債務」の注記の記載内容との関係に留意する必要がある。

⑯　関連当事者との取引の開示対象期間
経団連モデル

> **14．関連当事者との取引に関する注記**
> （記載上の注意）
> (12) 事業年度の途中で関連当事者に該当することとなった場合や、該当しなくなった場合には、関連当事者であった期間中の取引が開示対象となる。

　関連当事者との取引のうち、開示対象となるのは、関連当事者であった期間の取引である。事業年度の途中で関連当事者に該当しなくなった場合には、それまでの期間の取引について記載する。
　関連当事者に該当するか否かの判断は、個々の取引の開始時点で判定する。
　第三者割当増資を行ったことによりその会社が関連当事者に該当すること

となった場合，当該第三者割当増資については関連当事者である期間の取引には該当しないため，関連当事者注記の記載対象とならないものと考えられる。

⑰　形式的・名目的に第三者を経由した取引
経団連モデル

> **14．関連当事者との取引に関する注記**
> （記載上の注意）
> (14) 形式的・名目的に第三者を経由した取引で，実質上の相手先が関連当事者であることが明らかな場合には，開示対象に含める。

　形式的・名目的には第三者を経由した取引である場合でも実質的な取引の相手先が関連当事者である場合には，開示対象に含める。この場合，取引の内容の記載にあたっては，形式上の取引先を記載した上で，実質的には関連当事者との取引である旨を記載することが考えられる。

⑱　第三者のために行う取引・会社と第三者との間の取引で関連当事者が当該取引に関して重要な影響を及ぼしている場合
　会社計算規則112条では，株式会社と関連当事者との間に取引がある場合に記載するとされている。関連当事者が第三者のために（第三者の代理人・代表者として）会社との間で行う取引や，会社と第三者との間の取引で関連当事者が当該取引に関して重要な影響を及ぼしている場合の取扱いは明示されていない。
　関連当事者会計基準ではこのような第三者のために行う取引等についても，注記することが要求されている（「関連当事者会計基準」5項）ので，関連当事者会計基準を参考にして，記載内容を判断することも考えられる。

⑲　公開会社のうち，会計監査人設置会社以外の会社で省略できる事項
経団連モデル

> **14．関連当事者との取引に関する注記**
> （記載上の注意）
> （4）公開会社で会計監査人非設置会社では，下記の事項を省略することができる。その場合には省略した事項について，附属明細書に記載する。
> 　①　取引の内容
> 　②　取引の種類別の取引金額
> 　③　取引条件及び取引条件の決定方針
> 　④　取引条件の変更があったときは，その旨，変更の内容及び当該変更が計算書類に与えている影響の内容

　公開会社のうち，会計監査人設置会社以外の株式会社は，経団連モデル（記載上の注意）（3）の記載内容のうち，④⑤⑥⑧の記載を省略することができる（計算規則112条1項但書）。この場合，個別注記表には，⑦取引により発生した債権または債務に係る主な項目別の当該事業年度の末日の残高を開示すればよく，省略した事項は計算書類の附属明細書に記載する（計算規則117条4号）。
　公開会社でも非会計監査人設置会社では，「重要なもの」の判断が会社により異なり，開示の水準にばらつきが見られることが予想されることや，計算書類の作成に関する実務上の負担も考慮の上，個別注記表における開示の一部を附属明細書における記載とすることが認められたものである。

⑳　その他の記載例（参考例）
　関連当事者との取引は多岐にわたり，各会社の実情等に応じて記載内容も異なるため，経団連モデルの記載例を参考に，取引の実態が明らかになるように記載する。
　以下は，経団連モデルの記載例以外の取引の開示例である。

イ．資金の借入の参考例

1．親会社および法人主要株主等

種　類	会社等の名称	議決権等の所有（被所有）割合	関連当事者との関係	取引の内容	取引金額（注○）	科　目	期末残高
親会社	A社	被所有 直接○％ 間接○％	資金の借入 役員の兼任	資金の借入 （注1）	×××	長期借入金	×××

取引条件および取引条件の決定方針等
（注1）資金の借入については，○年○月より無利息となっております。
　　　　返済条件は期間5年，1年据置き，半年賦返済としております。
　　　　なお，担保は提供しておりません。

ロ．担保の提供を受けている参考例

2．子会社および関連会社等

種　類	会社等の名称	議決権等の所有（被所有）割合	関連当事者との関係	取引の内容	取引金額（注○）	科　目	期末残高
関連会社	B社	所有 直接○％ 間接○％	B社設備の購入 担保の提供	B社設備の購入	×××	―	―
				当社の銀行借入金に対する土地の担保提供（注1）	×××	―	―

取引条件および取引条件の決定方針等
（注1）当社の銀行借入金に対する土地の担保提供については，B社からの設備購入のための資金借入に対するものであります。

ハ．事業年度中に関連当事者ではなくなった場合の参考例

3．兄弟会社等

種類	会社等の名称	議決権等の所有(被所有)割合	関連当事者との関係	取引の内容	取引金額(注○)	科目	期末残高
親会社の子会社	C社	なし	輸送機器の販売	○○の販売	×××	売掛金	×××

取引条件および取引条件の決定方針等
(注1) C社は平成○年○月○日付けで関連当事者ではなくなっております。上記の取引金額は，C社が関連当事者であった期間の取引，また，期末残高については関連当事者に該当しなくなった時点での残高をそれぞれ記載しております。

ニ．当社の相談役が第三者の代表者として行った取引の参考例

4．役員および個人主要株主等

種類	会社等の名称	議決権等の所有(被所有)割合	関連当事者との関係	取引の内容	取引金額(注○)	科目	期末残高
役員およびその近親者	d	被所有直接○%	当社相談役当社の仕入先であるE社の代表取締役専務	E社からの商品仕入(注1)	×××	支払手形 買掛金	××× ×

取引条件および取引条件の決定方針等
(注1) dが第三者(E社)の代表者として行った取引であり，独立第三者間取引の取引条件を勘案してその都度交渉の上，決定しております。

（20）1株当たり情報に関する注記

経団連モデル

15．1株当たり情報に関する注記

［記載例］
1株当たり純資産額　　　　　　　　×××円　　××銭
1株当たり当期純利益　　　　　　　×××円　　××銭

> (記載上の注意)
> 株式会社が当事業年度または当事業年度の末日後において株式の併合または株式の分割をした場合において,当事業年度の期首に株式の併合または株式の分割をしたと仮定して,1株当たりの純資産額及び1株当たりの当期純利益または当期純損失を算定したときは,その旨を記載する。この場合,以下の記載が考えられる。
>
> > [株式の分割をした場合の記載例]
> > 当社は,○年○月○日付けで株式1株につき1.××株の株式分割を行っております。当該株式分割については,当事業年度の期首に株式分割が行われたと仮定して1株当たりの当期純利益を算定しております。

1株当たり純資産額および1株当たり当期純利益金額(または当期純損失金額)を開示することとされている(計算規則113条)。1株当たり情報は,普通株主の当期の損益および純資産に対する持分を示す有用な指標である。

平成23年3月31日に公布された「会社計算規則の一部を改正する省令」(平成23年法務省令第6号)では,従来の1株当たりの純資産額および1株当たりの当期純利益金額または当期純損失金額に加えて,株式会社が当該事業年度(連結計算書類にあっては,当該連結会計年度)または当該事業年度の末日後において株式の併合または株式の分割をした場合に,当該事業年度の期首に株式の併合または株式の分割をしたと仮定して1株当たりの純資産額および1株当たりの当期純利益金額または当期純損失金額を算定したときは,その旨を注記すると規定している。

これは,平成22年6月30日に,企業会計基準委員会が企業会計基準第2号「1株当たり当期純利益に関する会計基準」(企業会計基準委員会)を改正し,新設された30-2項に対応するものである。このほか,企業会計基準適用指針第4号「1株当たり当期純利益に関する会計基準の適用指針」第41項などが改正されている。

旧商法の計算書類では,1株当たり当期純利益(または当期純損失)を開

示することとされていたが，会社計算規則では，1株当たり純資産額も注記項目とされている。

1株当たり当期純利益および1株当たり純資産額の具体的な算定方法については，企業会計基準第2号「1株当たり当期純利益に関する会計基準」（企業会計基準委員会），企業会計基準適用指針第4号「1株当たり当期純利益に関する会計基準の適用指針」（企業会計基準委員会），実務対応報告第9号「1株当たり当期純利益に関する実務上の取扱い」（企業会計基準委員会）に規定されている。

「1株当たり当期純利益に関する会計基準」および財務諸表等規則などでは，1株当たり情報の注記には，潜在株式調整後1株当たり当期純利益，1株当たり当期純利益の算定上の基礎などの注記が規定されている（「1株当たり当期純利益に関する会計基準」20項～30項，33項，財務諸表等規則95条の5の2など）。

これらの事項は株主等にとっても有用な情報であると会社が判断する場合には，計算書類において注記することが考えられる。

(21) 重要な後発事象に関する注記

経団連モデル

16．重要な後発事象に関する注記

［記載例］
（新株発行の決議）
　当社は，○年○月○日開催の当社取締役会において，○年○月○日を払込期日として，普通株式○○株を一般募集の方法によって発行することを決議いたしました。
　払込金額，払込金額中の資本に組み入れる額，その他の新株式発行に必要な一切の事項は，○年○月中旬開催の取締役会において決定する予定であります。

(記載上の注意)
　事業年度の末日後,翌期以降の財産または損益に重要な影響を及ぼす事象(いわゆる開示後発事象と解される。)が発生した場合に注記する。

① 概要
　後発事象は,以下の2種類がある(監査・保証実務委員会報告第76号「後発事象に関する監査上の取扱い」)。

　　　　　　　修正後発事象……　発生した事象の実質的な原因が決算日現在に
　　　　　　　　　　　　　　　　おいてすでに存在しているため,財務諸表の
　　　後発事象   修正を行う必要がある事象
　　　　　　　開示後発事象……　発生した事象が翌事業年度以降の財務諸表に
　　　　　　　　　　　　　　　　影響を及ぼすため,財務諸表に注記を行う必
　　　　　　　　　　　　　　　　要がある事象

　修正後発事象は,決算数値自体の修正が必要となる事象であり,計算書類に注記すべき後発事象は,開示後発事象と解される。以下の要件に該当する事象かどうかにより,開示後発事象の判断が行われる。
　イ．翌事業年度以降の財産または損益に影響を及ぼす事項であること
　ロ．財産または損益に与える影響が重要なこと
　ハ．事業年度の末日後に発生した事象であること

② 開示後発事象の例
　「後発事象に関する監査上の取扱い」に以下の開示後発事象が例示されている。

1. 会社が営む事業に関する事象
    ① 重要な事業の譲受
    ②* 重要な事業の譲渡
    ③ 重要な合併
    ④ 重要な会社分割
    ⑤* 現物出資等による重要な部門の分離
    ⑥* 重要な事業からの撤退
    ⑦* 重要な事業部門の操業停止
    ⑧* 重要な資産の譲渡
    ⑨* 重要な契約の締結または解除
    ⑩ 大量の希望退職者の募集
    ⑪* 主要な取引先の倒産
    ⑫* 主要な取引先に対する債権放棄
    ⑬ 重要な設備投資
    ⑭ 新規事業に係る重要な事象(出資,会社設立,部門設置等)
2. 資本の増減等に関する事象
    ① 重要な新株の発行(新株予約権等の行使・発行を含む。)
    ② 重要な資本金または準備金の減少
    ③ 重要な株式交換,株式移転
    ④ 重要な自己株式の取得
    ⑤ 重要な自己株式の処分(ストック・オプション等を含む。)
    ⑥ 重要な自己株式の消却
    ⑦ 重要な株式併合または株式分割
3. 資金の調達または返済等に関する事象
    ① 多額な社債の発行
    ② 多額な社債の買入償還または繰上償還(デット・アサンプションを含む。)
    ③ 借換えまたは借入条件の変更による多額な負担の増減
    ④ 多額な資金の借入
4. 子会社等に関する事象
    ①* 子会社等の援助のための多額な負担の発生
    ②* 重要な子会社等の株式の売却
    ③ 重要な子会社等の設立

④　株式取得による会社等の重要な買収
　　⑤＊重要な子会社等の解散・倒産
5．会社の意思にかかわりなく蒙ることとなった損失に関する事象
　　①　火災，震災，出水等による重大な損害の発生
　　②　外国における戦争の勃発等による重大な損害の発生
　　③　不祥事等を起因とする信用失墜に伴う重大な損失の発生
6．その他
　　①＊重要な経営改善策または計画の決定（デット・エクイティ・スワップを含む。）
　　②＊重要な係争事件の発生または解決
　　③　重要な資産の担保提供
　　④＊投資に係る重要な事象（取得，売却等）

　なお，上に掲げた開示後発事象の例示において，＊を付した項目で損失が発生するときは，修正後発事象に該当することも多いため留意が必要である。

③　開示後発事象の発生のタイミングと取扱い

　開示後発事象は，発生のタイミングが決算日後，監査報告書日までの間である場合に注記を行うこととなる。いつの時点で注記すべき事象が発生したとされるのかについては，おおむね以下のような取扱いとなる。

事象発生時期	説明
合意成立（または事象の公表）のとき	相手との合意が必要な事象については，合意成立時（または事象公表のとき）に後発事象が発生したものとされる。 （例）合併，会社分割（吸収分割），資産譲渡，事業譲受，事業譲渡
取締役会等の決議があったとき	取締役会等の意思決定により実施することのできる事象については，取締役会等の決議があったときに後発事象が発生したものとされる。 （例）会社分割（新設分割），株式交換，株式移転

第Ⅲ章 計算書類

一定の事実が発生したとき，または発生を認知したとき	会社の意思にかかわりなく蒙ることとなった損失その他については，事実が発生したとき（または発生を認知したとき）に後発事象が発生したものとされる。 （例）火災等による損害の発生，係争事件の発生

　なお，合意成立や取締役会等の決議が決算日前であっても，その実行が決算日後，監査報告書日までの場合には後発事象の開示が必要となる。合併や会社分割等の組織再編にかかわる事象については，翌期首に実行されるケースが多いため，実行段階でも後発事象の記載が必要となるケースが多い。

重要な後発事象に関する個別財務諸表上の取扱い（会計監査人設置会社の場合）

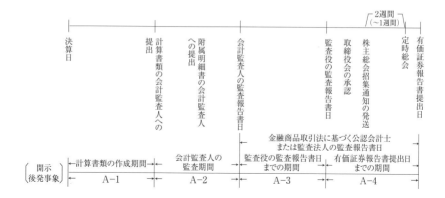

分類	会社法監査	金融商品取引法監査
A-1 A-2	計算書類に注記するものとする。 　計算書類に注記がない場合は、監査報告書において、監査意見に係る除外事項として記載する。	財務諸表に注記するものとする。 　財務諸表に注記がない場合は、監査報告書において、監査意見に係る除外事項として記載する。 　なお、金融商品取引法の監査報告書日後、有価証券報告書の提出日までに発生した後発事象についての経営者の対応には、次のような場合が考えられる。
A-3	監査役が監査報告書にその事実を追加して記載する。	a．経営者が、当該後発事象を反映させた財務諸表を新たに作成し、かつ、当該財務諸表を有価証券報告書で開示する場合（当該後発事象について、臨時報告書が作成されるときもある）
A-4	いずれの書類によっても開示は事実上不可能である。なお、株主総会において取締役から報告することが考えられる。	b．経営者が、当該後発事象について、「経理の状況」における「連結財務諸表等」または「財務諸表等」の「その他」に記載する場合 　上記a．の場合には、監査人は、後発事象に関する監査手続を実施しなければならず、したがって、当該財務諸表に対して新たに監査報告書を発行することになるので留意が必要である。

④　その他の記載例（参考例）

経団連モデルに記載されている例のほか、以下のような記載が考えられる。

（重要な資産の譲渡）
　当社は、〇年〇月〇日に当社が保有する以下の工場の土地・建物等について譲渡する契約を締結いたしました。
　① 譲渡する相手先：〇〇株式会社
　② 譲渡する資産の種類、譲渡前の使途：〇〇工場の土地・建物等
　③ 譲渡の時期：〇年〇月〇日
　④ 譲渡価額等：帳簿価額　×××百万円
　　　　　　　　譲渡価額　×××百万円

> （自己株式の取得）
>   当社は，○年○月○日開催の取締役会において，以下のとおり自己株式を買い受けることを決議し，自己株式の取得を行いました。
>   ① 取得の理由　機動的な資本政策の遂行を可能にするため
>   ② 取得の方法　東京証券取引所における市場買付
>   ③ 取得した株式数　○○○株
>   ④ 取得価額の総額　×××百万円
>   ⑤ 取得日　○年○月○日～○日

(22) 連結配当規制適用会社

経団連モデル

> **17．連結配当規制適用会社**
>
> ［記載例］
>   当社は，当事業年度の末日が最終事業年度の末日となる時後，連結配当規制適用会社となります。

　連結配当規制適用会社とは，ある事業年度の計算書類の確定後から，次の事業年度の計算書類が確定するまでの間における当該株式会社の分配可能額の算定につき，会社計算規則158条4号の適用を受けることを当該事業年度の計算書類の作成に際して定めた会社をいう（計算規則2条3項55号）。

　連結配当規制を適用した会社は，連結ベースでの株主資本等の金額が単体の株主資本等の金額より少ない場合，その差額を単体の分配可能額から減額することとなる（法461条，計算規則158条4号）。

　この制度は，連結計算書類を作成している会計監査人設置会社が採用できることとされている。会社は，連結配当規制の採用を決定し，計算書類へ注記し，当該注記を含めた計算書類の監査を受け，取締役会の承認または株主

総会の承認を受けて計算書類を確定したときから，連結配当規制適用会社となることができる。会社の任意により採用できる制度であり，いったんこの制度を採用しても自動的に継続されるものではなく，毎期の計算書類の作成時に決定することになる。

(23) その他の注記
経団連モデル

> **18. その他の注記**
>
> ［記載例］
> ……………

（記載上の注意）
(1) 上記の個別注記表に記載すべき事項のほか，貸借対照表，損益計算書及び株主資本等変動計算書により会社の財産または損益の状態を正確に判断するために必要な事項を記載する。
(2) 例えば，以下のような会計基準等で注記すべきとされている事項や有価証券報告書提出会社が有価証券報告書で開示する事項について，重要性を勘案のうえ，記載の要否を判断する。

① 退職給付に関する注記
② 減損損失に関する注記
③ 企業結合・事業分離に関する注記
④ 資産除去債務に関する注記
⑤ その他追加情報の注記

> 【新型コロナウイルス感染症関係の記載】
> 　新型コロナウイルス感染症に関して，例えば，以下のような記載が考えられる。当該注記は，会社計算規則第116条（その他の注記）として記載するほか，会社計算規則第102条の3の2（会計上の見積りに関する注記）として記載することも考えられる。

> [新型コロナウイルス感染症の記載例]
> 当社は，新型コロナウイルス感染症の世界的な感染拡大の影響を受けており，今後，〇年の〇〇頃まで影響が続くものと見込み，その後，徐々に回復に転じるものと仮定して有形固定資産の減損処理，繰延税金資産の回収可能性等の会計上の見積りを行っております。なお，新型コロナウイルス感染症の広がりや収束時期等の見積りには不確実性を伴うため，実際の結果はこれらの仮定と異なる場合があります。

① 概要

個別注記表に記載すべき事項として列挙された事項のほか，貸借対照表，損益計算書および株主資本等変動計算書により会社の財産または損益の状態を正確に判断するために必要な事項を記載することとされている（計算規則116条）。いわゆる追加情報についての注記であり，一定の重要な事象の発生があったときに注記することが考えられる。

監査・保証実務委員会実務指針第77号「追加情報の注記について」（日本公認会計士協会）において，以下の事項が例示されており，これらを参考に，重要性を勘案のうえ，注記するよう求めている。

イ．会計方針の記載に併せて注記する事項
　a．会計処理の対象となる新たな事実の発生に伴う新たな会計処理の採用
ロ．財務諸表等の特定の科目との関連を明らかにして注記すべき事項
　a．資産の使用・運用状況の説明
　b．特殊な勘定科目の説明
　c．会計基準等で注記を求めている事項（規則等で規定しているものを除く）
ハ．連結財務諸表固有の事項

ニ．その他（期間比較上説明を有する場合，後発事象に該当しないが説明を要する事項）

これらの他に，経団連モデルの記載上の注意にあるように，会社計算規則では列挙されていないものの，会計基準等で注記すべきとされている事項や有価証券報告書提出会社が有価証券報告書で開示する事項についても，重要性を勘案のうえ，記載することも考えられる。

会計監査人非設置会社では，会計監査人設置会社と比較して，会社計算規則が要求する注記事項は限定されている（計算規則98条2項）。

会計監査人非設置会社であっても，株式公開を目指している場合等には，株式公開に係る審査の過程において，会計監査人設置会社に準じた注記が要求されることも想定される。

このような場合に，会計監査人非設置会社が当該注記を行うことは妨げられるものではなく，会社の財産または損益の状態を正確に判断するために必要な注記（その他の注記。計算規則98条1項19号・116条）に該当するとして記載することも可能と考えられる（郡谷大輔＝和久友子編著・前掲70頁参照）。

② 記載例（参考例）

以下のような記載が考えられる。

（事業構造改革費）
　特別損失に計上した「事業構造改革費」は，○○㈱との事業統合の一環として，生産拠点の再編，事業の選択と集中の推進，取扱い製品の整理・統合を中核とする事業体制の再編を行ったことによる費用であります。その内訳は，以下のとおりです。
　・棚卸資産廃棄損　　　　　××百万円
　・固定資産廃棄損　　　　　××百万円
　・子会社整理損失　　　　　××百万円
　・特別退職金等　　　　　　××百万円

(期末日満期手形の会計処理)
　期末日に満期が到来する手形は，交換日に入出金の処理を行っております。当事業年度の末日は金融機関の休業日であり，次の期末日満期手形を有しております。
　受取手形　　　　　×××百万円
　支払手形　　　　　×××百万円

(圧縮記帳)
　収用等により取得した有形固定資産の当期圧縮記帳額は×××百万円（建物××百万円，土地××百万円）であります。

第 IV 章

連結計算書類

第1節

連結貸借対照表，連結損益計算書，連結株主資本等変動計算書

第1 連結貸借対照表

経団連モデル

> Ⅳ 連結計算書類
> 第1 連結貸借対照表
>
> [記載例]
>
> 連結貸借対照表
> (○年○月○日現在)
>
> (単位：百万円)
>
> | 科　　目 | 金　額 | 科　　目 | 金　額 |
> |---|---|---|---|
> | （資産の部） | | （負債の部） | |
> | 流　動　資　産 | ××× | 流　動　負　債 | ××× |
> | 　現　金　及　び　預　金 | ××× | 　支払手形及び買掛金 | ××× |
> | 　受　取　手　形 | ××× | 　短　期　借　入　金 | ××× |
> | 　売　掛　金 | ××× | 　リ　ー　ス　債　務 | ××× |
> | 　契　約　資　産 | ××× | 　未　払　金 | ××× |
> | 　有　価　証　券 | ××× | 　未　払　法　人　税　等 | ××× |
> | 　商　品　及　び　製　品 | ××× | 　契　約　負　債 | ××× |
> | 　仕　掛　品 | ××× | 　○　○　引　当　金 | ××× |
> | 　原材料及び貯蔵品 | ××× | 　そ　の　他 | ××× |
> | 　そ　の　他 | ××× | 固　定　負　債 | ××× |
> | 　貸　倒　引　当　金 | △××× | 　社　　　債 | ××× |
> | 固　定　資　産 | | 　長　期　借　入　金 | ××× |
> | 　有　形　固　定　資　産 | ××× | 　リ　ー　ス　債　務 | ××× |

建物及び構築物	×××	繰延税金負債	×××
機械装置及び運搬具	×××	○○引当金	×××
土地	×××	退職給付に係る負債	×××
リース資産	×××	その他	×××
建設仮勘定	×××	負債合計	×××
その他	×××	（純資産の部）	
無形固定資産	×××	株主資本	×××
ソフトウェア	×××	資本金	×××
リース資産	×××	資本剰余金	×××
のれん	×××	利益剰余金	×××
その他	×××	自己株式	△×××
投資その他の資産	×××	その他の包括利益累計額	×××
投資有価証券	×××	その他有価証券評価差額金	×××
繰延税金資産	×××	繰延ヘッジ損益	×××
その他	×××	土地再評価差額金	×××
貸倒引当金	△×××	為替換算調整勘定	×××
繰延資産	×××	退職給付に係る調整累計額	×××
社債発行費	×××	株式引受権	×××
		新株予約権	×××
		非支配株主持分	×××
		純資産合計	×××
資産合計	×××	負債・純資産合計	×××

（記載上の注意）
(1) 新株式申込証拠金あるいは自己株式申込証拠金がある場合には，純資産の部の株主資本の内訳項目として区分掲記する。
(2) ファイナンス・リース取引の貸主側の場合には，リース債権，リース投資資産により表示する。
(3) 「棚卸資産」として一括表示し，その内訳を示す科目及び金額を注記することも考えられる。
(4) 資産除去債務については，1年内に履行されると認められるものは，流動負債において資産除去債務により表示し，それ以外のものは，固定負債において資産除去債務により表示する。
(5) 工事損失引当金の残高は，貸借対照表に流動負債として計上する。ただし，同一の工事契約に係る棚卸資産及び工事損失引当金がある場合には，

> 両者を相殺した差額を棚卸資産または工事損失引当金として流動資産または流動負債に表示することができる。
> (6) 純資産の部においては,「評価・換算差額等」または「その他の包括利益累計額」のいずれかの項目に区分する。
>   ただし,企業会計基準第25号「包括利益の表示に関する会計基準」が適用される会社については,「その他の包括利益累計額」として区分することが義務付けられることとなる (会社計算規則第3条)。
> (7) 企業会計基準第29号「収益認識に関する会計基準」を適用する会社については,原則として,契約資産,契約負債または顧客との契約から生じた債権を,適切な科目を用いて連結貸借対照表に表示するか,区分して表示しない場合には,それぞれの残高を注記する (会社計算規則第3条,第116条)。

(1) 概　　要

　連結貸借対照表は資産,負債,純資産の各部に区分して表示し,資産の部または負債の部の各項目は,当該項目に係る資産または負債を示す適当な名称を付すことが必要である (計算規則73条1項・2項)。

　会社計算規則では,最低限区分すべき項目を示しているが,連結財務諸表規則のように区分掲記の具体的な基準までは定めていない。

　有価証券報告書を提出している会社が会社法の連結計算書類として開示する連結貸借対照表については,連結財務諸表規則に従った項目区分で開示することも可能であり,また,それをベースに適宜項目を集約して開示することも可能である。

　従来,連結財務諸表規則23条では,製品,仕掛品などの棚卸資産は,棚卸資産の科目をもって表示されていた。

　平成20年内閣府令50号による改正後の連結財務諸表規則23条1項では,商品及び製品 (半製品を含む),仕掛品,原材料及び貯蔵品の3区分で表示することとし,同条4項において,棚卸資産の科目をもって一括して掲記し,当該項目に属する資産の科目およびその金額を注記する方法も認めている。

なお，同条2項により，個別の科目ごとに表示することも可能である。

経団連モデルでは，棚卸資産の表示方法について，連結財務諸表規則との整合性を考慮し，連結貸借対照表において3区分で表示する方法を示すとともに，記載上の注意(3)において，棚卸資産の科目をもって一括して表示し，当該項目に属する資産の科目およびその金額を注記する方法を示している。

会社計算規則では，連結財務諸表規則のように連結貸借対照表の表示方法を詳細に規定しているわけではないので，連結計算書類について連結財務諸表規則と同様に表示することまでは要求されていない。このため，連結計算書類については，従来どおり，棚卸資産の科目により表示する方法（内訳の注記は行わない）も認められる。

(2) 資産の部の区分
① 概要

資産の部は流動資産，固定資産，繰延資産に区分し，固定資産は有形固定資産，無形固定資産，投資その他の資産に区分する必要がある。これらの各項目については，適当な項目に細分する必要がある（計算規則74条1項・2項）。

区分すべき項目	取扱い
流動資産	適当な項目に細分する
固定資産	
有形固定資産	適当な項目に細分する
無形固定資産	適当な項目に細分する
投資その他の資産	適当な項目に細分する
繰延資産	適当な項目に細分する

上表のとおり，各項目は適当な項目に細分することとされているが，例えば無形固定資産の合計金額が僅少な場合等に，さらにその内訳項目を開示することまでは要求されないものと考えられる。

会社計算規則では，流動資産，有形固定資産，無形固定資産，投資その他の資産，繰延資産に属するものについて74条3項で示しているが，連結貸借

対照表に表示する具体的な名称までは示していない。また，会社計算規則では，連結財務諸表規則23条「流動資産の区分表示」，26条「有形固定資産の区分表示」，28条「無形固定資産の区分表示」，30条「投資その他の資産の区分表示等」，32条「繰延資産の区分表示」のような区分表示の基準を定めていないため，金額的重要性，質的重要性等を勘案して，適当な項目に細分して記載することになると考えられる。

② その他
　繰延資産の内容，貸倒引当金等の表示，有形固定資産に対する減価償却累計額の表示，有形固定資産に対する減損損失累計額の表示については，連結貸借対照表における取扱いも貸借対照表における取扱いと同様であるため，本書の第Ⅲ章第1節第1の「(3)資産の部の区分」の記載の項を参照されたい。

(3) 負債の部の区分
　負債の部は流動負債，固定負債に区分し，これらの各項目については，適当な項目に細分する必要がある（計算規則75条1項）。

区分すべき項目	取扱い
流動負債	適当な項目に細分する
固定負債	適当な項目に細分する

　会社計算規則では，流動負債，固定負債に属するものについて，75条2項で示しているが，連結貸借対照表に表示する具体的な名称までは示していない。また，会社計算規則では，連結財務諸表規則37条「流動負債の区分表示」，38条「固定負債の区分表示」のような区分表示の基準を定めていないため，金額的重要性，質的重要性等を勘案して，適当な項目に細分して記載することになると考えられる。

(4) 契約資産，契約負債，前受金
　2021年3月9日の経団連モデルの改訂に際して，企業会計基準第29号「収

益認識に関する会計基準」(企業会計基準委員会) および企業会計基準適用指針第30号「収益認識に関する会計基準の適用指針」(企業会計基準委員会) を適用する会社に対応するために,「契約資産」「契約負債」の科目を記載している。

収益認識会計基準に対応して,2020 (令和2) 年8月12日,「会社計算規則の一部を改正する省令」(法務省令第45号) が公布されている。

経団連モデルでは,連結貸借対照表の記載上の注意(7)において,企業会計基準第29号「収益認識に関する会計基準」を適用する会社については,原則として,契約資産,契約負債または顧客との契約から生じた債権を,適切な科目を用いて連結貸借対照表に表示するか,区分して表示しない場合には,それぞれの残高を注記する (会社計算規則第3条,第116条) と記載している。

連結貸借対照表における取扱いは貸借対照表における取扱いと同様であるため,本書の計算書類に係る第Ⅲ章第1節第1の「(5) 契約資産,契約負債,前受金」の記載の項を参照されたい。

(5) 純資産の部の区分

純資産の部は,株主資本,評価・換算差額等またはその他の包括利益累計額,株式引受権,新株予約権,非支配株主持分に区分する必要がある (計算規則76条1項2号)。

株主資本については資本金,新株式申込証拠金,資本剰余金,利益剰余金,自己株式,自己株式申込証拠金に区分する必要がある (計算規則76条2項)。

評価・換算差額等またはその他の包括利益累計額についてはその他有価証券評価差額金,繰延ヘッジ損益,土地再評価差額金,為替換算調整勘定,退職給付に係る調整累計額その他適当な名称を付した項目に細分する必要がある (計算規則76条7項)。

株式引受権とは取締役又は執行役がその職務の執行として株式会社に対して提供した役務の対価として当該株式会社の株式の交付を受けることができる権利 (新株予約権を除く) をいう (計算規則2条3項34号)。

詳細は本書の計算書類に係る第Ⅲ章第1節第1の「(6) 純資産の部の区分」

の記載の項を参照されたい。

区分すべき項目	取扱い
株主資本	
資本金	
新株式申込証拠金	
資本剰余金	
利益剰余金	
自己株式	
自己株式申込証拠金	
評価・換算差額等またはその他の包括利益累計額	
その他有価証券評価差額金	
繰延ヘッジ損益	
土地再評価差額金	
為替換算調整勘定	
退職給付に係る調整累計額	
株式引受権	
新株予約権	自己新株予約権は新株予約権の金額から直接控除する。ただし自己新株予約権を控除項目として表示することもできる。
非支配株主持分	

(6)「退職給付に関する会計基準」に対応する会社計算規則の改正

　企業会計基準第26号「退職給付に関する会計基準」(企業会計基準委員会) および企業会計基準適用指針第25号「退職給付に関する会計基準の適用指針」(企業会計基準委員会) が平成24年5月17日に公表され，これに対応して「会社計算規則の一部を改正する省令」(平成25年法務省令第16号) が公布され，会社計算規則の改正が行われている。

　これに合わせて，平成25年12月27日の経団連モデルの改訂により，連結

貸借対照表において「退職給付に係る負債」および「退職給付に係る調整累計額」の科目名を新設し，また，連結株主資本等変動計算書において「退職給付に係る調整累計額」の科目を新設している。

企業会計基準第26号「退職給付に関する会計基準」および企業会計基準適用指針第25号「退職給付に関する会計基準の適用指針」の適用は段階的に行われている。

(7) 「連結財務諸表に関する会計基準」等の改正に対応する会社計算規則の改正

平成25年9月13日，企業会計基準委員会から企業会計基準第21号「企業結合に関する会計基準」および関連する他の改正会計基準等が公表され，企業会計基準第21号「企業結合に関する会計基準」，企業会計基準第22号「連結財務諸表に関する会計基準」など多くの会計基準等が改正された。

「会社法の一部を改正する法律」(平成26年法律第90号) および「企業結合に関する会計基準」等の改正に対応して，平成27年2月6日付で，「会社法施行規則等の一部を改正する省令」(平成27年法務省令第6号) が公布されている。

「連結財務諸表に関する会計基準」(以下「連結会計基準」という) 等の改正の主な内容は次のとおりである。

① 支配が継続している場合の子会社に対する親会社の持分変動

改正前の連結会計基準では，子会社株式を追加取得した場合や一部売却した場合のほか，子会社の時価発行増資等の場合には損益を計上する取引としていた。

改正連結会計基準では，当該取引に関して，親会社の持分変動による差額は，資本剰余金に計上することとされた。

② 非支配株主持分の表示

改正前の連結会計基準では「少数株主持分」と表示していたが，改正連結会計基準では「非支配株主持分」に改正されている。

第1節　連結貸借対照表，連結損益計算書，連結株主資本等変動計算書

　これにより，連結株主資本等変動計算書の表示区分における「少数株主持分」は「非支配株主持分」に変更され，また，利益剰余金の変動事由における「当期純利益」は「親会社株主に帰属する当期純利益」に変更されている。

③　当期純利益の表示

　次のように用語の変更が行われている。

　改正前の連結会計基準と同様に「当期純利益」の用語が用いられているが，その意味する内容は異なるものとなるので注意が必要である。

　当該改正により，連結損益及び包括利益計算書または連結損益計算書の表示については，2計算書方式の場合は，当期純利益に非支配株主に帰属する当期純利益を加減して親会社株主に帰属する当期純利益を表示し，一方，1計算書方式の場合は，当期純利益の直後に親会社株主に帰属する当期純利益および非支配株主に帰属する当期純利益を付記する（「連結会計基準」39項）。

④　1株当たり当期純利益の算定

　企業会計基準第2号「1株当たり当期純利益に関する会計基準」（企業会計基準委員会）の適用に当たっては，連結財務諸表において，連結損益計算書上の「当期純利益」は「親会社株主に帰属する当期純利益」，連結損益計算書上の「当期純損失」は「親会社株主に帰属する当期純損失」とする（「1株当たり当期純利益に関する会計基準」12項）。

⑤　取得関連費用の取扱い

　改正前の連結会計基準では，企業結合における取得関連費用のうち一部については，取得原価に含めるとしていた。

改正連結会計基準では,取得関連費用については,発生した事業年度の費用として処理し,主要な取得関連費用を注記により開示することとされた。

なお,個別財務諸表における子会社株式の取得原価は,従来と同様に,企業会計基準第10号「金融商品に関する会計基準」および会計制度委員会報告第14号「金融商品会計に関する実務指針」に従って算定される。

⑥ 暫定的な会計処理の確定の取扱い

改正前の連結会計基準では,暫定的な会計処理の確定が企業結合年度の翌年度に行われた場合,企業結合年度に当該確定が行われたとしたときの損益影響額を,企業結合年度の翌年度において特別損益に計上していた。

改正連結会計基準では,暫定的な会計処理の確定が企業結合年度の翌年度に行われた場合,企業結合年度の翌年度の財務諸表と併せて企業結合年度の財務諸表を表示するときには,当該企業結合年度の財務諸表に暫定的な会計処理の確定による取得原価の配分額の見直しを反映させることとされた。

この場合,当該企業結合年度の翌年度の財務諸表と併せて表示する企業結合年度の財務諸表の1株当たり当期純利益,潜在株式調整後1株当たり当期純利益および1株当たり純資産は,当該見直しが反映された後の金額により算定することとなる。

(8) 旧商法における連結貸借対照表との違い

旧商法における連結貸借対照表との主な違いを挙げると以下のとおりである。

① 純資産の部

旧商法における連結貸借対照表の区分は,資産の部,負債の部,資本の部となっていたが,会社計算規則では,資産の部,負債の部,純資産の部に変わった。純資産表示会計基準および企業会計基準適用指針第8号「貸借対照表の純資産の部の表示に関する会計基準等の適用指針」(企業会計基準委員会)

が公表され，これに対応して純資産の部が設けられた。

② 繰延ヘッジ損益

繰延ヘッジ損益については，旧商法の下では税効果考慮前の金額で資産または負債に計上されていたが，会社法の下では，税効果考慮後の金額で純資産の部に計上されることとなった。

③ 新株予約権

新株予約権については，旧商法の下では負債の部に表示されていたが，会社法の下では純資産の部の一項目として表示されることになった。

④ 少数株主持分

少数株主持分（改正後は非支配株主持分）については，旧商法の下では負債の部と資本の部の中間区分に表示していたが，会社法の下では純資産の部の一項目となった。

第2 連結損益計算書

経団連モデル

第2 連結損益計算書

[記載例]

連結損益計算書
（自○年○月○日　至○年○月○日）

（単位：百万円）

科　　　目	金	額
売　　上　　高		×××
売　上　原　価		×××
売　上　総　利　益		×××
販売費及び一般管理費		×××
営　　業　　利　　益		×××
営　業　外　収　益		
受 取 利 息 及 び 配 当 金	×××	
有　価　証　券　売　却　益	×××	
持 分 法 に よ る 投 資 利 益	×××	
そ　　　の　　　他	×××	×××
営　業　外　費　用		
支　　払　　利　　息	×××	
有　価　証　券　売　却　損	×××	
そ　　　の　　　他	×××	×××
経　　常　　利　　益		×××
特　別　利　益		
固　定　資　産　売　却　益	×××	
そ　　　の　　　他	×××	×××
特　別　損　失		
固　定　資　産　売　却　損	×××	
減　　損　　損　　失	×××	
そ　　　の　　　他	×××	×××
税金等調整前当期純利益		×××

法人税，住民税及び事業税	×××	
法人税等調整額	×××	×××
当期純利益		×××
非支配株主に帰属する当期純利益		×××
親会社株主に帰属する当期純利益		×××

（記載上の注意）
(1) 企業会計基準第29号「収益認識に関する会計基準」を適用する会社については，顧客との契約から生じる収益は，適切な科目をもって連結損益計算書に表示する。なお，顧客との契約から生じる収益については，原則として，それ以外の収益と区分して連結損益計算書に表示するか，区分して表示しない場合には，顧客との契約から生じる収益の額を注記する（会社計算規則第3条，第116条）。
(2) 企業会計基準第24号「会計方針の開示，会計上の変更及び誤謬の訂正に関する会計基準」が適用される会社については，前期損益修正益または前期損益修正損の表示（会社計算規則第88条第2項・第3項参照）は認められないこととなる（会社計算規則第3条）。

(1) 概　　要

　連結損益計算書は売上高，売上原価，販売費及び一般管理費，営業外収益，営業外費用，特別利益，特別損失に区分して表示し，各項目は，細分することが適当な場合には適当な項目に細分することができる（計算規則88条1項）。

　段階損益としては，売上総損益，営業損益，経常損益，税金等調整前当期純損益，当期純損益の表示が必要である（計算規則89条〜92条・94条）。

　収益認識会計基準に対応して，2020（令和2）年8月12日，「会社計算規則の一部を改正する省令」（法務省令第45号）が公布され，売上高については，売上高以外の名称を付すことが適当な場合には，当該名称を付した項目とするとされている（計算規則88条1項1号）。ただし，2021年3月9日の経団連モデルの改訂では，連結損益計算書の「記載例」は改訂していない。

　詳細は本書の計算書類に係る第Ⅲ章第1節第2の記載の項を参照されたい。

(2) 連結損益計算書の項目区分

連結損益計算書の売上高,売上原価,販売費及び一般管理費,営業外収益,営業外費用については,細分することが適当な場合には適当な項目に細分することができるのに対して,特別損益項目については細分して表示することが原則とされている。金額が重要でない場合を除き,特別利益については固定資産売却益,前期損益修正益,負ののれん発生益その他の項目の区分に従って細分し,特別損失については固定資産売却損,減損損失,災害による損失,前期損益修正損その他の項目の区分に従って細分する必要がある(計算規則88条1項~4項)。

区分すべき項目	取扱い
売上高(売上高以外の名称を付すことが適当な場合には,当該名称を付した項目)	適当な項目に細分できる
売上原価	適当な項目に細分できる
売上総利益(損失)	
販売費及び一般管理費	適当な項目に細分できる
営業利益(損失)	
営業外収益	適当な項目に細分できる
営業外費用	適当な項目に細分できる
経常利益(損失)	
特別利益	固定資産売却益,前期損益修正益,負ののれん発生益その他の項目の区分に従って細分する(金額が重要でない場合を除く)
特別損失	固定資産売却損,減損損失,災害による損失,前期損益修正損その他の項目の区分に従って細分する(金額が重要でない場合を除く)
税金等調整前当期純利益(損失)	
法人税,住民税及び事業税	
法人税等調整額	
当期純利益(損失)	
非支配株主に帰属する当期純利益(損失)	
親会社株主に帰属する当期純利益(損失)	

なお，会社計算規則では，連結財務諸表規則55条「販売費及び一般管理費の表示方法」，57条「営業外収益の表示方法」，58条「営業外費用の表示方法」，62条「特別利益の表示方法」，63条「特別損失の表示方法」のような表示方法の基準を定めていない。

販売費及び一般管理費については，連結損益計算書上，「販売費及び一般管理費」の項目で一括して記載するケースが多いものと考えられるが，重要な項目に区分して連結損益計算書に記載し，あるいは重要な項目を注記で開示することも考えられる。

営業外収益・営業外費用については，金額的重要性，質的重要性等を勘案して，連結財務諸表規則と同様に，あるいは適宜要約して記載することが考えられる。

前期損益修正益および前期損益修正損の表示に関する基本的な考え方は，計算書類と同様であるので，計算書類に係る第Ⅲ章第1節第2の「(4) 前期損益修正益および前期損益修正損の表示」を参照されたい。このため，会社計算規則3条に基づいて，過年度遡及会計基準が適用される会社については，会社法の連結計算書類において，前期損益修正益または前期損益修正損の表示は認められないこととなる。

(3) 非支配株主に帰属する当期純利益の表示

改正前の連結会計基準では，税金等調整前当期純利益に法人税額等を加減して，少数株主損益調整前当期純利益を表示し，当該少数株主損益調整前当期純利益に少数株主損益を加減して，当期純利益を表示すると規定していた（改正前「連結会計基準」39項 (3) ②・③）。

当該規定に対応して，「会社法施行規則，会社計算規則等の一部を改正する省令」（平成21年法務省令第7号）により，会社計算規則93条1項3号において「税金等調整前当期純利益又は税金等調整前当期純損失として表示した額に第1号及び前号に掲げる額を加減して得た額」が規定されていた（大野晃宏＝小松岳志＝澁谷亮＝黒田裕＝和久友子・前掲14～15頁）。

第Ⅳ章 連結計算書類

　前述の平成25年9月13日に改正された連結会計基準等にあわせて、平成27年2月6日に、「会社法施行規則等の一部を改正する省令」（平成27年法務省令第6号）が公布され、会社計算規則において、改正された連結会計基準等と同様の規定が設けられている（坂本三郎ほか「会社法施行規則等の一部を改正する省令の解説〔Ⅵ・完〕」商事法務2065号（2015）43〜45頁）。

(4) 包括利益について
① 　連結損益計算書

　従来の会社計算規則95条の包括利益に関する規定が削除されている。

　包括利益の表示に関する基本的な考え方は、計算書類に関連する箇所で述べたことと同様であるので、計算書類に係る第Ⅲ章第1節第2の「(5) 包括利益について」を参照されたい。

　計算書類に関連する箇所で述べたように、連結計算書類において、包括利益計算書の表示に関する根拠規定は設けられていない。ただし、会社が、任意に、参考資料として連結包括利益計算書を作成し、開示することまでは禁止されていない。

　なお、日本公認会計士協会は、監査・保証実務委員会実務指針第85号「監査報告書の文例」を公表し、《Ⅲ　会社法監査》の「文例12 連結計算書類」の（注5）において、次のように規定しており、会社が、任意で、包括利益の表示を行う場合には、連結損益計算書に加えて連結包括利益計算書を作成する、いわゆる2計算書方式によることが適当と考えられると述べ、連結包括利益計算書は監査対象外であることが明らかになるように記載することが適当であると述べている。

第1節　連結貸借対照表，連結損益計算書，連結株主資本等変動計算書

> (注5)　連結損益計算書について
> 　会社法上，監査対象として要求されている連結損益計算書は，売上高から当期純損益までを構成する項目を表示する計算書のことをいい，包括利益会計基準が定める連結包括利益計算書や連結損益及び包括利益計算書のその他の包括利益の内訳部分は，監査対象ではないとされている。このため，会計監査人は，売上高から当期純損益までで構成される連結損益計算書のみを監査対象とする。
> 　なお，会社が任意にその他の包括利益の内訳を示すことも妨げられないとされているが，この場合には，監査対象を明確にするため，連結損益計算書に加えて連結包括利益計算書を作成する，いわゆる2計算書方式によることが適当と考えられる。この場合，連結包括利益計算書は監査対象外であることが明らかになるように記載することが適当である。

② 　連結貸借対照表および連結株主資本等変動計算書

連結貸借対照表および連結株主資本等変動計算書では，「評価・換算差額等」または「その他の包括利益累計額」のいずれかの項目で表示する（計算規則76条・96条）。

いずれかの項目で記載することとされた理由について，「『会社計算規則の一部を改正する省令案』に関する意見募集の結果について」では次のように述べている。すなわち，包括利益会計基準を適用する会社の連結計算書類においては，会社計算規則3条の規定が適用される結果，「その他の包括利益累計額」の区分が義務付けられることとなり，他方，包括利益会計基準を適用しない会社が連結計算書類を作成する場合には，純資産の部において「評価・換算差額等」として区分することが想定されうることから（法444条1項），「評価・換算差額等」の項目として区分することを可能とすることが相当であると述べている。

(5) 過年度遡及会計基準

過年度遡及会計基準に関する基本的な考え方は，計算書類に関連する箇所で述べたことと同様であるので，計算書類に係る第Ⅲ章第1節第2の「(6) 過年度遡及会計基準」を参照されたい。

(6) 旧商法における連結損益計算書との違い

① 部による区分

旧商法の下での連結損益計算書は，経常損益の部，特別損益の部といった部に区分した表示が要求されていた。会社法の下での連結損益計算書では，このような部に区分した表示は要求されていない。

② 売上総利益の表示

旧商法の下での連結損益計算書は，売上高から売上原価を控除して売上総損益を表示することは要求されていなかった。会社法の下での連結損益計算書では，売上高から売上原価を控除して売上総損益を表示することが必要となった。

第3 連結株主資本等変動計算書

経団連モデル

第3 連結株主資本等変動計算書

[記載例]

連結株主資本等変動計算書
(自〇年〇月〇日　至〇年〇月〇日)

(単位:百万円)

	株　主　資　本				
	資本金	資本剰余金	利益剰余金	自己株式	株主資本合計
〇年〇月〇日残高	×××	×××	×××	△×××	×××
連結会計年度中の変動額					
新株の発行	×××	×××			×××
剰余金の配当			△×××		△×××
親会社株主に帰属する当期純利益			×××		×××
〇〇〇〇〇					×××
自己株式の処分				×××	×××
株主資本以外の項目の連結会計年度中の変動額(純額)					
連結会計年度中の変動額合計	×××	×××	×××	×××	×××
〇年〇月〇日残高	×××	×××	×××	△×××	×××

	その他の包括利益累計額					
	その他有価証券評価差額金	繰延ヘッジ損益	土地再評価差額金	為替換算調整勘定	退職給付に係る調整累計額	その他の包括利益累計額合計
〇年〇月〇日残高	×××	×××	×××	×××	×××	×××
連結会計年度中の変動額						
新株の発行						
剰余金の配当						
親会社株主に帰属する当期純利益						
〇〇〇〇〇						
自己株式の処分						
株主資本以外の項目の連結会計年度中の変動額(純額)	×××	×××	×××	×××	×××	×××
連結会計年度中の変動額合計	×××	×××	×××	×××	×××	×××
〇年〇月〇日残高	×××	×××	×××	×××	×××	×××

第Ⅳ章 連結計算書類

	株式引受権	新株予約権	非支配株主持分	純資産合計
○年○月○日残高	×××	×××	×××	×××
連結会計年度中の変動額				
新株の発行				×××
剰余金の配当				△×××
親会社株主に帰属する当期純利益				×××
○○○○○				×××
自己株式の処分				×××
株主資本以外の項目の連結会計年度中の変動額（純額）	△×××	△×××	×××	×××
連結会計年度中の変動額合計	△×××	△×××	×××	×××
○年○月○日残高	×××	×××	×××	×××

（記載上の注意）
(1) 連結株主資本等変動計算書の表示区分は，連結貸借対照表の純資産の部における各項目との整合性に留意する。
(2) 記載例中の「○年○月○日残高」を「当期首残高」または「当期末残高」，「連結会計年度中の変動額」を「当期変動額」と記載することもできる。
(3) 会社法上，連結株主資本等変動計算書の様式は規定されておらず，縦並び形式で作成することも考えられる。
(4) 連結株主資本等変動計算書等においては，「評価・換算差額等」または「その他の包括利益累計額」のいずれかの項目に区分する。
　　ただし，企業会計基準第25号「包括利益の表示に関する会計基準」が適用される会社については，「その他の包括利益累計額」として区分することが義務付けられることとなる（会社計算規則第3条）。
(5) 「当期首残高」の記載に際して，遡及適用，誤謬の訂正または当該連結会計年度の前連結会計年度における企業結合に係る暫定的な会計処理の確定をした場合には，下記の記載例のように，当期首残高及びこれに対する影響額を記載する。
　　下記の記載例では，遡及適用をした場合に対応して，「会計方針の変更による累積的影響額」及び「遡及処理後当期首残高」を用いているが，会計基準等における特定の経過的な取扱いにより，会計方針の変更による影響

額を適用初年度の期首残高に加減することが定められている場合や，企業会計基準第21号「企業結合に関する会計基準」等に従って企業結合に係る暫定的な会計処理の確定が企業結合年度の翌年度に行われ，企業結合年度の翌年度のみの表示が行われる場合には，下記の記載例に準じて，期首残高に対する影響額を区分表示するとともに，当該影響額の反映後の期首残高を記載する。

例えば，会計基準等において，会計方針の変更による影響額を適用初年度の期首残高に加減することが定められている場合には，「遡及処理後当期首残高」を「会計方針の変更を反映した当期首残高」と記載することも考えられる。

[記載例]

連結株主資本等変動計算書
(自○年○月○日 至○年○月○日)

(単位：百万円)

	株　主　資　本				
	資本金	資本剰余金	利益剰余金	自己株式	株主資本合計
○年○月○日残高	×××	×××	×××	△×××	×××
会社方針の変更による累積的影響額			×××		×××
遡及処理後当期首残高	×××	×××	×××	△×××	×××
連結会計年度中の変動額					
新株の発行	×××	×××			×××
剰余金の配当			△×××		△×××
親会社株主に帰属する当期純利益			×××		×××
○○○○○					×××
自己株式の処分				×××	×××
株主資本以外の項目の連結会計年度中の変動額（純額）					
連結会計年度中の変動額合計	×××	×××	×××	×××	×××
○年○月○日残高	×××	×××	×××	△×××	×××

	その他の包括利益累計額					
	その他有価証券評価差額金	繰延ヘッジ損益	土地再評価差額金	為替換算調整勘定	退職給付に係る調整累計額	その他の包括利益累計額合計
○年○月○日残高	×××	×××	×××	×××	×××	×××
会計方針の変更による累積的影響額						
遡及処理後当期首残高	×××	×××	×××	×××	×××	×××
連結会計年度中の変動額						
新株の発行						
剰余金の配当						
親会社株主に帰属する当期純利益						
○○○○○						
自己株式の処分						
株主資本以外の項目の連結会計年度中の変動額（純額）	×××	×××	×××	×××	×××	×××
連結会計年度中の変動額合計	×××	×××	×××	×××	×××	×××
○年○月○日残高	×××	×××	×××	×××	×××	×××

	株式引受権	新株予約権	非支配株主持分	純資産合計
○年○月○日残高	×××	×××	×××	×××
会計方針の変更による累積的影響額				×××
遡及処理後当期首残高	×××	×××	×××	×××
連結会計年度中の変動額				
新株の発行				×××
剰余金の配当				△×××
親会社株主に帰属する当期純利益				×××
○○○○○				×××
自己株式の処分				×××
株主資本以外の項目の連結会計年度中の変動額（純額）	△×××	△×××	×××	×××
連結会計年度中の変動額合計	△×××	△×××	×××	×××
○年○月○日残高	×××	×××	×××	×××

(1) 概　　要

　会社法の下では，連結株主資本等変動計算書を作成する。

　連結株主資本等変動計算書は，連結貸借対照表の純資産の部の一会計期間における変動額のうち，主として，株主に帰属する部分である株主資本の各項目の変動事由を報告するために作成するものである。

(2) 連結株主資本等変動計算書の様式

　企業会計基準適用指針第9号「株主資本等変動計算書に関する会計基準の適用指針」(企業会計基準委員会)では，純資産の各項目を横に並べる様式と純資産の各項目を縦に並べる様式の2つの様式が示されている。

　会社計算規則では，連結株主資本等変動計算書の様式については特段の規定を置いていないため，純資産の各項目を横に並べる様式も縦に並べる様式も可能である。XBRL導入後の有価証券報告書に含まれる連結株主資本等変動計算書については，縦に並べる様式であった。平成25年8月21日，金融庁は「財務諸表等の用語，様式及び作成方法に関する規則等の一部を改正する内閣府令」(平成25年内閣府令第52号)を公表し，連結株主資本等変動計算書等について，純資産の各項目を縦に並べる様式から横に並べる様式に変更している。

　経団連モデルでは，従来から，純資産の各項目を横に並べる場合の記載例のみを示している。

　なお，経団連モデルでは，当期首残高の記載について，「○年○月○日残高」という記載例を示している。具体的な年月日を記載する場合，例えば，2022年3月決算会社であれば，当期首残高の欄は「2021年4月1日残高」と記載することになる。

(3) 連結株主資本等変動計算書の項目区分

　連結株主資本等変動計算書は株主資本，評価・換算差額等またはその他の包括利益累計額，株式引受権，新株予約権，非支配株主持分に区分する必要がある (計算規則96条2項2号)。

　株主資本については資本金，新株式申込証拠金，資本剰余金，利益剰余金，自己株式，自己株式申込証拠金に区分する必要がある (計算規則96条3項2号)。

　評価・換算差額等またはその他の包括利益累計額についてはその他有価証券評価差額金，繰延ヘッジ損益，土地再評価差額金，為替換算調整勘定，退職給付に係る調整累計額その他適当な名称を付した項目に細分することがで

きる（計算規則96条5項）。

株式引受権については，本書の計算書類に係る第Ⅲ章第1節の「第1 貸借対照表 （6）純資産の部の区分」で述べたとおりである。

区分すべき項目	項目区分にかかる取扱い	変動・残高にかかる取扱い
株主資本		
資本金		当期首残高，当期変動額，当期末残高を記載する。当期変動額については，変動事由ごとに当期変動額および変動事由を記載する。遡及適用，誤謬の訂正または当該連結会計年度の前連結会計年度における企業結合に係る暫定的な会計処理の確定をした場合には，当期首残高およびこれに対する影響額を記載する。
新株式申込証拠金		
資本剰余金		同上
利益剰余金		同上
自己株式		同上
自己株式申込証拠金		
評価・換算差額等またはその他の包括利益累計額	その他有価証券評価差額金，繰延ヘッジ損益，土地再評価差額金，為替換算調整勘定，退職給付に係る調整累計額その他適当な項目に細分できる。	当期首残高，当期末残高，その差額（当期変動額）を記載する。主要な当期変動額について，その変動事由を記載することができる。遡及適用，誤謬の訂正または当該連結会計年度の前連結会計年度における企業結合に係る暫定的な会計処理の確定をした場合には，当期首残高およびこれに対する影響額を記載する。

第1節　連結貸借対照表，連結損益計算書，連結株主資本等変動計算書

株式引受権		同上
新株予約権	自己新株予約権を控除項目として区分できる。	同上
非支配株主持分		同上

　会社計算規則において，連結貸借対照表では，評価・換算差額等またはその他の包括利益累計額は，その他有価証券評価差額金，繰延ヘッジ損益，土地再評価差額金，為替換算調整勘定，退職給付に係る調整累計額その他適当な名称を付した項目に細分することが要求されている（計算規則76条7項）のに対して，連結株主資本等変動計算書では，評価・換算差額等またはその他の包括利益累計額を，その他有価証券評価差額金，繰延ヘッジ損益，土地再評価差額金，為替換算調整勘定，退職給付に係る調整累計額その他適当な名称を付した項目に細分できる（計算規則96条5項）としている点で，連結貸借対照表と連結株主資本等変動計算書では取扱いを異にしている。

　連結株主資本等変動計算書の表示区分について，企業会計基準第6号「株主資本等変動計算書に関する会計基準」（企業会計基準委員会）（以下「株主資本等変動計算書会計基準」という）では，株主資本等変動計算書の表示区分は，純資産表示会計基準に定める貸借対照表の純資産の部の表示区分に従うことと定めている（「株主資本等変動計算書会計基準」4項）。

　連結株主資本等変動計算書の表示区分について，会計計算規則では，評価・換算差額等またはその他の包括利益累計額については，その他有価証券評価差額金，繰延ヘッジ損益，土地再評価差額金，為替換算調整勘定，退職給付に係る調整累計額，「その他適当な名称を付した項目に細分することができる」と規定しているが，会社計算規則3条の会計慣行の斟酌規定を踏まえ，連結株主資本等変動計算書の表示区分に関して，株主資本等変動計算書会計基準の定めを斟酌することが適当と考えられる。したがって，連結株主資本等変動計算書の表示区分については，連結貸借対照表の純資産の部の表示区分と整合させることが適当と考えられる。

(4) 遡及適用または誤謬の訂正による期首残高の記載

遡及適用または誤謬の訂正による期首残高の記載に関する基本的な考え方は，計算書類に関連する箇所で述べたことと同様であるので，計算書類に係る第Ⅲ章第1節第3の「(4) 遡及適用または誤謬の訂正による期首残高の記載」を参照されたい。

(5) 変動事由の記載

連結株主資本等変動計算書では，株主資本の項目については変動事由ごとに当期変動額および変動事由の記載が要求されているのに対して，株主資本以外の項目については当期変動額について，その主要なものを変動事由とともに明らかにすることを妨げないとするにとどまっており，株主資本の項目と株主資本以外の項目では異なる取扱いとなっている。このことは，連結財務諸表規則と同様の取扱いとなっている。

株主資本および株主資本以外の各項目の変動事由としては，例えば，下記の内容が考えられる。

区分	変動事由
株主資本の各項目	・親会社株主に帰属する当期純利益，親会社株主に帰属する当期純損失 ・新株の発行，自己株式の処分 ・剰余金（その他資本剰余金，その他利益剰余金）の配当 ・自己株式の取得 ・自己株式の消却 ・企業結合による増加，分割型の会社分割による減少 ・株主資本の計数の変動 　・資本金から準備金・剰余金への振替 　・準備金から資本金・剰余金への振替 　・剰余金から資本金・準備金への振替 　・剰余金の内訳科目間の振替 ・連結範囲の変動または持分法の適用範囲の変動 ・非支配株主との取引に係る親会社の持分変動

第1節 連結貸借対照表，連結損益計算書，連結株主資本等変動計算書

株主資本以外の各項目	①評価・換算差額等またはその他の包括利益累計額 ・その他有価証券評価差額金 　・その他有価証券の売却または減損処理による増減 　・純資産の部に直接計上されたその他有価証券評価差額金の増減 ・繰延ヘッジ損益 　・ヘッジ対象の損益認識またはヘッジ会計の終了による増減 　・純資産の部に直接計上された繰延ヘッジ損益の増減 ・為替換算調整勘定 　・在外連結子会社等の株式の売却による増減 　・連結範囲の変動に伴う為替換算調整勘定の増減 　・純資産の部に直接計上された為替換算調整勘定の増減 ②株式引受権 ③新株予約権 　・新株予約権の発行，取得，行使，失効 　・自己新株予約権の消却，処分 ④非支配株主持分 　・非支配株主に帰属する当期純利益，非支配株主に帰属する当期純損失 　・連結子会社の増加（減少）による非支配株主持分の増減 　・連結子会社株式の取得（売却）による持分の増減 　・連結子会社の増資による非支配株主持分の増減

　上記の「変動事由」は内容の例示であり，連結株主資本等変動計算書を作成するに当たっては，適宜内容を適切に表す項目で記載することになる。

　株主資本以外の各項目の当期変動額は，純額で表示するが，主な変動事由およびその金額を表示することができる。

　当該表示は，変動事由または金額の重要性等を勘案し，連結会計年度ごと，項目ごとに選択できる。

　なお，経団連モデルの記載例では，「〇年〇月〇日残高」「連結会計年度中の変動額」の表現を用いているが，これは会社法での連結株主資本等変動計算書と旧連結財務諸表規則にしたがった連結株主資本等変動計算書で特段用語を区別する意義が乏しいため，整合性を考慮したものである。記載例中の

「○年○月○日残高」を「当期首残高」または「当期末残高」,「連結会計年度中の変動額」を「当期変動額」と記載しても差し支えない。

(6) 会計基準等において遡及適用に関する経過措置が規定されている場合の開示

例えば,企業会計基準第26号「退職給付に関する会計基準」37項は,その適用に際して,同会計基準34項および35項に従って「退職給付に関する会計基準」を適用するにあたり,過去の期間の財務諸表に対しては遡及処理しないと規定している。

そして,「退職給付に関する会計基準」の適用に伴って生じる会計方針の変更の影響額については,同会計基準34項の適用に伴うものは純資産の部における退職給付に係る調整累計額(その他の包括利益累計額)に,同会計基準35項の適用に伴うものは期首の利益剰余金に加減すると規定している。

このように,新たな会計基準が設定され,過去の期間の財務諸表に対して遡及処理しないと規定されている場合,株主資本等変動計算書において,どのように記載するのかの論点がある。

このような場合について,連結財務諸表規則様式第6号(連結株主資本等変動計算書)記載上の注意6では,「会計基準等に規定されている遡及適用に関する経過措置において,会計方針の変更による影響額を適用初年度の期首残高に加減することが定められている場合には,当連結会計年度の期首残高に対する影響額及び当該影響額の反映後の期首残高を区分表示すること。」と規定されている。

会社計算規則では,具体的な規定は設けられていないものの,遡及適用に関する規定(計算規則96条7項1号)を参考にし,また,実務上,有価証券報告書における連結株主資本等変動計算書と平仄をあわせて記載が行われることを考えると,連結財務諸表規則様式第6号の記載上の注意と同様の取扱いとすることが考えられる(経団連モデルの「記載上の注意」(5))。

第2節

連結注記表

第1　通則的事項

次に掲げる経団連モデルは理解の便宜上,「Ⅲ　計算書類」の「第4 個別注記表」を再掲したものである。解説は第Ⅲ章第2節の「第1 通則的事項」を参照されたい。

経団連モデル

> **第4　個別注記表**
> 【通則的事項】
> 1. 「個別注記表」「連結注記表」といった表題をつける必要はない。また独立した一表とする必要はなく,脚注方式で記載できる。
> 2. 該当事項がない場合は,記載を要しない（「該当事項なし」と特に記載する必要はない。）。
> 3. 作成すべき注記表は,会計監査人設置会社かどうか,公開会社かどうか,有価証券報告書の提出義務の有無により以下のように異なる。
>
> | 注記事項 | 個別注記表 | | | | 連結注記表 |
> |---|---|---|---|---|---|
> | | 会計監査人設置会社 | | 会計監査人設置会社以外 | | |
> | | 大会社であって有価証券報告書の提出義務のある会社[※1] | 左記以外の会社 | 公開会社 | 非公開会社 | |
> | ① 継続企業の前提に関する注記 | ○ | ○ | — | — | ○ |

項目					
② 重要な会計方針に係る事項に関する注記※2,3	○	○	○	○	○
③ 会計方針の変更に関する注記※5	○	○	○	○	○
④ 表示方法の変更に関する注記※6	○	○	○	○	○
④-2 会計上の見積りに関する注記※7	○	○	—	—	—
⑤ 会計上の見積りの変更に関する注記	○	○	○	○	○
⑥ 誤謬の訂正に関する注記	○	○	○	○	○
⑦ (連結)貸借対照表に関する注記※8	○	○	○	○	○
⑧ 損益計算書に関する注記	○	○	○	○	○
⑨ (連結)株主資本等変動計算書に関する注記※9	○	○	○	○	○
⑩ 税効果会計に関する注記	○	○	○	—	—
⑪ リースにより使用する固定資産に関する注記	○	○	○	○	○
⑫ 金融商品に関する注記※10	○	○	○	—	○
⑬ 賃貸等不動産に関する注記※10	○	○	○	—	○
⑭ 持分法損益等に関する注記※11	○	—	—	—	—
⑮ 関連当事者との取引に関する注記※12	○	○	○(一部は,附属明細書へ)	—	—
⑯ 1株当たり情報に関する注記	○	○	○	—	○
⑰ 重要な後発事象に関する注記	○	○	○	—	○
⑱ 連結配当規制適用会社に関する注記	○	○	—	—	—
⑱-2 収益認識に関する注記※4	○	○	—	—	○
⑲ その他の注記	○	○	○	○	○

※1 当該会社は,連結計算書類の作成義務のある会社である(会社法第444条第3項)。

※2 連結注記表にあっては「連結計算書類の作成のための基本となる重要な事項に関する注記等」となる。

※3 企業会計基準第29号「収益認識に関する会計基準」を適用する会社については,「収益及び費用の計上基準」には,次の事項を含む(会社計算規則第101条第2項)。
　① 当該会社の主要な事業における顧客との契約に基づく主な義務の内容
　② ①に規定する義務に係る収益を認識する通常の時点
　③ ①及び②のほか,当該会社が重要な会計方針に含まれると判断したもの

※4 会社計算規則第115条の2第1項の注記(収益認識に関する注記)は,企業会計基準第29号「収益認識に関する会計基準」を適用する株式会社を対象とするものである。
　「収益認識に関する会計基準」を適用しない株式会社は「収益認識に関す

る注記」を要しない。通常，会計監査人設置会社以外の株式会社は，「収益認識に関する会計基準」を適用しないものと考えられるので，上表では「－」と記載している。

　また，連結計算書類の作成義務のある会社（会社法第444条第3項に規定する株式会社）以外の株式会社の個別注記表の収益認識に関する注記は，同条第1項第2号（収益を理解するための基礎となる情報）の記載のみとすることができ（会社計算規則第115条の2第1項ただし書），連結計算書類の作成義務のある会社が作成する個別注記表の収益認識に関する注記は，同号の記載のみで足りる（会社計算規則第115条の2第3項）。なお，当該内容は会社計算規則第101条の規定により注記すべき事項（重要な会計方針に係る事項に関する注記）にあわせて記載する方法も考えられる。（会社計算規則第115条の2第1項，第3項）。

※5　会計監査人設置会社以外の株式会社にあっては，会社計算規則第102条の2第1項第4号に掲げる事項については，「計算書類又は連結計算書類の主な項目に対する影響額」のみの記載とすることができる（同項）。

　個別注記表に注記すべき事項（会社計算規則第102条の2第1項第3号ならびに第4号ロ及びハに掲げる事項に限る。）が連結注記表に注記すべき事項と同一である場合において，個別注記表にその旨を注記するときでも，①会計方針の変更の内容，②会計方針の変更の理由，及び③計算書類の主な項目に対する影響額（会計方針を変更した場合に，当事業年度より前の事業年度の全部または一部について遡及適用をしなかったとき）は省略できない（会社計算規則第102条の2第2項）。

※6　個別注記表に注記すべき事項（会社計算規則第102条の3第1項第2号（表示方法の変更の理由）に掲げる事項に限る。）が連結注記表に注記すべき事項と同一である場合において，個別注記表にその旨を注記するときは，「表示方法の変更の内容」のみの記載とすることができる（会社計算規則第102条の3第2項）。

※7　個別注記表に注記すべき事項（会社計算規則第102条の3の2第1項第3号（会計上の見積りの内容に関する理解に資する情報）に掲げる事項に限る。）が連結注記表に注記すべき事項と同一である場合において，個別注記表にその旨を注記するときは，次の①及び②について記載する（会社計算規則第102条の3の2第2項）。

　①　会計上の見積りにより当該事業年度に係る計算書類にその額を計上した項目であって，翌事業年度に係る計算書類に重要な影響を及ぼす可能性があるもの
　②　当該事業年度に係る計算書類の①の項目に計上した額

※8 連結注記表では，関係会社に対する金銭債権又は金銭債務の注記，取締役，監査役及び執行役との間の取引による取締役，監査役及び執行役に対する金銭債権又は金銭債務の注記，親会社株式の各表示区分別の金額の注記は記載しない（会社計算規則第103条第6号から第9号）。

※9 個別注記表には次の事項を記載する。ただし，連結注記表を作成する株式会社は，②以外の事項は，省略することができる。
① 当該事業年度の末日における発行済株式の数（株式の種類ごと）
② 当該事業年度の末日における自己株式の数（株式の種類ごと）
③ 当該事業年度中に行った剰余金の配当（当該事業年度の末日後に行う剰余金の配当のうち，剰余金の配当を受ける者を定めるための基準日が当該事業年度中のものを含む。）に関する次に掲げる事項その他の事項
  イ 金銭配当の場合におけるその総額
  ロ 金銭以外の配当の場合，配当した財産の帳簿価額の総額（当該剰余金の配当をした日において時価を付した場合，当該時価を付した後の帳簿価額）
④ 当該事業年度の末日における株式引受権に係る当該株式会社の株式の数（株式の種類ごと）
⑤ 当該事業年度の末日における当該株式会社が発行している新株予約権（行使期間の初日が到来していないものを除く。）の目的となる株式の数（株式の種類ごと）

※10 連結注記表を作成する株式会社は，個別注記表における注記を要しない（会社計算規則第109条第2項・第110条第2項）。

※11 連結計算書類を作成する株式会社は，個別注記表における注記を要しない（会社計算規則第111条第2項）。

※12 公開会社であっても，会計監査人設置会社以外の会社では，下の事項を省略することができる。その場合には省略した事項について，附属明細書に記載する（会社計算規則第112条第1項ただし書・第117条第4号）。
  ① 取引の内容
  ② 取引の種類別の取引金額
  ③ 取引条件及び取引条件の決定方針
  ④ 取引条件の変更があったときは，その旨，変更の内容及び当該変更が計算書類に与えている影響の内容

4．貸借対照表，損益計算書または株主資本等変動計算書の特定の項目に関連する注記については，その関連を明らかにしなければならない。

第2　注記事項

(1) 継続企業の前提に関する注記
経団連モデル

> **第4　連結注記表**
> **1．継続企業の前提に関する注記**
>
> ［記載例］
> 　…………
>
> （記載上の注意）
> 　連結会計年度の末日において，当該株式会社が将来にわたって事業を継続するとの前提に重要な疑義を生じさせるような事象または状況が存在する場合であって，当該事象または状況を解消し，又は改善するための対応をしてもなお継続企業の前提に関する重要な不確実性が認められるとき（当該連結会計年度の末日後に当該重要な不確実性が認められなくなった場合を除く。）に注記する。なお，継続企業の前提に関する重要な不確実性が認められるか否かについては，総合的かつ実質的に判断を行う。この場合，次の事項の記載が必要である。
> 　① 当該事象又は状況が存在する旨及びその内容
> 　② 当該事象又は状況を解消し，又は改善するための対応策
> 　③ 当該重要な不確実性が認められる旨及びその理由
> 　④ 当該重要な不確実性の影響を連結計算書類に反映しているか否かの別

① 概要

　継続企業の前提に関する注記は，連結計算書類に係る場合もあり（計算規則98条1項1号・100条），記載する内容は基本的に個別の計算書類と同様である（第Ⅲ章第2節第2(1)を参照）。

第Ⅳ章 連結計算書類

（2）連結計算書類の作成のための基本となる重要な事項に関する注記等

経団連モデル

> **2. 連結計算書類の作成のための基本となる重要な事項に関する注記等**
> ［記載方法の説明］
> (1) 連結計算書類の作成のための基本となる重要な事項に関する注記として，次の事項を記載する。注記は当該各号に掲げる事項に区分しなければならない。
> 　① 連結の範囲に関する次に掲げる事項
> 　　イ　連結子会社の数及び主要な連結子会社の名称
> 　　ロ　非連結子会社がある場合には，次に掲げる事項
> 　　　a　主要な非連結子会社の名称
> 　　　b　非連結子会社を連結の範囲から除いた理由
> 　　ハ　株式会社が議決権の過半数を自己の計算において所有している会社等を子会社としなかったときは，当該会社等の名称及び子会社としなかった理由
> 　　ニ　第63条第1項ただし書の規定により連結の範囲から除かれた子会社の財産または損益に関する事項であって，当該企業集団の財産及び損益の状態の判断に影響を与えると認められる重要なものがあるときは，その内容
> 　　ホ　開示対象特別目的会社（会社法施行規則第4条に規定する特別目的会社（同条の規定により当該特別目的会社に資産を譲渡した会社の子会社に該当しないものと推定されるものに限る。）をいう。）がある場合には，次に掲げる事項その他の重要な事項
> 　　　a　開示対象特別目的会社の概要
> 　　　b　開示対象特別目的会社との取引の概要及び取引金額
> 　② 持分法の適用に関する次に掲げる事項
> 　　イ　持分法を適用した非連結子会社または関連会社の数及びこれらのうち主要な会社等の名称
> 　　ロ　持分法を適用しない非連結子会社または関連会社があるときは，次に掲げる事項

> 　　　a　当該非連結子会社または関連会社のうち主要な会社等の名称
> 　　　b　当該非連結子会社または関連会社に持分法を適用しない理由
> 　　ハ　当該株式会社が議決権の百分の二十以上，百分の五十以下を自己の計算において所有している会社等を関連会社としなかったときは，当該会社等の名称及び関連会社としなかった理由
> 　　ニ　持分法の適用の手続について特に示す必要があると認められる事項がある場合には，その内容
> 　③　会計方針に関する次に掲げる事項
> 　　イ　重要な資産の評価基準及び評価方法
> 　　ロ　重要な減価償却資産の減価償却の方法
> 　　ハ　重要な引当金の計上基準
> 　　ニ　その他連結計算書類の作成のための重要な事項
> (2) 連結の範囲または持分法の適用の範囲を変更した場合（当該変更が重要性の乏しいものである場合を除く。）には，その旨及び当該変更の理由を注記する。

① 概要

　会社計算規則は，連結計算書類作成のための基本となる重要な事項について注記することとし，連結の範囲に関する事項，持分法の適用に関する事項，会計処理基準に関する事項を注記するとしている（計算規則102条1項）。

　旧会社計算規則に規定されていた「連結子会社の資産及び負債の評価に関する事項」は削除されており，会社計算規則102条1項4号としては規定されていない。

　当該規定の適用については経過措置が規定されており，平成22年4月1日前に開始する事業年度に係る連結計算書類のうち，連結計算書類の作成のための基本となる重要な事項に関する注記については，連結子会社の資産及び負債の評価に関する事項を含むものとされていた（「会社法施行規則，会社計算規則等の一部を改正する省令」（平成21年法務省令第7号）附則8条5項）。この経過的な規定については，その役割が終了しているので，2012年1月11日の経団連モデルの改正に際して，削除している。

第Ⅳ章 連結計算書類

② 連結財務諸表作成のための基本となる重要な事項

　連結財務諸表規則は，連結財務諸表作成のための基本となる重要な事項として，次の項目を記載するとしている（連結財務諸表規則13条）。

　イ．連結の範囲に関する事項
　ロ．持分法の適用に関する事項
　ハ．連結子会社の事業年度等に関する事項
　ニ．会計方針に関する事項

③ 連結の範囲に関する事項

経団連モデル

2-1．連結の範囲に関する事項

［記載例］
1．連結の範囲に関する事項
(1) 連結子会社の数及び主要な連結子会社の名称
　　連結子会社の数　　　　　　　○社
　　主要な連結子会社の名称
　　　○○○株式会社，○○○株式会社，○○○株式会社
　　　　このうち，○○○株式会社については，当連結会計年度において新たに設立したことにより，また，○○○株式会社については，重要性が増したことによりそれぞれ当連結会計年度から連結子会社に含めることとし，○○○株式会社については，保有株式を売却したことにより，連結子会社から除外しております。
(2) 主要な非連結子会社の名称等
　　主要な非連結子会社の名称
　　　○○○株式会社，○○○株式会社
　　連結の範囲から除いた理由
　　　　非連結子会社は，いずれも小規模であり，合計の総資産，売上高，当期純損益（持分に見合う額）及び利益剰余金（持分に見合う額）等は，いずれも連結計算書類に重要な影響を及ぼしていないためであります。

> (3) 議決権の過半数を自己の計算において所有している会社等のうち子会社としなかった会社の名称等
>   会社等の名称
>   ○○○株式会社
>   子会社としなかった理由
>   同社は，会社更生法の規定による更生手続開始の決定を受け，かつ，有効な支配従属関係が存在しないと認められたためであります。
> (4) 支配が一時的であると認められること等から連結の範囲から除かれた子会社の財産または損益に関する事項
>   ………………
> (5) 開示対象特別目的会社
>   開示対象特別目的会社の概要，開示対象特別目的会社を利用した取引の概要及び開示対象特別目的会社との取引金額等については，「開示対象特別目的会社に関する注記」に記載しております。

2-2. 持分法の適用に関する事項

> ［記載例］
> 2．持分法の適用に関する事項
> (1) 持分法を適用した非連結子会社及び関連会社の数及び主要な会社等の名称
>   持分法を適用した非連結子会社の数　○社
>   主要な会社等の名称　　　　　　○○○株式会社，○○○株式会社
>   持分法を適用した関連会社の数　　　○社
>   主要な会社等の名称　　　　　　○○○株式会社，○○○株式会社
> (2) 持分法を適用しない非連結子会社及び関連会社の名称等
>   主要な会社等の名称
>   （非連結子会社）
>   ○○○株式会社，○○○株式会社
>   （関連会社）
>   ○○○株式会社，○○○株式会社

> 持分法を適用していない理由
> 　　持分法を適用していない非連結子会社または関連会社は，当期純損益（持分に見合う額）及び利益剰余金（持分に見合う額）等からみて，持分法の対象から除いても連結計算書類に及ぼす影響が軽微であり，かつ，全体としても重要性がないためであります。
> (3) 議決権の100分の20以上，100分の50以下を自己の計算において所有している会社等のうち関連会社としなかった会社等の名称等
> 　　会社等の名称
> 　　　○○○株式会社
> 　　関連会社としなかった理由
> 　　　同社は，民事再生法の規定による再生手続開始の決定を受け，かつ，財務及び営業または事業の方針の決定に対して重要な影響を与えることができないと認められたためであります。
> (4) 持分法の適用の手続について特に記載すべき事項
> 　　　持分法適用会社のうち，決算日が連結決算日と異なる会社については，各社の直近の事業年度に係る計算書類を使用しております。
> (5) 連結子会社の事業年度等に関する事項（注　任意的記載事項）
> 　　　連結子会社の決算日は，○○○株式会社（○月○日）及び○○○株式会社（○月○日）を除き，連結決算日と一致しております。なお，○○○株式会社については，連結決算日で本決算に準じた仮決算を行った計算書類を基礎とし，また，○○○株式会社については，同社の決算日現在の計算書類を使用して連結決算を行っております。ただし，連結決算日との間に生じた○○○株式会社との重要な取引については，連結上必要な調整を行っております。

イ．概要

　会社計算規則では，連結の範囲に関する事項として，連結子会社の数および主要な連結子会社の名称などを，持分法の適用に関する事項として，持分法を適用した非連結子会社または関連会社の数および主要な会社等の名称などを注記することとしている（計算規則102条1項）。

会社計算規則の規定は、基本的に連結財務諸表規則と同様である。

ロ．連結決算日

　会社計算規則は、連結会計年度を、各事業年度の前事業年度の末日の翌日（当該事業年度の前事業年度がない場合には、成立の日）から当該事業年度の末日までの期間としている（計算規則62条）。

　連結会計基準は、連結財務諸表の作成期間を年とし、親会社の会計期間に基づき、年1回一定の日を連結決算日とするとしている（「連結会計基準」15頁）。

　連結財務諸表規則は、連結会計基準と同様に、連結財務諸表提出会社（親会社）の事業年度の末日を連結決算日とし、当該日を基準として連結財務諸表を作成するとしている（連結財務諸表規則3条1項）。

　連結決算日を変更した場合には、その旨、変更の理由および当該変更に伴う連結会計年度の期間を連結財務諸表に注記することになる（連結財務諸表規則3条3項）。

　この注記は、変更が行われた連結決算日を基準として作成する連結財務諸表に記載することとなり、当該変更に伴う連結会計年度の期間については、当該連結会計年度の月数を記載する（連結財務諸表規則ガイドライン3-3前段）。

　連結子会社の決算期が変更されたことなどにより、当該連結子会社の事業年度の月数が、連結会計年度の月数と異なる場合にも、その旨およびその内容を連結財務諸表に注記することとされている（連結財務諸表規則ガイドライン3-3後段）。

　会社計算規則には、このような連結財務諸表規則などと同様の規定はないが、株主などに対する重要な情報であると判断されれば、連結計算書類においても注記することになると考えられる（計算規則98条1項19号・116条）。

ハ．連結子会社の事業年度等に関する事項

　連結財務諸表規則では、連結子会社の事業年度等に関する事項について、連結子会社のうちに事業年度の末日が連結決算日と異なる会社がある場合に

は，その内容と，当該連結子会社について連結財務諸表作成の基礎となる財務諸表を作成するための決算が行われたかどうかを記載することとしている（連結財務諸表規則13条4項）。

　会社計算規則には，連結子会社の事業年度等に関する事項の注記を要求する具体的な規定はないので，経団連モデルでは任意的記載事項としている。前述のとおり，連結会計基準は，連結財務諸表の作成期間を1年とし，親会社の会計期間に基づき，年1回一定の日を連結決算日とするとしている（「連結会計基準」15頁）。

　そのため，親会社の決算日が連結決算日となり，原則として，子会社の決算日も連結決算日と同一となる。

　しかしながら，子会社の決算日が連結決算日と異なることもある。その場合には，子会社は，連結決算日に正規の決算に準ずる合理的な手続による決算を行うことになる。ただし，決算日の差異が3ヵ月を超えない場合には，子会社の正規の決算を基礎として，連結決算を行うことができる。この場合には，決算日が異なることから生ずる連結会社間の取引に係る会計記録の重要な不一致について，必要な調整を行うこととなる（連結財務諸表規則12条）。

　会社計算規則も，決算日が連結決算日と異なる子会社について，連結会計基準および連結財務諸表規則と同様の取扱いを規定している（計算規則64条）。

　前述のように，経団連モデルでは任意的記載事項とされているが，これが株主などに対する重要な情報であると判断されれば，連結計算書類においても注記することになると考えられる（計算規則98条1項19号・116条）。

④ 会計処理基準に関する事項
経団連モデル

2-3. 会計方針に関する事項
2-3-(1). 資産の評価基準及び評価方法

［記載例］
3．会計方針に関する事項
(1) 資産の評価基準及び評価方法
　① 有価証券の評価基準及び評価方法
　　　　　売買目的有価証券……………時価法（売却原価は移動平均法
　　　　　　　　　　　　　　　　　　により算定）
　　　　　満期保有目的の債券…………償却原価法（定額法）
　　　　　その他有価証券
　　　　　　市場価格のない株式等以外のもの…時価法（評価差額は全部純
　　　　　　　　　　　　　　　　　　資産直入法により処理し，
　　　　　　　　　　　　　　　　　　売却原価は移動平均法によ
　　　　　　　　　　　　　　　　　　り算定）
　　　　　　市場価格のない株式等………………移動平均法による原価法
　② デリバティブの評価基準及び評価方法
　　　　　デリバティブ………………時価法
　③ 棚卸資産の評価基準及び評価方法
　　　　製品，原材料，仕掛品……移動平均法による原価法（貸借対照表
　　　　　　　　　　　　　　　　価額は収益性の低下による簿価切下げ
　　　　　　　　　　　　　　　　の方法により算定）
　　　　貯　蔵　品………………最終仕入原価法

2-3-(2). 固定資産の減価償却の方法

［記載例］
(2) 固定資産の減価償却の方法
　① 有形固定資産（リース資産を除く）
　　定率法（ただし，1998年4月1日以降に取得した建物（附属設備を除く）並びに2016年4月1日以降に取得した建物附属設備及び構築物は定額法）を採用しております。
　② 無形固定資産（リース資産を除く）
　　定額法を採用しております。
　③ リース資産
　　所有権移転ファイナンス・リース取引に係るリース資産
　　　自己所有の固定資産に適用する減価償却方法と同一の方法を採用しております。
　　所有権移転外ファイナンス・リース取引に係るリース資産
　　　リース期間を耐用年数とし，残存価額を零とする定額法を採用しております。

（記載上の注意）
(1) 有形固定資産の各項目別の主な耐用年数についても記載することが考えられる。この場合には，以下のような記載を追加することが考えられる。

　　なお，主な耐用年数は次のとおりであります。
　　　建物及び構築物　　　　○年～○年
　　　機械装置及び運搬具　　○年～○年

(2) 無形固定資産の各項目別の主な耐用年数についても記載することが考えられる。この場合には，以下のような記載を追加することが考えられる。

　　なお，主な耐用年数は次のとおりであります。
　　　自社利用のソフトウェア　○年～○年
　　　のれん　　　　　　　　　○年～○年

(3) 所有権移転外ファイナンス・リース取引（借主側）について，リース取引開始日が企業会計基準第13号「リース取引に関する会計基準」の適用初年度開始前のリース取引で，企業会計基準適用指針第16号「リース取引に関する会計基準の適用指針」第79項に基づいて，引き続き通常の賃貸借取引に係る方法に準じた会計処理を適用する場合には，その旨及び「リース取引に係る会計基準」で必要とされていた事項を注記するとされているので，以下の記載を追加することが考えられる。

> なお，リース物件の所有権が借主に移転すると認められるもの以外のファイナンス・リース取引のうち，リース取引開始日が企業会計基準第13号「リース取引に関する会計基準」の適用初年度開始前のリース取引については，通常の賃貸借取引に係る方法に準じた会計処理によっております。

2-3-(3). 引当金の計上基準

［記載例］
(3) 引当金の計上基準
　① 貸倒引当金
　　売上債権，貸付金等の債権の貸倒れによる損失に備えるため，一般債権については貸倒実績率により，貸倒懸念債権等特定の債権については個別に回収可能性を検討し，回収不能見込額を計上しております。
　② 役員退職慰労引当金
　　役員の退職慰労金の支給に備えるため，役員退職慰労金規程に基づく期末要支給額を計上しております。

2-3-(4). 収益及び費用の計上基準

［記載例］
(4) 収益及び費用の計上基準
　商品又は製品の販売に係る収益は，主に卸売又は製造等による販売であり，顧客との販売契約に基づいて商品又は製品を引き渡す履行義務を負っ

> ております。当該履行義務は，商品又は製品を引き渡す一時点において，顧客が当該商品又は製品に対する支配を獲得して充足されると判断し，引渡時点で収益を認識しております。
>
> 　保守サービスに係る収益は，主に商品又は製品の保守であり，顧客との保守契約に基づいて保守サービスを提供する履行義務を負っております。当該保守契約は，一定の期間にわたり履行義務を充足する取引であり，履行義務の充足の進捗度に応じて収益を認識しております。
>
> 　当社グループが代理人として商品の販売に関与している場合には，純額で収益を認識しております。

(記載上の注意)
(1) 企業会計基準第29号「収益認識に関する会計基準」及び企業会計基準適用指針第30号「収益認識に関する会計基準の適用指針」を適用する会社については，「収益及び費用の計上基準」に掲げる事項には，次の事項を含む（会社計算規則第101条第2項）。
　① 当該会社の主要な事業における顧客との契約に基づく主な義務の内容
　② ①に規定する義務に係る収益を認識する通常の時点
　③ ①及び②のほか，当該会社が重要な会計方針に含まれると判断したもの
(2) 会社が(1)③に該当するものとして重要な会計方針に記載した事項（例えば，取引価格の算定に関する情報や履行義務への配分額の算定に関する情報）がある場合には，当該事項については「収益認識に関する注記」での記載は要しない。
(3) 「収益認識に関する会計基準」第80-2項(2)の「企業が当該履行義務を充足する通常の時点」と「収益を認識する通常の時点」は，通常は同じであると考えられる。しかし，例えば，「収益認識に関する会計基準の適用指針」第98項における代替的な取扱い（出荷基準等の取扱い）を適用した場合には，両時点が異なる場合がある。そのような場合には，重要な会計方針として「収益を認識する通常の時点」について注記する（「収益認識に関する会計基準」第163項）。
(4) 上記の記載例は，(1)③「当該会社が重要な会計方針に含まれると判断したもの」について，自社の実情を踏まえ，連結計算書類においては当該事項の注記を要しないと合理的に判断される場合である。例えば，支払条件，

変動対価,独立販売価格の比率に基づいて取引価格の履行義務対する配分が重要な会計方針に含まれるものと判断される場合の記載例は,以下のとおりである。

[重要な会計方針に含まれると判断したものを記載する例]
　当社グループの取引に関する支払条件は,通常,短期のうちに支払期日が到来し,契約に重要な金融要素は含まれておりません。
　取引価格は,変動対価,変動対価の見積りの制限,契約における重要な金融要素,現金以外の対価などを考慮して算定しております。
　取引価格のそれぞれの履行義務に対する配分は,独立販売価格の比率に基づいて行っており,また,独立販売価格を直接観察できない場合には,独立販売価格を見積っております。

2-3-(5).　その他連結計算書類の作成のための基本となる重要な事項

[記載例]
(5)　その他連結計算書類の作成のための基本となる重要な事項
　①　繰延資産の処理方法
　　株式交付費…支出時に全額費用として処理しております。
　　社債発行費…社債償還期間(〇年間)にわたり均等償却しております。
　②　ヘッジ会計の処理
　　原則として繰延ヘッジ処理によっております。なお,振当処理の要件を満たしている為替予約及び通貨スワップについては振当処理によっており,特例処理の要件を満たしている金利スワップについては特例処理によっております。
　③　退職給付に係る会計処理の方法
　　退職給付に係る負債は,従業員の退職給付に備えるため,当連結会計年度末における見込額に基づき,退職給付債務から年金資産の額を控除した額を計上しております。なお,退職給付債務の算定にあたり,退職給付見込額を当連結会計年度までの期間に帰属させる方法については,給付算定式基準によっております。
　　過去勤務費用は,主としてその発生時の従業員の平均残存勤務期間以内

> の一定の年数（○年）による定額法により費用処理しております。
> 　数理計算上の差異は，主として各連結会計年度の発生時における従業員の平均残存勤務期間以内の一定の年数（○年）による定額法（一部の連結子会社は定率法）により按分した額を，それぞれ発生の翌連結会計年度から費用処理しております。
> 　未認識数理計算上の差異及び未認識過去勤務費用については，税効果を調整の上，純資産の部におけるその他の包括利益累計額の退職給付に係る調整累計額に計上しております。
> ④　消費税等の会計処理
> 　消費税及び地方消費税の会計処理は，税抜方式によっております。

(記載上の注意)
(1) 「(5) その他連結計算書類の作成のための基本となる重要な事項」には，会計方針のうち，上記(1)から(3)以外の重要なものを記載する。
　上記の記載例のほか，連結計算書類に占める在外子会社の割合が高い場合には，外貨建資産及び負債等の本邦通貨への換算方法について記載することが考えられる。
(2) 未認識数理計算上の差異及び未認識過去勤務費用について，税効果を調整の上，純資産の部に計上している旨の記載は，会社計算規則上，明示的に求められているものではない。このため，当該事項の記載の要否は，企業集団の財産又は損益の状態を正確に判断するために必要な事項かどうかを判断することになる。
(3) 企業会計基準第24号「会計方針の開示，会計上の変更及び誤謬の訂正に関する会計基準」第4-3項に規定する「関連する会計基準等の定めが明らかでない場合」に採用した会計処理の原則及び手続について，当該採用した会計処理の原則及び手続が連結計算書類を理解するために重要であると考えられる場合には，会社計算規則第102条第1項第3号ニの「その他連結計算書類の作成のための重要な事項」に該当し，その概要を注記する必要がある。

イ．概要

　会社計算規則では，連結計算書類に係る会計方針に関する事項として，次の事項を注記するとしている（計算規則102条1項3号）。

　基本的には，計算書類と同様であるので，前述の計算書類に係る第Ⅲ章第2節第2の「(2) 重要な会計方針に係る事項に関する注記」を参照されたい。

　a．重要な資産の評価基準および評価方法
　b．重要な減価償却資産の減価償却の方法
　c．重要な引当金の計上基準
　d．その他連結計算書類の作成のための重要な事項

　なお，「会社法施行規則等の一部を改正する省令」（平成27年法務省令第6号）により，従来の「会計処理基準」の用語から「会計方針」の用語へ改正されている（計算規則102条1項3号）。改正会社計算規則102条1項（連結計算書類に関する会計方針の用語）の規定は，平成27年4月1日以後に開始する連結会計年度に係る連結計算書類について適用し，同日前に開始する連結会計年度に係るものについては，なお従前の例によるとされている。

　このため，平成27年4月1日以後に開始する連結会計年度に係る連結計算書類については，「会計処理基準」の用語を「会計方針」と記載することになるが，その前の連結会計年度に係る連結計算書類であっても，「会計方針」と記載することは妨げられない（計算規則3条）。これは，当該規定は，連結計算書類に表記すべき項目の名称まで定めるものではないこと，また，注記の具体的な内容を変更するものではないことによる（坂本三郎ほか「会社法施行規則等の一部を改正する省令の解説〔Ⅵ・完〕」商事法務2065号（2015）45頁）。

ロ．連結財務諸表規則における会計方針に関する事項

　連結財務諸表規則は，会計方針に関する事項ついて，連結財務諸表作成のための基礎となる事項であって，投資者その他の連結財務諸表の利用者の理解に資するものを記載するものとすると規定している（連結財務諸表規則13条5項）。

第Ⅳ章 連結計算書類

　従来，連結財務諸表規則は，重要な資産の評価基準および評価方法，重要な減価償却資産の減価償却の方法などを会計方針として注記することを規定していたが，2020年3月31日に改正された過年度遡及会計基準を受けて，2020年6月12日，「財務諸表等の用語，様式及び作成方法に関する規則等の一部を改正する内閣府令」(内閣府令第46号) 等により連結財務諸表規則が改正され，これらの会計方針として注記する事項が削除されている。

　もっとも，同時に改正された連結財務諸表規則ガイドライン13-5において，会計方針には，例えば次の事項が含まれるものとすると規定していることから，実務上は，内閣府令第46号による改正前の連結財務諸表規則の取扱いと大きくことなるものではないと考えられる。

a. 重要な資産の評価基準及び評価方法
b. 重要な減価償却資産の減価償却の方法
c. 重要な引当金の計上基準
d. 退職給付に係る会計処理の方法
e. 重要な収益及び費用の計上基準
f. 連結財務諸表の作成の基礎となった連結会社の財務諸表の作成に当たって採用した重要な外貨建の資産又は負債の本邦通貨への換算の基準
g. 重要なヘッジ会計の方法
h. のれんの償却方法及び償却期間
i. 連結キャッシュ・フロー計算書における資金の範囲
j. その他連結財務諸表作成のための重要な事項

　改正された連結財務諸表規則ガイドライン13-5.1 (財務諸表等規則ガイドライン8の2の1の準用) は，重要な会計方針については，投資者その他の連結財務諸表の利用者が連結財務諸表作成のための基礎となる事項を理解するために，連結財務諸表提出会社が採用した会計処理の原則及び手続の概要を開示することを目的とした上で，当該会社において，当該目的に照らして記載内容及び記載方法が適切かどうかを判断して記載するものとすると規定している。

なお，会計基準等の定めが明らかな場合であって，当該会計基準等において代替的な会計処理の原則及び手続が認められていない場合には，注記を省略することができる。

　会社計算規則102条1項3号は，会計方針に関する事項を規定している。2020年3月31日に過年度遡及会計基準は改正されているが，会社計算規則102条は改正されていない（藺牟田泰隆ほか・前掲商事法務2242号9頁）。当該会社計算規則に関する考え方は，計算書類と同様と考えられるので，本書の計算書類に係る第Ⅲ章第2節第2の「(2) 重要な会計方針に係る事項に関する注記」の「①全般的事項」の「ハ．財務諸表等規則における重要な会計方針」の記載の項を参照されたい。

　会社計算規則で注記を明示的に要求していない会計方針であったとしても，過年度遡及会計基準または連結財務諸表規則ガイドラインなどを参考にして，各社における重要性などを考慮し，連結計算書類の作成のための重要な事項かどうかを検討する必要があると考えられる。

ハ．連結の範囲または持分法の適用の範囲の変更

　会社計算規則は，連結の範囲または持分法の適用の範囲を変更した場合には，重要性の乏しいものであるときを除いて，その旨および当該変更の理由を注記すると規定している（計算規則102条2項）。

　連結の範囲または持分法の適用の範囲の変更については，過年度遡及適用指針8項(3)，連結財務諸表規則14条および連結財務諸表規則ガイドライン14において，会計方針の変更に該当しないことが規定されている。

　また，連結財務諸表規則ガイドラインは，連結の範囲または持分法適用の範囲の変更が，当連結会計年度の翌連結会計年度の連結財務諸表に重要な影響を与えることが確実であると認められる場合には，翌連結会計年度の連結財務諸表に重要な影響を与える旨およびその影響の概要を併せて記載するものとすると規定している（連結財務諸表規則ガイドライン14.2）。

　会社計算規則には，このような連結財務諸表規則などと同様の規定はない

が，株主などに対する重要な情報であると判断されれば，連結計算書類においても注記することになると考えられる(計算規則98条1項19号・116条)。

ニ．決算日の変更等

連結財務諸表規則ガイドラインは，連結子会社の事業年度の末日と連結決算日との間に3ヵ月を超えない差異がある場合において，連結財務諸表規則12条1項本文の規定による決算を行うか否かに係る変更を行ったときは，次に掲げる事項を記載するものとすると規定している。ただし，③に該当する事項は記載しないことができる(連結財務諸表規則ガイドライン13-4)。当該変更についても，会計方針の変更には該当しないものと扱われている(平松朗＝谷口義幸＝德重昌宏「連結財務諸表規則等の一部を改正する内閣府令の解説〔上〕」商事法務1912号(2010)14頁)。

① 当該変更を行った旨
② 当該変更の理由
③ 当該変更が連結財務諸表に与えている影響

また，連結財務諸表規則は，連結決算日を変更した場合には，その旨，変更の理由および当該変更に伴う連結会計年度の期間を連結財務諸表に注記しなければならないと規定している(連結財務諸表規則3条3項)。

連結財務諸表規則ガイドラインでは，連結財務諸表規則3条3項に規定する注記は，変更が行われた連結決算日を基準として作成する連結財務諸表に記載し，この場合において，同項に規定する当該変更に伴う連結会計年度の期間については，当該連結会計年度の月数を記載するものとすると規定している。連結子会社の決算期が変更されたこと等により，当該連結子会社の事業年度の月数が，連結会計年度の月数と異なる場合には，その旨およびその内容を連結財務諸表に注記するものとすると規定している(連結財務諸表規則ガイドライン3-3)。

このような決算日の変更についても，会計方針の変更に該当しないものと

考えられている（平松朗＝谷口義幸＝徳重昌宏・前掲14頁）。

会社計算規則には，このような連結財務諸表規則などと同様の規定はないが，株主などに対する重要な情報であると判断されれば，連結計算書類においても注記することになると考えられる（計算規則98条1項19号・116条）。

決算日の変更に伴う会計処理などの取扱いについては会計制度委員会研究報告第14号「比較情報の取扱いに関する研究報告（中間報告）」（日本公認会計士協会）において詳細に述べられている。

ホ．のれんの範囲

企業会計基準第21号「企業結合に関する会計基準」（以下「企業結合会計基準」という）では，取得とされた企業結合において，取得原価としての支払対価総額と，被取得企業から受け入れた資産および引き受けた負債に配分された純額との間に差額が生じる場合があり，取得原価が，受け入れた資産および引き受けた負債に配分された純額を上回る場合には，その超過額はのれんとして会計処理され，一方，下回る場合には，その不足額は負ののれんとして会計処理される（「企業結合会計基準」31項・98項）。

このように，企業結合会計基準において，のれんは，取得原価としての支払対価総額と，被取得企業から受け入れた資産および引き受けた負債に配分された純額の差額として算定されるものである。このため，例えば，ある商権を個別に取得した場合のように，対象物が識別可能なときには，のれん以外の無形資産として会計処理することになると考えられる。

ヘ．のれんの償却に関する事項

のれん（借方）は，重要性が乏しい場合を除いて，資産に計上し，20年以内のその効果の及ぶ期間にわたって，定額法その他の合理的な方法により規則的に償却する（「企業結合会計基準」32項）。

負ののれん（貸方）が生じると見込まれる場合には，重要性が乏しいときを除いて，すべての識別可能資産および負債が把握されているか，また，そ

れらに対する取得原価の配分が適切に行われているかどうかを見直し，それでもなお負ののれんが生じるのであれば，当該負ののれんは生じた事業年度の利益として処理する（「企業結合会計基準」33項）。

ト．外貨建の資産および負債の本邦通貨への換算基準

　経団連モデルでは，記載例を示していないものの，連結計算書類作成のための基本となる重要な事項として，外貨建の資産および負債の本邦通貨への換算基準について記載することも考えられる。

　財務諸表等規則ガイドラインでは，外貨建の資産および負債の本邦通貨への換算基準については，「外貨建取引等会計処理基準」（企業会計審議会）に定めのない事項に関する換算基準または「外貨建取引等会計処理基準」を適用することが適当でないと認められる場合に，他の合理的な換算基準を採用した場合の当該他の換算基準等について記載するとされている（連結財務諸表規則ガイドライン13-5，財務諸表等規則ガイドライン8の2.3(4)）。

　このため，通常，「外貨建取引等会計処理基準」に準拠して会計処理を行っているので，連結財務諸表作成のための基本となる重要な事項として記載しないことが考えられる。

　しかしながら，例えば，連結計算書類に占める在外子会社の割合が高かったり，活発に外貨建取引を行っていたりする会社のように，外貨建取引等の重要性が高いと判断される場合には，外貨建の資産および負債の本邦通貨への換算方法を開示することが適当と考えられる。

　この場合，例えば，次のような記載例が考えられる。

(参考例)
⑤ 重要な外貨建の資産または負債の本邦通貨への換算基準
　外貨建金銭債権債務は，連結決算日の直物為替相場により円貨に換算し，換算差額は損益として処理している。なお，在外子会社等の資産および負債は，連結決算日の直物為替相場により円貨に換算し，収益および費用は期中平均相場により円貨に換算し，換算差額は純資産の部における為替換算調整勘定および非支配株主持分に含めている。

チ．退職給付に係る会計処理の方法

　会社計算規則では，「連結計算書類の作成のための基本となる重要な事項に関する注記等」の会計方針に関する事項として，「重要な引当金の計上基準」を規定しているが（計算規則102条1項3号ハ），企業会計基準第26号「退職給付に関する会計基準」(企業会計基準委員会)では，連結財務諸表上，退職給付引当金ではなく，「退職給付に係る負債」等の適当な科目をもって計上することとされている（「退職給付に関する会計基準」27項）。

　会社計算規則では，その制定時から，退職給付に関する注記についての明文の規定をおいていない。

　また，企業会計基準委員会による「退職給付に関する会計基準」(平成24年5月17日)の公表に対応して，平成25年5月20日に公布された「会社計算規則の一部を改正する省令」(平成25年法務省令第16号)でも，退職給付に関する注記についての明文の規定は設けられなかった。なお，「会社計算規則の一部を改正する省令案」に関する意見募集では，退職給付の会計処理基準に関する事項や企業の採用する退職給付制度の概要等，退職給付会計基準が求めている注記について，計算書類または連結計算書類においても一定の記載を求めるよう改正すべきであるとの意見が寄せられたとのことである（法務省「『会社計算規則の一部を改正する省令案』に関する意見募集の結果について」平成25年5月20日）。

　そこで，退職給付に関する注記についての会社計算規則上の取扱いである

が，連結計算書類上については，退職給付の会計処理基準に関する事項，退職給付見込額の期間帰属方法ならびに数理計算上の差異，過去勤務費用および会計基準変更時差異の費用処理方法に重要性がある場合には，「その他連結計算書類の作成のための基本となる重要な事項に関する注記」(会社計算規則102条1項3号ニ)として，これらの事項を連結計算書類に記載することとなると考えられている（法務省「『会社計算規則の一部を改正する省令案』に関する意見募集の結果について」平成25年5月20日。髙木弘明「会社計算規則の一部を改正する省令の解説――平成25年法務省令第16号」商事法務2001号（2013年）33頁）。

経団連モデルでは，このような考え方にしたがって，「その他連結計算書類の作成のための基本となる重要な事項」において，「退職給付に係る会計処理の方法」の記載例を示している。

リ．経団連モデルの記載例

企業会計基準適用指針第25号「退職給付に関する会計基準の適用指針」(企業会計基準委員会) 52項では，「会計方針に係る注記」を規定し，「退職給付の会計処理基準に関する事項」(「退職給付に関する会計基準」30項(1))には，次の項目が含まれると規定している。

a. 退職給付見込額の期間帰属方法（「退職給付に関する会計基準」19項）
b. 数理計算上の差異および過去勤務費用の費用処理方法（「退職給付に関する会計基準の適用指針」35項，39項および42項）ならびに会計基準変更時差異の費用処理方法（「退職給付に関する会計基準の適用指針」130項）

経団連モデルでは，「退職給付に係る会計処理の方法」において，退職給付に係る負債の算定方法を記載するとともに，数理計算上の差異および過去勤務費用の費用処理方法の記載例を示している。

従来，経団連モデルでは，会計基準変更時差異の費用処理方法を記載していたが，「退職給付に係る会計基準」(平成10年6月16日，企業会計審議会)の適用から15年が経過したので，経団連モデルでは当該会計処理方法の記載を削

除している（第Ⅲ章第2節第2 (2) ④の「ハ．退職給付引当金に関する重要な会計方針の記載」参照）。

　また，「退職給付に関する会計基準」では，当期に発生した未認識数理計算上の差異および未認識過去勤務費用は，税効果を調整の上，その他の包括利益を通じて純資産の部に計上することとなり，純資産の部におけるその他の包括利益累計額に「退職給付に係る調整累計額」等の適当な科目をもって計上することとされている（「退職給付に関する会計基準」24項・25項・27項）。当該会計処理も，「退職給付に係る会計処理の方法」の一環をなすものと考えられることから，「未認識数理計算上の差異及び未認識過去勤務費用については，税効果を調整の上，純資産の部におけるその他の包括利益累計額の退職給付に係る調整累計額に計上しております。」との記載例も示している。

　「退職給付に関する会計基準」では，「個別財務諸表における当面の取扱い」として，「連結財務諸表を作成する会社については，個別財務諸表において，未認識数理計算上の差異及び未認識過去勤務費用の貸借対照表における取扱いが連結財務諸表と異なる旨を注記する。」と規定し（39項 (4)），同様に，財務諸表等規則ガイドラインでは，退職給付に係る未認識数理計算上の差異などの会計処理の方法について，個別財務諸表と連結財務諸表とで異なる場合には，その旨を記載するものとされている（財務諸表等規則ガイドライン8の2.3 (8)②)。

　しかしながら，会社計算規則では，上記の注記を求める具体的な規定がなく，その注記が強制されるものではない。そのため，経団連モデルの記載上の注意において，「(2) 未認識数理計算上の差異及び未認識過去勤務費用について，税効果を調整の上，純資産の部に計上している旨の記載は，会社計算規則上，明示的に求められているものではない。このため，当該事項の記載の要否は，企業集団の財産又は損益の状態を正確に判断するために必要な事項かどうかを判断することになる。」と記載している。当該記載を行う場合には，会社計算規則98条1項19号，116条の「その他の注記」に該当するものと解される。

第Ⅳ章 連結計算書類

（3）会計方針の変更に関する注記
経団連モデル

---

3. 会計方針の変更に関する注記

［記載例］
(1) ○○○の評価基準及び評価方法

　　○○○の評価基準及び評価方法は，従来，○○法によっておりましたが，当連結会計年度より○○法に変更いたしました。この変更は，○○○（変更理由を具体的に記載する）ために行ったものであります。当該会計方針の変更は遡及適用され，会計方針の変更の累積的影響額は当連結会計年度の期首の純資産の帳簿価額に反映されております。この結果，連結株主資本等変動計算書の利益剰余金の遡及適用後の期首残高は×××百万円増加しております。

(2) ○○○に関する会計基準の適用

　　当連結会計年度より，「○○○に関する会計基準」を適用しております。当該会計方針の変更は遡及適用され，会計方針の変更の累積的影響額は当連結会計年度の期首の純資産の帳簿価額に反映されております。この結果，連結株主資本等変動計算書の利益剰余金の遡及適用後の期首残高は×××百万円増加しております。

（記載上の注意）
(1) 会計方針を変更した場合には，次の事項（重要性の乏しいものを除く。）を記載する。ただし，会計監査人設置会社以外の株式会社にあっては，会社計算規則第102条の2第1項第4号ロ（下記(2)②）及びハ（下記(2)③）に掲げる事項を省略することができる。
　① 会計方針の変更の内容
　② 会計方針の変更の理由
　③ 遡及適用をした場合には，当連結会計年度の期首における純資産額に対する影響額

> (2) 会計方針を変更した場合に,当連結会計年度より前の連結会計年度の全部または一部について遡及適用をしなかったときには,次に掲げる事項(会計方針の変更を会計上の見積りの変更と区別することが困難なときは,②に掲げる事項を除く。)を記載する。
> ① 連結計算書類の主な項目に対する影響額
> ② 当該連結会計年度より前の連結会計年度の全部または一部について遡及適用をしなかった理由ならびに当該会計方針の変更の適用方法及び適用開始時期(会計基準等の改正等に伴う会計方針の変更をした場合において,経過的な取扱いに従って会計処理を行ったときは,その旨及び当該経過的な取扱いの概要を記載する。)
> ③ 会計方針の変更が当連結会計年度の翌連結会計年度以降の財産または損益に影響を及ぼす可能性がある場合であって,当該影響に関する事項を注記することが適切であるときは,当該事項(合理的に見積もることが困難である場合には,その旨を記載すれば足りる。)
> (3) 会計方針の変更については,連結計算書類の作成のための基本となる重要な事項等の記載の箇所にあわせて記載することができる。
> (4) 会計基準及び法令の改正等に伴い,会計方針を採用または変更した場合において,当該会計方針を適用すべき会計事象または取引が存在しないときは,会計方針の変更の記載を要しない。

① 概要

　会計方針の変更に関する基本的な考え方は,計算書類に関連する箇所で述べたことと同様であるので,計算書類に係る第Ⅲ章第2節第2の「(3) 会計方針の変更に関する注記」の記載の項を参照されたい。

　連結会計基準は,連結財務諸表作成のために採用した基準および手続は,毎期継続して適用し,みだりにこれを変更してはならないとして,継続性の原則を規定している(「連結会計基準」12項)。

　会社計算規則102条の2は,「会計方針の変更に関する注記」を規定しており,経団連モデルでもこれに対応して,記載上の注意を示している。

なお，連結の範囲または持分法の適用の範囲の変更ならびに決算日の変更等が会計方針の変更に該当しないことは，前述のとおりである。

② 会計基準等の改正の対象となる会計事象等がないケース
　旧連結財務諸表規則ガイドラインでは，会計基準および法令の改正等（会計基準等の改正）に伴い，会計方針を採用または変更した場合に，当該会計方針を適用すべき会計事象または取引が存在しないときは，会計方針の変更に関する記載を要しないと規定されていた（旧連結財務諸表規則ガイドライン14.2）。
　平成22年9月30日に，金融庁は「『連結財務諸表の用語，様式及び作成方法に関する規則等の一部を改正する内閣府令（案）』等に対するパブリックコメントの概要及びそれに対する金融庁の考え方」を公表しており，その「20」において，「会計方針を適用すべき会計事象又は取引が存在しない場合に，会計方針の変更に関する記載を要しないことについては，周知・定着してきていると考えられることから，原案どおり削除しました。」と述べられている。
　このように，連結財務諸表規則ガイドラインから削除されているが，経団連モデルでは，実務に資するために，従来どおり，記載上の注意（4）において示している。

③ 連結会社における会計方針の変更
　連結財務諸表規則ガイドラインでは，連結財務諸表規則13条1項の規定による注記については，同項各号に掲げる事項以外の事項であっても，重要な事項がある場合には記載するものとし，また，連結財務諸表作成のための基本となる重要な事項には，連結財務諸表作成の基礎となっている各連結会社の財務諸表の作成に係る会計処理の原則及び手続を含むものとすると規定している（連結財務諸表規則ガイドライン13-1）。
　このため，例えば，連結財務諸表の作成に際して，連結子会社が個別財務諸表において会計方針の変更を行っていれば，連結財務諸表においても会計

方針の変更に関する注記を行うことになる。

会社計算規則には,このような連結財務諸表規則などと同様の規定はないが,株主などに対する重要な情報であると判断されれば,連結計算書類においても注記することになると考えられる(計算規則98条1項19号・116条)。

(4) 収益認識に関する注記

経団連モデル

> **4. 収益認識に関する注記**
>
> [記載例(当連結会計年度及び翌連結会計年度以降の収益の金額を理解するための情報の注記を要しないと合理的に判断される場合)]
> (1) 収益の分解
> 　当社グループは,○○事業,○○事業及びその他の事業を営んでおり,各事業の主な財又はサービスの種類は,△商品,△製品及び△保守サービスであります。
> 　また,各事業の売上高は,×××百万円,×××百万円及び×××百万円であります。
> (2) 収益を理解するための基礎となる情報
> 　「会計方針に関する事項」の「収益及び費用の計上基準」に記載のとおりであります。

(記載上の注意)
(1) 企業会計基準第29号「収益認識に関する会計基準」及び企業会計基準適用指針第30号「収益認識に関する会計基準の適用指針」を適用する会社については,「収益認識に関する注記」に掲げる事項は,重要性の乏しいものを除き,次の事項を記載することとされており,「収益認識に関する会計基準」及び「収益認識に関する会計基準の適用指針」を参考にし,各社の実情に応じて,必要な記載をする。ただし,連結計算書類の作成義務のある会社(会社法第444条第3項に規定する株式会社)以外の株式会社にあっては,①及び③に掲げる事項を省略することができる(会社計算規則第115条の2第1項)。

① 当該事業年度に認識した収益を，収益及びキャッシュ・フローの性質，金額，時期及び不確実性に影響を及ぼす主要な要因に基づいて区分をした場合における当該区分ごとの収益の額その他の事項
② 収益を理解するための基礎となる情報
③ 当該事業年度及び翌事業年度以降の収益の金額を理解するための情報
(2) (1)に掲げる事項が会社計算規則第101条の規定により注記すべき事項（収益の計上基準に関する記載内容）と同一であるときは，同項の規定による当該事項の注記を要しない。
(3) 会社計算規則の用語の解釈に関しては，一般に公正妥当と認められる企業会計の基準をしん酌しなければならないとされており（会社計算規則第3条），収益認識に関する注記の要否及びその内容は，「収益認識に関する会計基準」で定める開示目的（顧客との契約から生じる収益及びキャッシュ・フローの性質，金額，時期及び不確実性を財務諸表利用者が理解できるようにするための十分な情報を企業が開示すること）に照らして判断する。
　「収益認識に関する注記」を記載するにあたっては，次のことに留意し，株主にとって重要な事項を記載する。なお，「収益認識に関する会計基準」において具体的に規定された事項であったとしても，各社の実情を踏まえ，連結計算書類においては当該事項の注記を要しないと合理的に判断される場合には，連結計算書類において当該事項について注記しないことも許容される。
① 「収益認識に関する会計基準」で規定する注記事項は，最低限の注記のチェックリストとして用いられることを意図したものではないとされている（「収益認識に関する会計基準」第167項）。
② 「収益認識に関する会計基準」においては，開示目的に照らして重要性に乏しいと認められるか否かの判断は，定量的な要因と定性的な要因の両方を考慮する必要があるが，その際，定量的な要因のみで判断した場合に重要性がないとは言えない場合であっても，開示目的に照らして重要性に乏しいと判断される場合もあると考えられるとされている（「収益認識に関する会計基準」第168項）。
(4) 上記の記載例は，(1)③「当連結会計年度及び翌連結会計年度以降の収益の金額を理解するための情報」について，自社グループの実情を踏まえ，連結計算書類においては当該事項の注記を要しないと合理的に判断される

場合である。「当連結会計年度及び翌連結会計年度以降の収益の金額を理解するための情報」について記載する場合の記載例は以下のとおりである。

[当連結会計年度及び翌連結会計年度以降の収益の金額を理解するための情報を記載する例]
　当連結会計年度末における残存履行義務に配分された取引価格の総額は，〇〇〇百万円であり，当社グループは，当該残存履行義務について，履行義務の充足につれて〇年から〇年の間で収益を認識することを見込んでいます。

　会社計算規則は，「収益認識に関する注記」として，次の事項を注記すると規定している（計算規則98条1項18号の2，115条の2第1項）。ただし，重要性の乏しいものは除かれ，また，連結計算書類の作成義務のある会社（法444条3項に規定する株式会社）以外の株式会社にあっては，①および③に掲げる事項を省略することができる。

① 当該事業年度（連結会計年度）に認識した収益を，収益及びキャッシュ・フローの性質，金額，時期および不確実性に影響を及ぼす主要な要因に基づいて区分をした場合における当該区分ごとの収益の額その他の事項
② 収益を理解するための基礎となる情報
③ 当該事業年度（連結会計年度）および翌事業年度以降（翌連結会計年度以降）の収益の金額を理解するための情報

　詳細は本書の計算書類に係る第Ⅲ章第2節第2の「(4) 収益認識に関する注記」の記載の項を参照されたい。

(5) 表示方法の変更に関する注記

経団連モデル

> **5. 表示方法の変更に関する注記**
>
> ［記載例］
> （○○の表示方法の変更）
> 　○○の表示方法は，従来，連結貸借対照表上，○○（前連結会計年度××百万円）に含めて表示しておりましたが，重要性が増したため，当連結会計年度より，○○（当連結会計年度×××百万円）として表示しております。
>
> （記載上の注意）
> 　表示方法を変更した場合には，次の事項（重要性の乏しいものを除く。）を記載する。
> 　① 表示方法の変更の内容
> 　② 表示方法の変更の理由

(6) 会計上の見積りに関する注記

経団連モデル

> **6. 会計上の見積りに関する注記**
>
> ［記載例（会計上の見積りの内容に関する理解に資する情報の注記を要しないと合理的に判断される場合）］
> 　会計上の見積りにより当連結会計年度に係る連結計算書類にその額を計上した項目であって，翌連結会計年度に係る連結計算書類に重要な影響を及ぼす可能性があるものは，次のとおりです。
> 　　繰延税金資産　×××百万円

(記載上の注意)
(1) 「会計上の見積りに関する注記」は，次の事項を記載することとされており，企業会計基準第31号「会計上の見積りの開示に関する会計基準」を参考にし，各社の実情に応じて，必要な記載をする（会社計算規則第102条の3の2第1項）。
　① 会計上の見積りにより当該連結会計年度に係る連結計算書類にその額を計上した項目であって，翌連結会計年度に係る連結計算書類に重要な影響を及ぼす可能性があるもの
　② 当該連結会計年度に係る連結計算書類の①の項目に計上した額
　③ ②のほか，①に掲げる項目に係る会計上の見積りの内容に関する理解に資する情報
(2) 会社計算規則の用語の解釈に関しては，一般に公正妥当と認められる企業会計の基準をしん酌しなければならないとされており（会社計算規則第3条），会計上の見積りに関する注記の要否及びその内容は，「会計上の見積りの開示に関する会計基準」で定める開示目的（当年度の財務諸表に計上した金額が会計上の見積りによるもののうち，翌年度の財務諸表に重要な影響を及ぼすリスク（有利となる場合及び不利となる場合の双方が含まれる。）がある項目における会計上の見積りの内容について，財務諸表利用者の理解に資する情報を開示すること）に照らして判断する。
　「会計上の見積りに関する注記」を記載するにあたっては，次のことに留意し，株主にとって重要な事項を記載する。なお，「会計上の見積りの開示に関する会計基準」第8項において具体的に例示された事項であったとしても，各社の実情を踏まえ，連結計算書類においては当該事項の注記を要しないと合理的に判断される場合には，連結計算書類において当該事項について注記しないことも許容される。
　・「会計上の見積りの開示に関する会計基準」においては，「会計上の見積りの内容について財務諸表利用者の理解に資するその他の情報」として，当年度の財務諸表に計上した金額の算出方法，当年度の財務諸表に計上した金額の算出に用いた主要な仮定及び翌年度の財務諸表に与える影響が例示されているが（同会計基準第8項），これらの注記事項は，チェックリストとして用いられるべきものではなく，例示であり，注記する事項は，開示目的に照らして判断することとされている（同会計基準第31項）。

(3) 上記の記載例は，(1)③「会計上の見積りの内容に関する理解に資する情報」について，自社グループの実情を踏まえ，連結計算書類においては当該事項の注記を要しないと合理的に判断される場合である。「会計上の見積りの内容に関する理解に資する情報」として記載する場合の記載例は以下のとおりである。

[会計上の見積りの内容に関する理解に資する情報を記載する例]
　繰延税金資産の認識は，将来の事業計画に基づく課税所得の発生時期及び金額によって見積っております。当該見積りは，将来の不確実な経済条件の変動などによって影響を受ける可能性があり，実際に発生した課税所得の時期及び金額が見積りと異なった場合，翌連結会計年度の連結計算書類において，繰延税金資産の金額に重要な影響を与える可能性があります。

会社計算規則は，「会計上の見積りに関する注記」として，次の事項を注記すると規定している（計算規則98条1項4号の2・102条の3の2第1項）。

① 会計上の見積りにより当該事業年度に係る計算書類または連結計算書類にその額を計上した項目であって，翌事業年度に係る計算書類または連結計算書類に重要な影響を及ぼす可能性があるもの
② 当該事業年度に係る計算書類または連結計算書類の①に掲げる項目に計上した額
③ ②に掲げるもののほか，①に掲げる項目に係る会計上の見積りの内容に関する理解に資する情報

詳細は本書の計算書類に係る第Ⅲ章第2節第2の「(6) 会計上の見積りに関する注記」の記載の項を参照されたい。

(7) 会計上の見積りの変更に関する注記

経団連モデル

---

7. 会計上の見積りの変更に関する注記

[記載例]

　当社が保有する備品Xは，従来，耐用年数を10年として減価償却を行ってきましたが，当連結会計年度において，○○○（変更を行うこととした理由などの変更の内容を記載する。）により，耐用年数を6年に見直し，将来にわたり変更しております。

　この変更により，従来の方法と比べて，当連結会計年度の減価償却費が×××百万円増加し，営業利益，経常利益及び税金等調整前当期純利益が同額減少しております。

（記載上の注意）
　会計上の見積りを変更した場合には，次の事項（重要性の乏しいものを除く。）を記載する。
　① 会計上の見積りの変更の内容
　② 会計上の見積りの変更の連結計算書類の項目に対する影響額
　③ 会計上の見積りの変更が当連結会計年度の翌連結会計年度以降の財産又は損益に影響を及ぼす可能性があるときは，当該影響に関する事項（合理的に見積もることが困難である場合には，その旨を記載すれば足りる。）

---

① 概要

　表示方法の変更に関する注記，会計上の見積りの変更に関する注記，誤謬の訂正に関する注記，未適用の会計基準等に関する注記についての基本的な考え方は，計算書類に関連する箇所で述べたことと同様であるので，計算書類に係る第Ⅲ章第2節第2の当該箇所を参照されたい。

(8) 連結貸借対照表に関する注記
① 担保に供している資産および担保に係る債務
経団連モデル

---
8. 連結貸借対照表に関する注記
8-1. 担保に供している資産及び担保に係る債務

[記載例]
1. 担保に供している資産及び担保に係る債務
(1) 担保に供している資産
　　　定 期 預 金　　　　　　×××百万円
　　　建　　　物　　　　　　×××百万円
　　　土　　　地　　　　　　×××百万円
　　　　計　　　　　　　　　×××百万円
(2) 担保に係る債務
　　　短期借入金　　　　　　×××百万円
　　　長期借入金　　　　　　×××百万円
　　　　計　　　　　　　　　×××百万円

---

② 資産から直接控除した引当金
経団連モデル

8-2. 資産から直接控除した引当金

[記載例]
2．資産から直接控除した貸倒引当金
　　　受取手形及び売掛金　　×××百万円
　　　破産更生債権等　　　　×××百万円
　　　長期貸付金　　　　　　×××百万円

(記載上の注意)
　連結貸借対照表上，資産に係る引当金（貸倒引当金等）を直接控除して表示している場合には，各資産の資産項目別に当該引当金の金額を注記する。ただし，一括して注記することが適当な場合には，各資産について，流動資産，有形固定資産，無形固定資産，投資その他の資産または繰延資産ごとに一括した引当金の金額を注記する。

③　資産に係る減価償却累計額
経団連モデル

8-3．資産に係る減価償却累計額

[記載例]
　3．有形固定資産の減価償却累計額　　　×××百万円

(記載上の注意)
　連結貸借対照表上，資産に係る減価償却累計額を直接控除して表示している場合には，各資産の資産項目別に減価償却累計額の金額を注記する。ただし，一括して注記することが適当な場合は，各資産について一括した減価償却累計額の金額を注記する。

④　資産に係る減損損失累計額
経団連モデル

8-4．資産に係る減損損失累計額

[記載例]
　4．有形固定資産の減損損失累計額
　連結貸借対照表上，減価償却累計額に含めて表示しております。

(記載上の注意)
　連結貸借対照表上，資産に係る減損損失累計額を減価償却累計額に合算して表示している場合に注記する。

⑤ 保証債務

経団連モデル

> **8-5. 保証債務**
>
> [記載例]
> 5．保証債務
> 　他の会社の金融機関等からの借入債務に対し，保証を行っております。
> 　　　　株式会社○○○　　　　×××百万円
> 　　　　株式会社○○○　　　　×××百万円
> 　　　　そ　の　他　　　　　　×××百万円
> 　　　　　計　　　　　　　　　×××百万円

（記載上の注意）
(1) 保証債務，手形遡求債務，重要な係争事件に係る損害賠償義務その他これらに準ずる債務（負債の部に計上したものを除く。）があるときは，当該債務の内容及び金額を注記する。
(2) 重要なものは会社ごとに記載し，その他は一括して記載する。

⑥ 土地の再評価

経団連モデル

> **8-6. 土地の再評価**
>
> [記載例]
> 6．土地の再評価
> 　当社及び一部の国内連結子会社は，土地の再評価に関する法律（平成10年3月31日公布法律第34号）に基づき，事業用の土地の再評価を行い，土地再評価差額金を純資産の部に計上しております。
> ・再評価の方法……土地の再評価に関する法律施行令（平成10年3月31日公布政令第119号）第2条第○号に定める○○○により算出

> ・再評価を行った年月日……○年○月○日
> ・再評価を行った土地の当連結会計年度末における時価と再評価後の帳簿価額との差額　×××百万円

　連結貸借対照表に関する注記は，基本的に個別注記表と同様であるので，第Ⅲ章第1節の「第1　貸借対照表」に係る当該箇所を参照されたい。

　なお，連結注記表では連結会社の偶発債務を記載することになるため，子会社の偶発債務も含めて記載する必要がある。他方，連結計算書類は，企業集団に係る偶発債務として考えるので，親会社による連結子会社に対する保証債務等の記載は不要となる。

(9) 連結株主資本等変動計算書に関する注記

経団連モデル

9．連結株主資本等変動計算書に関する注記

［記載例］
1．当連結会計年度末の発行済株式の種類及び総数
　　普通株式　　　　　　　　　　　○○株
2．配当に関する事項
(1) 配当金支払額

決議	株式の種類	配当金の総額（百万円）	1株当たり配当額（円）	基準日	効力発生日
○年○月○日 定時株主総会	普通株式	×××	×××	○年○月○日	○年○月○日
○年○月○日 取締役会	普通株式	×××	×××	○年○月○日	○年○月○日
計		×××			

> (2) 基準日が当連結会計年度に属する配当のうち，配当の効力発生日が翌期となるもの
> 　　○年○月○日開催の定時株主総会の議案として，普通株式の配当に関する事項を次のとおり提案しております。
> 　　① 配当金の総額　　　　　　　×××百万円
> 　　② １株当たり配当額　　　　　×××円
> 　　③ 基準日　　　　　　　　　　○年○月○日
> 　　④ 効力発生日　　　　　　　　○年○月○日
> 　　なお，配当原資については，利益剰余金とすることを予定しております。
> 3．当連結会計年度末の株式引受権に係る株式の種類及び総数
> 　　普　通　株　式　　　　　　　　　　　　○○株
> 4．当連結会計年度末の新株予約権（権利行使期間の初日が到来していないものを除く。）の目的となる株式の種類及び数
> 　　普　通　株　式　　　　　　　　　　　　○○株

（記載上の注意）
(1) 次の事項を注記する。
　① 当該連結会計年度の末日における発行済株式の総数（株式の種類ごと）
　② 当該連結会計年度中に行った剰余金の配当（当該連結会計年度の末日後に行う剰余金の配当のうち，剰余金の配当を受ける者を定めるための基準日が当該連結会計年度中のものを含む。）に関する次に掲げる事項その他の事項
　　イ　金銭配当の場合におけるその総額
　　ロ　金銭以外の配当の場合，配当した財産の帳簿価額の総額（当該剰余金の配当をした日において時価を付した場合，当該時価を付した後の帳簿価額）
　③ 当該連結会計年度の末日における株式引受権に係る当該株式会社の株式の数（株式の種類ごと）
　④ 当該連結会計年度の末日における会社が発行している新株予約権（権利行使期間の初日が到来していないものを除く。）の目的となる当該株式会社の株式の数（株式の種類ごと）

> (2) 会計基準等で注記すべきとされている以下の事項については，会計基準と同様の記載をすることもできる。
>   ① 発行済株式数（当連結会計年度期首，当連結会計年度増減），種類ごとの変動事由の概要
>   ② 自己株式数（当連結会計年度期首，当連結会計年度増減），種類ごとの変動事由の概要
>   ③ 新株予約権の目的となる株式の数（当連結会計年度期首，当連結会計年度増減）（なお，権利行使期間の初日が到来していない新株予約権については，それが明らかになるように記載する。）
>   ④ 自己新株予約権

① 概要

　会社計算規則は，連結株主資本等変動計算書に関する注記として，連結会計年度の末日における株式会社の発行済株式の総数，連結会計年度中に行った剰余金の配当に関する事項などを記載するとしている（計算規則106条）。

　連結注記表を作成する株式会社は，事業年度の末日における自己株式の数（種類株式発行会社は，種類ごとの自己株式の数）を除いて，個別の株主資本等変動計算書に関する注記を省略することができる（計算規則105条）。

　経団連モデルは，連結計算書類を作成する株式会社を前提に記載しているので，個別の株主資本等変動計算書に関する注記の一部を省略した記載例となっている。

　連結株主資本等変動計算書に係る具体的な注記事項は，経団連モデルの記載上の注意のとおりである。

② 会計監査人が会計監査報告の内容を通知した後に剰余金の配当に関する議案を決議する場合

　経団連モデル［記載例］2.(2)「基準日が当連結会計年度に属する配当のうち，配当の効力発生日が翌期となるもの」では，「〇年〇月〇日開催の定時株主総会の議案として，普通株式の配当に関する事項を次のとおり提案してお

ります。」としている。これは，会計監査人が会計監査報告の内容を通知する前に定時株主総会における剰余金の配当に関する議案を取締役会で決議している場合を想定したものである。

会計監査人が会計監査報告の内容を通知した後に定時株主総会における剰余金の配当に関する議案を決議する場合には「……を次のとおり提案する予定であります。」などと記載することになると考えられる。

③　配当に関する事項

連結株主資本等変動計算書に関する注記事項である「当該連結会計年度中に行った剰余金の配当」とは，親会社における剰余金の配当である。

子会社は原則として親会社株式を取得することはできないが，例えば，組織再編行為の結果として，子会社が親会社株式を取得することがある。

このように，子会社が親会社株式を保有している場合には，親会社が子会社に対して支払った配当と子会社が受領した配当は，連結計算書類上，内部取引として相殺消去されるため，親会社における剰余金の配当の総額と連結株主資本等変動計算書本体に記載される「剰余金の配当」の額との間に差異が生じることになる。

この場合，「当該連結会計年度中に行った剰余金の配当」の記載にあたっては，親会社における剰余金の配当をそのまま記載し，連結株主資本等変動計算書に記載する「剰余金の配当」の額との差異について，その内容を注記することが考えられる。

④　剰余金の配当原資の記載

剰余金の配当原資は，会社法上，剰余金の配当に関する決議事項とはされておらず（法454条1項各号），また，会社計算規則105条および106条においても，注記事項とはされていない。

一方，企業会計基準適用指針第9号「株主資本等変動計算書に関する会計基準の適用指針」13項（4）③において，「基準日が当期に属する配当のうち，

配当の効力発生日が翌期となるものについては，配当の原資」を記載することが求められている。これは，企業会計基準適用指針第3号「その他資本剰余金の処分による配当を受けた株主の会計処理」において，配当を受領する株主の会計処理は，原則として，支払側の配当の原資にしたがって会計処理する（配当原資が利益剰余金の場合は受取配当金に計上し，資本剰余金の場合には有価証券の減額として処理する）こととされていることなどを考慮したためと考えられる。

経団連モデルでは，会計基準等を参考にするとともに，実務の便宜を図るため，配当の原資についても記載例に加えている。

⑤ 会計基準と会社計算規則の比較

株主資本等変動計算書に係る注記は株主資本等変動計算書会計基準および企業会計基準適用指針第9号「株主資本等変動計算書に関する会計基準の適用指針」において規定されている。

しかしながら，会社計算規則の株主資本等変動計算書に係る注記は，必ずしも当該会計基準等と同じではない。

会計基準等と会社計算規則を比較すると，次の【株主資本等変動計算書に関する注記事項の概要】表となる。

会計基準等に注記を要求する規定があるが，会社計算規則にそれがない場合には，必ずしも，株主資本等変動計算書に係る注記として要求されないと考えられる。

そのような注記事項については，株主などの（連結）計算書類の読者にとって必要な情報かどうかを判断し，（連結）計算書類への注記の要否を検討することになると考えられる。

【株主資本等変動計算書に関する注記事項の概要】（布施伸章「新会計基準の解説(2) 株主資本等変動計算書」商事法務1760号（2006）28頁。なお，計算規則の条文番号などについては現行計算規則などに合わせて修正した）

第Ⅳ章 連結計算書類

会計基準9項および適用指針13項			計算規則 （105条および106条）	
注記事項の概要	連結	個別	連結	個別
(1) 発行済株式に関する事項				
株式の種類ごとに，当期首，当期増減（変動事由の概要を含む。），当期末の株式数を記載	○	△	○ （当期末のみ）	□ （当期末のみ）
(2) 自己株式に関する事項				
株式の種類ごとに，当期首，当期増減（変動事由の概要を含む。），当期末の株式数を記載※1	○	○	－	○ （当期末のみ）
(3) 新株予約権・自己新株予約権に関する事項				
① 新株予約権の目的となる株式の種類※2，※3	○	△	○	□
② 新株予約権の目的となる株式の数※2，※3 ・新株予約権の目的となる株式の種類ごとに，当期首，当期増減（変動事由の概要を含む。），当期末の株式数（権利行使されたものと仮定した場合の増加株式数）を記載 ・権利行使可能かどうかを問わず，記載対象となるが，権利行使期間の初日が到来していないものについては，それが明らかになるように記載	○	△	○ （当期末のみ） （権利行使期間の初日が到来していないものを除く。）	□ （当期末のみ） （権利行使期間の初日が到来していないものを除く。）
③ 新株予約権の当期末残高※4 連結子会社の新株予約権の当期末残高を区分	○	△	－	－
④ 自己新株予約権に関する事項 新株予約権との対応が明らかになるように以下を記載 ・親会社の自己新株予約権（上記(3)①～③） ・連結子会社の自己新株予約権（上記(3)③）	○	△		
(4) 配当に関する事項				
① 当期中に行った配当について，株式の種類ごとの配当金総額，1株当たり配当額，基準日および効力発生日（現物配当の場合は配当金総額に代えて配当財産の種類およびその帳簿価額を記載）	○	△	○	□
② 決算日後に行う配当については，上記(4)①の事項に加え，配当の原資	○	△	○	□
(5) 株式引受権				

			○ (当期末のみ)	□ (当期末のみ)
当該事業年度（連結会計年度）の末日における株式引受権に係る当該株式会社の株式の数（種類株式発行会社にあっては，種類および種類ごとの数）※5	―	―	○ (当期末のみ)	□ (当期末のみ)

○：記載が求められている事項

□：連結注記表に記載した場合，個別注記表への記載を省略することができる事項

△：連結株主資本等変動計算書に注記するほか，これに準じた事項を個別株主資本等変動計算書にも記載することができる事項

※1 連結株主資本等変動計算書に開示する自己株式数は，以下の合計による。
① 親会社が保有する自己株式の株式数
② 子会社または関連会社が保有する親会社株式または投資会社の株式数のうち，親会社または投資会社の持分に相当する株式数

※2 連結子会社が発行した新株予約権およびストック・オプション等に関する会計基準により注記事項とされるものを除く。

※3 当期末における新株予約権の目的となる株式の数が当期末の発行済株式総数（自己株式を保有している場合には当該自己株式の株式数を控除した株式数）に対して重要性が乏しいと認められる場合には，当該注記を省略することができる。

※4 ストック・オプション等として交付されたものを含む。

※5 実務対応報告第41号「取締役の報酬等として株式を無償交付する取引に関する取り扱い」20項(2)③から⑤において，株式引受権が計上される事後交付型の株式無償交付に関して，付与された株式数，失効数，権利確定数，権利未確定数，権利確定後の未発行株式数の注記を求めており，有価証券報告書において開示が要請されている。

(10) 金融商品に関する注記

経団連モデル

10．金融商品に関する注記

[金融商品の時価のレベルごとの内訳等に関する事項を記載しない記載例]
1．金融商品の状況に関する事項
　当社グループは，資金運用については短期的な預金等に限定し，銀行等金融機関からの借入により資金を調達しております。

受取手形及び売掛金に係る顧客の信用リスクは，与信管理規程に沿ってリスク低減を図っております。また，投資有価証券は主として株式であり，上場株式については四半期ごとに時価の把握を行っています。
　借入金の使途は運転資金（主として短期）および設備投資資金（長期）であり，一部の長期借入金の金利変動リスクに対して金利スワップ取引を実施して支払利息の固定化を実施しております。なお，デリバティブは内部管理規程に従い，実需の範囲で行うこととしております。

2．金融商品の時価等に関する事項
　○年○月○日（当期の連結決算日）における連結貸借対照表計上額，時価及びこれらの差額については，次のとおりであります。なお，市場価格のない株式等（連結貸借対照表計上額×××百万円）は，「その他有価証券」には含めておりません。また，現金は注記を省略しており，預金は短期間で決済されるため時価が帳簿価額に近似することから，注記を省略しております。

（単位：百万円）

	連結貸借対照表計上額（＊）	時価（＊）	差　額
(1) 受取手形及び売掛金	×××	×××	―
(2) 投資有価証券			
その他有価証券	×××	×××	×××
(3) 支払手形及び買掛金	(×××)	(×××)	―
(4) 短期借入金	(×××)	(×××)	―
(5) 長期借入金	(×××)	(×××)	×××
(6) デリバティブ取引	―	―	―

(＊) 負債に計上されているものについては，（　）で示しております。

（注）時価の算定に用いた評価技法及びインプットの説明
　金融商品の時価を，時価の算定に用いたインプットの観察可能性及び重要性に応じて，以下の3つのレベルに分類しております。
　　レベル1の時価：同一の資産又は負債の活発な市場における（無調整の）相場価格により算定した時価
　　レベル2の時価：レベル1のインプット以外の直接又は間接的に観察可能なインプットを用いて算定した時価
　　レベル3の時価：重要な観察できないインプットを使用して算定した時価

時価の算定に重要な影響を与えるインプットを複数使用している場合には，それらのインプットがそれぞれ属するレベルのうち，時価の算定における優先順位が最も低いレベルに時価を分類しております。

投資有価証券

　上場株式は相場価格を用いて評価しております。上場株式は活発な市場で取引されているため，その時価をレベル1の時価に分類しております。

デリバティブ取引

　金利スワップの特例処理によるものは，ヘッジ対象とされている長期借入金と一体として処理されているため，その時価は，当該長期借入金の時価に含めて記載しております（下記「長期借入金」参照）。

受取手形及び売掛金

　これらの時価は，一定の期間ごとに区分した債権ごとに，債権額と満期までの期間及び信用リスクを加味した利率を基に割引現在価値法により算定しており，レベル2の時価に分類しております。

支払手形及び買掛金，並びに短期借入金

　これらの時価は，一定の期間ごとに区分した債務ごとに，その将来キャッシュ・フローと，返済期日までの期間及び信用リスクを加味した利率を基に割引現在価値法により算定しており，レベル2の時価に分類しております。

長期借入金

　これらの時価は，元利金の合計額と，当該債務の残存期間及び信用リスクを加味した利率を基に，割引現在価値法により算定しており，レベル2の時価に分類しております。なお，変動金利による長期借入金は金利スワップの特例処理の対象とされており（上記「デリバティブ取引」参照），当該金利スワップと一体として処理された元利金の合計額を用いて算定しております。

[金融商品の時価のレベルごとの内訳等に関する事項も記載する記載例]

1. 金融商品の状況に関する事項

　当社グループは，資金運用については短期的な預金等に限定し，銀行等金融機関からの借入により資金を調達しております。

　受取手形及び売掛金に係る顧客の信用リスクは，与信管理規程に沿ってリスク低減を図っております。また，投資有価証券は主として株式であり，上場株式については四半期ごとに時価の把握を行っています。

借入金の使途は運転資金（主として短期）及び設備投資資金（長期）であり，一部の長期借入金の金利変動リスクに対して金利スワップ取引を実施して支払利息の固定化を実施しております。なお，デリバティブは内部管理規程に従い，実需の範囲で行うこととしております。

2．金融商品の時価等に関する事項

〇年〇月〇日（当期の連結決算日）における連結貸借対照表計上額，時価及びこれらの差額については，次のとおりであります。なお，市場価格のない株式等（連結貸借対照表計上額xxx百万円）は，「その他有価証券」には含めておりません。また，現金は注記を省略しており，預金は短期間で決済されるため時価が帳簿価額に近似することから，注記を省略しております。

（単位：百万円）

	連結貸借対照表計上額（＊）	時価（＊）	差額
(1) 受取手形及び売掛金	×××	×××	―
(2) 投資有価証券 　　その他有価証券	×××	×××	×××
(3) 支払手形及び買掛金	(×××)	(×××)	―
(4) 短期借入金	(×××)	(×××)	―
(5) 長期借入金	(×××)	(×××)	×××
(6) デリバティブ取引	―	―	―

（＊）負債に計上されているものについては，（　）で示しております。

3．金融商品の時価のレベルごとの内訳等に関する事項

金融商品の時価を，時価の算定に用いたインプットの観察可能性及び重要性に応じて，以下の3つのレベルに分類しております。

　レベル1の時価：同一の資産又は負債の活発な市場における（無調整の）相場価格により算定した時価

　レベル2の時価：レベル1のインプット以外の直接又は間接的に観察可能なインプットを用いて算定した時価

　レベル3の時価：重要な観察できないインプットを使用して算定した時価

時価の算定に重要な影響を与えるインプットを複数使用している場合には，それらのインプットがそれぞれ属するレベルのうち，時価の算定における優先順位が最も低いレベルに時価を分類しております。

(1) 時価をもって連結貸借対照表計上額とする金融資産及び金融負債

(単位:百万円)

区分	時価			
	レベル1	レベル2	レベル3	合計
投資有価証券 　その他有価証券 　　株式	×××	—	—	×××

(2) 時価をもって連結貸借対照表計上額としない金融資産及び金融負債

(単位:百万円)

区分	時価			
	レベル1	レベル2	レベル3	合計
受取手形及び売掛金	—	×××	—	×××
支払手形及び買掛金	—	×××	—	×××
短期借入金	—	×××	—	×××
長期借入金	—	×××	—	×××

(注) 時価の算定に用いた評価技法及びインプットの説明

投資有価証券

　上場株式は相場価格を用いて評価しております。上場株式は活発な市場で取引されているため、その時価をレベル1の時価に分類しております。

デリバティブ取引

　金利スワップの特例処理によるものは、ヘッジ対象とされている長期借入金と一体として処理されているため、その時価は、当該長期借入金の時価に含めて記載しております（下記「長期借入金」参照）。

受取手形及び売掛金

　これらの時価は、一定の期間ごとに区分した債権ごとに、債権額と満期までの期間及び信用リスクを加味した利率を基に割引現在価値法により算定しており、レベル2の時価に分類しております。

支払手形及び買掛金、並びに短期借入金

　これらの時価は、一定の期間ごとに区分した債務ごとに、その将来キャッシュ・フローと、返済期日までの期間及び信用リスクを加味した利率を基に割引現在価値法により算定しており、レベル2の時価に分類しております。

> 長期借入金
> 　これらの時価は、元利金の合計額と、当該債務の残存期間及び信用リスクを加味した利率を基に、割引現在価値法により算定しており、レベル2の時価に分類しております。なお、変動金利による長期借入金は金利スワップの特例処理の対象とされており（上記「デリバティブ取引」参照）、当該金利スワップと一体として処理された元利金の合計額を用いて算定しております。

（記載上の注意）
(1) 連結注記表を作成する株式会社は、個別注記表における注記を要しない。
　　また、連結計算書類の作成義務のある会社（会社法第444条第3項に規定する株式会社）以外の株式会社は、下記(2)③に掲げる事項を省略することができる。
(2)「金融商品に関する注記」は、重要性の乏しいものを除き、次の事項を記載することとされており、企業会計基準適用指針第19号「金融商品の時価等の開示に関する適用指針」を参考にし、各社の実情に応じて、必要な記載をする。
　① 金融商品の状況に関する事項
　② 金融商品の時価等に関する事項
　③ 金融商品の時価の適切な区分ごとの内訳等に関する事項
(3)「金融商品に関する注記」を記載するにあたっては、次のことに留意し、株主にとって重要な事項を記載する。
　①「金融商品の時価の適切な区分ごとの内訳等に関する事項」は、企業会計基準第10号「金融商品に関する会計基準」等における「金融商品の時価のレベルごとの内訳等に関する事項」と同義である。
　② 会社計算規則は、「金融商品の時価等の開示に関する適用指針」の「金融商品の時価のレベルごとの内訳等に関する事項」として注記が求められるすべての事項について、同水準の注記を求めているわけではないので、各社の実情に応じて必要な限度で開示することもできる。
　③「金融商品の時価等の開示に関する適用指針」において「金融商品の時価のレベルごとの内訳等に関する事項」として注記を求められる事項であったとしても、各社の実情を踏まえ、連結計算書類において当該事項の注記を要しないと合理的に判断される場合には、連結計算書類において当該事項について注記しないことも許容される。

第2節　連結注記表

① 概要

　企業会計基準委員会から金融商品会計基準および企業会計基準適用指針第19号「金融商品の時価等の開示に関する適用指針」が公表され，財務諸表等規則などでも規定されていることに対応して，会社計算規則において規定されたものである。

　これらの会計基準等は，原則として，金融商品会計基準およびその実務指針・適用指針が適用されるすべての金融商品について適用される。

　このため，従来，有価証券報告書の財務諸表において開示されてきた有価証券およびデリバティブ取引の時価等の開示について，対象が金融商品全般に広げられている。

　2019年7月4日に企業会計基準委員会が公表した企業会計基準第30号「時価の算定に関する会計基準」(以下「時価算定会計基準」という)，企業会計基準適用指針第31号「時価の算定に関する会計基準の適用指針」，改正企業会計基準第10号「金融商品に関する会計基準」，改正企業会計基準適用指針第19号「金融商品の時価等の開示に関する適用指針」(以下「金融商品時価開示適用指針」という) 等を受けて，2020 (令和2) 年3月31日，「会社計算規則の一部を改正する省令」(法務省令第27号) が公布されている。

　時価算定会計基準は，「時価」とは，算定日において市場参加者間で秩序ある取引が行われると想定した場合の，当該取引における資産の売却によって受け取る価格又は負債の移転のために支払う価格をいうと定義している (「時価算定会計基準」5項)。

　そのうえで，後述するように，金融商品会計基準は，金融商品の時価のレベルごとの内訳等に関する事項として，レベル1の時価，レベル2の時価およびレベル3に区分して注記することなどを規定している (「金融商品会計基準」40-2項(3)，「金融商品時価開示適用指針」5-2項)。

　法務省令第27号は，「金融商品に関する注記」として表示すべき事項に「金融商品の時価の適切な区分ごとの内訳等に関する事項」を追加している (計算規則109条1項3号)。

第Ⅳ章 連結計算書類

　会社計算規則は，連結注記表を作成する株式会社は，個別注記表における「金融商品に関する注記」を要しないとしているので，当該注記は，基本的に，連結計算書類の注記として記載することとなる（計算規則109条2項）。
　また，連結計算書類の作成義務のある会社（法444条3項に規定する株式会社）以外の株式会社は，「金融商品の時価の適切な区分ごとの内訳等に関する事項」を省略することができると規定されている（計算規則109条1項ただし書き）。

② 注記する内容
　会社計算規則109条は「金融商品に関する注記」を規定しており，重要性の乏しいものを除いて，次の事項を記載するとしている。
　a. 金融商品の状況に関する事項
　b. 金融商品の時価等に関する事項
　c. 金融商品の時価の適切な区分ごとの内訳等に関する事項

　金融商品会計基準40-2項は，重要性の乏しいものを除いて，次の事項を記載するとしている。
(1) 金融商品の状況に関する事項
　① 金融商品に対する取組方針
　② 金融商品の内容及びそのリスク
　③ 金融商品に係るリスク管理体制
　④ 金融商品の時価等に関する事項についての補足説明
(2) 金融商品の時価等に関する事項
　　なお，市場価格のない株式等については時価を注記しないこととする。
　　この場合，当該金融商品の概要及び貸借対照表計上額を注記する。
(3) 金融商品の時価のレベルごとの内訳等に関する事項

　「金融商品に関する注記」の規定の趣旨については「（略）会社計算規則は，有価証券報告書を提出する会社のみを対象としているものではない（新計算

規則98条2項では，同項1号に規定する株式会社以外の株式会社について本条の注記を必要としている）ことから，各株式会社の実情に応じて必要な限度での開示を可能とするため，本条の注記事項は，財務諸表規則の注記事項に比べて，概括的なものとなっている。」と述べられている（大野晃宏＝小松岳志＝澁谷亮＝黒田裕＝和久友子・前掲16頁）。

「各株式会社の実情に応じて必要な限度での開示を可能とする」趣旨に鑑みると，会社法上の計算書類において開示が要求される注記事項は，財務諸表等規則が要求する注記事項とまったく同じというわけではないと解される。

このため，財務諸表等規則が要求する注記事項であったとしても，各株式会社の実情を適切に考慮し，必要な注記項目ではないと合理的に判断される事項であれば，会社法上の計算書類において開示しないと判断することもありうると解される。

また，経団連モデルの記載例に示していない事項であったとしても，各株式会社の実情に応じて必要な限度での開示事項であると合理的に判断される場合には，会社法上の計算書類においても開示することになる。

経団連モデルでは，財務諸表等規則と比較して，概括的な記載例を示しており，通常，記載が必要な事項と考えられる（重要性が乏しい場合を除く）。

③　金融商品の時価のレベルごとの内訳等に関する事項について

2019年7月4日に公表された時価算定会計基準は，時価のレベルについて，次のように，時価の算定に用いるインプットを規定し，時価の算定において重要な影響を与えるインプットが属するレベルに応じて，レベル1の時価，レベル2の時価またはレベル3の時価に分類するとしている（レベル1のインプットが最も優先順位が高く，レベル3のインプットが最も優先順位が低い。「時価算定会計基準」11項・12項）。

	インプット	内　容
(1)	レベル1のインプット	①　レベル1のインプットとは，時価の算定日において，企業が入手できる活発な市場における同一の資産または負債に関する相場価格であり調整されていないものをいう。 ②　当該価格は，時価の最適な根拠を提供するものであり，当該価格が利用できる場合には，原則として，当該価格を調整せずに時価の算定に使用する。
(2)	レベル2のインプット	レベル2のインプットとは，資産または負債について直接または間接的に観察可能なインプットのうち，レベル1のインプット以外のインプットをいう。
(3)	レベル3のインプット	①　レベル3のインプットとは，資産または負債について観察できないインプットをいう。 ②　当該インプットは，関連性のある観察可能なインプットが入手できない場合に用いる。

　2019年7月4日に改正された金融商品会計基準および金融商品時価開示適用指針は，「金融商品の時価のレベルごとの内訳等に関する事項」について注記することを規定し，次の項目を注記するとしている（「金融商品会計基準」40-2項，「金融商品時価開示適用指針」5-2項）。

(1)	貸借対照表においてまたは注記のみで時価評価する金融商品	①　時価のレベルごとの残高
(2)	貸借対照表においてまたは注記のみで時価評価するレベル2の時価またはレベル3の時価の金融商品	①　時価の算定に用いた評価技法およびインプットの説明 ②　時価の算定に用いる評価技法またはその適用の変更の旨およびその理由

第2節　連結注記表

(3)	貸借対照表において時価評価するレベル3の時価の金融商品	① 時価の算定に用いた重要な観察できないインプットに関する定量的情報 ② 時価がレベル3の時価に分類される金融資産および金融負債の期首残高から期末残高への調整表（当期の損益に計上した未実現の評価損益を含む） ③ 企業の評価プロセスの説明 ④ 重要な観察できないインプットを変化させた場合の時価に対する影響に関する説明

　2020（令和2）年3月31日，「会社計算規則の一部を改正する省令」（法務省令第27号）の公布に際して，法務省の考え方が示されている（法務省「『会社計算規則の一部を改正する省令案』に関する意見募集の結果について」(2020年3月31日)）。

　法務省の考え方では，会社計算規則109条1項3号（金融商品の時価の適切な区分ごとの内訳等に関する事項）においては，会社計算規則など，わが国の法令において用いられている用語との平仄等も考慮して，「金融商品の時価の適切な区分ごとの内訳等に関する事項」と規定することとしているが，これは，金融商品会計基準等における「金融商品の時価のレベルごとの内訳等に関する事項」と同義であるとしている。

　会社計算規則の用語の解釈に関しては，一般に公正妥当と認められる企業会計の基準を斟酌しなければならないとされており（計算規則3条），会社計算規則の改正を行うこととした経緯等も踏まえれば，会社計算規則109条1項3号が，金融商品会計基準において注記事項とされている「金融商品の時価のレベルごとの内訳等に関する事項」に相当する事項について注記を求めるものであることは明らかであるとしている。

　一方，有価証券報告書に加え，会社法上の計算書類においても当該事項の注記が求められることによる実務上の負担等も考慮し，各株式会社の実情に応じて必要な限度での開示を可能とするため，「金融商品の時価の適切な区分ごとの内訳等に関する事項」について，現行の会社計算規則109条1項1号および2号と同様に，金融商品時価開示適用指針における定めとは異なり，

第Ⅳ章 連結計算書類

概括的に定めることとしている。

このため，金融商品時価開示適用指針において「金融商品の時価のレベルごとの内訳等に関する事項」として注記を求められる事項であったとしても，各株式会社の実情を踏まえ，計算書類においては当該事項の注記を要しないと合理的に判断される場合には，計算書類において当該事項について注記しないことも許容されるとされている。

上記の法務省の考え方を受けて，経団連モデルでは，①［金融商品の時価のレベルごとの内訳等に関する事項を記載しない記載例］と②［金融商品の時価のレベルごとの内訳等に関する事項も記載する記載例］の2種類の記載例を作成している。

経団連モデルの記載例では，デリバティブ取引について，金利スワップの特例処理を採用している例を前提に記載している（「金融商品会計基準」(注14)・107項，「金融商品時価開示適用指針」4項(3)②また書き・34項）。このため，①および②のいずれの記載例においても，「2.金融商品の時価等に関する事項」では，「(6)デリバティブ取引」の箇所は「−」と記載している。また，②『金融商品の時価のレベルごとの内訳等に関する事項も記載する記載例』では，「2.金融商品の時価等に関する事項」の「(6)デリバティブ取引の箇所が「−」と記載されていることから，その内訳の記載となる「3.金融商品の時価のレベルごとの内訳等に関する事項」の「(1)時価をもって連結貸借対照表計上額とする金融資産及び金融負債」および「(2)時価をもって連結貸借対照表計上額としない金融資産及び金融負債」において，時価の記載は行っていない。

重要なデリバティブ取引を行っている会社においては，金融商品時価開示適用指針の開示対象となるデリバティブ取引について，金融商品会計基準および金融商品時価開示適用指針にしたがって，レベル別の開示を行うことに留意する。

また，経団連モデルでは，レベル1およびレベル2に該当する金融商品に関する記載例を示しており，レベル3に該当する金融商品については特段の例を示していない。

金融商品時価開示適用指針では，時価をもって貸借対照表価額とする金融資産および金融負債について，当該時価がレベル3の時価に分類される場合，適切な区分に基づいて，時価の算定に用いた重要な観察できないインプットに関する定量的情報や，時価がレベル3の時価に分類される金融資産および金融負債の期首残高から期末残高への調整表などを注記することを規定している（金融商品時価開示適用指針5-2項(4)）。

　前述のとおり，法務省の考え方では，金融商品時価開示適用指針において「金融商品の時価のレベルごとの内訳等に関する事項」として注記を求められる事項であったとしても，各株式会社の実情を踏まえ，計算書類においては当該事項の注記を要しないと合理的に判断される場合には，計算書類において当該事項について注記しないことも許容されるとされている。このため，レベル3の時価に分類される金融商品を保有している場合に，例えば，「時価がレベル3の時価に分類される金融資産および金融負債の期首残高から期末残高への調整表」については必ず注記が要求される事項であるとは解されないとしても，どのような事項を開示すべきかについては，各社の実情を踏まえ，各社において適切に判断することになると考えられる。

　経団連モデルの記載例に示していない事項であったとしても，各株式会社の実情に応じて必要な限度での開示事項であると合理的に判断される場合には，会社法上の計算書類においても開示することになる。

　経団連モデルでは，財務諸表等規則と比較して，概括的な記載例を示しており，通常，記載が必要な事項と考えられる（重要性が乏しい場合を除く）。

④　事業年度末において金融商品を保有していないケース

　前述のとおり，会社計算規則109条は「金融商品に関する注記」として，「金融商品の状況に関する事項」，「金融商品の時価等に関する事項」，「金融商品の時価の適切な区分ごとの内訳等に関する事項」を注記するとしている。

　会社によっては，期中において金融商品を保有し運用しているが，事業年度末において金融商品を保有していないことが考えられる。例えば，期中に

おいてデリバティブ取引を行っているが、事業年度末においてはデリバティブ取引を決済しており、保有していないケースが考えられる。

この場合、事業年度末においてデリバティブ取引を保有していないので、当該取引に係る「金融商品の時価等に関する事項」および「金融商品の時価の適切な区分ごとの内訳等に関する事項」は注記されないと考えられる。

一方、「金融商品の状況に関する事項」については、金融商品会計基準40-2項を参考に考えると、次の事項を注記することが考えられる。

a. 金融商品に対する取組方針
b. 金融商品の内容およびそのリスク
c. 金融商品に係るリスク管理体制
d. 金融商品の時価等に関する事項についての補足説明

これらの事項については必ずしも事業年度末の状況に限られないので、たとえ事業年度末に金融商品を保有していない場合であったとしても、期中において金融商品を保有し運用しているときには、「金融商品の状況に関する事項」を注記することになると考えられる。

(11) 賃貸等不動産に関する注記

経団連モデル

---

11. 賃貸等不動産に関する注記

[記載例]
1. 賃貸等不動産の状況に関する事項
　当社及び一部の子会社では、東京都その他の地域において、賃貸用のオフィスビル(土地を含む。)を有しております。
2. 賃貸等不動産の時価に関する事項

(単位：百万円)

連結貸借対照表計上額	時　　価
×××	×××

(注1) 連結貸借対照表計上額は、取得原価から減価償却累計額及び減損損失累計額を控除した金額であります。

> (注2) 当期末の時価は，主として「不動産鑑定評価基準」に基づいて自社で算定した金額（指標等を用いて調整を行ったものを含む。）であります。
>
> （記載上の注意）
> (1) 連結注記表を作成する株式会社は，個別注記表における注記を要しない。
> (2) 「賃貸等不動産に関する注記」は，重要性の乏しいものを除き，次の事項を記載することとされており，企業会計基準第20号「賃貸等不動産の時価等の開示に関する会計基準」及び企業会計基準適用指針第23号「賃貸等不動産の時価等の開示に関する会計基準の適用指針」を参考にし，各社の実情に応じて，必要な記載をする。
>   ① 賃貸等不動産の状況に関する事項
>   ② 賃貸等不動産の時価に関する事項

① 概要

　企業会計基準委員会から企業会計基準第20号「賃貸等不動産の時価等の開示に関する会計基準」（以下「賃貸等不動産会計基準」という）および企業会計基準適用指針第23号「賃貸等不動産の時価等の開示に関する会計基準の適用指針」（以下「賃貸等不動産適用指針」という）が公表され，財務諸表等規則などでも規定されていることに対応して，会社計算規則において規定されたものである。

　「賃貸等不動産」とは，棚卸資産に分類されている不動産以外のものであって，賃貸収益またはキャピタル・ゲインの獲得を目的として保有されている不動産をいう（「賃貸等不動産会計基準」4項(2)，5項〜7項）。

　連結財務諸表においては，賃貸等不動産に該当するか否かの判断は連結の観点から行うとされており，例えば，連結会社間で賃貸されている不動産は，連結貸借対照表上，賃貸等不動産には該当しないこととなる（「賃貸等不動産会計基準」3項，「賃貸等不動産適用指針」3項）。

　会社計算規則は，連結注記表を作成する株式会社は，個別注記表における

注記を要しないとしているので,「賃貸等不動産に関する注記」は,原則として,連結ベースで開示することとなる(計算規則110条2項)。

② 注記する内容

会社計算規則110条は「賃貸等不動産に関する注記」を規定しており,重要性の乏しいものを除いて,次の事項を記載するとしている。

a. 賃貸等不動産の状況に関する事項
b. 賃貸等不動産の時価に関する事項

財務諸表等規則8条の30では次の事項を注記しなければならないとしている。ただし,賃貸等不動産の総額に重要性が乏しい場合には,注記を省略することができる。

a. 賃貸等不動産の概要
b. 賃貸等不動産の貸借対照表計上額および当該事業年度における主な変動
c. 賃貸等不動産の貸借対照表日における時価および当該時価の算定方法
d. 賃貸等不動産に関する損益

前述のとおり,「金融商品に関する注記」の規定の趣旨については「(略)会社計算規則は,有価証券報告書を提出する会社のみを対象としているものではない(新計算規則98条2項では,同項1号に規定する株式会社以外の株式会社について本条の注記を必要としている)ことから,各株式会社の実情に応じて必要な限度での開示を可能とするため,本条の注記事項は,財務諸表規則の注記事項に比べて,概括的なものとなっている。」と述べられている。当該趣旨は「賃貸等不動産に関する注記」についても同様である(大野晃宏＝小松岳志＝澁谷亮＝黒田裕＝和久友子＝前掲16頁)。

「各株式会社の実情に応じて必要な限度での開示を可能とする」趣旨に鑑みると,会社法上の計算書類において開示が要求される注記事項は,財務諸表等規則が要求する注記事項とまったく同じというわけではないと解される。

このため，財務諸表等規則が要求する注記事項であったとしても，各株式会社の実情を適切に考慮し，必要な注記項目ではないと合理的に判断される事項であれば，会社法上の計算書類において開示しないと判断することもありうると解される。

また，経団連モデルの記載例に示していない事項であったとしても，各株式会社の実情に応じて必要な限度での開示事項であると合理的に判断される場合には，会社法上の計算書類においても開示することになる。

経団連モデルでは「賃貸等不動産に関する注記」について，財務諸表等規則と比較して，当該事業年度における主な変動および賃貸等不動産に関する損益に係る記載例は示していないが，当該事項の開示の要否については，各社の実情に応じて，合理的に判断する必要がある。

経団連モデルでは，財務諸表等規則と比較して，概括的な記載例を示しており，通常，記載が必要な事項と考えられる（重要性が乏しい場合を除く）。

③ 米国基準適用会社の注意点

これまで，連結財務諸表規則（旧連結財務諸表規則93条～96条）において米国基準によって連結財務諸表を作成することが許容されている株式会社について，会社法上の連結計算書類についても米国基準によって作成することが許容されていた（旧会社計算規則120条1項）。

平成21年12月11日の平成21年内閣府令第73号による改正後の連結財務諸表規則において，平成22年3月期以降の連結財務諸表を国際財務報告基準（IFRS）によって作成することが許容されたことに伴い，連結財務諸表規則から米国基準適用会社に関する条項が削除され，現在，米国基準を適用している会社については，附則において，平成28年3月31日までに終了する連結会計年度に係るものまで引き続き米国基準の適用を認める経過措置が置かれた。

これを踏まえ，平成21年12月11日の平成21年法務省令第46号によって会社計算規則の一部が改正された。本省令附則第3条において，連結計算書

類についても，平成28年3月31日までに終了する連結会計年度に係るものまで引き続き米国基準の適用を認める経過措置が置かれた。

　その後，平成23年8月31日に，「連結財務諸表の用語，様式及び作成方法に関する規則等の一部を改正する内閣府令」（平成23年内閣府令第44号）が公布され，連結財務諸表規則に，米国基準に準拠して作成する連結財務諸表に関する規定を再度設け（連結財務諸表規則95条），連結財務諸表を米国基準に準拠して作成する期限を撤廃するとともに，連結財務諸表規則95条の適用を受けない一定の会社についても，当分の間，連結財務諸表を米国基準に準拠して作成することを許容している。

　これを踏まえて，会社計算規則120条の2（現行の会社計算規則120条の3）が新設され，改正後の連結財務諸表規則95条または「連結財務諸表の用語，様式及び作成方法に関する規則の一部を改正する内閣府令」（平成14年内閣府令第11号）附則3項の規定により，連結財務諸表を米国基準に準拠して作成することのできる株式会社が作成すべき連結計算書類は，米国基準に準拠して作成することができる旨が規定されている（髙木弘明「会社法施行規則等の一部を改正する省令の解説——平成23年法務省令第33号」商事法務1950号（2011）14頁）。

　注記事項に追加された賃貸等不動産に関する注記は，米国基準では記載が求められていないことから，米国基準適用会社においては，連結注記表に記載がなく，その結果として個別注記表における注記が求められる可能性がある（計算規則110条2項）。もっとも，連結財務諸表規則ガイドラインの附則および連結財務諸表規則ガイドライン98-3において，米国式連結財務諸表を提出する場合，賃貸等不動産の総額に重要性があるときは注記する（「主要な相違点」として記載することができる）こととされていることに留意する必要がある。

④　事業年度末において賃貸等不動産を保有していないケース

　前述のとおり，会社計算規則110条は「賃貸等不動産に関する注記」として「賃貸等不動産の状況に関する事項」と「賃貸等不動産の時価に関する事

項」を注記することとしている。

　会社によっては，期中において賃貸等不動産を保有しているが，すべての賃貸等不動産を期中で売却し事業年度末において保有していないことが考えられる。

　この場合，事業年度末において賃貸等不動産を保有していないので，「賃貸等不動産の時価に関する事項」は注記されないと考えられる。

　一方，「賃貸等不動産の状況に関する事項」については，賃貸等不動産会計基準を参考に考えると，賃貸等不動産の概要，当該事業年度における主な変動などを注記することが考えられる。

　これらの事項については必ずしも事業年度末の状況に限られないので，たとえ事業年度末にまったく賃貸等不動産を保有していない場合であったとしても，期中において賃貸等不動産を保有しているときには，「賃貸等不動産の状況に関する事項」を注記することになると考えられる。

(12) 開示対象特別目的会社に関する注記

経団連モデル

---

12. 開示対象特別目的会社に関する注記

［記載例］
1. 開示対象特別目的会社の概要及び開示対象特別目的会社を利用した取引の概要
　当社では，資金調達先の多様化を図り，安定的に資金を調達することを目的として，リース債権，割賦債権，営業貸付金の流動化を実施しております。当該流動化にあたり，特別目的会社を利用しておりますが，これらには特例有限会社や株式会社，資産流動化法上の特定目的会社があります。当該流動化において，当社は，前述したリース債権，割賦債権，営業貸付金を特別目的会社に譲渡し，譲渡した資産を裏付けとして特別目的会社が社債の発行や借入によって調達した資金を，売却代金として受領します。

さらに，当社は，いくつかの特別目的会社に対し回収サービス業務を行い，また，譲渡資産の残存部分を留保しております。このため，当該譲渡資産が見込みより回収不足となった劣後的な残存部分については，○年○月末現在，適切な評価減などにより，将来における損失負担の可能性を会計処理に反映しております。

　流動化の結果，○年○月末において，取引残高のある特別目的会社は○社あり，当該特別目的会社の直近の決算日における資産総額（単純合算）は×××百万円，負債総額（単純合算）は×××百万円です。なお，いずれの特別目的会社についても，当社は議決権のある株式等は有しておらず，役員や従業員の派遣もありません。

2．開示対象特別目的会社との取引金額等

（単位：百万円）

	主な取引の金額又は当連結会計年度末残高	主な損益	
		（項目）	（金額）
譲渡資産（注1）：			
リース債権	×,×××	売却益	×××
割賦債権	×,×××	売却益	×××
営業貸付金	×,×××	売却益	×××
譲渡資産に係る残存部分（注2）	×,×××	分配益	×××
回収サービス業務（注3）	×××	回収サービス業務収益	××

（注1）譲渡資産に係る取引の金額は，譲渡時点の帳簿価額によって記載しております。また，譲渡資産に係る売却益は，営業外収益に計上されております。

（注2）譲渡資産に係る残存部分の取引の金額は，当期における資産の譲渡によって生じたもので，譲渡時点の帳簿価額によって記載しております。○年○月末現在，譲渡資産に係る残存部分の残高は，××,×××百万円であります。また，当該残存部分に係る分配益は，営業外収益に計上されております。

> (注3) 回収サービス業務収益は，通常得べかりし収益を下回るため，下回る部分の金額は，回収サービス業務負債として固定負債「その他」に計上しております。回収サービス業務収益は，営業外収益に計上されております。

(記載上の注意)
(1) 連結計算書類を作成する株式会社は，個別注記表における注記を要しない。
(2) 「開示対象特別目的会社に関する注記」は，開示対象特別目的会社の概要，開示対象特別目的会社との取引の概要及び取引金額その他の重要な事項を記載することとされており，企業会計基準適用指針第15号「一定の特別目的会社に係る開示に関する適用指針」を参考にして記載することが考えられる。

① 概要

　企業会計基準委員会から企業会計基準適用指針第15号「一定の特別目的会社に係る開示に関する適用指針」が公表され，財務諸表等規則などでも規定されていることに対応して，会社計算規則において規定されたものである。
　会社計算規則は，連結計算書類を作成する株式会社は，個別注記表における注記を要しないとしているので，開示対象特別目的会社に関する注記は，原則として，連結計算書類に記載することとなる（計算規則111条2項）。
　後述するように連結計算書類における「開示対象特別目的会社に関する注記」は，「連結計算書類の作成のための基本となる重要な事項に関する注記等」において規定されている（計算規則102条1項1号ホ）。

② 開示対象特別目的会社

　開示対象特別目的会社とは，会社法施行規則4条に規定する特別目的会社（同条の規定により当該特別目的会社に資産を譲渡した会社の子会社に該当しないものと推定されるものに限る）をいう（計算規則102条1項1号ホ）。
　会社法施行規則4条は次のように規定している。

> （特別目的会社の特則）
> 第4条　第3条の規定にかかわらず，特別目的会社（資産の流動化に関する法律（平成10年法律第105号）第2条第3項に規定する特定目的会社及び事業の内容の変更が制限されているこれと同様の事業を営む事業体をいう。以下この条において同じ。）については，次に掲げる要件のいずれにも該当する場合には，当該特別目的会社に資産を譲渡した会社の子会社に該当しないものと推定する。
> 一　当該特別目的会社が適正な価額で譲り受けた資産から生ずる収益をその発行する証券（当該証券に表示されるべき権利を含む。）の所有者（資産の流動化に関する法律第2条第12項に規定する特定借入れに係る債権者及びこれと同様の借入れに係る債権者を含む。）に享受させることを目的として設立されていること。
> 二　当該特別目的会社の事業がその目的に従って適切に遂行されていること。

　平成10年10月に企業会計審議会から公表された「連結財務諸表制度における子会社及び関連会社の範囲の見直しに係る具体的な取扱い」三では，一定の要件を満たす特別目的会社を子会社に該当しないものと推定する取扱いが定められていた。

　平成23年3月25日，企業会計基準委員会は，連結会計基準，企業会計基準適用指針第15号「一定の特別目的会社に係る開示に関する適用指針」などを改正し，一定の要件を満たす特別目的会社を子会社に該当しないものと推定する取扱いを，資産の譲渡者のみに適用されることとし，出資者に関する記述を削除する改正を行っている。

　これに対応して，平成23年11月16日に，会社法施行規則4条および会社計算規則102条1項1号ホが改正されている。

　当該改正については，平成25年4月1日以後開始する連結会計年度の期首から適用されるが（連結会計基準44-4項，「一定の特別目的会社に係る開示に関する適

用指針」4-3項等），早期適用が認められており，改正後の会社法施行規則の附則および会社計算規則の附則において詳細に規定されているので，適用に際しては注意が必要である（髙木弘明・前掲商事法務1950号14〜16頁）。

平成26年6月27日公布の「会社法の一部を改正する法律」（平成26年法律第90号）を受けて，平成27年2月6日に「会社法施行規則等の一部を改正する省令」（平成27年法務省令第6号）が公布され，第3条の2（子会社等及び親会社等）が新設されたことから会社法施行規則4条の冒頭の「前条」は「第3条」へと改正されている。

③ 注記する内容

会社計算規則は「連結計算書類の作成のための基本となる重要な事項に関する注記等」において，開示対象特別目的会社がある場合には，次に掲げる事項その他の重要な事項を注記するとしている（計算規則102条1項1号ホ）。

a. 開示対象特別目的会社の概要
b. 開示対象特別目的会社との取引の概要および取引金額

「開示対象特別目的会社に関する注記」に際しては，企業会計基準適用指針第15号「一定の特別目的会社に係る開示に関する適用指針」を参考にして記載することが考えられる。

(13) 1株当たり情報に関する注記

経団連モデル

13．1株当たり情報に関する注記

［記載例］
　1株当たり純資産額　　×××円　××銭
　1株当たり当期純利益　×××円　××銭

> （記載上の注意）
> 株式会社が当連結会計年度または当連結会計年度の末日後において株式の併合または株式の分割をした場合において，当連結会計年度の期首に株式の併合または株式の分割をしたと仮定して，1株当たりの純資産額及び1株当たりの当期純利益または当期純損失を算定したときは，その旨を記載する。この場合，次の記載が考えられる。
>
>> ［株式の分割をした場合の記載例］
>> 当社は，○年○月○日付けで株式1株につき1.××株の株式分割を行っております。当該株式分割については，当連結会計年度の期首に株式分割が行われたと仮定して1株当たりの当期純利益金額を算定しております。
>
> 連結計算書類に関する「1株当たり当期純利益」は，一株当たりの親会社株主に帰属する当期純利益または当期純損失として算定することに留意する。なお，連結計算書類に関する「1株当たり当期純利益」については，「1株当たり親会社株主に帰属する当期純利益」と記載することもできる。

　第Ⅲ章第2節「個別注記表」第2の「(20) 1株当たり情報に関する注記」の記載の項を参照されたい。

　平成25年9月13日，企業会計基準委員会から企業会計基準第21号「企業結合に関する会計基準」および関連する他の改正会計基準等が公表され，企業会計基準第2号「1株当たり当期純利益に関する会計基準」および企業会計基準適用指針第4号「1株当たり当期純利益に関する会計基準の適用指針」が改正されている。

　「1株当たり当期純利益に関する会計基準」12項では，損益計算書上の当期純利益，当期純損失は，連結財務諸表においては，それぞれ親会社株主に帰属する当期純利益，親会社株主に帰属する当期純損失とすると規定されている。

　この改正を受けて，「会社法施行規則等の一部を改正する省令」（平成27年2月6日。平成27年法務省令第6号）により，会社計算規則113条2号括弧書におい

て，連結計算書類にあっては，1株当たりの親会社株主に帰属する当期純利益金額または当期純損失金額とする規定が設けられた（坂本三郎ほか「会社法施行規則等の一部を改正する省令の解説〔Ⅵ・完〕」商事法務2065号（2015）44頁）。

会社計算規則113条2号は，「一株当たりの当期純利益金額又は当期純損失金額」と規定しているので，従来どおり，「1株当たり当期純利益」の表記のままでも差し支えない。また，会社計算規則は，当該名称を使用することまでは要求していないと解されるので，連結計算書類上，1株当たり当期純利益の算定方法と平仄をとって，「1株当たり親会社株主に帰属する当期純利益」と表記することも可能である。

経団連モデルでは，従来どおり，「1株当たり当期純利益」の表記としつつ，記載上の注意において，連結計算書類における「1株当たり当期純利益」の算定方法に留意すること，「1株当たり親会社株主に帰属する当期純利益」と記載できることについて記載している。

(14) 重要な後発事象に関する注記

経団連モデル

14．重要な後発事象に関する注記

［記載例］
（新株発行の決議）
　当社は，○年○月○日開催の当社取締役会において，○年○月○日を払込期日として，普通株式○○株を一般募集の方法によって発行することを決議しました。
　払込価額，払込価額中の資本に組み入れる額，その他の新株式発行に必要な一切の事項は，○年○月中旬開催の取締役会において決定する予定であります。

（記載上の注意）
　連結会社並びに持分法が適用される非連結子会社及び関連会社において，連結会計年度の末日後に，翌連結会計年度以降の財産または損益に重要な影

> 響を及ぼす事象（いわゆる開示後発事象と解される。）が発生した場合に注記する。
> 　当該株式会社の事業年度の末日と異なる日をその事業年度の末日とする子会社及び関連会社については，当該子会社及び関連会社の事業年度の末日後に発生した場合における当該事象とする。

① 概要

計算書類と連結計算書類の監査報告書日が異なる場合，計算書類の会計監査人の監査報告書日から連結計算書類の会計監査人の監査報告書日までに発生した修正後発事象は，本来連結計算書類を修正すべきものであるものの，計算書類との単一性を重視する立場から，開示後発事象に準じて取り扱うことに留意する（監査・保証実務委員会報告第76号「後発事象に関する監査上の取扱い」）。

その他については，第Ⅲ章第2節「個別注記表」第2の「(21) 重要な後発事象に関する注記」の記載の項を参照されたい。

(15) その他の注記

経団連モデル

15．その他の注記

［記載例］
　………

（記載上の注意）
(1) 上記の連結注記表に記載すべき事項のほか，連結貸借対照表，連結損益計算書及び連結株主資本等変動計算書により企業集団の財産または損益の状態を正確に判断するために必要な事項を記載する。

(2) 例えば，以下のような会計基準で注記すべきとされている事項や有価証券報告書提出会社が有価証券報告書で開示する事項について，重要性を勘案のうえ，記載の要否を判断する。
① 退職給付に関する注記
② 減損損失に関する注記
③ 企業結合・事業分離に関する注記
④ 資産除去債務に関する注記
⑤ その他追加情報の注記

【新型コロナウイルス感染症関係の記載】
新型コロナウイルス感染症に関して，例えば，以下のような記載が考えられる。当該注記は，会社計算規則第116条（その他の注記）として記載するほか，会社計算規則第102条の3の2（会計上の見積りに関する注記）として記載することも考えられる。

[新型コロナウイルス感染症の記載例]
当社グループは，新型コロナウイルス感染症の世界的な感染拡大の影響を受けており，今後，〇年の〇〇頃まで影響が続くものと見込み，その後，徐々に回復に転じるものと仮定して有形固定資産の減損処理，繰延税金資産の回収可能性等の会計上の見積りを行っております。なお，新型コロナウイルス感染症の広がりや収束時期等の見積りには不確実性を伴うため，実際の結果はこれらの仮定と異なる場合があります。

第Ⅲ章第2節「個別注記表」第2の「(23) その他の注記」の記載の項を参照されたい。

第 V 章
附属明細書
（計算書類関係）

第1節

通則的事項

経団連モデル

> V 附属明細書（計算書類関係）
> 【通則的事項】
> 1. 該当項目のないものは作成を要しない（「該当事項なし」と特に記載する必要はない。）。
> 2. 会社計算規則に規定されている附属明細書の記載項目は最小限度のものであるので，株式会社は，その他の情報について株主等にとり有用であると判断した場合には，項目を適宜追加して記載することが望ましい。ただし，通常の場合においては，これらの事項以外，特に記載すべき事項はない。

第1 概　要

　計算書類に係る附属明細書は，株式会社の貸借対照表，損益計算書，株主資本等変動計算書および個別注記表の内容を補足するものである。

　すべての株式会社が計算書類に係る附属明細書を作成しなければならないが（法435条2項），特に提出期限は定められていない。ただし，附属明細書は会計監査人の監査の対象であり，以下のいずれか遅い日までに監査を実施しなければならないため（計算規則130条1項），実務上は附属明細書の作成期限

第Ⅴ章 附属明細書（計算書類関係）

に留意が必要である。
　イ．計算書類の全部を受領した日から4週間を経過した日
　ロ．計算書類の附属明細書を受領した日から1週間を経過した日
　ハ．特定取締役，特定監査役および会計監査人の間で合意により定めた日があるときはその日

　会社法の下では，計算書類に係る附属明細書の他，事業報告に係る附属明細書の作成も求められている。

第2　附属明細書の記載内容

　会社計算規則117条には，附属明細書に記載すべき事項が規定されている。すべての株式会社が作成すべき事項は，以下のものである。
　イ．有形固定資産及び無形固定資産の明細
　ロ．引当金の明細
　ハ．販売費及び一般管理費の明細
　ニ．その他計算書類の内容を補足する重要な事項

　公開会社のうち会計監査人設置会社以外の株式会社が「関連当事者との取引に関する注記」の内容を一部省略した場合には，その省略した事項も附属明細書に記載する。

第3　記載様式

　会社法および会社計算規則では，附属明細書の様式に関する具体的な規定はないが，財務諸表等規則における附属明細表の様式が規定されているため，「有形固定資産及び無形固定資産の明細」「引当金の明細」について，財務諸表等規則における附属明細表の様式等を参考にすることが考えられる。
　また，会計制度委員会研究報告第9号「計算書類に係る附属明細書のひな

型」(日本公認会計士協会) が公表されている。

第4 留意事項

　附属明細書は計算書類の記載を補足する情報であるため，関連する貸借対照表等と内容や金額が整合していることを確かめる必要がある。また，附属明細書には期首残高が示されるものがあるため，前期の貸借対照表等や附属明細書との整合性にも留意が必要である。

第2節

共通的記載事項(すべての株式会社が附属明細書に記載すべき事項)

第1 有形固定資産および無形固定資産の明細

経団連モデル

第1 共通的記載事項(すべての株式会社が附属明細書に記載すべき事項)
1. 有形固定資産及び無形固定資産の明細

[記載例]

(単位:百万円)

区分	資産の種類	期首帳簿価額	当期増加額	当期減少額	当期償却額	期末帳簿価額	減価償却累計額
有形固定資産	○○	×××	×××	××× (×××)	××× (×××)	×××	×××
	○○	×××	×××	×××	×××	×××	×××
	計	×××	×××	×××	×××	×××	×××
無形固定資産	○○	×××	×××	×××	×××	×××	
	○○	×××	×××	×××	×××	×××	
	計	×××	×××	×××	×××	×××	

(注)「当期減少額」欄の( )は内数で,当期の減損損失計上額であります(直接控除方式の場合)。

(記載上の注意)
(1) 重要な増減額がある場合には,その理由を脚注する。
(2) 「固定資産の減損に係る会計基準」に基づき減損損失を認識した場合に

第2節　共通的記載事項（すべての株式会社が附属明細書に記載すべき事項）

は，貸借対照表における表示（直接控除形式または間接控除形式）にあわせて以下のとおり記載する。
　直接控除形式により表示する場合については，当期の減損損失の金額を「当期減少額」に含めて記載し，その額を内書き（かっこ書き）する。また，間接控除形式により表示する場合については，当期の減損損失の金額を「当期償却額」に含めて記載し，その額を内書き（かっこ書き）して記載すること等が考えられる。
(3) 記載例（帳簿価額による記載）のほか，取得価額により記載することもできる。

(1) 概　　要

　有形固定資産及び無形固定資産の明細は，会社の財産の状況を判断する上で重要な有形固定資産および無形固定資産の状況や，会社の経営成績に重要な影響を与える減価償却費等について，貸借対照表および損益計算書の固定資産に関する記載を補足する明細である。
　本明細書の記載方法には，以下のように，①帳簿価額により記載する方法と，②取得価額により記載する方法が考えられるが，経団連モデルでは，従来から①の方法の記載例を示している。

① 帳簿価額により記載する方法
　「期首帳簿価額」，「当期増加額」，「当期減少額」，「期末帳簿価額」を帳簿価額で記載し，さらに「減価償却累計額」を記載する。この記載方法による場合には，無形固定資産については減価償却累計額の記載を省略することも考えられる。

② 取得価額により記載する方法
　「期首残高」，「当期増加額」，「当期減少額」，「期末残高」を取得原価で記載し，期末残高から「期末減価償却累計額又は償却累計額」を控除した金額を「差引期末帳簿価額」として記載する。

(2) 期末帳簿価額や当期増減額に重要性がない場合の記載

　有形固定資産または無形固定資産の期末帳簿価額に重要性がない場合や，有形固定資産または無形固定資産の当期増加額および当期減少額に重要性がない場合には，当期中の増減額等の記載を省略することが可能と考えられる。

　これに関しては，財務諸表等規則様式11号「有形固定資産等明細表」の記載上の注意において，重要性の判断基準が以下のように示されており，実務の参考になるものと考えられる。

重要性の基準	省略できる事項	注記
有形固定資産または無形固定資産の金額が資産の総額の1％以下の場合	有形固定資産または無形固定資産に係る記載中，「当期首残高」「当期増加額」および「当期減少額」の欄の記載を省略することができる。	記載を省略した場合には，その旨，注記する。
有形固定資産の当該事業年度における増加額および減少額がいずれも当該事業年度末における有形固定資産の総額の5％以下である場合	有形固定資産に係る記載中，「当期首残高」「当期増加額」および「当期減少額」の欄の記載を省略することができる。	
無形固定資産の当該事業年度における増加額および減少額がいずれも当該事業年度末における無形固定資産の総額の5％以下である場合	無形固定資産に係る記載中，「当期首残高」「当期増加額」および「当期減少額」の欄の記載を省略することができる。	

(3) 減損損失を認識した場合の記載

　「固定資産の減損に係る会計基準」（企業会計審議会）に基づき減損損失を認識した場合には，貸借対照表の表示に併せて記載する。貸借対照表の表示には，以下の3つの形式がある。

直　接　控　除　形　式：減損処理前の取得原価から減損損失を直接控除し，控除後の金額をその後の取得原価とする形式
独立間接控除形式：減価償却を行う有形固定資産に対する減損損失累計額を取得原価から間接控除する形式

合算間接控除形式：減価償却を行う有形固定資産に対する減損損失累計額を取得原価から間接控除し，減損損失累計額を減価償却累計額に合算して表示する形式

貸借対照表の表示に応じた附属明細書の記載方法としては，以下が考えられる。

貸借対照表の表示	内容	帳簿価額による記載	取得価額による記載
直接控除形式	減損損失	「当期減少額」欄に内書（括弧書）	
	減損損失累計額	—	—
独立間接控除形式	減損損失	「当期償却額」欄に内書（括弧書）	
	減損損失累計額	「期末帳簿価額」欄の次に「減損損失累計額」欄を設けて記載	「期末残高」欄の次に「減損損失累計額」欄を設けて記載
合算間接控除形式	減損損失	「当期償却額」欄に内書（括弧書）	
	減損損失累計額	「減価償却累計額」に含めて記載	「期末減価償却累計額又は償却累計額」の欄に減損損失累計額を含めて記載
		減損損失累計額が含まれている旨を脚注する。	

(4) 特殊な理由による増減や重要な増減があった場合の記載

　合併，会社分割，事業の譲受けまたは譲渡，贈与，災害による廃棄，滅失等の特殊な理由により，有形固定資産または無形固定資産に重要な増減があった場合には，その理由ならびに設備等の具体的な内容および金額を脚注することが考えられる。

　上記以外にも，重要な固定資産の売買や除却処理，市場販売目的のソフトウェアの評価損の計上など，重要な増減があった場合には，その設備等の具体的な内容および金額を脚注することが考えられる。

　重要性の考え方については，財務諸表等規則様式11号で示されている基準（増減額が資産の総額の1％（建設仮勘定の減少のうち，各資産科目への振替によるものは除く））が，実務の参考になるものと考えられる。

(5) 投資その他の資産に減価償却資産が含まれている場合の記載

投資その他の資産に，投資不動産等の減価償却資産が含まれている場合には，減価償却費の損益に与える影響を明らかにするため，当該資産についても明細に記載することが考えられる。この場合には，明細の表題を「有形固定資産及び無形固定資産（投資その他の資産に計上された償却費の生ずるものを含む。）」の明細」等に変更する。

(6) 他の記載事項との整合性

有形固定資産及び無形固定資産の明細に記載されている事項は，他の記載事項との整合性に留意する必要がある。

具体的には，貸借対照表の他，損益計算書や貸借対照表注記（貸借対照表上，資産に係る減価償却累計額を直接控除して表示している場合），損益計算書注記，事業報告の「株式会社の現況に関する事項」のうち「設備投資」等にも関連する事項が記載されている場合が多い。

(7) その他の留意事項

資産の種類は，貸借対照表の勘定科目に併せて記載するのが一般的である。ただし，総勘定元帳等の勘定科目に区分して記載するなど，貸借対照表よりも細かい種類に分けて記載することも差し支えない（例　貸借対照表では「無形固定資産」の合計のみが記載されている場合に，附属明細書は「のれん」と「電話加入権」に分けて記載する方法）。その場合には，「資産の種類」と貸借対照表の勘定科目との関連が明らかになるよう，小計等を記載することが望ましいと考えられる。

(8) その他の参考例

① 帳簿価額による記載（「期末帳簿価額」に「減価償却累計額」を加えた金額を「期末取得原価」とする形式，減損損失累計額の貸借対照表表示は合算間接控除形式）

第2節　共通的記載事項（すべての株式会社が附属明細書に記載すべき事項）

（参考例）

(単位：百万円)

区分	資産の種類	期首帳簿価額	当期増加額	当期減少額	当期償却額	期末帳簿価額	減価償却累計額	期末取得原価
有形固定資産	建物	×××	×××	×××	××× (×××)	×××	×××	×××
	構築物	×××	×××	×××	×××	×××	×××	×××
	機械装置	×××	×××	×××	×××	×××	×××	×××
	車両運搬具	×××	×××	×××	×××	×××	×××	×××
	工具器具備品	×××	×××	×××	×××	×××	×××	×××
	土地	×××	×××	×××	××× (×××)	×××	―	×××
	建設仮勘定	×××	×××	×××		×××		×××
	計	×××	×××	×××	××× (×××)	×××	×××	×××
無形固定資産	ソフトウェア	×××	×××	×××	×××	×××	×××	×××
	施設利用権	―	―	―	×××	×××	×××	×××
	計	―	―	―	×××	×××	×××	×××

(注) 1.「当期償却額」欄の（　）は内数で，当期の減損損失計上額であります。

2.「減価償却累計額」には減損損失累計額が含まれております。

3.　施設利用権は期末帳簿価額に重要性がないため，「期首帳簿価額」，「当期増加額」および「当期減少額」の記載を省略しております。

4.　当期増加額には，事業の譲受けによる増加額が下記のとおり含まれております。

資産の種類	店舗	生産工場
建物	×××百万円	×××百万円
構築物	×××百万円	×××百万円
土地	×××百万円	×××百万円

5.　4以外の当期増加額の主なものは次のとおりであります。
　　　車両運搬具　　新車の購入　　　　　　　　　×××百万円
　　　建設仮勘定　　○○生産設備　　　　　　　　×××百万円

6.　当期減少額の主なものは次のとおりであります。
　　　工具器具備品　子会社への売却による減少　　×××百万円
　　　建設仮勘定　　建物への振替　　　　　　　　×××百万円

② 取得価額による記載（減損損失累計額の貸借対照表表示は直接控除形式）

（参考例）

（単位：百万円）

区分	資産の種類	期首残高	当期増加額	当期減少額	期末残高	期末減価償却累計額又は償却累計額	当期償却額	差引期末帳簿価額
有形固定資産	建物	×××	×××	××× (×××)	×××	×××	×××	×××
	構築物	×××	×××	×××	×××	×××	×××	×××
	機械装置	×××	×××	×××	×××	×××	×××	×××
	車両運搬具	×××	×××	×××	×××	×××	×××	×××
	工具器具備品	×××	×××	×××	×××	×××	×××	×××
	土地	×××	×××	××× (×××)	×××	—	—	×××
	建設仮勘定	×××	×××	×××	×××	—	—	×××
	計	×××	×××	××× (×××)	×××	×××	×××	×××
無形固定資産	ソフトウェア	×××	×××	×××	×××	×××	×××	×××
	ソフトウェア仮勘定	×××	×××	×××	×××	—	—	×××
	電話加入権	×××	×××	—	×××	—	—	×××
	計	×××	×××	×××	×××	×××	×××	×××

（注）1.「当期減少額」欄の（　　）は内数で，当期の減損損失計上額であります。

2. 当期減少額には，当社の事業を子会社○○株式会社に分割したことによる減少額が下記のとおり含まれております。

  建物　　　　　　　　　　　　　　　　×××百万円
  構築物　　　　　　　　　　　　　　　×××百万円
  機械装置　　　　　　　　　　　　　　×××百万円
  工具器具備品　　　　　　　　　　　　×××百万円
  土地　　　　　　　　　　　　　　　　×××百万円
  ソフトウェア　　　　　　　　　　　　×××百万円

3. 当期増加額の主なものは次のとおりであります。

  建物○○工場の建設　　　　　　　　　×××百万円

第2節　共通的記載事項（すべての株式会社が附属明細書に記載すべき事項）

   新規出店に伴う取得　　　　　　　　　　×××百万円
   構築物店舗改築に伴う建設仮勘定からの振替　×××百万円
4.　2以外の当期減少額の主なものは次のとおりであります。
   建物減損損失の計上による減少　　　　　×××百万円
   店舗閉鎖による減少　　　　　　　　　　×××百万円
   土地減損損失の計上による減少　　　　　×××百万円
   建設仮勘定構築物への振替　　　　　　　×××百万円

第V章 附属明細書（計算書類関係）

第2 引当金の明細

経団連モデル

---

2. 引当金の明細

[記載例]

(単位：百万円)

科目	期首残高	当期増加額	当期減少額	期末残高
○○引当金	×××	×××	×××	×××
○○引当金	×××	×××	×××	×××

（記載上の注意）
(1) 期首または期末のいずれかに残高がある場合にのみ作成する。
(2) 当期増加額と当期減少額は相殺せずに，それぞれ総額で記載する。
(3) 退職給付引当金について，財務諸表等規則第8条の13を踏まえた注記を個別注記表に記載しているときは，附属明細書にその旨を記載し，その記を省略することができる。

---

(1) 概　要

　引当金の明細は，貸借対照表に計上されている引当金について，引当金の増減や残高等の情報を記載するものである。

　引当金は将来の特定の費用または損失であって，その発生が当期以前の事象に起因し，発生の可能性が高く，かつ，その金額を合理的に見積ることができる場合に計上される貸方項目である。確定債務ではなく，見積りにより計上されるものであり，計上方法によって会社の損益に大きな影響がある。そのため，個別注記表に引当金の計上方法を記載するとともに，引当金の補足情報として附属明細書を作成する。

法令の規定により準備金または引当金として計上しなければならない引当金または準備金を準備金に計上した場合にも，引当金の明細に記載することが有用と考えられる。

(2) 増加額と減少額の総額表示

引当金の当期増加額と当期減少額は，相殺せずに総額で記載する。ただし，財務諸表等規則ガイドライン121-1-5を参考に，法人税法等の取扱いに基づく洗替計算による増減額については，実質的な増加額または減少額とは認められないため，相殺表示することができる。

貸倒引当金については，一般債権に対する引当（一般引当）と個別債権に対する引当（個別引当）の計上方法が異なる。一般引当については，法人税法等の取扱いに準じて洗替計算を行い，増加額と減少額を相殺せずに記載するケースと，両者の相殺後の純額を当期増加額または当期減少額に記載するケースが考えられる。個別引当は特定債権に対して引き当てたものであり，洗替処理はせず，個々の債権ごとに増加額および減少額を計算することになる。

(3) 減少額欄の記載

引当金の減少は，その理由を明らかにするため，実務上は，財務諸表等規則様式14号「引当金明細表」を参考にして，減少額の欄を「目的使用」と「その他」に分けて記載することが考えられる。

この場合，「目的使用」の欄には，引当金の設定目的どおりに費用または損失が発生した時に引当金を取り崩した場合に記載する（例　延滞債権に対して設定していた貸倒引当金を，当該債権の貸倒れに伴い取り崩す場合）。

「その他」の欄には，引当金の設定目的以外の取崩額を記載する（例　特定の債権の貸倒れに備えて計上した貸倒引当金について，その債権の一部が回収され，貸倒引当金が不要になった場合や，貸倒引当金の洗替計算による増減額を相殺した結果，純額が減少額となった場合）。

当期減少額の「その他」がある場合には、明細の脚注として「その他」の内容を記載することが一般的である（例　貸倒引当金の一般引当について洗替計算を行った場合（上記(2)参照）、特殊な要因による増減がある場合）。

(4) 引当金を他の勘定科目や別の目的の引当金に振り替えた場合の記載

引当金を他の負債等に振り替えた場合には、振替による減少額を当期減少額の「その他」の欄に記載する（例　役員退職慰労金制度の廃止に伴い廃止時の役員退職慰労引当金の残高を長期未払金等に振り替える場合）。

引当金を他の引当金に振り替えた場合には、それぞれの増減額を相殺せず、当期増加額と当期減少額の「その他」に記載する。

引当金を他の負債等に振り替えた場合には、明細の脚注に、振替による増減額である旨を記載する。

損益計算書において、引当金戻入益と対応する損失額を相殺表示している場合には、損益計算書における表示方法について、脚注で説明することも考えられる。

(5) 退職給付引当金の明細

退職給付引当金は、財務諸表等規則8条の13に規定されている注記が個別注記表に記載されている場合には、附属明細書にはその旨を記載し、退職給付引当金の増減明細の記載を省略することができる。

記載を省略した場合には、明細の脚注に、個別注記表に記載しているため附属明細書の記載を省略した旨を記載する。

例えば、退職給付引当金の記載を省略する場合には、脚注に「退職給付引当金については、退職給付関係注記として個別注記表に記載しているため、記載を省略しております。」といった記載を行うことが考えられる。

退職給付引当金の明細を省略しない場合には、期中減少額はさまざまな要素から構成されていることから、「目的使用」と「その他」を区別せず、合計で記載する方法が考えられる。

(6) 引当金の明細に関する遡及適用等の記載

「引当金の明細」（附属明細書）については，会社計算規則上，遡及適用等（遡及適用，誤謬の訂正または当該事業年度の前事業年度における企業結合に係る暫定的な会計処理の確定をした場合の取扱い。会社計算規則96条7項1号）の影響を明らかにするとする規定は，設けられていない。

このため，「引当金の明細」を作成するに際しては，次の2つの方法が考えられる。

① 期首残高について，前期末の数値を記載するとともに，「会計方針の変更による累積的影響額」，「遡及処理後当期首残高」，「会計方針の変更を反映した当期首残高」などについて記載する方法（株主資本等変動計算書と同じように記載する方法）
② 期首残高について，遡及適用等をした後の数値を記載し，必要に応じて，注記で説明を行う方法

(7) その他の留意事項

引当金の明細は，当期首または当期末のいずれかに引当金の残高がある場合に作成するので，期首のみに残高がある場合には明細の作成漏れがないように留意する必要がある。

明細に記載する順は，貸借対照表に記載されている順に記載することが多い。

貸倒引当金のように，流動資産と投資その他の資産に記載されているものや，一般債権に対する引当と個別債権に対する引当のように計上方法が異なるものもあるが，勘定科目ごとに合算の上，本明細の科目の欄では「貸倒引当金」として一行で記載する場合が多く見られる。

貸借対照表上，引当金を資産から直接控除している場合には，明細にその旨を脚注に記載しておくことが考えられる。

(8) 参考例

(参考例)

引当金の明細

(単位:百万円)

科目	期首残高	当期増加額	当期減少額		期末残高
			目的使用	その他	
貸倒引当金	×××	×××	×××	×××	×××
賞与引当金	×××	×××	×××	×××	×××
工事損失引当金	×××	×××	×××	×××	×××
退職給付引当金	×××	×××	×××		×××
役員退職慰労引当金	×××	×××	×××	×××	×××

(注) 1. 貸倒引当金の当期減少額の「その他」は,一般債権の貸倒実績率による洗替額××百万円および債権の回収による取崩額等に係る引当金の戻入益××百万円であります。
 2. 工事損失引当金の当期減少額の「その他」は,工事損益の改善による戻入額であります。
 3. 役員退職慰労引当金の当期減少額の「その他」は,役員退職慰労金制度の廃止に伴う長期未払金への振替額であります。

第2節　共通的記載事項（すべての株式会社が附属明細書に記載すべき事項）

第3　販売費及び一般管理費の明細

経団連モデル

```
3．販売費及び一般管理費の明細

［記載例］
                                        （単位：百万円）
┌──────────┬──────────┬──────────┐
│    科目    │    金額    │    摘要    │
├──────────┼──────────┼──────────┤
│    ○○○    │    ×××    │            │
├──────────┼──────────┼──────────┤
│    ○○○    │    ×××    │            │
├──────────┼──────────┼──────────┤
│     計     │    ×××    │            │
└──────────┴──────────┴──────────┘

（記載上の注意）
　おおむね販売費，一般管理費の順に，その内容を示す適当な科目で記載する。
```

(1)　概　　要

　販売費及び一般管理費の明細は，会社計算規則88条では損益計算書において販売費及び一般管理費の細目の記載は求められていないことから，会社の損益の状況を判断する上での補足的な情報として記載するものである。

　明細には，おおむね販売費，一般管理費の順に，その内容を示す適当な科目に分類し，金額を記載する。

　旧商法施行規則108条3項では，会社が無償でした財産上の利益の供与（反対給付が著しく少ない財産上の利益の供与を含む）について，監査役が監査をする際に参考になるように記載することが求められており，無償供与が含まれている場合にはその旨および無償供与の額をあきらかにする必要があったが，会社法では特に規定されていない。計算書類の附属明細書は計算書類

の補足的情報を提供するものであるため，無償の利益供与に関する取締役の義務違反の判断に資する情報は，事業報告等に記載することも考えられる。

(2) 科目の分類

科目の分類に関して会社計算規則では規定されていないが，財務諸表等規則や財務諸表等規則ガイドラインによる販売費及び一般管理費の科目に準じて分類することも考えられる。

財務諸表等規則85条では，販売費及び一般管理費を損益計算書で適当な科目に分類して記載しない場合に，主要な費目および金額を注記することを求めており，主要な費目とは，「減価償却費及び引当金繰入額（これらの費目のうちその金額が少額であるものを除く。）並びにこれら以外の費目でその金額が販売費及び一般管理費の合計額の百分の十を超える費目」とされている。

(3) 他の記載事項との整合性

明細に記載した役員報酬等については，事業報告の「株式会社の会社役員に関する事項」にも関連する記載があるため，その内容等との整合性に留意する。

引当金繰入額については，販売費及び一般管理費のほかに製造原価や営業外費用，特別損失等に計上されることもあるため，計算書類の附属明細書の「引当金の明細」の当期増加額と必ずしも一致しないが，それらを勘案して整合性をとる必要がある。

減価償却費についても引当金繰入額と同様の理由で，「有形固定資産及び無形固定資産の明細」の「当期償却額」の合計額とは必ずしも一致しない。

第2節 共通的記載事項（すべての株式会社が附属明細書に記載すべき事項）

(4) その他の記載例

(参考例)

(単位：百万円)

科目	金額	摘要
販売手数料	×××	
荷造費	×××	
広告宣伝費	×××	
役員報酬	×××	
給与手当	×××	
役員賞与	×××	
賞与	×××	
役員賞与引当金繰入額	×××	
賞与引当金繰入額	×××	
退職給付引当金繰入額	×××	
法定福利費	×××	
福利厚生費	×××	
旅費交通費	×××	
賃借料	×××	
消耗品費	×××	
減価償却費	×××	
のれん償却額	×××	
租税公課	×××	
交際費	×××	
寄付金	×××	
研究開発費	×××	
雑費	×××	
計	×××	

第4　その他の重要な事項

経団連モデル

> **4. その他の重要な事項**
> 　上記のほか，貸借対照表，損益計算書，株主資本等変動計算書及び個別注記表の内容を補足する重要な事項
> 　記載様式は，1～3のひな型との整合性を考慮に入れて適宜工夫する。

　上記第1から第3に列挙された事項（公開会社のうち会計監査人設置会社以外の株式会社については第3節の事項を含む）以外にも，株式会社の貸借対照表，損益計算書，株主資本等変動計算書および個別注記表の内容を補足する重要な事項を記載する。

　このため，例えば非公開会社でも関連当事者との取引に重要性がある場合には，附属明細書に記載する場合もありうる。

　記載様式は特に示されていないため，第1から第3のひな型との整合性を考慮に入れて，文章や表形式で記載する。

　記載にあたっては，補足される事項や当該事項と関連する事項が記載されている他の箇所との整合性に留意する。

第3節

公開会社のうち，会計監査人設置会社以外の株式会社において記載する事項

第1 関連当事者との取引に係る注記の内容を一部省略した場合における省略した事項

経団連モデル

> 第2 公開会社のうち，会計監査人設置会社以外の株式会社において記載する事項
> 1．関連当事者との取引に係る注記の内容を一部省略した場合における省略した事項
>   関連当事者との取引に係る注記のうち，取引の内容，取引の種類別の取引金額，取引条件及び取引条件の決定方針，取引条件の変更があったときはその旨，変更の内容及び当該変更が計算書類に与えている影響の内容の記載を省略した場合，省略した事項について記載する。記載例及び記載上の注意については，個別注記表の関連当事者との取引に関する注記を参照の上，記載する。

(1) 概　要

　公開会社である株式会社と関連当事者との間に取引がある場合で，重要な取引がある場合には，個別注記表に「関連当事者との取引に関する注記」を記載する必要がある（詳細については第Ⅲ章第2節第2の「(19) 関連当事者との取引に関する注記」）。ただし，会計監査人設置会社以外の株式会社は，一部の事項

の記載を省略することができる（計算規則112条1項但書）。省略した事項については，附属明細書に記載する。

これは，公開会社であっても会計監査人設置会社ではない会社については，各社において重要な取引の判断が異なり，開示水準にばらつきが出ることが想定されるため，実務上の負担も考慮して個別注記表における開示量を少なくし，一部を附属明細書で開示することを可能としたものと考えられる。

(2) 記載様式

記載様式は「関連当事者との取引に関する注記」を参考に，省略された事項について記載する。

第 VI 章

決算公告

第1節

決算公告

第1 経団連モデル

経団連モデル

> **Ⅵ 決算公告要旨**
> 【通則的事項】
> 会計監査人設置会社は，次のいずれかに該当する場合には，それぞれその旨を公告に記載しなければならない。
> ① 会計監査人及び一時会計監査人の職務を行うべき者が存しない場合
> ② 期限までに会計監査報告の通知が行われず，監査を受けたものとみなされた場合
> ③ 公告に係る計算書類についての会計監査報告に不適正意見がある場合
> ④ 公告に係る計算書類についての会計監査報告に監査意見を表明しない旨の内容が含まれている場合
>
> **第1 大会社の貸借対照表及び損益計算書の要旨（有報提出義務会社を除く）**
> **1. 公開会社**
> **1-1. 貸借対照表の要旨**
>
> ［記載例］

第Ⅵ章 決算公告

第○○期決算公告
貸借対照表（○年○月○日現在）の要旨

（単位　百万円または十億円）

科目	金額	科目	金額
流動資産	×××	**流動負債**	×××
現金及び預金	×××	支払手形及び買掛金	×××
受取手形及び売掛金	×××	短期借入金	×××
棚卸資産	×××	未払法人税等	×××
その他	×××	○○引当金	×××
貸倒引当金	△×××	その他	×××
固定資産	×××	**固定負債**	×××
有形固定資産	×××	長期借入金	×××
建物及び構築物	×××	○○引当金	×××
土地	×××	その他	×××
その他	×××	**負債合計**	×××
無形固定資産	×××	**株主資本**	×××
投資その他の資産	×××	**資本金**	×××
投資有価証券	×××	**資本剰余金**	×××
その他	×××	資本準備金	×××
貸倒引当金	△×××	その他資本剰余金	×××
繰延資産	×××	**利益剰余金**	×××
		利益準備金	×××
		その他利益剰余金	×××
		自己株式	△×××
		評価・換算差額等	×××
		その他有価証券評価差額金	×××
		繰延ヘッジ損益	×××
		土地再評価差額金	×××
		新株予約権	×××
		純資産合計	×××
資産合計	×××	**負債・純資産合計**	×××

（記載上の注意）

　新株式申込証拠金あるいは自己株式申込証拠金がある場合には，純資産の部の株主資本の内訳項目として区分掲記する。

1-2. 損益計算書の要旨

[記載例]

損益計算書の要旨
(自〇年〇月〇日　至〇年〇月〇日)

(単位　百万円または十億円)

科目	金額
売上高	×××
売上原価	×××
売上総利益	×××
販売費及び一般管理費	×××
営業利益	×××
営業外収益	×××
営業外費用	×××
経常利益	×××
特別利益	×××
特別損失	×××
税引前当期純利益	×××
法人税,住民税及び事業税	×××
法人税等調整額	×××
当期純利益	×××

(記載上の注意)
(1) 営業外収益または営業外費用の額が重要でないときは，その差額を営業外損益として区分することができる。
(2) 特別利益または特別損失の額が重要でないときは，その差額を特別損益として区分することができる。

2. 非公開会社
2-1. 貸借対照表の要旨

[記載例]

第○○期決算公告
貸借対照表（○年○月○日現在）の要旨

（単位　百万円または十億円）

科目	金額	科目	金額
流動資産	×××	**流動負債**	×××
固定資産	×××	○○引当金	×××
繰延資産	×××	その他	×××
		固定負債	×××
		○○引当金	×××
		その他	×××
		負債合計	×××
		株主資本	×××
		資本金	×××
		資本剰余金	×××
		資本準備金	×××
		その他資本剰余金	×××
		利益剰余金	×××
		利益準備金	×××
		その他利益剰余金	×××
		自己株式	△×××
		評価・換算差額等	×××
		その他有価証券評価差額金	×××
		繰延ヘッジ損益	×××
		土地再評価差額金	×××
		新株予約権	×××
		純資産合計	×××
資産合計	×××	**負債・純資産合計**	×××

（記載上の注意）
　新株式申込証拠金あるいは自己株式申込証拠金がある場合には，純資産の部の株主資本の内訳項目として区分掲記する。

2-2. 損益計算書の要旨

[記載例]

損益計算書の要旨
(自○年○月○日　至○年○月○日)

(単位　百万円または十億円)

科目	金額
売上高	×××
売上原価	×××
売上総利益	×××
販売費及び一般管理費	×××
営業利益	×××
営業外収益	×××
営業外費用	×××
経常利益	×××
特別利益	×××
特別損失	×××
税引前当期純利益	×××
法人税, 住民税及び事業税	×××
法人税等調整額	×××
当期純利益	×××

(記載上の注意)
(1) 営業外収益または営業外費用の額が重要でないときは, その差額を営業外損益として区分することができる。
(2) 特別利益または特別損失の額が重要でないときは, その差額を特別損益として区分することができる。

… 第Ⅵ章 決算公告

第2 大会社でない会社の貸借対照表の要旨(有報提出義務会社を除く)
1. 公開会社

[記載例]

第○○期決算公告
貸借対照表(○年○月○日現在)の要旨

(単位 百万円または十億円)

科目	金額	科目	金額
流動資産	×××	**流動負債**	×××
現金及び預金	×××	支払手形及び買掛金	×××
受取手形及び売掛金	×××	短期借入金	×××
棚卸資産	×××	未払法人税等	×××
その他	×××	○○引当金	×××
貸倒引当金	△×××	その他	×××
固定資産	×××	**固定負債**	×××
有形固定資産	×××	長期借入金	×××
建物及び構築物	×××	○○引当金	×××
土地	×××	その他	×××
その他	×××	**負債合計**	×××
無形固定資産	×××	**株主資本**	×××
投資その他の資産	×××	資本金	×××
投資有価証券	×××	資本剰余金	×××
その他	×××	資本準備金	×××
貸倒引当金	△×××	その他資本剰余金	×××
繰延資産	×××	利益剰余金	×××
		利益準備金	×××
		その他利益剰余金	×××
		(当期純利益)	(×××)
		自己株式	△×××
		評価・換算差額等	×××
		その他有価証券評価差額金	×××
		繰延ヘッジ損益	×××
		土地再評価差額金	×××
		新株予約権	×××
		純資産合計	×××
資産合計	×××	**負債・純資産合計**	×××

(記載上の注意)

　新株式申込証拠金あるいは自己株式申込証拠金がある場合には,純資産の部の株主資本の内訳項目として区分掲記する。

2. 非公開会社

[記載例]

第○○期決算公告
貸借対照表（○年○月○日現在）の要旨

(単位 百万円または十億円)

科目	金額	科目	金額
流動資産	×××	**流動負債**	×××
固定資産	×××	○○引当金	×××
繰延資産	×××	その他	×××
		固定負債	×××
		○○引当金	×××
		その他	×××
		負債合計	×××
		株主資本	×××
		資本金	×××
		資本剰余金	×××
		資本準備金	×××
		その他資本剰余金	×××
		利益剰余金	×××
		利益準備金	×××
		その他利益剰余金	×××
		（当期純利益）	(×××)
		自己株式	△×××
		評価・換算差額等	×××
		その他有価証券評価差額金	×××
		繰延ヘッジ損益	×××
		土地再評価差額金	×××
		新株予約権	×××
		純資産合計	×××
資産合計	×××	**負債・純資産合計**	×××

（記載上の注意）
　新株式申込証拠金あるいは自己株式申込証拠金がある場合には，純資産の部の株主資本の内訳項目として区分掲記する。

第2 解 説

(1) 概 要

　株式会社は定時株主総会の終結後遅滞なく計算書類を公告しなければならない。公告すべき計算書類は，大会社にあっては貸借対照表および損益計算書であり，大会社以外の会社にあっては貸借対照表である（法440条1項）。

　ただし，公告方法が，官報に掲載する方法または時事に関する事項を掲載する日刊新聞紙に掲載する方法である場合には，貸借対照表の要旨（大会社にあっては貸借対照表の要旨および損益計算書の要旨）を公告することで足りる（法440条2項）。

(2) 計算書類の公告の要否等

　計算書類の公告の要否等について整理すると下表のとおりである。

区分	公告方法	大会社か否か	公告の区分
Web開示会社または有報提出会社			公告不要
上記以外	公告方法が，官報または日刊新聞紙	大会社	貸借対照表の要旨 損益計算書の要旨
		大会社以外	貸借対照表の要旨
	上記以外	大会社	貸借対照表 損益計算書
		大会社以外	貸借対照表

　Webで開示を行う会社または有価証券報告書を提出する会社に該当する場合には，計算書類の公告は不要である。

　Webで開示する会社とは，電子公告（法939条1項3号）を行わない株式会社であって，定時株主総会の終結後遅滞なく，貸借対照表の内容である情報を，

定時株主総会の終結の日後5年を経過する日までの間，継続して電磁的方法により不特定多数の者が提供を受けることができる状態に置く会社である（法440条3項）。

また，有価証券報告書を提出する会社とは，金融商品取引法24条1項の規定により有価証券報告書を内閣総理大臣に提出しなければならない会社である（法440条4項）。

Webで開示を行う会社・有価証券報告書を提出する会社以外の会社については，公告方法が官報または日刊新聞紙であるか否か，大会社であるか否かによって，上表のとおり公告すべき内容が異なってくる。公告方法が，官報・日刊新聞紙以外である場合には，大会社であれば貸借対照表および損益計算書，大会社以外であれば貸借対照表を公告することが要求されている（法440条1項）。これに対して，公告方法が，官報または日刊新聞紙である場合には，大会社であれば貸借対照表の要旨および損益計算書の要旨，大会社以外であれば貸借対照表の要旨を公告することで足りるものとされている（法440条2項）。

(3) 公告する事項

公告する事項については，下表のとおり，公告の区分に応じて異なっている。

公告の区分	公告する事項
貸借対照表，損益計算書を公告する場合	・貸借対照表 ・損益計算書 ・個別注記表に記載した次の事項 　・継続企業の前提に関する注記 　・重要な会計方針に係る事項に関する注記 　・貸借対照表に関する注記 　・税効果会計に関する注記 　・関連当事者との取引に関する注記 　・1株当たり情報に関する注記 　・重要な後発事象に関する注記

貸借対照表の要旨，損益計算書の要旨を公告する場合	・貸借対照表の要旨 ・損益計算書の要旨
貸借対照表を公告する場合	・貸借対照表 ・個別注記表に記載した次の事項 　・継続企業の前提に関する注記 　・重要な会計方針に係る事項に関する注記 　・貸借対照表に関する注記 　・税効果会計に関する注記 　・関連当事者との取引に関する注記 　・1株当たり情報に関する注記 　・重要な後発事象に関する注記 　・当期純損益金額
貸借対照表の要旨を公告する場合	・貸借対照表の要旨 ・当期純損益金額

　貸借対照表，損益計算書を公告する場合には，貸借対照表，損益計算書に加えて，個別注記表に記載した事項のうち，上表に掲げた事項（継続企業の前提に関する注記，重要な会計方針に係る事項に関する注記その他）についても公告することが要求されている（計算規則136条2項）。

　損益計算書を公告せずに貸借対照表のみを公告する場合には，貸借対照表に加え，個別注記表に記載した事項のうち上表に掲げた事項（継続企業の前提に関する注記，重要な会計方針に係る事項に関する注記その他）および当期純損益金額についても公告することが要求されている（計算規則136条1項）。

　損益計算書の要旨を公告せずに貸借対照表の要旨のみを公告する場合には，貸借対照表の要旨に当期純損益金額を付記することが要求されている（計算規則142条）。

(4) 貸借対照表の要旨

　貸借対照表の要旨を公告する場合において，公告すべき貸借対照表の要旨については，公開会社と非公開会社とで異なる取扱いがされている。取扱いの違いを整理すると下表のとおりである。

第1節　決算公告

項目	公開会社の取扱い 区分の要否	取扱い	非公開会社の取扱い 区分の要否	取扱い
資産	要	重要な適宜の項目に細分する	要	適当な項目に細分することができる。
流動資産	要		要	
固定資産	要		要	
有形固定資産	要		−	
無形固定資産	要		−	
投資その他の資産	要		−	
繰延資産	要		要	
負債	要	・引当金がある場合には、引当金ごとに他の負債と区分する。 ・重要な適宜の項目に細分する。	要	・引当金がある場合には、引当金ごとに他の負債と区分する。 ・適当な項目に細分することができる。
流動負債	要		要	
固定負債	要		要	
純資産	要		要	
株主資本	要		要	
資本金	要		要	
新株式申込証拠金	要		要	
資本剰余金	要		要	
資本準備金	要		要	
その他資本剰余金	要	適当な項目に細分できる	要	適当な項目に細分できる。
利益剰余金	要		要	
利益準備金	要		要	
その他利益剰余金	要	適当な項目に細分できる	要	適当な項目に細分できる
自己株式	要		要	
自己株式申込証拠金	要		要	
評価・換算差額等	要		要	
その他有価証券評価差額金	要		要	
繰延ヘッジ損益	要		要	
土地再評価差額金	要		要	
新株予約権	要		要	

　非公開会社の場合には，流動資産・固定資産・流動負債・固定負債について適当な項目に細分することができるとの取扱いにとどまっているのに対し

て，公開会社の場合には，固定資産をさらに有形固定資産・無形固定資産・投資その他の資産に区分すること，資産・負債を会社の財産の状態を明らかにするため重要な適宜の項目に細分することが要求されている（計算規則139条3項・4項・140条4項）。

純資産の部において，会社計算規則141条1項3号は「株式引受権」を規定している。株式引受権は，会社法202条の2において，金融商品取引法2条第16項に規定する金融商品取引所に上場されている株式を発行している株式会社が，取締役等の報酬等として株式の発行等をする場合に生じる項目である（実務対応報告第41号「取締役の報酬等として株式を無償交付する取引に関する取扱い」（企業会計基準委員会））。計算書類の公告に関して，金融商品取引法24条1項の規定により有価証券報告書を内閣総理大臣に提出しなければならない株式会社については，会社法440条1項から3項までの規定は適用しないとされていることから（法440条4項），上記の図表では「株式引受権」を示していない。

(5) 損益計算書の要旨

損益計算書の要旨を公告する場合の取扱いを整理すると下表のとおりである。

損益計算書の要旨については，公開会社と非公開会社とで異なる取扱いはしていない。

項目	区分の要否	取扱い
売上高	要	適当な項目に細分できる。
売上原価	要	同上
売上総利益（損失）	要	
販売費及び一般管理費	要	同上
営業利益（損失）	要	
営業外収益	要	・適当な項目に細分できる。 ・営業外収益または営業外費用の金額が重要でない場合には，その差額を営業外損益として記載できる。
営業外費用	要	

経常利益(損失)	要	
特別利益	要	・適当な項目に細分できる。 ・特別利益または特別損失の金額が重要でない場合には，その差額を特別損益として記載できる。
特別損失	要	
税引前当期純利益(損失)	要	
法人税,住民税及び事業税	要	
法人税等調整額	要	
当期純利益(損失)	要	

(6) 不適正意見等がある場合

次に該当する場合には，会計監査人設置会社が計算書類の公告をするときに，下記の事項を公告に記載しなければならない (計算規則148条)。

ケース	公告すべき事項
会計監査人が存在しない場合	会計監査人が存しない旨
会計監査人が特定監査役・特定取締役に対し，会計監査報告の内容の通知期限までに会計監査報告の内容を通知しなかったために，監査を受けたものとみなされた場合 (計算規則130条3項参照)	その旨
会計監査報告に不適正意見がある場合	その旨
会計監査報告が意見不表明である場合 (計算規則126条1項3号参照)	その旨

(7) 経団連モデルの記載例について

決算公告のうち，経団連モデルで記載例を示したのは，貸借対照表の要旨または損益計算書の要旨を公告するケースである。最低限の記載を示すことを念頭において作成しているため，公告する貸借対照表・損益計算書の各項目については，細分することが考えられる。

第Ⅶ章

株主総会参考書類

第1節

標　題

第1　株主総会参考書類を作成する会社

(1) 株主総会参考書類の交付義務

　株主総会に出席しない株主が書面によって議決権を行使することができることとしたときは，株主総会の招集の通知に際して，議決権の行使について参考となるべき事項を記載した書面を交付しなければならない（法301条・298条1項3号）。電磁的方法によって議決権を行使することができることとしたときも同様である（法302条・298条1項4号）。

　議決権を有する株主の数が1,000人以上である場合には，金融商品取引法・上場株式の議決権の代理行使の勧誘に関する内閣府令（委任状勧誘府令）に従って委任状を交付する場合を除き，株主総会に出席しない株主が書面によって議決権を行使することができることとしなければならないとされているため（法298条2項），必然的に，議決権の行使について参考となるべき事項を記載した書面を交付しなければならない。

(2) 標　題　等

① 標題

　会社法下では，法律上，「株主総会参考書類」という定義語が存在するため（法301条1項），「株主総会参考書類」という標題を用いることが多い。

また，参考書類の内容として，「議案」(施行規則73条1項1号)や「株主の議決権の行使について参考となると認める事項」(同条2項)の記載が求められていることから，標題の次に，「議案および参考事項」と記載する例が多い。

（参考例）

　　　　　　　　　　　　株主総会参考書類
議案および参考事項
　第1号議案　　○○の件
　　　　　　　　　　　（後略）

---

② 議案

「議案」は，①株主総会参考書類に記載しなければならない事項（施行規則73条1項1号），②インターネット開示が許されない事項（施行規則94条1項1号），③書面投票制度または電子投票制度を採用しない場合にその概要を招集通知に記載しなければならない事項（法299条4項・298条1項5号，施行規則63条7号）として重要な意義を有する。

この点，「議題」は「株主総会の目的である事項」（法298条1項2号）を指し，「議案」は議題に対する具体案を指すと解されている。例えば，取締役の選任決議の場合には，「取締役選任の件」が議題であり，「甲を取締役の候補者とする」という案が議案である（候補者が複数いる場合における議案の考え方については，第Ⅶ章第4節第1参照）。もっとも，「議案」がどの範囲を指すものであるかは解釈に委ねられており，決議事項が法定されている事項（例えば，資本金の額の減少については，会社法447条1項において，①減少する資本金の額，②減少する資本金の額の全部または一部を準備金とするときは，その旨および準備金とする額，③資本金の額の減少がその効力を生ずる日を定めなければならないとされている）については，当該事項が「議案」と考えられるが，決議事項が法定されていない事項については，議題ごとに，その具体的内容が検討されなければならない。

③　提案の理由

　議案が取締役の提出するものである場合には，株主総会参考書類には，すべての議案について「提案の理由」も記載しなければならない。かかる「提案の理由」には，例えば，株式の有利発行の場合（法199条3項・200条2項）のように，議案に関して，会社法上，取締役に株主総会において一定の事項を説明する義務が課されている場合の，その説明内容も含まれる（施行規則73条1項2号）。

　これに対して，議案が株主の提出するものである場合には，会社法施行規則93条1項3号および同条3項に従って，一定の場合のみ株主総会参考書類に「提案の理由」を記載すれば足りる。

(3) 株主総会参考書類記載事項の基準時

　株主総会参考書類記載事項のうち，「現に」という記載があるもの（施行規則74条2項4号・同条3項1号・同項2号・同条4項4号・同項8号・74条の3第2項3号・同条3項1号・同項2号・同条4項4号・同項8号・76条2項3号・同条3項1号・同項2号・同条4項3号・同項7号・77条8号）の「現に」の意義については，取締役選任議案，監査役選任議案および会計監査人選任議案に関する経団連モデル（第Ⅶ章第4節・第5節・第7節）に一部記載があるように株主総会参考書類作成時を基準時とすることや，招集通知発送時を基準時とすることなどが考えられる。このうち，株主総会参考書類作成時を基準時とする考え方については，当該「作成時」の意義がさらに問題となるが，原則として，株主総会参考書類の記載内容を取締役会において決定したとき，すなわち，株主総会参考書類の記載内容が実質的に確定したときとなるものと考えられる。

　また，株主総会参考書類記載事項のうち，「過去○年間」という記載があるもの（施行規則74条3項3号・同条4項5号・同項7号ロ・ハ・ニ・ヘ・74条の3第3項3号・同条4項5号・同項7号ロ・ハ・ニ・ヘ・75条7号・76条3項3号・同条4項4号・同項6号ロ・ハ・ニ・ヘ・77条9号・同条10号）については，上記「現に」の意義についての解釈と揃えて，「現に」の時点を起算点としてさかのぼる「○年

間」を意味することとなると考えられる。

　以上のほか，会社法施行規則において記載の基準時が明示されていない株主総会参考書類記載事項についても，上記「現に」の意義についての解釈と揃えたタイミングを基準時として記載することが考えられる（なお，会社法施行規則86条3号のように記載の基準時が文言上明示されている記載事項については，当該文言にしたがって記載すれば足りる。また，会社法施行規則74条2項2号および76条2項2号の基準時については，それぞれ第Ⅶ章第4節第2(1)および同章第5節第2(1)参照）。

第2　株主総会参考書類を作成する会社以外の会社

　株主総会参考書類を作成する必要のない会社のうち，金融商品取引法・上場株式の議決権の代理行使の勧誘に関する内閣府令に従って委任状を交付する会社の場合には，「株主総会参考書類」という標題のほか，これまで一般的であった「議決権の代理行使の勧誘に関する参考書類」という標題や，単に「参考書類」（金融商品取引法施行令36条の2第1項参照）という標題を用いることも考えられる。この場合，勧誘者が当該会社またはその役員である場合には勧誘者が当該会社またはその役員である旨を，勧誘者が当該会社またはその役員以外である場合には勧誘者の氏名または名称および住所を記載することとされており（委任状勧誘府令1条1項1号・2号），標題の次に，「1. 議決権の代理行使の勧誘者」という項目を設け，その次に，「2. 議案および参考事項」という項目を設けることが考えられる。

　株主総会参考書類を作成する必要のない会社のうち，金融商品取引法・上場株式の議決権の代理行使の勧誘に関する内閣府令に従って委任状を交付する会社以外の場合には，そもそも，株主総会参考書類のような書類を作成することは必須ではない。もっとも，招集通知には，「議案の概要」（法298条1項5号，施行規則63条7号）を記載する必要があることから（法299条4項），株主総会参考書類類似の書類を作成の上，狭義の招集通知においては，当該書類を参照するように記載することも考えられる（第Ⅷ章参照）。なお，この場合の株主総会参考書類類似の書類は，必ずしも株主総会参考書類に求められている事項のすべてを記載するものではないことから，「株主総会参考書類」とは別の標題を用いることが考えられる。

第Ⅶ章 株主総会参考書類

第2節

剰余金の処分

経団連モデル

> Ⅶ. 株主総会参考書類
> 第1 一般的な議案
>
> ［記載例］
> 第1号議案　剰余金の処分の件
> 　当期の期末配当につきましては，会社をとりまく環境が依然として厳しい折から，経営体質の改善と今後の事業展開等を勘案し，内部留保にも意を用い，次のとおりとさせていただきたいと存じます。内部留保金につきましては，企業価値向上のための投資等に活用し，将来の事業展開を通じて株主の皆様に還元させていただく所存です。
> 1. 期末配当に関する事項
> 　（1）配当財産の種類
> 　　　　　金銭
> 　（2）株主に対する配当財産の割当に関する事項及びその総額
> 　　　　　当社普通株式1株につき金〇円　総額〇〇〇円
> 　（3）剰余金の配当が効力を生じる日
> 　　　　　〇年〇月〇日

```
2. 別途積立金の積立に関する事項
  (1) 増加する剰余金の項目及びその額
      別途積立金                    ○○○円
  (2) 減少する剰余金の項目及びその額
      繰越利益剰余金                ○○○円
```

(記載上の注意)
(1) 剰余金の配当をしようとするときは，株主総会の決議によって次の事項を定める必要がある（会社法第454条第1項各号）。
  ① 配当財産の種類及び帳簿価額の総額
  ② 株主に対する配当財産の割当てに関する事項
  ③ 当該剰余金の配当が効力を生ずる日
(2) 取締役会決議で剰余金の配当をすることができる旨の定款の規定がある会社の場合には，一定の条件を満たせば，剰余金の配当に関する議案を株主総会に提出する必要はない（会社法第459条）。
(3) 会社提案にかかる全議案につき「提案の理由」（会社法施行規則第73条第1項第2号）の記載が求められている。記載例では「会社をとりまく環境が……所存です。」の部分が該当する。
(4) 役員賞与金の支払いについては，剰余金の処分としては認められない（会社法第452条）。
(5) 株主総会においては，剰余金の配当以外に，剰余金の処分として，任意積立金の積み立てや取り崩し等を行うことができる（会社法第452条）。この場合，次の事項を定める必要がある。なお，記載例では議題を「剰余金の『処分』」としているが，議案の内容が剰余金の配当のみである場合には，「剰余金の『配当』」とすることも考えられる。
  ① 増加する剰余金の項目
  ② 減少する剰余金の項目
  ③ 処分する各剰余金の項目に係る額

第1 標 題 等

(1) 議 題
　会社法下では，剰余金の配当を含む剰余金の処分をするためには，剰余金の処分それ自体を内容とする議題を付議する必要がある。
　一方，剰余金の配当を含め剰余金の処分を行わないのであれば，「剰余金の処分の件」という議題を付議する必要はない。

(2) 標 題
　会社法は，「剰余金の処分」を「剰余金の配当」を含む上位概念としている。そのため，剰余金の配当のみを行い，その他の剰余金の処分を行わない場合であっても，「剰余金の処分の件」という標題で構わない。もっとも，剰余金の配当のみを行う場合には，「剰余金（の）配当（支払い）の件」といった標題も考えられる。

(3) 提案の理由
　取締役の提出する議案については，「提案の理由」を記載する必要がある（施行規則73条1項2号）。経団連モデルの記載例では，「会社をとりまく環境が……所存です。」の部分が該当する。

(4) 順 序
　剰余金の配当とその他の剰余金の処分を行う場合，剰余金の配当に関する記載とその他の剰余金の処分に関する記載の順序に定めはない。

第2　剰余金の処分に関する事項

　剰余金の処分に関する議案は，大きく分けると，①資本金の額の増加・準備金の額の増加（いわゆる資本組入れ・準備金組入れ），②剰余金の配当，③任意積立金の積立てその他の剰余金の処分に分類される。

　①資本金の額の増加・準備金の額の増加に関する議案では，(a) 減少する剰余金の額，(b) 資本金・準備金の額の増加がその効力を生ずる日を定める必要がある（法450条1項・2項・451条1項・2項）。なお，(a) の剰余金の額は，(b) の日における剰余金の額を超えることはできない（法450条3項・451条3項）。資本金の額を増加する場合の原資は，資本準備金およびその他資本剰余金に限定されず，利益準備金およびその他利益剰余金からの資本組入れも許容されている（計算規則25条）。

　②剰余金の配当については後記第3参照。

　③その他の剰余金の処分については，経団連モデル記載のとおりであり，経団連モデルでは，剰余金の処分として，別途積立金の積立てを行う場合を例示している。この場合の標題は，「別途積立金の積立てに関する事項」でなく，「その他の剰余金の処分に関する事項」でも構わない。③その他の剰余金の処分は，剰余金の項目間の内訳変更であるところ（計算規則153条参照），会計基準上，その他資本剰余金からその他利益剰余金への振替は原則として認められないとされているが（企業会計基準委員会・企業会計基準第1号「自己株式及び準備金の額の減少等に関する会計基準」19項），例外的に，その他利益剰余金の年度決算時のマイナスの残高を限度として，その他資本剰余金からその他利益剰余金への振替を行うことも許容されている（同基準61項）（第Ⅶ章第10節第1参照）。

　なお，任意積立金については，分配可能額の計算から除外される剰余金の項目であることは明らかであるから，経団連モデルのように，株主総会参考書類において，「別途積立金」の内容を特段説明せずに「増加する剰余金の項

目及びその額」として「別途積立金　○○○円」と記載するだけでも，議案の内容（施行規則73条1項1号）としては，十分な記載であると考えられる。もっとも，単に分配可能額の計算から除外される剰余金の項目としての任意積立金を増加させるだけでなく，将来，分配可能額にマイナスが生じた場合に当該任意積立金が自動的に取り崩されて欠損の填補（分配可能額のマイナスの解消）がなされるようにしたい場合には，株主総会参考書類に，議案の内容としてその旨明記する必要があると考えられる（計算規則153条2項2号参照）。

第3　剰余金の配当に関する事項

　剰余金の配当をしようとするときは，株主総会の決議によって次の事項を定める必要がある（法454条1項各号）。
　① 　配当財産の種類および帳簿価額の総額
　② 　株主に対する配当財産の割当てに関する事項
　③ 　当該剰余金の配当が効力を生ずる日
　もっとも，この項目の順序に拘束される必要はない。
　会社法下で，いわゆる人的分割（分割型分割）を行うには「物的分割（分社型分割）＋剰余金の配当（現物配当）」を行うことになるが，この場合の①「帳簿価額の総額」の記載の方法としては，「分割の対価として当社が承継会社［新設会社］株式を受け入れる時点における帳簿価額の総額」などと記載することになると考えられる（相澤哲ほか「座談会　解説書には載っていない会社法における実務上の疑問点(2)」Lexis企業法務1巻10号（2006）30頁［相澤発言］参照）。
　②株主に対する配当財産の割当てに関する事項としては，典型的には，1株当たりの配当内容を記載する。法定記載事項ではないが，参考情報として，中間配当金を含めた年間配当金をこの箇所に記載することも考えられる（例：「当社普通株式1株につき金○円　総額○○○円　これにより年間配当金は，1株につき中間配当○円を含め，合計○円となります」）。

③当該剰余金の配当が効力を生ずる日については，実務上，決議通知とともに配当金振込通知書，配当金領収証等を送付して剰余金の配当の支払事務を開始することから，株主総会の開催日の翌営業日などとすることが考えられる。

　もっとも，配当の原資となる分配可能額を創出する議案とともに剰余金の配当の議案を決議する場合には，③当該剰余金の配当が効力を生ずる日は，当該分配可能額創出議案（資本金の額の減少の件，準備金の額の減少の件）の効力発生日に揃えることになると考えられる。さらに，人的分割（分割型分割）を行う場合には，③当該剰余金の配当が効力を生ずる日は，当該会社分割の効力発生日に揃えることになる（法758条8号）。なお，このように，資本金の額の減少や会社分割など何らかの別の行為との関連で剰余金の配当を行う場合には，当該別の行為の効力発生を条件として剰余金の配当を行うこととし，株主総会参考書類にもその旨明記することが考えられる。特に，資本金の額の減少などにより分配可能額を創出する場合には，分配可能額を超える違法配当（法461条1項8号）を行うこととならないように，かかる条件付けをしておく必要性は高いと考えられる。

第Ⅶ章 株主総会参考書類

第3節

定款の一部変更

経団連モデル

［記載例］
第2号議案　定款一部変更の件
1. 提案の理由

2. 変更の内容
　　（下線を付した部分は変更箇所を示します。）

現行定款	変更案

（記載上の注意）
(1) 株主総会参考書類においては，会社提案に係る全議案につき，提案の理由（会社法施行規則第73条第1項第2号）を記載することが求められている。
(2) 取締役（監査等委員又は監査委員を除く）若しくは執行役の責任軽減又は社外取締役（監査等委員又は監査委員を除く）の責任限定に関する定款変更議案を提出する場合には，各監査役の同意（監査等委員会設置会社の場合には，各監査等委員の同意，指名委員会等設置会社の場合には，各監査委員の同意）が必要であることから（会社法第426条第2項及び第427条第3項で準用する第425条第3項），かかる同意が得られている旨を記載することが考えられる。

第3節　定款の一部変更

　経団連モデル記載のとおり，取締役の提出する議案については，株主総会参考書類に「提案の理由」を記載することが求められていることから（施行規則73条1項2号），冒頭に「提案の理由」として定款変更議案を提出する理由を記載し，「変更の内容」として新旧対照表（現在の定款と変更案を並べる形式）を記載することが考えられる。なお，「提案の理由」を条文ごとに記載する例もある。

　また，「変更の内容」として新旧対照表を記載する場合には，変更部分・追加部分（条数・項数の新設・繰上げ・繰下げを含む）に下線を引くのが一般的である。

　なお，経団連モデルに記載された，責任限定に関する定款変更議案の際の監査役等の同意がある旨のほか，効力発生日を総会決議日と異なる日とする場合の効力発生日（合併の効力発生日に商号を変更する場合等）なども，「提案の理由」の欄を利用して記載することが考えられる。

第Ⅶ章 株主総会参考書類

第4節

取締役選任議案

経団連モデル

[記載例]
第3号議案　取締役○名選任の件
　本総会終結の時をもって取締役○名が任期満了となりますので，取締役○名の選任をお願いするものであります。
　その候補者は次のとおりであります。

候補者番号	氏　名 （生年月日）	略歴，地位及び担当並びに重要な兼職の状況	所有する当社の株式数
1		（略歴） （地位及び担当） （重要な兼職の状況）	○○○株
2		（略歴） （重要な兼職の状況）	○○○株

（記載上の注意）
(1) 株主総会参考書類においては，会社提案に係る全議案につき，提案の理由（会社法施行規則第73条第1項第2号）を記載することが求められている。記載例では「本総会終結の時をもって取締役○名が任期満了となりますので」の部分が該当する。
(2) 候補者には，書面又は電磁的方法による議決権行使との関連もあり，番号を付しておくことが便宜である。
(3) 略歴欄には，最近5カ年程度の略歴，それ以前に歴任した重要な役職等，

株主が取締役候補者の取締役としての適格性を判断するために有用な情報があれば，これらを記載する。
(4) 重要な兼職の状況（会社法施行規則第74条第2項第2号）としては，株主総会参考書類作成時における兼職のうち，重要なものを事業報告における「会社役員に関する事項」と同様に記載する。なお，作成時に兼職の事実が存在したとしても，就任時には兼職がなくなることが明らかである場合や将来予定される就任後間もなく当該「兼職」に該当する他の職から離れることが明らかな場合には，一般的には「重要」でないものとして開示する必要はないと考えられる。また，他の法人等の代表者である場合であっても，重要でないものは記載する必要がない。重要でないものの例としては，財産管理会社や休眠会社の代表者である場合，単なる名誉職として代表者にある場合等が該当しうる。他方，他の法人等において代表者ではなく単なる業務執行者である場合であっても，重要なものであれば記載する必要がある。
(5) 次に掲げる事項に該当する場合には，その事項も記載する
  ① 会社との間に特別の利害関係があるときはその事実の概要
  ② 現に当該会社の取締役であるときはその地位及び担当（記載例では，1は再任役員，2は新任役員を想定している。）
  ③ 就任の承諾を得ていないときはその旨
  ④ 当該会社が他の者の子会社等であるときは，次の事項
    イ 候補者が現に当該他の者（自然人に限る。）であるときは，その旨
    ロ 候補者が現に当該他の者（当該他の者の子会社等（当該株式会社を除く。）を含む。）の業務執行者であるときは，当該他の者における地位及び担当
    ハ 候補者が過去10年間に当該他の者（当該他の者の子会社等（当該株式会社を除く。）を含む。）の業務執行者であったことを当該株式会社が知っているときは，当該他の者における地位及び担当

なお，④イ及びロにおける「現に」とは，株主総会の時点ではなく，株主総会参考書類の作成時であり，ハにおける「過去10年間に」とは，株主総会参考書類作成時から過去10年間を意味する。

「知っているとき」とは，当該事項が株主総会参考書類の記載事項となって

いることを前提として行われた調査の結果，知っている場合を意味する。
記載例としては，次の記載が考えられる。

[記載例]
（注）取締役候補者のうち，○○氏は，当社の親会社である××株式会社の○○部門の部長を兼務しております。
取締役候補者のうち，××氏は，○年○月から同○年○月まで当社の親会社である△△株式会社の業務執行取締役（○○担当）でありました。

⑤　候補者と会社との間で責任限定の契約を締結しているとき又は当該契約を締結する予定があるときには，その契約の内容の概要

契約の「締結」には「更新」も含まれる。候補者がすでに会社との間で責任限定の契約を締結している者である場合の記載例としては，次の記載が考えられる。

[記載例]
（注）○○氏は，現在，当社の社外取締役であり，当社は同氏との間で責任限度額を○円又は会社法第425条第1項に定める最低責任限度額のいずれか高い額とする責任限定契約を締結しております。同氏の再任が承認された場合，当社は同氏との間の上記責任限定契約を継続する予定であります。

⑥　候補者と会社との間で補償契約を締結しているとき又は補償契約を締結する予定があるときは，その契約の内容の概要

契約の「締結」には「更新」も含まれる。候補者がすでに会社との間で補償契約を締結している者である場合の記載例としては，次の記載が考えられる。

[記載例]
（注）○○氏は，現在，当社の取締役であり，当社は同氏との間で会社法第430条の2第1項に規定する補償契約を締結しております。当該補償契約では，同項第1号の費用および同項第2号の損失を法令の定める範囲内において当社が補償することとしており，同氏の再任が承認された場合，当社は同氏との間の上記補償契約を継続する予定であります。

⑦ 候補者を被保険者とする役員等賠償責任保険契約を締結しているとき又は役員等賠償責任保険契約を締結する予定があるときは，その保険契約の内容の概要

契約の「締結」には「更新」も含まれる。会社がすでに候補者を被保険者とする役員等賠償責任保険契約を締結している場合の記載例としては，次の記載が考えられる。

[記載例]
(注) ○○氏は，現在，当社の取締役であり，当社は，同氏が被保険者に含まれる会社法第430条の3第1項に規定する役員等賠償責任保険契約を保険会社との間で締結しております。当該保険契約では，被保険者が会社の役員等の地位に基づき行った行為（不作為を含みます。）に起因して損害賠償請求がなされたことにより，被保険者が被る損害賠償金や訴訟費用等が塡補されることとなり，被保険者の全ての保険料を当社が全額負担しておりますが，同氏の再任が承認された場合，同氏は引き続き当該保険契約の被保険者に含められることとなります。なお，当社は，当該保険契約を任期途中に同様の内容で更新することを予定しております。

(6) 公開会社でない場合，次の事項以外の事項の記載は不要である（ただし，候補者が社外取締役候補者である場合については，後記 (8) も参照）。
① 提案の理由
② 候補者の氏名，生年月日及び略歴
③ 就任の承諾を得ていないときは，その旨
④ 候補者と会社との間で責任限定の契約を締結しているとき又は当該契約を締結する予定があるときには，その契約の内容の概要
⑤ 候補者と会社との間で補償契約を締結しているとき又は補償契約を締結する予定があるときは，その契約の内容の概要
⑥ 候補者を被保険者とする役員等賠償責任保険契約を締結しているとき又は役員等賠償責任保険契約を締結する予定があるときは，その保険契約の内容の概要

(7) 監査等委員会設置会社における取締役の選任議案の記載事項は，基本的に監査役会設置会社における取締役選任議案と同様である（会社法施行規則第74条，第74条の3）。ただし，監査等委員である取締役の選任については，それ以外の取締役の選任と区別してしなければならない（会社法第329条第2項）。その他，具体的な相違点は主に以下の点である。

① 監査等委員である取締役の選任議案の場合，議案が会社法第344条の2第2項の規定による監査等委員会からの請求により提出されたものであるときは，その旨及び，会社法第342条の2第1項の規定による監査等委員の意見があるときは，その意見の内容の概要を記載する必要がある。

② 監査等委員以外の取締役の選任議案の場合，会社法第342条の2第4項の規定による監査等委員会の意見があるときは，その意見の内容の概要を記載する必要がある。

[記載例]
（注）取締役候補者のうち，○○氏は，会社法施行規則第2条第3項第7号の社外取締役候補者であります。
　　○○氏を社外取締役候補者とした理由は，同氏は長年にわたり××株式会社の経営に携り，その経歴を通じて培った経営の専門家としての経験・見識［，及び業務執行から独立した客観的な視点に基づく利益相反等を含む経営の監督とチェック機能，客観性の更なる向上への貢献］／［に基づき，独立した客観的な立場から，適切に会社の業績等の評価を行い，その評価を経営陣幹部の人事に適切に反映することなどにより，経営陣に対する実効性の高い監督を行うこと］を期待したためであります。同氏の選任が承認された場合，当社は同氏との間で責任限度額を○円又は会社法第425条第1項に定める最低責任限度額のいずれか高い額とする責任限定契約を締結する予定です。

（注）なお，○○氏が社外取締役として在任していた××社においては，同氏の在任中である○年○月に，○○工事に関して公正取引委員会より独占禁止法違反の排除勧告を受けました。同事実発生後，○○氏は，××のために設置された「△△委員会」の委員に就任し，同社の○○を事前にチェックする仕組みの明確化や，××に関する基準の導入とその確実な実施に尽力して参りました。

(記載上の注意)
(8) 候補者が，社外取締役候補者（会社法施行規則第2条第3項第7号）である場合には，上記第3号議案の記載例において，次の事項も（注）として記載する（公開会社でない場合，④から⑧までの事項の記載は不要）。
なお，④や⑧における「現に」とは，株主総会参考書類の作成時であり，⑤⑥⑦における「過去○年間」「過去に」とは，株主総会参考書類作成時をその起算点とする。

① 社外取締役候補者である旨
② 社外取締役候補者とした理由
③ 社外取締役（社外役員（会社法施行規則第2条第3項第5号）に限る。）に選任された場合に果たすことが期待される役割の概要
④ 候補者が現に当該株式会社の社外取締役（社外役員に限る。）である場合において，当該候補者が最後に選任された後在任中に当該株式会社において法令又は定款に違反する事実その他不当な業務の執行が行われた事実（重要でないものを除く。）があるときは，その事実並びに当該事実の発生の予防のために当該候補者が行った行為及び当該事実の発生後の対応として行った行為の概要
⑤ 候補者が過去5年間に他の株式会社の取締役，執行役又は監査役に就任していた場合において，その在任中に当該他の株式会社において法令又は定款に違反する事実その他不当な業務の執行が行われた事実があることを当該株式会社が知っているときは，その事実（重要でないものを除き，当該候補者が当該他の株式会社における社外取締役（社外役員に限る。）又は監査役であったときは，当該事実の発生の予防のために当該候補者が行った行為及び当該事実の発生後の対応として行った行為の概要を含む。）
⑥ 候補者が過去に社外取締役（社外役員に限る。）又は社外監査役（社外役員に限る。）となること以外の方法で会社（外国会社を含む。）の経営に関与していない者であるときは，当該経営に関与したことがない候補者であっても社外取締役としての職務を適切に遂行することができるものと当該株式会社が判断した理由
⑦ 候補者が次のいずれかに該当することを当該株式会社が知っているときは，その旨

イ　過去に当該株式会社又はその子会社の業務執行者又は役員（業務執行者であるものを除く。）であったことがあること。
　ロ　当該株式会社の親会社等（自然人であるものに限る。）であり、又は過去10年間に当該株式会社の親会社等（自然人であるものに限る。）であったことがあること。
　ハ　当該会社の特定関係事業者の業務執行者若しくは役員（業務執行者であるものを除く。）であり、又は過去10年間に当該株式会社の特定関係事業者（当該株式会社の子会社を除く。）の業務執行者若しくは役員（業務執行者であるものを除く。）であったことがあること。
　ニ　当該株式会社又は当該株式会社の特定関係事業者から多額の金銭その他の財産（これらの者の取締役、会計参与、監査役、執行役その他これらに類する者としての報酬等を除く。）を受ける予定があり、又は過去2年間に受けていたこと。
　ホ　次に掲げる者の配偶者、三親等以内の親族その他これに準ずる者であること（重要でないものを除く。）。
　　・当該株式会社の親会社等（自然人であるものに限る。）
　　・当該株式会社又は当該株式会社の特定関係事業者の業務執行者又は役員（業務執行者であるものを除く。）
　ヘ　過去2年間に合併等（合併、吸収分割、新設分割又は事業の譲受けをいう。）により他の株式会社がその事業に関して有する権利義務を当該株式会社が承継又は譲受けをした場合において、当該合併等の直前に当該株式会社の社外取締役（社外役員に限る。）又は監査役でなく、かつ、当該他の株式会社の業務執行者であったこと。
⑧　候補者が現に当該株式会社の社外取締役（社外役員に限る。）又は監査役であるときは、就任年数
⑨　①から⑧までに掲げる事項に関する記載についての当該候補者の意見があるときは、その意見の内容

「社外取締役候補者」とは、次の要件のいずれにも該当する候補者をいう。
　イ　当該候補者が当該株式会社の取締役に就任した場合には、社外取締役となる見込みであること。

☐ 次のいずれかの要件に該当すること。
　(i) 当該候補者を以下のいずれかの社外取締役とする予定があること。
　　・社外取締役を置かなければならない会社における社外取締役（会社法第327条の2）
　　・監査等委員会設置会社における監査等委員である取締役としての社外取締役（会社法第331条第6項）
　　・特別取締役を置く会社に置かなければならない者としての社外取締役（会社法第373条第1項第2号）
　　・監査等委員会設置会社において，重要な業務執行の決定を定款の規定なしに取締役会から取締役に委任することを可能とするための要件である，取締役会の過半数を占めるべき社外取締役（会社法第399条の13第5項）
　　・指名委員会等設置会社の委員としての社外取締役（会社法第400条第3項）
　(ii) 当該候補者を当該株式会社の社外取締役であるものとして計算関係書類，事業報告，株主総会参考書類その他株式会社が法令その他これに準ずるものの規定に基づき作成する資料に表示する予定があること。

第1 標 題 等

　取締役選任決議は，1人の取締役の選任が1議案を構成する（施行規則66条1項1号イ，江頭憲治郎『株式会社法（第8版）』（有斐閣，2021）408頁参照）。一方，累積投票を行う場合には，株主は，1株（1単元）につき選任すべき取締役と同数の議決権をもつ（法342条3項）。そこで，少数派に累積投票の請求をするか否かを決定させるため，取締役選任を議題とする総会の招集通知には，選任される取締役の数を記載しなければならない（最判平10.11.26 金判1066号18頁）。昭和49年商法改正により，定款の定めにより累積投票制度を完全に排除することが可能となり，現在，大部分の会社が定款の定めにより累積投票制度を排除しているが，標題に選任される取締役の数を記載するのが一般的である。

第2 内　　容

　会社法下では，①株主総会参考書類を作成しなければならない会社か否かという区分と，②公開会社か否かという区分により，取締役選任議案において記載しなければならない内容が異なる。一般的に共通して記載するものとしては，(a)取締役を選任する必要性（例：「本総会終結の時をもって取締役〇名が任期満了となりますので」），(b)増員・減員するときはその理由（例：減員の場合「意思決定および業務の迅速化・効率化を図るため」「経営体制の効率化のため」等，増員の場合「経営陣の強化を図るため」等），(c)選任すべき取締役の人数とその候補者（例：「取締役〇名の選任をお願いします。その候補者は次のとおりであります。」）を挙げることができる。株主総会参考書類を作成しなければならない会社においては，公開会社か否かを問わず，取締役の提出する議案について，株主総会参考書類に「提案の理由」を記載することが求められているところ（施行規則73条1項2号），上記(a)および(b)

の記載が，かかる「提案の理由」に該当すると考えられる。

(1) 株主総会参考書類を作成しなければならない公開会社の場合
① 共通の記載事項
(a) 候補者の氏名，生年月日および略歴，(b) 就任の承諾を得ていないときは，その旨，(c) 候補者と当該株式会社との間で法427条1項の契約を締結しているとき又は当該契約を締結する予定があるときは，その契約の内容の概要，(d) 候補者と当該株式会社との間で補償契約を締結しているとき又は補償契約を締結する予定があるときは，その補償契約の内容の概要，(e) 候補者を被保険者とする役員等賠償責任保険契約を締結しているとき又は当該役員等賠償責任保険契約を締結する予定があるときは，その役員等賠償責任保険契約の内容の概要（以上につき，施行規則74条1項）のほか，公開会社特有の記載事項である (f) 候補者の有する当該株式会社の株式の数（種類株式発行会社にあっては，株式の種類および種類ごとの数），(g) 候補者が当該株式会社の取締役に就任した場合において施行規則121条8号に定める重要な兼職に該当する事実があることとなるときは，その事実（重要な兼職の状況），(h) 候補者と株式会社との間に特別の利害関係があるときは，その事実の概要，(i) 候補者が現に当該株式会社の取締役であるときは，当該株式会社における地位および担当（以上につき，施行規則74条2項）を記載しなければならない。「氏名」については，株主への情報提供充実の観点から，振り仮名を記載することが考えられる。「略歴」について，会社法施行規則では対象期間が明示されていないが，経団連モデルでは，「最近5カ年程度の略歴，それ以前に歴任した重要な役職等」とされており参考となる。「候補者の有する当該株式会社の株式の数」については，候補者名義でなくとも候補者が実質的に所有しているものも含まれると解される。「特別の利害関係」とは，取締役候補者と会社との間に競業や自己取引の関係がある場合等を指し，候補者個人と会社との間の関係だけでなく，候補者が代表者となっている会社と会社との間の関係も考慮され，当該利害関係が取引関係である場合には，取引の相手

方や相手方との取引内容等を記載する。

　責任限定契約，補償契約及び役員等賠償責任保険契約の「締結」には「更新」も含まれる。会社が既に候補者との間で責任限定契約及び補償契約を締結している場合には，株主総会直後に更新を行うことが通常であり，再任が承認された場合には契約を継続する予定である旨を記載することが考えられる。他方，役員等賠償責任保険契約については，保険期間との関係上，株主総会とは異なるタイミングで更新が行われる場合があり，その場合には任期途中に同様の内容で更新する予定である旨を記載することが考えられる。

　「重要な兼職の状況」には，株主総会参考書類記載事項の一般的な記載の基準時（第Ⅶ章第1節第1(3)記載のとおり，「現に」の意義についての解釈と揃えて，株主総会参考書類作成時や招集通知発送時を基準時とすることなどが考えられる）において，候補者が当該株式会社の取締役に就任したと仮定した場合に存在する兼職の事実のうち，重要なものを記載する（「重要な兼職」への該当性の判断基準等については，事業報告における「会社役員に関する事項」の「重要な兼職の状況」（第Ⅰ章第4節第3）を参照）。なお，上記の一般的な記載の基準時においてまだ存在していない兼職の事実については，仮に，当該株式会社において将来予定される取締役就任時までに発生することが予想されていても（例えば，当該株式会社において当該候補者を取締役に選任する株主総会と同時期に，当該候補者が他の株式会社においても役員に選任される予定である場合でも），記載する必要はない。また，上記の一般的な記載の基準時に兼職の事実が存在したとしても，当該株式会社において将来予定される取締役就任時までに，または取締役就任後間もなく，当該「兼職」に該当する他の職から離れることが明らかな場合には，当該「兼職」は重要でないと整理することが可能であるため，記載する必要はない。さらに，記載すべきは「重要な兼職」であるため，他の法人等の代表者である場合であっても，重要でないものは記載する必要がない。重要でないものの例としては，財産管理会社や休眠会社の代表者である場合，単なる名誉職として代表者にある場合等が該当しうる。他方，他の法人等において代表者ではなく

単なる業務執行者である場合であっても，重要なものであれば記載する必要がある（大野晃宏ほか・前掲19頁）。

なお，会社法上，取締役候補者の指名理由の記載が求められているのは，社外取締役候補者についてのみであるが（施行規則74条4項2号），株式会社東京証券取引所の定めるコーポレートガバナンス・コードにおいては，上場会社に対して，取締役会が取締役候補者の指名を行う際の，個々の指名についての説明を開示することが求められていることから（原則3-1(ⅴ)），上場会社においては，取締役選任議案の中で，社内・社外を問わず全ての候補者について個々の指名理由を記載することが考えられる。また，同コードにおいては，取締役が他の上場会社の役員を兼任している場合には，その兼任状況を開示することが求められていることから（補充原則4-11②），上場会社においては，取締役選任議案における「重要な兼職の状況」の記載をもって，かかる開示に代えることが考えられる。さらに，同コードにおいては，各取締役の知識・経験・能力等を一覧化したいわゆるスキル・マトリックスをはじめ，経営環境や事業特性等に応じた適切な形で取締役の有するスキル等の組み合わせを開示することが求められており（補充原則4-11①），取締役選任議案に参考情報としてスキル・マトリックス等を記載することにより，かかる開示に代えることも考えられる。

② 他の者の子会社等である場合

他の者の子会社等であるときは，経団連モデル(5)④記載の事項について，記載が必要となる。なお，経団連モデル(5)④ハ記載の「候補者が過去10年間に当該他の者の業務執行者であったことを当該株式会社が知っているときは，当該他の者における地位及び担当」（施行規則74条3項3号）に関しては，ある者が株主総会参考書類作成会社の親会社等として「当該他の者」に該当するか否かを判断するタイミングが問題となりうる。この点については，施行規則74条3項柱書の「株式会社が」「他の者の子会社等であるときは」という規定を受けて，同項1号ないし3号において「当該他の者」と定められてい

ること等からすれば，同項3号においても，株主総会参考書類記載事項の一般的な記載の基準時（上記のとおり，「現に」の意義についての解釈と揃えて，株主総会参考書類作成時や招集通知発送時を基準時とすることなどが考えられる）において株主総会参考書類作成会社の親会社等であるか否かによって判断して良いものと解される。もっとも，「過去10年間」（第Ⅶ章第1節第1(3)記載のとおり，「現に」の意義についての解釈と揃えて，株主総会参考書類作成時や招集通知発送時などからさかのぼる10年間ととらえることが考えられる）に「当該他の者」における候補者の地位や担当について変動があった場合には，当該変動後の地位や担当だけでなく，当該変動前の地位や担当も記載しなければならないと考えられる。

③　候補者が社外取締役候補者である場合

当該候補者が社外取締役候補者であるときは，経団連モデル(8)①から⑨について，記載が必要となる。

社外取締役候補者関係の注記の参考例を記載すると，次のようになる。

> **（参考例）**
> （注）取締役候補者のうち，○○氏は，会社法施行規則第2条第3項第7号の社外取締役候補者であります。
> 　　○○氏を社外取締役候補者とした理由は，同氏は長年にわたり××株式会社の経営に携り，その経歴を通じて培った経営の専門家としての経験・見識［，及び業務執行から独立した客観的な視点に基づく利益相反等を含む経営の監督とチェック機能，客観性の更なる向上への貢献］／［に基づき，独立した客観的な立場から，適切に会社の業績等の評価を行い，その評価を経営陣幹部の人事に適切に反映することなどにより，経営陣に対する実効性の高い監督を行うこと］を期待したためであります。
> 　　なお，○○氏は，○年○月○日から当社の社外取締役として在任しておりますが，当社においては，昨年○月○日付けで公表いたしましたとおり，当社の主力製品である□□において賞味期限の表示の偽装が発生しております。○○氏は，取締役および従業員の職務の執行が法令及び定款に適合

第4節　取締役選任議案

> することを確保するための体制の整備のために，取締役会において活発に発言をされておりましたが，このような事件の発生を受けて，当社において新たに設置した「△△委員会」の委員に就任し，製造過程のマニュアルの整備徹底や，××に関する基準の導入とその確実な実施に尽力して参りました。

　経団連モデル (8) ④については，現に当該株式会社の社外取締役である者が社外取締役候補者となる場合であって，当該候補者が最後に選任された後在任中に当該株式会社において法令または定款に違反する事実その他不当な業務の執行が行われた事実（重要でないものを除く）があるときに，「その事実並びに当該事実の発生の予防のために当該候補者が行った行為及び当該事実の発生後の対応として行った行為の概要」を記載する。

　ここで記載の必要が生じるのは，当該事実が「あるとき」とされているから，当該候補者が最後に選任された後在任中に当該事実が発生した場合（下図1の①），または，当該候補者が再任されている場合であって，当該候補者の就任後，最後に選任されるまでの間に当該事実が発生し，かつ，最後に選任された後まで当該事実が継続していた場合（下図1の②）のように，最後に選任された後に当該事実が存する場合には，それぞれ「その事実並びに当該事実の発生の予防のために当該候補者が行った行為及び当該事実の発生後の対応として行った行為の概要」を記載する必要がある。また，当該候補者の就任前に当該事実が発生し，かつ，最後に選任された後まで当該事実が継続していた場合（下図1の③）のように，最後に選任された後に当該事実が存するが，「当該事実の発生の予防のために当該候補者が行った行為」が存しない場合には，「その事実」および「当該事実の発生後の対応として行った行為の概要」を記載する必要がある。

　これに対して，当該候補者の就任後，最後に選任されるまでの間に当該事実が発生し，かつ，終了した場合（下図1の④）のように，最後に選任された後に当該事実が存しない場合には，特段の記載は必要ない。ただし，その場合であっても，例えば最後に選任された後に当該事実に基づく行政処分等を

受けたことにより初めて当該事実の存在が明らかとなった場合等（下図１の⑤）については，株主に対する情報開示の観点から，所定の事項を記載することが考えられる。

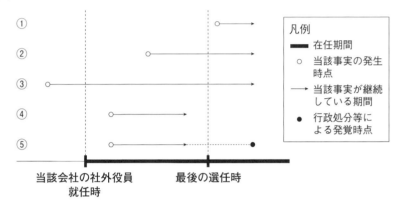

図１

経団連モデル（8）⑤については，社外取締役候補者が過去５年間に他の株式会社の取締役，執行役または監査役に就任していた場合において，その在任中に当該他の株式会社において法令または定款に違反する事実その他不当な業務の執行が行われた事実があることを当該株式会社が知っているときは，「その事実」を記載する（ただし，重要でないものを除く）。また，当該候補者が当該他の株式会社における社外取締役または監査役であったときは，あわせて「当該事実の発生の予防のために当該候補者が行った行為及び当該事実の発生後の対応として行った行為の概要」を記載する。

この点，当該候補者が過去５年以内に他の株式会社の取締役等に就任した場合の基本的な考え方は，経団連モデル（8）④と同様である。

具体的には，在任中に当該事実が存する場合（下図２の①，②）には，それぞれ所定の事項を記載する必要がある。

また，在任中に当該事実が存しない場合（下図２の③）には，特段の記載は必要ないと考えられるものの，例えば就任後に当該事実に基づく行政処分等

第4節　取締役選任議案

を受けたことにより初めて当該事実の存在が明らかとなった場合等（下図2の④）については，株主に対する情報開示の観点から，所定の事項を記載することが考えられる。

図2

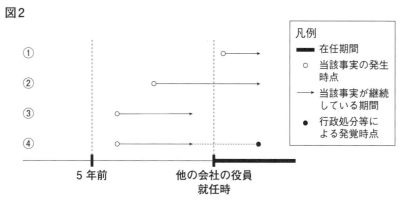

これに対して，当該候補者が過去5年以上前から他の株式会社の取締役等に就任している場合には，会社法施行規則74条4項5号が当該候補者の「在任中」に当該事実があるときを要件としている関係上，過去5年以内の「在任中」に当該事実が存する場合だけでなく，過去5年より前の「在任中」に当該事実が存する場合（例えば，当該候補者が8年前に他の株式会社の監査役に就任したところ，7年前に当該事実が発生し，かつ6年前に終了した場合）にも，所定の事項を記載する必要があるように読む余地がある。しかし，そもそも会社法施行規則が問題としているのは，当該候補者が過去5年間に他の株式会社の取締役等に就任している場合であるから，過去5年より前の「在任中」に当該事実が存する場合にまで，所定の事項を記載することは必須ではないと考えられる。

したがって，具体的には，過去5年以内に当該事実が発生または継続していた場合（下図3の①〜③）には，それぞれ所定の事項を記載する必要がある。

これに対して，当該候補者の就任後，過去5年までの間に当該事実が発生し，かつ終了した場合（下図3の④），または，当該候補者の就任前に当該事

実が発生し，かつ，当該候補者の就任後，過去5年までの間に終了した場合（下図3の⑤）には，それぞれ所定の事項を記載することが考えられる（ただし，上記のとおり必須ではない）。

また，当該候補者の就任前に当該事実が発生し，かつ，終了した場合（下図3の⑥）には，在任中に当該事実が存しないので，特段の記載は必要ないと考えられるものの，例えば過去5年間の在任中に当該事実に基づく行政処分等を受けたことにより初めて当該事実の存在が明らかとなった場合等（下図3の⑦）については，所定の事項を記載することが考えられる。

図3

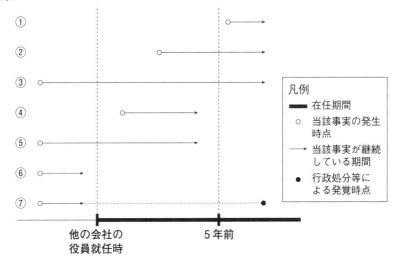

また，経団連モデルでは，社外取締役候補者が社外取締役または社外監査役となること以外の方法で会社の経営に関与している者である場合が想定されているが，社外取締役候補者が社外取締役または社外監査役となること以外の方法で会社の経営に関与していない者である場合には，経団連モデル（8）⑥に関する記載が必要になる。この「会社の経営に関与していない者」については，その意義が一義的に明確でなく，社外取締役または社外監査役とな

ること以外の方法で「役員」を務めたことのある者しか「会社の経営に関与」していたとはいえないという解釈もありうるが，「役員」ではなく例えば「部長」等であっても，権限分配等の実態によっては「会社の経営に関与」していたといえる場合もあるものと考えられる。また，この点の記載については，次の参考例のように経団連モデル(8)②の記載と明確に書き分けることも考えられるが，本(1)末尾の参考例注記6(1)のように経団連モデル(8)②の記載と合わせた形で記載することも考えられる。

> **(参考例)**
> (注)　取締役候補者のうち，○○氏は，会社法施行規則第2条第3項第7号の社外取締役候補者であります。
> 　　○○氏を社外取締役候補者とした理由は，長年にわたる弁護士としての経験・見識からの視点に基づく経営の監督とチェック機能を期待したためであります。
> 　　なお，○○氏は，これまで，会社の経営に関与した経験は有しておりませんが，コンプライアンスの分野を専門とする著名な弁護士であることから，経営の監督とチェック機能の観点から社外取締役としての職務を適切に遂行することができるものと判断いたしました。

次に，経団連モデル(8)⑦の各事項については，株主総会参考書類作成会社が「知っているとき」に記載が求められるが，「知っているとき」とは，当該事項が株主総会参考書類の記載事項となっていることを前提として行われた調査の結果，知っている場合を意味するものと考えられる。なお，経団連モデル(8)⑦の各事項については，「その旨」の記載が求められているにすぎず，具体的な事実の記載までが求められているわけではないので，例えば，経団連モデル(8)⑦イに該当する場合であれば，法的には，「候補者○○は，過去に当社の業務執行者であったことがあります」と記載するだけでも足りると考えられる。

経団連モデル(8)⑦イ，ハおよびニに関しては，ある会社が株主総会参考書類作成会社の「子会社」または「特定関係事業者」に該当するか否かを判

断するタイミングが問題となりうる。この点については，株主に対して当該社外取締役候補者の独立性の判断に資する事項を提供するという開示の趣旨に鑑みると，いずれについても，原則としては，株主総会参考書類記載事項の一般的な記載の基準時（上記のとおり，「現に」の意義についての解釈と揃えて，株主総会参考書類作成時や招集通知発送時を基準時とすることなどが考えられる）において株主総会参考書類作成会社の子会社または特定関係事業者であるか否かによって判断してよいものと解される。但し，経団連モデル（8）⑦イに関しては，当該候補者が「過去に当該株式会社又はその子会社の業務執行者又は役員（業務執行者であるものを除く。）であったことがあること」を「当該株式会社が知っているときは，その旨」の記載を求めるものであるところ，これは，社外取締役の要件において過去に選任会社またはその子会社の業務執行取締役であったか否か等が要件とされていること（法2条15号イ・ロ）を踏まえたものである。そして，社外取締役の要件との関係では，当該要件の判断については当該者が業務執行取締役等であった時点において行うものと解されているから，経団連モデル（8）⑦イでいう「子会社」に関しては，株主総会参考書類作成時等だけではなく，当該候補者がある会社の業務執行者または役員であった時点において，当該会社が選任会社の子会社であった場合も該当すると解すべきである。

　経団連モデル（8）⑦ホについては，「重要でないものを除く」という限定が付されている（施行規則74条4項6号ホ）。「重要でないもの」の判断にあたっては，社外役員としての職務の遂行に影響を及ぼしうる事項の記載を求めるものという開示の趣旨に鑑み，当該株式会社または当該株式会社の特定関係事業者における当該親族の役職の重要性および当該親族との交流の有無などが考慮されることとなると解されている（大野晃宏ほか・前掲20頁）。

　また，経団連モデル（8）⑧の記載については，「就任年数」は，厳密には，「就任した時点」から当該株主総会参考書類の一般的な記載の基準時までで算出するものであると解されるが，条文上は「年数」の記載が求められているのみであるから，例えば1年に少し満たない期間であっても端的に「1年」と

記載することも許されると考えられる。また、「本総会終結時をもって○年」と記載することも考えられる。

なお、株式会社東京証券取引所は、上場会社に対し、一般株主の保護のため、社外取締役または社外監査役の中から、一般株主と利益相反が生じるおそれのない者を独立役員として1名以上確保し、独立役員届出書を取引所に提出することを求めるとともに（有価証券上場規程436条の2、有価証券上場規程施行規則436条の2）、上場会社に対し、独立役員に関する情報を株主総会における議決権行使に役立てやすい形で株主に提供するよう努めることを求めており（有価証券上場規程445条の6）、具体例の1つとして、株主総会参考書類の役員の選任議案において、①議案の対象となる役員を独立役員に指定する予定である場合には当該役員を独立役員に指定する旨およびその独立性に関する事項を記載すること、②議案の対象となる社外役員を独立役員に指定する予定がない場合には当該社外役員の独立性に関する情報を記載することを挙げている。上場会社においては、社外取締役の中からかかる独立役員を確保する場合には、かかる独立役員の制度の存在を意識して、取締役選任議案の株主総会参考書類においても、その点につき次の参考例のように注記することも考えられる。

(参考例)
(新任の社外取締役を独立役員として指定する場合)
(注) 社外取締役候補者○○氏は、○○証券取引所の定めに基づく独立役員の要件を満たしており、当社は、本総会において同氏の選任が承認された場合、同氏を独立役員として指定し、同取引所に届け出る予定であります。

(参考例)
(既に独立役員として指定されている社外取締役を引き続き指定する場合)
(注) 当社は、社外取締役候補者○○氏を○○証券取引所の定めに基づく独立役員として指定し、同取引所に届け出ており、本総会において同氏の再任が承認された場合、引き続き同氏を独立役員として指定する予定であります。

この「独立性に関する事項」や「独立性に関する情報」としてどのような記載が求められるかは必ずしも明らかではないが，従前の独立役員届出書への記載を参考に，例えば，「○○氏は証券取引所が一般株主と利益相反の生じる恐れがある者と判断する項目に該当するものがないことから，独立性が高いものと判断しております。」といった記載をすることも考えられよう。

なお，株式会社東京証券取引所の定めるコーポレートガバナンス・コードにおいては，上場会社に対して，金融商品取引所が定める独立性基準を踏まえ，独立社外取締役となる者の独立性をその実質面において担保することに主眼を置いた独立性判断基準を策定・開示することが求められていることから（原則4-9），上場会社においては，株主総会参考書類において取締役選任議案に係る独立性判断基準を記載し，これをもってかかる開示に代えることが考えられる。

④ 監査等委員会設置会社の場合

監査等委員会設置会社においては，監査等委員である取締役の選任について，それ以外の取締役の選任と区別してしなければならないとされていることから，実務上は，監査等委員である取締役の選任議案と，それ以外の取締役の選任議案を，別議案として上程することが多い。

なお，監査等委員会設置会社における監査等委員以外の取締役の任期は1年（選任後1年以内に終了する事業年度のうち最終のものに関する定時株主総会の終結の時まで）であるが（法332条3項・1項），監査等委員である取締役の任期は2年（選任後2年以内に終了する事業年度のうち最終のものに関する定時株主総会の終結の時まで）である（法332条4項・1項）。

また，監査等委員会設置会社においては，監査等委員である取締役の選任に関する議案を株主総会に提出するには，監査等委員会の同意を得なければならない（法344条の2第1項）。

さらに，監査等委員である取締役は，株主総会において，監査等委員である取締役の選任もしくは解任または辞任について意見を述べることができ（法

342条の2第1項)，監査等委員会が選定する監査等委員は，株主総会において，監査等委員以外の取締役の選任もしくは解任または辞任についても意見を述べることができる（法342条の2第4項）。かかる意見がある場合，その内容の概要を株主総会参考書類に記載することが必要となる（施行規則74条1項3号・74条の3第1項5号）。

⑤ 参考例

以上の諸点を踏まえ，公開会社の株主総会参考書類における取締役選任議案全体の参考例を記載すると，次のようになる。

(参考例)

第○号議案　取締役6名選任の件

　現任取締役全員（6名）は，本総会終結の時をもって任期満了となりますので，取締役6名の選任をお願いするものであります。

　取締役候補者は次のとおりであります。

候補者番号	氏名 (生年月日)	略歴，地位および担当ならびに重要な兼職の状況	所有する当社の株式数
1	○○　○○ (○年○月○日)	○年○月　当社入社 ○年○月　当社取締役○○部長 ○年○月　当社常務取締役○○本部長 ○年○月　当社専務取締役○○担当 ○年○月　株式会社○○代表取締役社長（現任） ○年○月　○○株式会社代表取締役会長 ○年○月　当社代表取締役社長（現任）	○株

2	×× ×× (○年○月○日)	○年○月 ○年○月 ○年○月 ○年○月	当社入社 当社取締役○○支社長 当社常務取締役○○担当 当社専務取締役○○担当 （現任）	○株
3	△△ △△ (○年○月○日)	○年○月 ○年○月 ○年○月 ○年○月	当社入社 当社取締役○○部長 株式会社××代表取締役 社長（現任） 当社常務取締役○○担当 （現任）	○株
4	□□ □□ (○年○月○日)	○年○月 ○年○月 ○年○月	株式会社△△銀行取締役 同行専務取締役（現任） 当社取締役（現任）	○株
5	▲▲ ▲▲ (○年○月○日)	○年○月 ○年○月 ○年○月 ○年○月	○○省入省 同省○○局次長 同省○○局長 ○○連合会理事(現任)	○株
6	●● ●● (○年○月○日)	○年○月 ○年○月 ○年○月 ○年○月	○○地方検察庁検事 ○○地方検察庁検事正 弁護士登録 ○○法律事務所所長(現任)	○株

（注）1.（1）候補者○○○○氏は，当社の親会社である株式会社○○の代表取締役社長を兼務しております。また，同氏は，同社の子会社である○○株式会社において，○年○月から○年○月までの間，専務取締役○○担当を務め，○年○月から○年○月までの間，代表取締役会長を務めておりました。
　　　（2）候補者△△△△氏は，当社の親会社である株式会社○○の子会社である株式会社××の代表取締役社長を兼務しております。
　　2.当社は，候補者○○○○氏が代表取締役を兼務する株式会社○○から○○等を購入しております。また，当社は，候補者△△△△氏が代表取締役を兼務する株式会社××との間で○○事業に関する業務提携契約を締結しております。

3. 当社は，候補者□□□□氏との間で，会社法第423条第1項の賠償責任を限定する契約を締結しており，当該契約に基づく賠償責任限度額は，○万円または法令の定める最低責任限度額のいずれか高い額となっておりますが，同氏の再任が承認された場合，当社は同氏との間の当該契約を継続する予定であります。また，候補者▲▲▲▲氏および●●●●氏の選任が承認された場合，当社は，両氏との間でも，候補者□□□□氏との間の上記契約と同様の契約を締結する予定であります。
4. 候補者○○○○，××××，△△△△及び□□□□の4氏は，現在，当社の取締役であり，当社は各氏との間で会社法第430条の2第1項に規定する補償契約を締結しております。当該補償契約では，同項第1号の費用および同項第2号の損失を法令の定める範囲内において当社が補償することとしており，各氏の再任が承認された場合，当社は各氏との間の上記補償契約を継続する予定であります。また，候補者▲▲▲▲及び●●●●の両氏の選任が承認された場合，当社は，両氏との間でも上記契約と同様の契約を締結する予定であります。
5. 候補者○○○○，××××，△△△△及び□□□□の4氏は，現在，当社の取締役であり，当社は，各氏が被保険者に含まれる会社法第430条の3第1項に規定する役員等賠償責任保険契約を保険会社との間で締結しております。当該保険契約では，被保険者が会社の役員等の地位に基づき行った行為（不作為を含みます。）に起因して損害賠償請求がなされたことにより，被保険者が被る損害賠償金や訴訟費用等が塡補されることとなり，被保険者の全ての保険料を当社が全額負担しておりますが，各氏の再任が承認された場合，各氏は引き続き当該保険契約の被保険者に含められることとなります。また，候補者▲▲▲▲及び●●●●の両氏の選任が承認された場合，両氏も当該保険契約の被保険者に含められることとなります。なお，当社は，当該保険契約を任期途中に同様の内容で更新することを予定しております。
6. 社外取締役候補者に関する記載事項
    (1) 候補者□□□□，▲▲▲▲，●●●●の3氏は，会社法施行規則第2条第3項第7号の社外取締役候補者であり，この3氏を社外取締役候補者とした理由及び社外取締役に選任された場合に果たすことが期待される役割の概要は以下のとおりであります。
        ① 候補者□□□□氏は，長年大手都市銀行の経営に関与し，金融実務に関する豊富な経験を有していることから，かかる経験に基

づく当社の経営に対する適切な監督を期待して，社外取締役候補者とするものであります。
　②　候補者▲▲▲▲氏は，過去に社外取締役または社外監査役となること以外の方法で会社の経営に関与した経験はありませんが，○○行政における職歴を通じて培った知識・経験等を活かした，当社の経営に対する適切な監督を期待して，社外取締役候補者とするものであります。
　③　候補者●●●●氏は，過去に社外取締役または社外監査役となること以外の方法で会社の経営に関与した経験はありませんが，法律の専門家として企業経営を監督する十分な見識を有していることから，社外取締役候補者とするものであります。
(2)　当社は，○年○月○日付で，○○に関し，金融庁から課徴金納付命令を受けました。候補者□□□□氏は，日頃から，コンプライアンスまたは内部統制の強化の観点から当社取締役会等において法令遵守に関する提言を行っておりました。また，当社が上記命令を受けた後は，同氏は，取締役会その他重要な会議に出席し，再発防止に向けてさらなる内部統制体制の強化を行うよう当社経営陣に対して直接各種提言・意見表明を行うほか，当社取締役等から職務の執行状況を聴取し，重要な決裁書類等を閲覧し，当社各部門において業務および財産の状況を調査しました。
(3)　候補者▲▲▲▲氏が株式会社□□の社外取締役に在任していた間に，同社は，○年○月○日付で，○○事件に関し，国土交通省より営業停止処分を受けました。同氏は，同事件発生まで当該事実を認識しておりませんでしたが，日頃から同社取締役会において法令遵守の視点に立った提言を行い，注意を喚起しておりました。また，同事件発生後は，再発防止の必要性と会社姿勢の外部への開示等について意見表明を行いました。
(4)　候補者□□□□氏は，当社の特定関係事業者である株式会社△△銀行の業務執行者であります。
(5)　候補者▲▲▲▲氏は，当社の特定関係事業者の業務執行者の三親等以内の親族であります。
(6)　候補者□□□□氏は，現在当社の社外取締役でありますが，社外取締役在任期間は，本総会終結の時をもって2年であります。

第4節　取締役選任議案

　また，監査等委員会設置会社の株主総会参考書類における監査等委員である取締役の選任議案全体の参考例を記載すると，次のようになる。
　なお，かかる参考例のほか，補償契約に関する事項，役員等賠償責任保険契約に関する事項および社外取締役候補者に関する事項については，取締役選任議案における記載例も参照されたい。

(参考例)
第○号議案　監査等委員である取締役3名選任の件
　現任の監査等委員である取締役全員（3名）は，本総会終結の時をもって任期満了となりますので，監査等委員である取締役3名の選任をお願いするものであります。
　本議案につきましては，監査等委員会の同意を得ております。
　監査等委員である取締役候補者は次のとおりであります。

候補者番号	氏名 (生年月日)	略歴，地位および担当ならびに重要な兼職の状況	所有する当社の株式数
1	○○　○○ (○年○月○日)	○年○月　当社入社 ○年○月　当社経理部長 ○年○月　当社常勤監査役 ○年○月　当社取締役（監査等委員） 　　　　　（現任）	○株
2	××　×× (○年○月○日)	○年○月　株式会社○○入社 ○年○月　同社取締役 ○年○月　同社常勤取締役 ○年○月　株式会社××監査役(現任)	○株
3	△△　△△ (○年○月○日)	○年○月　弁護士登録 ○年○月　○○法律事務所所長（現任） ○年○月　当社取締役（監査等委員） 　　　　　（現任）	○株

(注) 1. 各候補者と当社との間には，特別の利害関係はありません。
2. 当社は，候補者△△△△氏との間で，会社法第427条第1項の規定に基づき，同法第423条第1項の損害賠償責任を限定する契約を締結しており，当該契約に基づく損害賠償責任の限度額は，○万円または法令に規定された最低責任限度額のいずれか高い額となっておりますが，同氏の再任が承認された場合，当社は同氏との間の当該契約を継続する予定であります。また，候補者××××氏の選任が承認された場合，当社は，同氏との間でも，候補者△△△△氏との間の上記契約と同様の契約を締結する予定であります。
3. 社外取締役候補者に関する記載事項
  (1) 候補者××××，△△△△の両氏は，会社法施行規則第2条第3項第7号の社外取締役候補者であり，この両氏を社外取締役候補者とした理由及び社外取締役に選任された場合に果たすことが期待される役割の概要は以下のとおりであります。
    ① 候補者××××氏については，長年企業の経営に携わってきたことにより培われた豊富な経験と幅広い識見から，当社の社外取締役に適任であると判断し，選任をお願いするものであります。
    ② 候補者△△△△氏は，過去に社外取締役または社外監査役となること以外の方法で会社の経営に関与した経験はありませんが，法曹界における豊富な経験と幅広い識見から，当社の社外取締役に適任であると判断し，選任をお願いするものであります。
  (2) 候補者△△△△氏は，現在当社の社外取締役でありますが，社外取締役在任期間は，本総会終結の時をもって2年であります。

(2) 株主総会参考書類を作成しなければならない非公開会社の場合

(a) 候補者の氏名，生年月日および略歴，(b) 就任の承諾を得ていないときは，その旨，(c) 候補者と当該株式会社との間で法427条1項の契約を締結しているときまたは当該契約を締結する予定があるときは，その契約の内容の概要，(d) 候補者と当該株式会社との間で補償契約を締結しているとき又は補償契約を締結する予定があるときは，その補償契約の内容の概要，(e)

候補者を被保険者とする役員等賠償責任保険契約を締結しているとき又は当該役員等賠償責任保険契約を締結する予定があるときは，その役員等賠償責任保険契約の内容の概要（以上につき，施行規則74条1項）を記載する。また，当該候補者が社外取締役候補者であるときは，経団連モデル（8）①，②，③，⑨について，記載が必要となる。

(3) 株主総会参考書類を作成する必要がない会社（議決権行使書面等を用いない会社であって，委任状勧誘府令が適用される場合を除く）

　会社法下では，株主総会参考書類を作成する必要がない会社については，招集通知に「議案の概要」を記載することとされているが（法299条4項・298条1項5号，施行規則63条7号イ），「議案の概要」の具体的内容については何らの定めもない。そこで，上記（2）「株主総会参考書類を作成しなければならない非公開会社」に準じて，記載することが考えられる（当該候補者が社外取締役候補者であっても，経団連モデル（8）①，②，③，⑨についての記載は不要である）。

第Ⅶ章 株主総会参考書類

第5節

監査役選任議案

経団連モデル

> ［記載例］
> 第4号議案　監査役○名選任の件
> 　本総会終結の時をもって監査役全員が任期満了となりますので，監査役○名の選任をお願いするものであります。
> 　本議案につきましては，監査役会の同意を得ております（監査役会設置会社の場合。単なる監査役設置会社の場合は，「監査役の過半数の同意を得ております。」となる）。
> 　その候補者は次のとおりであります。

（記載上の注意）
(1) 記載要領は取締役候補者と概ね同様である。ただし，監査役には取締役と異なり担当は存しないため（会社法施行規則第76条第2項第3号参照），各候補者ごとの記載項目の一覧表の項目は，「略歴，地位及び担当並びに重要な兼職の状況」ではなく，「略歴，地位及び重要な兼職の状況」となる。また，監査役の選任については，株主総会へ議案を提出するには，監査役の過半数（監査役会設置会社においては監査役会）の同意を得なければならず（会社法第343条第1項・第3項），監査役の意見（会社法第345条第4項で準用する同条第1項）があるときは，その意見の内容の概要を記載する。

(2) 監査役の選任に関する議案が，会社法第343条第2項・第3項に基づき監査役又は監査役会の請求により提出されたものであるときは，その旨も記載する。
(3) 公開会社でない場合，次の事項以外の記載は不要である。
① 提案の理由
② 候補者の氏名，生年月日及び略歴
③ 会社との間に特別の利害関係があるときはその事実の概要
④ 就任の承諾を得ていないときは，その旨
⑤ 候補者と会社との間で責任限定の契約を締結しているとき又は当該契約を締結する予定があるときには，その契約の内容の概要
⑥ 候補者と会社との間で補償契約を締結しているとき又は補償契約を締結する予定があるときは，その契約の内容の概要
⑦ 候補者を被保険者とする役員等賠償責任保険契約を締結しているとき又は 役員等賠償責任保険契約を締結する予定があるときは，その保険契約の内容の概要
⑧ 監査役の選任に関する議案が，会社法第343条第2項・第3項に基づき監査役又は監査役会の請求により提出されたものであるときは，その旨
⑨ 監査役の選任に関する議案につき監査役の意見（会社法第345条第4項で準用する同条第1項）があるときは，その意見の内容の概要
(4) 候補者が，社外監査役候補者（会社法施行規則第2条第3項第8号）である場合には，次の事項も記載する（公開会社でない場合，③から⑦までは不要）。なお，③や⑦における「現に」とは，株主総会の時点ではなく，株主総会参考書類の作成時であり，④⑤⑥における「過去○年間」「過去に」とは，株主総会参考書類作成時をその起算点とする。

① 社外監査役候補者である旨
② 社外監査役候補者とした理由
③ 候補者が現に当該株式会社の社外監査役（社外役員に限る。）である場合において，当該候補者が最後に選任された後在任中に当該株式会社において法令又は定款に違反する事実その他不正な業務の執行が行われた事実（重要でないものを除く。）があるときは，その事実並びに当該事実の発生の予防のために当該候補者が行った行為及び当該事実の発生

後の対応として行った行為の概要
④ 候補者が過去5年間に他の株式会社の取締役,執行役又は監査役に就任していた場合において,その在任中に当該他の株式会社において法令又は定款に違反する事実その他不正な業務の執行が行われた事実があることを当該株式会社が知っているときは,その事実(重要でないものを除き,当該候補者が当該他の株式会社における社外取締役(社外役員に限る。)又は監査役であったときは,当該事実の発生の予防のために当該候補者が行った行為及び当該事実の発生後の対応として行った行為の概要を含む。)
⑤ 候補者が過去に社外取締役(社外役員に限る。)又は社外監査役(社外役員に限る。)となること以外の方法で会社(外国会社を含む。)の経営に関与していない者であるときは,当該経営に関与したことがない候補者であっても社外監査役としての職務を適切に遂行することができるものと当該株式会社が判断した理由
⑥ 候補者が次のいずれかに該当することを当該株式会社が知っているときは,その旨
　イ　過去に当該株式会社又はその子会社の業務執行者又は役員(業務執行者であるものを除く。)であったことがあること。
　ロ　当該株式会社の親会社等(自然人であるものに限る。)であり,又は過去5年間に当該株式会社の親会社等(自然人であるものに限る。)であったことがあること。
　ハ　当該株式会社の特定関係事業者の業務執行者若しくは役員(業務執行者であるものを除く。)であり,又は過去10年間に当該株式会社の特定関係事業者(当該株式会社の子会社を除く。)の業務執行者若しくは役員(業務執行者であるものを除く。)であったことがあること。
　ニ　当該株式会社又は当該株式会社の特定関係事業者から多額の金銭その他の財産(これらの者の監査役としての報酬等を除く。)を受ける予定があり,又は過去2年間に受けていたこと。
　ホ　次に掲げる者の配偶者,三親等以内の親族その他これに準ずる者であること(重要でないものを除く。)。
　　・当該株式会社の親会社等(自然人であるものに限る。)
　　・当該株式会社又は当該株式会社の特定関係事業者の業務執行者又は

第5節　監査役選任議案

　　役員（業務執行者であるものを除く。）
　ヘ　過去2年間に合併等（合併，吸収分割，新設分割又は事業の譲受けをいう。）によりその事業に関して有する権利義務を当該株式会社が承継又は譲受けをした場合において，当該合併等の直前に当該株式会社の社外監査役（社外役員に限る。）でなく，かつ，当該他の株式会社の業務執行者であったこと。
⑦　候補者が現に当該株式会社の監査役であるときは，監査役に就任してからの年数
⑧　①から⑦までに掲げる事項に関する記載についての当該候補者の意見があるときは，その意見の内容

「社外監査役候補者」とは，次の要件のいずれにも該当する候補者をいう。
　イ　当該候補者が当該株式会社の監査役に就任した場合には，社外監査役となる見込みであること。
　ロ　次のいずれかの要件に該当すること。
　　（i）当該候補者を監査役会設置会社の要件としての社外監査役（会社法第335条第3項）とする予定があること。
　　（ii）当該候補者を当該株式会社の社外監査役であるものとして計算関係書類，事業報告，株主総会参考書類その他株式会社が法令その他これに準ずるものの規定に基づき作成する資料に表示する予定があること。

第1　標 題 等

　監査役の選任については，累積投票の制度（法342条）はないが，取締役の選任について，累積投票の制度を定款により排除している会社であっても標題に選任される取締役の数を記載するのが一般的であることと表現を揃えて，監査役選任議案についても，標題に選任される監査役の数を記載するのが一般的である。

第2 内　　容

　取締役選任議案と監査役選任議案との相違点としては，①監査役の選任に関する議案を株主総会に提出するには監査役（監査役が2人以上ある場合にはその過半数，監査役会設置会社である場合には監査役会）の同意を得なければならないこと（法343条1項・3項），②監査役（監査役会設置会社である場合には監査役会）が監査役の選任を株主総会の目的とするよう請求できること（法343条2項前段），監査役の選任に関する議案を株主総会に提出するよう請求できること（法343条2項後段），③監査役が株主総会において監査役の選任について意見を述べることができ（法345条4項・1項），株主総会参考書類を作成する会社においては当該意見の概要を株主総会参考書類に記載しなければならないこと（施行規則76条1項5号）を挙げることができる。また，監査役選任議案については，株主総会参考書類への「担当」の記載が不要であることも（施行規則76条2項3号），取締役選任議案との相違点として挙げられる。

　監査役選任議案も，取締役選任議案と同様，①株主総会参考書類を作成しなければならない会社か否かという区分と，②公開会社か否かという区分により，記載しなければならない内容が異なる。監査役選任議案において一般的に共通して記載するものとしては，(a) 監査役を選任する必要性（例：「本総会終結の時をもって，監査役〇〇が任期満了となりますので」），(b) 増員するときはその理由（例：「監査体制の強化を図るため」），(c) 選任すべき監査役の人数とその候補者（例：「監査役〇名の選任をお願いします。その候補者は次のとおりであります。」），(d) 当該議案について監査役（監査役が2人以上ある場合にはその過半数，監査役会設置会社である場合には監査役会）の同意を得ていること（例：「本議案に関しましては，監査役会の同意を得ております。」）を挙げることができる。株主総会参考書類を作成しなければならない会社においては，公開会社か否かを問わず，取締役の提出する議案について，株主総会参考書類に「提案の理由」を記載することが求められている

ところ（施行規則73条1項2号），上記（a）および（b）の記載が，かかる「提案の理由」に該当すると考えられる。

(1) 株主総会参考書類を作成しなければならない公開会社の場合
① 共通の記載事項

(a) 候補者の氏名，生年月日および略歴，(b) 株式会社との間に特別の利害関係があるときは，その事実の概要，(c) 就任の承諾を得ていないときは，その旨，(d) 議案が法343条2項の規定による請求により提出されたものであるときは，その旨，(e) 法345条4項において準用する同条1項の規定による監査役の意見があるときは，その意見の内容の概要，(f) 候補者と当該株式会社との間で法427条1項の契約を締結しているとき又は当該契約を締結する予定があるときは，その契約の内容の概要，(g) 候補者と当該株式会社との間で補償契約を締結しているとき又は補償契約を締結する予定があるときは，その補償契約の内容の概要，(h) 候補者を被保険者とする役員等賠償責任保険契約を締結しているとき又は当該役員等賠償責任保険契約を締結する予定があるときは，その役員等賠償責任保険契約の内容の概要（以上につき，施行規則76条1項）のほか，公開会社特有の記載事項である（i）候補者の有する当該株式会社の株式の数（種類株式発行会社にあっては，株式の種類および種類ごとの数），(j) 候補者が当該株式会社の監査役に就任した場合において施行規則121条8号に定める重要な兼職に該当する事実があることとなるときは，その事実（重要な兼職の状況），(k) 候補者が現に当該株式会社の監査役であるときは，当該株式会社における地位（以上につき，施行規則76条2項）を記載しなければならない。これらの記載内容については，第Ⅶ章第4節第2(1) ①参照。

「重要な兼職の状況」には，株主総会参考書類記載事項の一般的な記載の基準時（第Ⅶ章第1節第1 (3) 記載のとおり，「現に」の意義についての解釈と揃えて，株主総会参考書類作成時や招集通知発送時を基準時とすることなどが考えられる）において，候補者が当該株式会社の監査役に就任したと仮定

した場合に存在する兼職の事実のうち，重要なものを記載する（「重要な兼職」への該当性の判断基準等については，事業報告における「会社役員に関する事項」の「重要な兼職の状況」（第Ⅰ章第4節第3）を参照）。なお，上記の一般的な記載の基準時においてまだ存在していない兼職の事実については，仮に，当該株式会社において将来予定される監査役就任時までに発生することが予想されていても（例えば，当該株式会社において当該候補者を監査役に選任する株主総会と同時期に，当該候補者が他の株式会社においても役員に選任される予定である場合でも），記載する必要はない。また，上記の一般的な記載の基準時に兼職の事実が存在したとしても，当該株式会社において将来予定される監査役就任時までに，または監査役就任後間もなく，当該「兼職」に該当する他の職から離れることが明らかな場合には，当該「兼職」は重要でないと整理することが可能であるため，記載する必要はない。さらに，記載すべきは「重要な兼職」であるため，他の法人等の代表者である場合であっても，重要でないものは記載する必要がない。重要でないものの例としては，財産管理会社や休眠会社の代表者である場合，単なる名誉職として代表者にある場合等が該当しうる。他方，他の法人等において代表者ではなく単なる業務執行者である場合であっても，重要なものであれば記載する必要がある（大野晃宏ほか・前掲19頁）。

　なお，会社法上，監査役候補者の指名理由の記載が求められているのは，社外監査役候補者についてのみであるが（施行規則76条4項2号），株式会社東京証券取引所の定めるコーポレートガバナンス・コードにおいては，上場会社に対して，取締役会が監査役候補者の指名を行う際の，個々の指名についての説明を開示することが求められていることから（原則3-1(ⅴ)），上場会社においては，監査役選任議案の中で，社内・社外を問わず全ての候補者について個々の指名理由を記載することが考えられる。また，同コードにおいては，監査役が他の上場会社の役員を兼任している場合には，その兼任状況を開示することが求められていることから（補充原則4-11②），上場会社においては，監査役選任議案における「重要な兼職の状況」の記載をもって，かかる

第5節　監査役選任議案

開示に代えることが考えられる。

② 他の者の子会社等である場合

他の者の子会社等であるときは，取締役選任議案に関する経団連モデル(5)④記載の事項と同一の事項について，記載が必要となる。なお，このうち，取締役選任議案に関する経団連モデル(5)④ハ記載の事項に相当する「候補者が過去10年間に当該他の者（当該他の者の子会社等（当該株式会社を除く。）を含む。）の業務執行者であったことを当該株式会社が知っているときは，当該他の者における地位及び担当」（施行規則76条3項3号）に関しては，ある者が株主総会参考書類作成会社の親会社等として「当該他の者」に該当するか否かを判断するタイミングが問題となりうる。この点については，施行規則76条3項柱書の「株式会社が」「他の者の子会社等であるときは」という規定を受けて，同項1号ないし3号において「当該他の者」と定められていること等からすれば，同項3号においても，株主総会参考書類記載事項の一般的な基準時のタイミング（上記のとおり，「現に」の意義についての解釈と揃えて，株主総会参考書類作成時や招集通知発送時を基準時とすることなどが考えられる）において株主総会参考書類作成会社の親会社等であるか否かによって判断してよいものと解される。もっとも，「過去10年間」（第Ⅶ章第1節第1(3)記載のとおり，「現に」の意義についての解釈と揃えて，株主総会参考書類作成時や招集通知発送時などからさかのぼる10年間ととらえることが考えられる）に「当該他の者」における候補者の地位や担当について変動があった場合には，当該変動後の地位や担当だけでなく，当該変動前の地位や担当も記載しなければならないと考えられる。

③ 候補者が社外監査役候補者である場合

当該候補者が社外監査役候補者であるときは，経団連モデル(4)①から⑧について，記載が必要となる。

経団連モデル(4)③および④の記載内容については，第Ⅶ章第4節第2(1)

③参照（ただし，社外監査役候補者の場合には，「不当な業務の執行」ではなく「不正な業務の執行」が行われた場合が記載の対象となることに留意されたい）。

　経団連モデル（4）⑤の記載における「会社の経営に関与していない者」については，その意義が一義的に明確でなく，社外取締役または社外監査役となること以外の方法で「役員」を務めたことのある者しか「会社の経営に関与」していたとはいえないという解釈もありうるが，「役員」ではなく例えば「部長」等であっても，権限分配等の実態によっては「会社の経営に関与」していたといえる場合もあるものと考えられる。また，この点の記載については，本（1）末尾の参考例注記8のように経団連モデル（4）②の記載と明確に書き分けることも考えられるが，経団連モデル（4）②の記載と合わせた形で記載することも考えられる。

　次に，経団連モデル（4）⑥の各事項については，株主総会参考書類作成会社が「知っているとき」に記載が求められるが，「知っているとき」とは，当該事項が株主総会参考書類の記載事項となっていることを前提として行われた調査の結果，知っている場合を意味するものと考えられる。なお，経団連モデル（4）⑥の各事項については，「その旨」の記載が求められているにすぎず，具体的な事実の記載までが求められているわけではないので，例えば，経団連モデル（4）⑥イに該当する場合であれば，法的には，「候補者○○は，過去に当社の業務執行者であったことがあります」と記載するだけでも足りると考えられる。

　経団連モデル（4）⑥イ，ハおよびニに関しては，ある会社が株主総会参考書類作成会社の「子会社」または「特定関係事業者」に該当するか否かを判断するタイミングが問題となりうる。この点については，株主に対して当該社外監査役候補者の独立性の判断に資する事項を提供するという開示の趣旨に鑑みると，いずれについても，原則としては，株主総会参考書類記載事項の一般的な記載の基準時（上記のとおり，「現に」の意義についての解釈と揃えて，株主総会参考書類作成時や招集通知発送時を基準時とすることなどが

考えられる）において株主総会参考書類作成会社の子会社または特定関係事業者であるか否かによって判断してよいものと解される。但し，経団連モデル（4）⑥イに関しては，当該候補者が「過去に当該株式会社またはその子会社の業務執行者又は役員（業務執行者であるものを除く。）であったことがあること」を「当該株式会社が知っているときは，その旨」の記載を求めるものであるところ，これは，社外監査役の要件において過去に選任会社またはその子会社の取締役であったか否か等が要件とされていること（法2条16号イ・ロ）を踏まえたものである。そして，社外監査役の要件との関係では，当該要件の判断については当該者が取締役等であった時点において行うものと解されているから，経団連モデル（4）⑥イでいう「子会社」に関しては，株主総会参考書類作成時等だけではなく，当該候補者がある会社の業務執行者または役員であった時点において，当該会社が選任会社の子会社であった場合も該当すると解すべきである。

経団連モデル（4）⑥ホについては，「重要でないものを除く」という限定が付されている（施行規則76条4項6号ホ）。「重要でないもの」の判断にあたっては，社外役員としての職務の遂行に影響を及ぼしうる事項の記載を求めるものという開示の趣旨に鑑み，当該株式会社または当該株式会社の特定関係事業者における当該親族の役職の重要性および当該親族との交流の有無などが考慮されることとなると解されている（大野晃宏ほか・前掲20頁）。

また，経団連モデル（4）⑦の記載については，「就任してからの年数」は，厳密には，「就任した時点」から当該株主総会参考書類の一般的な記載の基準時までで算出するものであると解されるが，条文上は「年数」の記載が求められるのみであるから，例えば4年に少し満たない期間であっても端的に「4年」と記載することも許されると考えられる。また，「本総会終結時をもって○年」と記載することも考えられる。

なお，株式会社東京証券取引所は，上場会社に対し，一般株主の保護のため，社外取締役または社外監査役の中から，一般株主と利益相反が生じるおそれのない者を独立役員として1名以上確保し，独立役員届出書を取引所に

提出することを求めるとともに（有価証券上場規程436条の2，有価証券上場規程施行規則436条の2），上場会社に対し，独立役員に関する情報を株主総会における議決権行使に役立てやすい形で株主に提供するよう努めることを求めており（有価証券上場規程445条の6），具体例の1つとして，株主総会参考書類の役員の選任議案において，①議案の対象となる役員を独立役員に指定する予定である場合には当該役員を独立役員に指定する旨およびその独立性に関する事項を記載すること，②議案の対象となる社外役員を独立役員に指定する予定がない場合には当該社外役員の独立性に関する情報を記載することを挙げている。上場会社においては，社外監査役の中からかかる独立役員を確保する場合には，かかる独立役員の制度の存在を意識して，監査役選任議案の株主総会参考書類においても，その点につき次の参考例のように注記することも考えられる。

(参考例)
(新任の社外監査役を独立役員として指定する場合)
(注) 社外監査役候補者○○氏は，○○証券取引所の定めに基づく独立役員の要件を満たしており，当社は，本総会において同氏の選任が承認された場合，同氏を独立役員として指定し，同取引所に届け出る予定であります。

(参考例)
(既に独立役員として指定されている社外監査役を引き続き指定する場合)
(注) 当社は，社外監査役候補者○○氏を○○証券取引所の定めに基づく独立役員として指定し，同取引所に届け出ており，本総会において同氏の再任が承認された場合，引き続き同氏を独立役員として指定する予定であります。

---

④　参考例

　以上の諸点を踏まえ，公開会社の株主総会参考書類における監査役選任議案全体の参考例を記載すると，次のようになる。

(参考例)
第○号議案　監査役3名選任の件
　現任監査役全員（3名）は，本総会終結の時をもって任期満了となりますので，監査役3名の選任をお願いするものであります。
　なお，本議案に関しましては，監査役会の同意を得ております。
　監査役候補者は次のとおりであります。

候補者番号	氏名 （生年月日）	略歴，地位および重要な兼職の状況	所有する当社の株式数
1	○○　○○ （○年○月○日）	○年○月　当社入社 ○年○月　当社経理部長 ○年○月　当社常勤監査役（現任）	○株
2	××　×× （○年○月○日）	○年○月　株式会社○○入社 ○年○月　同社取締役 ○年○月　同社常務取締役 ○年○月　株式会社××監査役 　　　　　（現任）	○株
3	△△　△△ （○年○月○日）	○年○月　弁護士登録 ○年○月　○○法律事務所所長 　　　　　（現任） ○年○月　当社監査役（現任）	○株

（注）1．各候補者と当社との間には，特別の利害関係はありません。
　　　2．監査役候補者との間の責任限定契約について
　　　　　当社は，候補者△△△△氏との間で，会社法第427条第1項の規定に基づき，同法第423条第1項の損害賠償責任を限定する契約を締結しており，当該契約に基づく損害賠償責任の限度額は，○万円または法令に規定された最低責任限度額のいずれか高い額であります。同氏が原案どおり選任された場合には，当該契約を継続する予定であります。また，候補者××××氏が原案どおり選任された場合には，当社は同氏との間で同様の契約を締結する予定であります。
　　　3．監査役候補者との間の補償契約について
　　　　　候補者○○○○及び△△△△の両氏は，現在，当社の監査役であり，

当社は両氏との間で会社法第430条の2第1項に規定する補償契約を締結しております。当該補償契約では，同項第1号の費用および同項第2号の損失を法令の定める範囲内において当社が補償することとしており，両氏の再任が承認された場合，当社は両氏との間の上記補償契約を継続する予定であります。また，候補者××××氏の選任が承認された場合，当社は，同氏との間でも上記契約と同様の契約を締結する予定であります。

4. 監査役候補者との間の役員等賠償責任保険契約について

　候補者○○○○及び△△△△の両氏は，現在，当社の監査役であり，当社は，両氏が被保険者に含まれる会社法第430条の3第1項に規定する役員等賠償責任保険契約を保険会社との間で締結しております。当該保険契約では，被保険者が会社の役員等の地位に基づき行った行為（不作為を含みます。）に起因して損害賠償請求がなされたことにより，被保険者が被る損害賠償金や訴訟費用等が填補されることとなり，被保険者の全ての保険料を当社が全額負担しておりますが，両氏の再任が承認された場合，両氏は引き続き当該保険契約の被保険者に含められることとなります。また，候補者××××氏の選任が承認された場合，同氏も当該保険契約の被保険者に含められることとなります。なお，当社は，当該保険契約を任期途中に同様の内容で更新することを予定しております。

5. 候補者××××氏は，当社の親会社（特定関係事業者）である株式会社○○において，過去10年間に常務取締役○○担当（業務執行者）を務めていました。
6. 候補者××××，△△△△の両氏は，社外監査役候補者であります。
7. 社外監査役候補者の選任理由について
 (1) 候補者××××氏については，長年企業の経営に携わってきたことにより培われた豊富な経験と幅広い識見から，当社の社外監査役に適任であると判断し，選任をお願いするものであります。
 (2) 候補者△△△△氏は，法曹界における豊富な経験と幅広い識見から，当社の社外監査役に適任であると判断し，選任をお願いするものであります。

8. 過去に社外取締役または社外監査役となること以外の方法で会社の経営に関与していない社外監査役候補者について
　候補者△△△△氏は，過去に社外取締役または社外監査役となること以外の方法で会社の経営に関与した経験はありませんが，法曹界における豊富な経験と法律の専門家としての高い識見を有していること，および，過去4年間当社の監査役として職責を十分に果たしていることから，社外監査役としての職務を適切に遂行できると判断しております。
9. 社外監査役候補者の社外監査役在任中の当社の法令違反等について
　当社は，候補者△△△△が社外監査役在任中の○年○月に○○の件，×年×月に××の件に関し，公正取引委員会より独占禁止法に基づく排除勧告を受けました。同氏は，当該事実に関与しておらず，同事件発生まで当該事実を認識しておりませんでした。同氏は，日頃より監査役会等で法令遵守の視点に立った提言を行い注意を喚起してまいりました。また，同氏は，同事件発生後はコンプライアンス委員会の活動を監査役会でチェックするなど再発防止にむけた取組みをしております。
10. 社外監査役候補者が過去5年間に他社の取締役，執行役または監査役に就任していた場合における在任中の当該他社の法令違反等について
　候補者××××氏は○年○月に株式会社××の社外監査役に就任して現在に至っておりますが，株式会社××は，×年×月に建設業法違反により国土交通省から○○県において建築工事にかかる営業停止処分を受けました。同氏は当該事実に関与しておりませんでしたが，日頃から，法令遵守の視点に立った提言等を行い，注意喚起しておりました。また，当該処分を受けた後は，再発防止について意見表明を行うなどその職責を果たしております。
11. 候補者△△△△氏は，当社の特定関係事業者の業務執行者の三親等以内の親族であります。
12. 社外監査役候補者が当社の監査役に就任してからの年数について候補者△△△△氏の当社監査役在任期間は，本総会終結の時をもって4年であります。

（2）株主総会参考書類を作成しなければならない非公開会社の場合

上記（1）（a）ないし（h）（施行規則76条1項）を記載し，また，当該候補者が社外監査役候補者であるときは，経団連モデル（4）①，②，⑧について，記載が必要となる。

取締役選任議案と比較すると，監査役選任議案に特有の上記（1）（d）および（e）以外にも，取締役選任議案では公開会社にのみ記載が義務付けられる上記（1）（b）「株式会社との間に特別の利害関係があるときは，その事実の概要」が非公開会社であっても株主総会参考書類を作成しなければならない会社であれば記載が義務付けられていることに留意しなければならない。

（3）株主総会参考書類を作成する必要がない会社（議決権行使書面等を用いない会社であって，委任状勧誘府令が適用される場合を除く）

会社法下では，株主総会参考書類を作成する必要がない会社については，招集通知に「議案の概要」を記載することとされているが（法299条4項・298条1項5号，施行規則63条7号イ），「議案の概要」の具体的内容については何らの定めもない。そこで，上記（2）「株主総会参考書類を作成しなければならない非公開会社」に準じて，記載することが考えられる（当該候補者が社外監査役候補者であっても，経団連モデル（4）①，②，⑧についての記載は不要である）。

第6節

補欠役員選任議案

経団連モデル

> ［記載例］
> 第5号議案　補欠監査役○名選任の件
> 　法令に定める監査役の員数を欠くことになる場合に備え，あらかじめ補欠監査役○名の選任をお願いするものであります。
> 　なお，本議案につきましては，監査役会の同意を得ております（監査役会設置会社の場合。単なる監査役設置会社の場合は，「監査役の過半数の同意を得ております。」となる）。
> 　その候補者は次のとおりであります。

（記載上の注意）
(1) 取締役，会計参与及び監査役については，法令又は定款で定める員数を欠くこととなる場合に備えて，あらかじめ補欠者を選任することができる。この選任決議は，原則として，次期定時総会が開始されるまでの間，その効力を有するが，定款の定めにより，効力を有する期間を伸長することが可能である。
(2) 記載要領は社外役員の候補者である場合の記載事項も含め，取締役については取締役候補者と同じ，監査役についても監査役候補者と同じである。
(3) 候補者を1人又は2人以上の特定の役員の補欠監査役として選任すると

きは，その旨及び当該特定の役員の氏名を記載する。具体的には，次の記載をすることが考えられる。

[記載例]
　監査役が法令に定める員数を欠くことになる場合に備え，監査役Ａ氏の補欠監査役として〇〇〇〇氏を，社外監査役Ｂ氏及びＣ氏の補欠社外監査役として〇〇〇〇氏を選任することをお願いするものであります。

(4) 同一の役員（二以上の役員の補欠として選任した場合にあっては，当該二以上の役員）につき２人以上の補欠役員を選任するときは，当該補欠役員相互間の優先順位を記載する。具体的には次の記載をすることが考えられる。

[記載例]
　なお，〇〇〇〇氏及び△△△△氏の選任をご承認いただいた場合の，監査役への就任の優先順位は，〇〇〇〇氏を第１順位，△△△△氏を第２順位といたします。

(5) 補欠役員については，補欠者である間に就任に差し障るような事態が生じる可能性も勘案し，就任前にその選任の取消しを行う場合がある旨及び取消しを行うための手続きを記載することが考えられる。
　具体的には，次の記載をすることが考えられる。

[記載例]
　なお，〇〇〇〇氏の選任の効力につきましては，就任前に限り，監査役会の同意を得て，取締役会の決議により，その選任を取り消すことができるものとさせていただきます。

　会社法下では，補欠の役員の選任に際しては，会社法施行規則96条所定の事項を株主総会決議で決定する必要があり，株主総会参考書類を作成しなければならない会社では，かかる決定事項については，議案の内容（施行規則73

第6節 補欠役員選任議案

条1項1号）として，株主総会参考書類に記載することが必要となる。株主総会参考書類のその他の記載事項については，社外役員の候補者である場合の記載事項も含め，取締役については取締役候補者（第Ⅶ章第4節第2 (1) および (2)）と同じ，監査役については監査役候補者（同章第5節第2 (1) および (2)）と同じである。なお，取締役の提出する議案については，株主総会参考書類に「提案の理由」を記載することが求められているところ（施行規則73条1項2号），経団連モデルの記載例では，「法令に定める監査役の員数を欠くことになる場合に備え」がそれに該当すると考えられる。

また，株主総会参考書類を作成する必要がない会社（議決権行使書面等を用いない会社であって，委任状勧誘府令が適用される場合を除く）においては，「議案の概要」を招集通知に記載することとされているため（法299条4項・298条1項5号，施行規則63条7号イ），会社法施行規則96条所定の事項も「議案の概要」として招集通知に記載することが考えられる。招集通知へのその他の記載事項については，取締役については取締役候補者（第Ⅶ章第4節第2 (3)）と同じ，監査役については監査役候補者（同章第5節第2 (3)）と同様とすることが考えられる。

ここでの補欠の役員は，「役員が欠けた場合又はこの法律若しくは定款で定めた役員の員数を欠くこととなるときに備えて」選任されるものであり（法329条3項。したがって，例えば，監査役会設置会社において2名いる社外監査役のうち1名が任期満了により定時株主総会終結の時をもって退任する場合），当該定時株主総会に上程された社外監査役選任議案および補欠の社外監査役選任議案のうち，補欠の社外監査役選任議案は可決されたが，社外監査役選任議案は否決された結果，「役員が欠けた場合又はこの法律若しくは定款で定めた役員の員数を欠くこととなるとき」には，当該株主総会において選任された補欠の社外監査役が役員として就任できると考えられる。また，事後の決議取消訴訟により決議の効力が取り消された結果，「役員が欠けた場合又はこの法律若しくは定款で定めた役員の員数を欠くこととなるとき」にも，同様である。

なお，任期満了前に退任した役員がいる場合に，当該役員の任期の残期間

を任期とする役員を選任するという趣旨で，事後的に「補欠として」役員を選任することがあるが，当該役員選任は，会社法329条3項が定めるように「役員が欠けた場合又はこの法律若しくは定款で定めた役員の員数を欠くこととなるときに備えて」あらかじめ行うものではないので，会社法施行規則96条の適用は受けない。

第7節

会計監査人選任議案

経団連モデル

[記載例:候補者が監査法人である場合]
第6号議案　会計監査人選任の件
　会計監査人である○○監査法人は,本総会の終結の時をもって退任いたしますので,新たに××監査法人を会計監査人に選任することにつき,ご承認をお願いするものであります。
　なお,監査役会(監査役会設置会社の場合。単なる監査役設置会社の場合は,監査役となる。)が××監査法人を候補者とした理由は○○ためであります。
　××監査法人の主たる事務所及び沿革は次のとおりであります。
事務所　東京都○○区○○町○丁目○番○号
沿　革　○年　設立
　　　　○年　××法人と提携

(記載上の注意)
(1) 監査役(監査役会設置会社にあっては監査役会,監査等委員会設置会社にあっては監査等委員会,指名委員会等設置会社にあっては監査委員会)が当該候補者を会計監査人の候補者とした理由を記載する。
(2) 会社法第345条第5項で準用する同条第1項の規定による会計監査人の意見があるときは,その意見の内容の概要を記載する。

(3) 候補者が公認会計士であるときは，上記記載例のうち，その名称，主たる事務所の所在場所及び沿革の部分に代えて，その氏名，事務所の所在場所，生年月日及び略歴を記載する。
(4) 就任の承諾を得ていないときはその旨を記載する。
(5) 候補者と会社との間で責任限定の契約を締結しているとき又は当該契約を締結する予定があるときには，その契約の内容の概要を記載する。
(6) 候補者と会社との間で補償契約を締結しているとき又は補償契約を締結する予定があるときは，その契約の内容の概要
(7) 候補者を被保険者とする役員等賠償責任保険契約を締結しているとき又は役員等賠償責任保険契約を締結する予定があるときは，その保険契約の内容の概要
(8) 候補者が現に業務停止処分を受け，その停止期間を経過しない者であるときは，当該処分に係る事項を記載する。「現に」とは，株主総会参考書類の作成時である。
(9) 候補者が過去2年間に業務停止処分を受けていたときは，当該処分に関する事項のうち，当該株式会社が株主総会参考書類に記載することが適切と判断した事項を記載する。「過去2年間に」とは，株主総会参考書類作成時から過去2年間を意味する。
(10) 公開会社の場合，候補者が当該株式会社又はその子会社若しくは関連会社から多額の金銭その他の財産上の利益（これらの者から受ける会計監査人（会社法以外の法令の規定によるこれに相当するものを含む）としての報酬等及び公認会計士法第2条第1項に規定する業務の対価は除く）を受ける予定があるとき又は過去2年間に受けていたときは，その内容を記載する。

なお，公開会社に親会社等が存在する場合には，当該株式会社，当該親会社等又は当該親会社等の子会社等（当該株式会社を除く）若しくは関連会社（当該親会社等が会社でない場合におけるその関連会社に相当するものを含む）から受けた報酬等が上記と同様の開示の対象となる。
(11) 会計監査人は，任期末到来に係る定時総会において別段の決議がされなかったときは，その総会において再任されたものとみなされる（会社法第338条2項）。

> (12) 会計監査人の退任事由としては，辞任・解任・不再任が考えられる。株主総会の決議による解任又は不再任の場合，当該議案は，理論的には，その後の会計監査人の選任とは別個の議案であるため，別議案として決議し，株主総会参考書類についても，それぞれの議案に対応する記載事項を記載する（会社法施行規則第81条）。

　株主総会参考書類を作成しなければならない会社においては，取締役の提出する議案について，株主総会参考書類に「提案の理由」を記載することが求められているが（施行規則73条1項2号），会計監査人の選任議案の内容を決定する権限は監査役（監査役会設置会社にあっては監査役会，監査等委員会設置会社にあっては監査等委員会，指名委員会等設置会社にあっては監査委員会）にあることから（法344条・399条の2第3項2号・404条2項2号），これらの会社においては，別途，監査役等が当該候補者を会計監査人の候補者とした理由を記載する必要がある（施行規則77条3号）。経団連モデルにおいては，「会計監査人である○○監査法人は，本総会の終結の時をもって退任いたしますので」が前者に該当し，「なお，監査役会……が××監査法人を候補者とした理由は○○ためであります。」が後者に該当する。

　過去の業務停止処分については，過去2年間における業務停止処分のうち，当該会社が株主総会参考書類に記載することが適切であるものと判断した事項について，記載しなければならない（施行規則77条9号）。現に業務停止処分を受けている場合には，過去の業務停止処分と異なり，「株主総会参考書類に記載することが適切であるもの」という要件は課されておらず，現に受けている業務停止処分をすべて記載することになる（施行規則77条8号）。なお，「現に」の解釈については，第Ⅶ章第1節第1(3)参照。

> **(参考例)[過去2年間における業務停止処分]**
> 　なお，候補者である○○監査法人は，○年○月○日付で金融庁より○年○月○日から同年×月×日までの○か月間の△△業務の停止処分を受けました。同処分に伴い，○○監査法人は○年○月○日付にて当社の会計監査人の資格を一旦喪失しておりますが，同監査法人の再発防止に向けた改革への取組みならびに同処分時までの当社に対する監査業務は適正かつ厳格に遂行されていたことを評価し，今後も，同監査法人による継続的な監査を行うことが最善との判断にいたり，会計監査人としての選任をお願いするものであります。

　また，公開会社の場合，候補者が当該会社，またはその子会社もしくは関連会社（親会社等が存在する場合には，当該会社，当該親会社等または当該親会社等の子会社（当該会社を除く）もしくは関連会社（当該親会社等が会社でない場合におけるその関連会社に相当するものを含む））から多額の金銭その他の財産上の利益（これらの者から受ける会計監査人（会社法以外の法令の規定によるこれに相当するものを含む）としての報酬等および公認会計士法2条1項に規定する業務の対価を除く）を受ける予定があるときまたは過去2年間に受けていたときは，その内容を記載することが求められている（施行規則77条10号）。「多額」か否かの基準については解釈に委ねられているが，実務上は，監査報酬との対比において決することが考えられる。

　記載事項については，取締役選任議案や監査役選任議案と同様，表形式で記載し，候補者が監査法人の場合には，沿革として，事務所設立からの簡単な略歴を記載し，また，期末現在の事務所の数や構成人員等の概略を記載するのが一般的である。

(参考例)

名　称	○○監査法人
事務所	(主たる事務所) 　東京都○○区○○ (その他の事務所) 　国内○ヶ所 　海外○ヶ所
沿　革	(設立から現在に至る沿革を記載)
概要	○年○月○日現在 　構成人員 　　社員数　　公認会計士　　○名 　　職員数　　公認会計士　　○名 　　　　　　　会計士補　　　○名 　　　　　　　その他　　　　○名 　　　　　　　合計　　　　　○名

第8節 報酬議案

経団連モデル

[記載例]
第7号議案　取締役の報酬等の額改定の件
　当社の取締役の報酬等の額は，○年○月○日開催の第○回(期)定時総会の決議で，「月額○円以内」となり今日に及んでいますが，当社と同業または同規模の国内企業を主なベンチマークとしつつ，多様で優秀な人材を確保するため有効な報酬水準とすべく，当社の財務状況と外部環境を考慮のうえ（注：この部分は各社の事情に応じた内容を記載いただくこととなります），これを「年額○円以内（うち社外取締役●円以内）」，に改定いたしたいと存じます。
　なお，当社における取締役の個人別の報酬等の内容に係る決定方針の内容の概要は事業報告○頁に記載のとおりであり，【その内容は，本議案をご承認いただいた場合の決定方針としても引き続き相当であると考えられることから，当該方針を変更することは予定しておりません。／本議案をご承認いただくことを条件に，その内容を○○と変更することを予定しております。】本議案は，取締役に対して付与する固定の金銭報酬に関する報酬枠を改定する議案であるところ，当該方針において定められた個人別の固定の金銭報酬に関する算定の基準，取締役報酬全体に対して占める割合の水準，付与対象となる取締役の人数水準などに照らした報酬枠として必要かつ合理的な内容となっており，相当であると判断しております。

> また，取締役の報酬等の額には，従来どおり使用人兼務取締役の使用人分給与は含まないものといたしたいと存じます。
> 現在の取締役は○名（うち社外取締役○名）ですが，第○号議案が原案どおり承認可決されますと，取締役は●名（うち社外取締役●名）となります。

（記載上の注意）
(1) 取締役の報酬議案については，次の事項を決議しなければならない。
　① 確定金額報酬の場合　　その確定額
　② 不確定金額報酬の場合　　その具体的な算定方法
　③ 当該株式会社の募集株式の場合
　　その募集株式の数（種類株式発行会社においては募集株式の種類及び種類ごとの数）の上限その他会社法施行規則98条の2で定める以下の事項
　　イ　一定の事由が生ずるまで当該募集株式を他人に譲り渡さないことを取締役に約させることとするときは，その旨及び当該一定の事由の概要（上場会社において，インサイダー取引防止のために譲渡制限を設けている場合においては，制限の趣旨が文字通りインサイダー取引規制違反を防止するためにあることや，インサイダー取引防止の社内規程の対象となる株式が報酬等として付与された株式に限定されないことなどを踏まえると，取締役に適切なインセンティブを付与するという観点からの制限ではなく，必ずしも報酬決議に際して株主に示されなければならないものではないと整理することもできる。）
　　ロ　一定の事由が生じたことを条件として当該募集株式を当該株式会社に無償で譲り渡すことを取締役に約させることとするときは，その旨及び当該一定の事由の概要
　　ハ　イ及びロの事項のほか，取締役に対して当該募集株式を割り当てる条件を定めるときは，その条件の概要
　④ 当該株式会社の募集新株予約権の場合
　　当該募集新株予約権の数の上限その他会社法施行規則98条の3で定める以下の事項
　　イ　新株予約権の内容として会社法第236条第1項第1号から第4号までに掲げる事項（同条第3項の場合には，同条第1項第1号，第3号及び第4号に掲げる事項並びに同条第3項各号に掲げる事項）

第Ⅶ章 株主総会参考書類

　　ロ　一定の資格を有する者が当該募集新株予約権を行使することができることとするときは，その旨及び当該一定の資格の内容の概要
　　ハ　イ及びロの事項のほか，当該募集新株予約権の行使の条件を定めるときは，その条件の概要
　　ニ　会社法第236条第1項第6号に掲げる事項
　　ホ　会社法第236条第1項第7号に掲げる事項の内容の概要
　　ヘ　取締役に対して当該募集新株予約権を割り当てる条件を定めるときは，その条件の概要
⑤　当該株式会社の募集株式と引換えにする払込みに充てるための金銭の場合
　取締役が引き受ける当該募集株式の数（種類株式発行会社においては募集株式の種類及び種類ごとの数）の上限その他会社法施行規則98条の4第1項で定める以下の事項
　　イ　一定の事由が生ずるまで当該募集株式を他人に譲り渡さないことを取締役に約させることとするときは，その旨及び当該一定の事由の概要
　　ロ　一定の事由が生じたことを条件として当該募集株式を当該株式会社に無償で譲り渡すことを取締役に約させることとするときは，その旨及び当該一定の事由の概要
　　ハ　イ及びロの事項のほか，取締役に対して当該募集株式と引換えにする払込みに充てるための金銭を交付する条件又は取締役に対して当該募集株式を割り当てる条件を定めるときは，その条件の概要
⑥　当該株式会社の募集新株予約権と引換えにする払込みに充てるための金銭の場合
　取締役が引き受ける当該募集新株予約権の数の上限その他会社法施行規則98条の4第2項で定める以下の事項
　　イ　新株予約権の内容として会社法第236条第1項第1号から第4号までに掲げる事項（同条第3項の場合には，同条第1項第1号，第3号及び第4号に掲げる事項並びに同条第3項各号に掲げる事項）
　　ロ　一定の資格を有する者が当該募集新株予約権を行使することができることとするときは，その旨及び当該一定の資格の内容の概要
　　ハ　イ及びロの事項のほか，当該募集新株予約権の行使の条件を定めるときは，その条件の概要
　　ニ　会社法第236条第1項第6号に掲げる事項

ホ　会社法第236条第1項第7号に掲げる事項の内容の概要
　　ヘ　取締役に対して当該募集新株予約権と引換えにする払込みに充てるための金銭を交付する条件又は取締役に対して当該募集新株予約権を割り当てる条件を定めるときは，その条件の概要
　⑦　非金銭報酬（当該株式会社の募集株式及び募集新株予約権を除く）の場合　　その具体的な内容

　　なお，業績連動型報酬を採用する場合であっても，報酬の上限となる確定額を定めた上で，当該確定額の範囲内で行う場合には，「不確定金額報酬」に該当しない。
(2) 取締役又は監査役の報酬等の額をそれぞれ総額で定める場合には，当該総額の支給対象となる取締役又は監査役の実際の員数を記載する。
(3) 公開会社において，報酬議案の対象に社外取締役（社外役員であるもののみ）が含まれている場合には，(1)①から⑦までの事項については，社外役員である社外取締役に関する部分とそれ以外の取締役に関する部分とを区分して記載する。
(4) 使用人兼務取締役の使用人分の給与を含めない場合には，その旨を議案において明記する。
(5) 報酬議案については，株主総会参考書類に「提案の理由」及び「算定の基準」を記載することが求められる。また，議案がすでに定められている報酬等の額の改定議案である場合，「変更の理由」の記載も求められる。「提案の理由」，「算定の基準」と「変更の理由」とは本来区分して記載されるべき事項であるが，区分が困難な場合には，これらをあわせて記載することも考えられる。
(6) 公開会社において，報酬議案の対象に社外取締役（社外役員に限る。）が含まれている場合には，「算定の基準」，「変更の理由」及び「員数」につき，社外役員である社外取締役に関する部分とそれ以外の取締役に関する部分とを区分して記載しなければならない。具体的には各社の実情に応じて記載することが必要となるが，その内容が社外役員である社外取締役についてのものとそれ以外の取締役についてのものとの間で同じである場合には，「算定の基準」及び「変更の理由」を記載する箇所において「取締役（社外取締役を含む。）それぞれにつき」といった文言を追加することも考えられる。

(7) 監査役の報酬等については，会社法第387条第3項の規定による監査役の意見がある場合には，その意見の内容の概要を記載する。
(8) 会社法では，役員賞与も「報酬等」（会社法第361条）に含まれるため，支給に当たっては，報酬議案としての決議が必要となる。この場合，報酬等の定め方を「月額○円以内」と定めている会社においては，賞与支払い月において，当該上限額を超過しないか留意する必要がある。なお，役員賞与に相当する部分については，通常の報酬議案とは別議案の形で，株主総会決議を取得することも考えられる。
(9) 取締役の報酬等に関する議案を上程する場合には，報酬等の種類にかかわらず，その決議内容が相当であることの理由を記載する（会社法第361条第4項）。この相当であることの理由の説明に際しては，議案可決後に取締役会において決定し，又は変更することが想定されている（ただし，可決後でもなお従前の方針が妥当する場合は変更の必要はない）取締役の個人別の報酬等の内容についての決定に関する方針の内容についても必要な説明をすることが求められると考えられている。
(10) 監査等委員会設置会社における取締役の報酬等議案の記載事項は，基本的には，監査役会設置会社における取締役の報酬等議案と同様である（会社法施行規則第82条，第82条の2）。ただし，監査等委員である取締役の報酬等の決定については，それ以外の取締役の報酬等の決定と区別してしなければならない（会社法第361条第2項）。その他，具体的な相違点は主に以下の点である。
　① 監査等委員である取締役の報酬等議案の場合，会社法第361条第5項の規定による監査等委員である取締役の意見があるときは，その意見の内容の概要を記載する必要がある。
　② 監査等委員以外の取締役の報酬等議案の場合，会社法第361条第6項の規定による監査等委員会の意見があるときは，その意見の内容の概要を記載する必要がある。
　③ 監査等委員である取締役の報酬等議案の場合，決議内容が相当であることの理由の説明は必要であるものの，その報酬は会社法第361条7項の報酬等の決定方針の必須の対象ではないことから，説明に際して，取締役の個人別の報酬等の内容についての決定に関する方針の内容について言及する必要はない（会社法第361条第4項）。

第8節　報酬議案

> [記載例]
> 第8号議案　監査等委員である取締役の報酬等の額改定の件
> 　当社の監査等委員である取締役の報酬等の額は，〇年〇月〇日開催の第〇回(期)定時総会の決議で，「月額〇円以内」となり今日に及んでいますが，当社と同業または同規模の国内企業を主なベンチマークとしつつ，監査等委員の職責が増大していることに鑑み，その職責にふさわしい報酬水準とすべく，当社の財務状況と外部環境を考慮のうえ（注：この部分は各社の事情に応じた内容を記載いただくこととなります），これを「年額〇円以内（うち社外取締役●円以内）」に改定いたしたいと存じます。
> 　現在の監査等委員である取締役は〇名（うち社外取締役〇名）ですが，第〇号議案が原案どおり承認可決されますと，監査等委員である取締役は●名（うち社外取締役●名）となります。

第1　報酬等に関する会社法の定め

　取締役および監査役の報酬等は，定款に当該事項を定めていないときは，株主総会の決議によって定めることとされている（法361条1項・387条1項）。一般的には，定款には「取締役の報酬，賞与その他の職務執行の対価として当会社から受ける財産上の利益（以下「報酬等」という）は，株主総会の決議によって定める。」，「監査役の報酬等は，株主総会の決議によって定める。」という抽象的な規定のみ設け，株主総会の決議によって定めることが行われている。この株主総会の決議も，一般的には，取締役・監査役の個別の金額まで定めることは行われておらず，総額のみを定め，各取締役に対する具体的配分は取締役会の，各監査役に対する具体的配分は各監査役の協議に委ねることが行われている。
　監査役の報酬等議案の場合，株主総会において，監査役は，監査役の報酬等につき意見を述べることができ（法387条3項），かかる意見がある場合，そ

の内容の概要を株主総会参考書類に記載することが必要となる（施行規則84条1項5号）。

　経団連モデルにおいても説明されているとおり，監査等委員会設置会社においては，監査等委員である取締役の報酬等の決定については，監査等委員である取締役とそれ以外の取締役とを区別してしなければならず（法361条2項），各監査等委員に対する具体的配分は，各監査等委員の協議に委ねられる（法361条3項）。

　監査等委員である取締役の報酬等議案の場合，株主総会において，監査等委員は，監査等委員である取締役の報酬等につき意見を述べることができ（法361条5項），監査等委員会が選定する監査等委員は，監査等委員以外の取締役の報酬等についても意見を述べることができる（法361条6項）。かかる意見がある場合，その内容の概要を株主総会参考書類に記載することが必要となる（施行規則82条1項5号・82条の2第1項5号）。

　なお，役員賞与については第Ⅶ章第10節第6，ストック・オプションについては，同第7参照。

第2　株主総会参考書類の記載事項

　報酬等に関する議案を提出する場合には，株主総会参考書類には，「提案の理由」（施行規則73条1項2号），「算定の基準」（施行規則82条1項1号）および報酬等の改定の議案である場合には「変更の理由」（施行規則82条第1項2号）の記載が必要となる。

　さらに，取締役の報酬議案を上程する場合には，報酬等の種類にかかわらず，その内容を相当とする理由を説明しなければならず（法361条4項），当該説明の内容は，株主総会参考書類に記載しなければならない（施行規則73条第1項2号）。

　これらの記載事項の内容は，それぞれ完全に重複するものではない（例えば，決議事項が相当である理由の説明は，変更後の内容が相当であることの

説明を求めるものであるから，上記の「算定の基準」や「変更の理由」と必ずしも一致しない）と考えられるが，区分して記載することが困難な場合には，これらを併せて記載することも考えられる。経団連モデルも，これらを明確に区分しない記載となっている。

　なお，上場会社等は，株主総会で報酬議案が決議された場合には，その内容に従って，取締役の個人別の報酬等の内容についての決定に関する方針を定めなければならない（法361条7項）。当該方針について，株主総会で説明をしなければならないとする明文の規定はないが，報酬議案を上程する場合において，当該議案の可決後に，その定めに基づいて当該方針を決定し，または変更することが想定される場合には，相当である理由の説明に際して，当該方針の内容についても必要な説明をすることが求められると考えられている（竹林俊憲ほか「令和元年改正会社法の解説〔Ⅲ〕」商事法務2224号（2020）6頁）。このことを踏まえ，経団連モデルのように，報酬議案の可決後に取締役の個人別の報酬等の内容についての決定に関する方針を変更する予定があるかどうかを明らかにするとともに，（変更後の）当該方針が相当であることおよび当該方針と整合的であるという点からも報酬議案の内容が相当であることを説明することが考えられる。

　なお，大会社でない上場会社等，会社法第361条7項各号に掲げる株式会社に該当しない場合には，取締役の個人別の報酬等の内容についての決定に関する方針を定めることを要しない。また，同項各号に掲げる株式会社に該当する場合であっても，監査等委員である取締役については，個人別の報酬等の内容についての決定に関する方針を定めることを要しない。これらの場合には，報酬議案の内容を相当とする理由を説明するに際して，当該方針に言及する必要はない（これらの場合においても，当該方針に相当するものを任意に定めている場合には，それに言及しつつ報酬議案の内容が相当であることを説明することは考えられる）。

第9節 上記以外の議案についての記載方法

第1 計算書類の承認に関する議案の場合

経団連モデル

> 第2 上記以外の議案についての記載方法
> 1.計算書類の承認に関する議案の場合
>
> > [記載例]
> > 第○号議案　第○期（○年○月○日から○年○月○日まで）計算書類承認の件
>
> （記載上の注意）
> (1) 会社法第439条の適用を受ける会計監査人設置会社以外の会社においては，計算書類を株主総会において承認する必要がある。
> (2) 会計監査人設置会社において，次の要件を満たすときは，取締役会の承認を受けて定時総会に提出された計算書類については，取締役がその内容を報告すれば足り，定時総会の承認は不要である（会社計算規則第135条）。
> 　① 会計監査人の会計監査報告の内容に無限定適正意見があること
> 　② 監査役（監査役会設置会社においては監査役会，監査等委員会設置会社においては監査等委員会，指名委員会等設置会社においては監査委員会）の監査報告にその事項についての会計監査人の監査方法又は結果を相当でないと認める旨の意見がないこと

> ③ 監査役会，監査等委員会又は監査委員会の監査報告において，会計監査人の監査方法又は結果を相当でないと認める旨の各監査役・監査等委員・監査委員の意見の付記がなされていないこと
> ④ 対象となる計算書類が，監査報告の通知期限を徒過することにより（会社計算規則第132条第3項），監査を受けたものとみなされたものでないこと
> ⑤ 取締役会を設置していること
> (3) 計算書類の提出にあたり，会計監査人が監査役会と意見を異にした場合等，会社法第398条に定める会計監査人の意見があるときは，その意見の内容を記載する。
> (4) 計算書類の提出にあたり，取締役会の意見があるときは，その意見の内容の概要を記載する。

　株主総会参考書類を作成しなければならない会社においては，取締役の提出する議案について，株主総会参考書類に「提案の理由」を記載することが求められている（施行規則73条1項2号）。

　例えば，会計監査人設置会社でないことを理由として計算書類承認議案を株主総会に提案する場合には（法439条参照），株主総会参考書類に，「提案の理由」として，「第○期事業年度（○年○月○日から○年○月○日まで）が終了したことから」または「会社法第438条第2項に基づき」などと記載することが考えられる。

第2　株主提案の場合

経団連モデル

> **2. 株主提案の場合**
> 　株主提案による議案がある場合には，招集通知等において次の記載が必要となる。
>
> > ［記載例］
> > 　株主提案（第○号議案）○○○○○○に関する件
> > （議案の要領は株主総会参考書類○頁に記載のとおりであります。）
>
> 　また，株主提案の内容が，会社提案と両立しない内容である場合，次のとおり，双方に賛成しないよう注意を喚起する旨や，万一双方に賛成の表示をした場合は無効と取り扱う旨を記載することが考えられる。
>
> > ［記載例］
> > 　本議案は第○号議案の対案ですので，第○号議案と本議案の双方に賛成されることのないよう，ご留意をお願い申し上げます。
>
> > ［記載例］
> > 　本議案は第○号議案と相反する関係にあります。したがいまして，両議案に賛成する旨の議決権を行使された場合，当該議決権の行使は無効となりますのでご留意をお願い申し上げます。
>
> （イ）株主提案については，株主提案である旨，議案に対する取締役会の意見があるときは，その内容を記載する。
> （ロ）株主提案に際して，株主より提案理由が提出されているときは，当該提案の理由が明らかに虚偽である場合又は専ら人の名誉を侵害し，若しくは侮辱する目的によるものと認められる場合を除き，その理由を記載する。

ただし，当該提案理由が，株主総会参考書類にその全部を記載することが適切でない程度の多数の文字，記号その他のものをもって構成されている場合（株式会社がその全部を記載することが適切であるものとして定めた分量を超える場合を含む。）には，当該理由の概要を記載すれば足りる。
　　株式会社が文字数を定める場合には，定款による委任を受けた株式取扱規程等においてこれを定めることが考えられる。
(ハ) 2以上の株主から提出された同一趣旨の議案は，その議案及びこれに対する取締役会の意見の内容をまとめて記載することができる。この場合においては，その2以上の株主から同一の趣旨の提案があった旨を付記する。

> ［記載例］
> 　株主3名から同一の趣旨の議案が出されており，その内容は次のとおりであります。

(記載上の注意)
　提案者の氏名は，記載を要しないこととされている。

(ニ) 議案が取締役（監査等委員である取締役を除く），監査等委員である取締役，会計参与，監査役又は会計監査人の選任に関するものである場合において，株主提案に際して，候補者の略歴等会社法施行規則第74条から第77条に定める事項が会社に対して通知されたときは，当該事項が明らかに虚偽であると認められる場合を除き，その内容を記載する。
(ホ) 議案が全部取得条項付種類株式の取得又は株式の併合に関するものである場合において，株主提案に際して，当該行為を行う理由等会社法施行規則第85条の2又は第85条の3に定める事項が会社に対して通知されたときは，当該事項が明らかに虚偽であると認められる場合を除き，その内容を記載する。

第Ⅶ章　株主総会参考書類

　会社法下では株主提案の提案理由について，特段の字数制限はない。もっとも，経団連モデル記載のとおり，株式会社が文字数を定める場合には，定款による委任を受けた株式取扱規程等においてこれを定めることが考えられ，明確化のため，定款の文言を，株式取扱規程等の内容に応じて，「当会社の株式および新株予約権に関する取扱いならびに手数料は，法令または定款のほか，取締役会の定める株式取扱規則による。」や，「当会社の株式に関する取扱いおよび手数料は，法令または本定款のほか，取締役会において定める株式取扱規程による。」などと変更することも考えられる。

　なお，株主が，株主提案に際して，「株主総会の目的である事項につき当該株主が提出しようとする議案の要領を株主に通知すること（第299条第2項又は第3項の通知をする場合にあっては，その通知に記載し，又は記録すること）」（法305条1項）を請求してきた場合には，条文の文言に厳格に従って，株主総会参考書類を含めた広義の招集通知ではなく，狭義の招集通知（「その通知」）に議案の要領を記載しなければならないという考え方もありうる。かかる考え方によるとしても，経団連モデル記載のとおり，株主総会参考書類に議案の要領を記載した上で，狭義の招集通知において「（議案の要領は株主総会参考書類○頁に記載のとおりであります。）」という引用文言を設ければ，狭義の招集通知自体にそれ以上議案の要領を記載せずとも，議案の要領を狭義の招集通知に記載したことになると解されるが，上記引用文言の前後の（　）を削除して「議案の要領は株主総会参考書類○頁に記載のとおりであります。」とだけ記載することによって，その趣旨をより明確にすることも考えられる。

第3 その他の場合

経団連モデル

> 3．その他の場合
> (1) 本ひな型では，監査等委員である取締役の選任，会計参与の選任，取締役等の解任，会計監査人の解任又は不再任，会計参与の報酬，全部取得条項付種類株式の取得，株式の併合，吸収合併契約の承認，吸収分割契約の承認，株式交換契約の承認，新設合併契約の承認，新設分割計画の承認，株式移転計画の承認，株式交付計画の承認，事業譲渡等に係る契約の承認等における株主総会参考書類の記載方法については記載していない。
> (2) 株主（株主総会において決議をすることができる事項の全部につき議決権を行使することができない株主を除く。）の数が1000人以上の会社及び任意に書面決議の方法を採用することを選択した会社においては，会社法施行規則に従った株主総会参考書類を作成することが必要となる（会社法第298条第2項・第1項第3号，第301条）。ただし，株主の数が1000人以上の会社のうち「上場株式の議決権の代理行使の勧誘に関する内閣府令」（以下「委任状勧誘府令」という。）により参考書類を作成するものについては，書面決議の方法を採用しないことが可能であり，この場合，委任状勧誘府令に従った参考書類を作成することで足りる（会社法第298条第2項ただし書）。
> (3) 監査役が，提出議案その他が法令・定款違反，又は著しく不当と認める場合，その調査の結果を株主総会に報告する義務を負い（会社法第384条），その報告の内容の概要を記載しなければならない（会社法施行規則第73条第1項第3号）。また，監査等委員会設置会社の監査等委員は，提出議案その他が法令・定款違反，又は著しく不当と認めるときは，その旨を株主総会に報告する義務を負うので（会社法第399条の5），監査役の場合と同様に，その報告の内容の概要を記載しなければならない（会社法施行規則第73条第1項第3号）。なお，指名委員会等設置会社の場合には，監査委員の取締役会における報告でまかなわれることになるため，記載は必要ない。

第Ⅶ章 株主総会参考書類

(4) 同一の株主総会に関して株主に提供されるもののうち，他の書類に記載されている事項及び電磁的方法により提供される情報の内容とされている事項については，これを明らかにすることにより，株主総会参考書類にすべき記載を省略することができる（会社法施行規則第73条第3項）。

(5) 株主総会参考書類には，会社法施行規則第63条から第95条までに定めるもののほか，株主の議決権の行使について参考となると認める事項を記載することができる（会社法施行規則第73条第2項）。

(6) 株主総会参考書類における記載事項のうち，次の事項を除く事項については，インターネットで開示することにより，株主に直接提供することを省略することができる（会社法施行規則第94条）。ただし，定款にインターネットでの開示をすることができる旨の記載が必要である。この場合，招集通知を発出する時から定時株主総会の日から3か月経過する日までインターネットで開示しなければならない。

① 議案
② 掲載するウェブページのアドレス

なお，監査役，監査等委員会又は監査委員会がインターネットでの開示に異議を述べている項目については株主に直接提供しなければならない（会社法施行規則第94条第1項第4号）。

第10節

経団連モデル記載以外の議案についての株主総会参考書類の記載方法

第1　資本金の額の減少

　資本金の額の減少を行う場合には，株主総会の決議によって，①減少する資本金の額，②減少する資本金の額の全部又は一部を準備金とするときは，その旨及び準備金とする額，③資本金の額の減少がその効力を生ずる日を定めなければならない（法447条1項）。この決議は原則として特別決議であるが（法309条2項9号本文），欠損の填補（分配可能額のマイナスの解消）を目的として法309条2項9号イ・ロに定める要件を満たす場合には，この株主総会の決議は普通決議で足り（同号括弧書），また，資本金の額の減少と同時に株式の発行を行い，資本金の額の減少の効力発生日後の資本金の額が効力発生日前の資本金の額を下回らないときには，株主総会の決議は不要とされている（法447条3項）。なお，会社法施行規則68条が「欠損」を分配可能額のマイナスと規定しており，また，会社法452条が剰余金の項目間の内訳変更である剰余金の処分（計算規則153条参照）の一例として「損失の処理」を挙げていることからすれば，会社法下においては，基本的に，「欠損の填補」とは，分配可能額のマイナスを解消する行為を意味し，「損失の処理」とは，その他資本剰余金の額を減少させてその他利益剰余金の額を増加させることにより（分配可能額ではなく）その他利益剰余金のマイナスを解消する行為を意味するというのが，法令の規定に素直な整理であるものと考えられる。もっとも，

実務上は，このうち「損失の処理」の意義でも「欠損の填補」という表現がしばしば用いられる。

> （参考例）
> 第○号議案　資本金の額の減少の件
> 　今後の資本政策の機動性を確保するため，資本金の額を減少してその全額をその他資本剰余金とすることにつきご承認をお願いするものであります。
> 1. 減少する資本金の額
> 　　資本金○○,○○○千円のうち○,○○○千円
> 2. 資本金の額の減少が効力を生ずる日
> 　　○年○月○日

※上記参考例においては，「今後の資本政策の機動性を確保するため」の部分が，会社法施行規則73条1項2号の「提案の理由」に該当すると考えられる。

減少する資本金の額の全部または一部を準備金とするときは，その旨および準備金とする額を定めなければならないことから，「2. 準備金とする額」として，「減少する資本金の額○,○○○千円のうち，○,○○○千円（または，「減少する資本金の額の全額」）を資本準備金といたします」と記載する。

なお，資本取引と損益取引が峻別されている会社計算規則の下では，資本金の額を減少した場合に準備金に組み入れることとしなかった減少額や，資本準備金の額を減少した場合に資本金に組み入れることとしなかった減少額は，その他資本剰余金となる（計算規則27条1項1号・2号）。したがって，分配可能額とその他利益剰余金の双方がマイナスになっている場合には，資本金の額や資本準備金の額を減少させることにより，直接，その他資本剰余金の額を増加させて分配可能額のマイナスを解消することはできるが，その他利益剰余金のマイナスまで解消することはできない。その他利益剰余金のマイナスを解消するためには，さらに，その他資本剰余金からその他利益剰余金への振替を行う必要があることから，かかる振替を内容とする剰余金の処分（法452条）の議案を併せて付議することが考えられる。なお，会計基準上，そ

の他資本剰余金からその他利益剰余金への振替は原則として認められないとされているが（企業会計基準委員会・企業会計基準第1号「自己株式及び準備金の額の減少等に関する会計基準」19項），例外的に，その他利益剰余金の年度決算時のマイナスの残高を限度として，その他資本剰余金からその他利益剰余金への振替を行うことも許容されている（同基準61項）。

第2　準備金の額の減少

　準備金の額の減少を行う場合には，株主総会の決議によって，①減少する準備金の額，②減少する準備金の額の全部または一部を資本金とするときは，その旨および資本金とする額，③準備金の額の減少がその効力を生ずる日を定めなければならない（法448条1項）。資本金の額の減少と異なり，普通決議で足り，また，欠損の填補のための準備金の額の減少は，定款の定めにより取締役会に授権できる（法459条1項2号・449条1項2号）。また，欠損の填補を目的として法449条1項但書に定める要件を満たす場合には，債権者の異議手続を要しない。さらに，準備金の額の減少と同時に株式の発行を行い，準備金の額の減少の効力発生日後の準備金の額が効力発生日前の準備金の額を下回らないときには，株主総会の決議は不要とされている（法448条3項）。

（参考例）
第○号議案　準備金の額の減少の件
　分配可能額の充実を図るとともに今後の機動的な資本政策の実現を図るため，資本準備金の額を減少してその他資本剰余金とすることにつき，ご承認をお願いするものであります。
　1.　減少する準備金の額
　　　　資本準備金○○，○○○千円の全額
　2.　準備金の額の減少が効力を生ずる日
　　　　○年○月○日

※上記参考例においては,「分配可能額の充実を図るとともに今後の機動的な資本政策の実現を図るため」の部分が,会社法施行規則73条1項2号の「提案の理由」に該当すると考えられる。

減少する準備金の額の全部または一部を資本金とするときは,その旨および資本金とする額を定めなければならないことから,「2. 資本金とする額」として,「減少する(利益準備金)(資本準備金)の額○,○○○千円のうち,○,○○○千円(または,「減少する(利益準備金)(資本準備金)の額の全額」)を資本金といたします」と記載する。

第3 募集株式の発行

　会社法上,募集株式の発行に際して株主総会の決議が必要となるのは,①公開会社において,払込金額が募集株式を引き受ける者に特に有利な金額である場合,②公開会社において,支配株主の異動を伴う場合であって,かつ一定の割合の株主から反対があった場合,③非公開会社において,株主に株式の割当てを受ける権利を与えない場合,④非公開会社において,株主に株式の割当てを受ける権利を与える場合に募集事項の決定を取締役会(取締役会非設置会社の場合には取締役)が決定する旨の定款の定めがない場合(整備法76条3項により当該定めがあるものとみなされる場合を除く)である。ここでは,①について説明する。

　公開会社において,払込金額が募集株式を引き受ける者に特に有利な金額である場合,株主総会の決議により,①募集株式の数(種類株式発行会社にあっては,募集株式の種類および数),②募集株式の払込金額またはその算定方法,③金銭以外の財産を出資の目的とするときは,その旨ならびに当該財産の内容および価額,④募集株式と引換えにする金銭の払込みまたは③の財産の給付の期日またはその期間,⑤株式を発行するときは,増加する資本金および資本準備金に関する事項を定めなければならない(法199条1項)。

　もっとも,株主総会の決議によって,上記①から⑤の各事項の決定を取締

第10節　経団連モデル記載以外の議案についての株主総会参考書類の記載方法

役会（取締役会非設置会社の場合には取締役）に委任することが認められており（法200条1項前段），この場合には，当該株主総会決議により，その委任に基づいて募集事項の決定をすることができる募集株式の数の上限および払込金額の下限を定めることを要する（同項後段）。その決議は，払込期日（払込期間を定めたときはその期間の末日）が当該決議の日から1年以内の日である募集についてのみその効力を有する（同条3項）。

また，払込金額（募集事項の決定を取締役会（取締役会非設置会社の場合には取締役）に委任する場合には，払込金額の下限）が募集株式を引き受ける者に特に有利な金額である場合には，取締役は，株主総会において，当該払込金額でその者を募集することを必要とする理由を説明しなければならない（法199条3項・200条2項）。

(参考例)
第〇号議案　募集株式の募集事項の決定を取締役会へ委任する件
1. 募集株式の種類および数の上限
　　普通株式〇株
2. 払込金額の下限
　　1株につき金〇円
3. 特に有利な払込金額で募集株式を引き受ける者の募集をすることを必要とする理由
　　当社はこれまで，〇〇業界のパイオニアとして，〇年の創業以来，お客様や株主様をはじめとするステークホルダーの皆様からご支援を受けつつ，順調に業容を拡大してまいりました。しかしながら，デフレ傾向の定着，競争激化等の市場環境の変化に伴い，ここ数年は，業績が低迷しております。また，〇年度に当社が実施した固定資産の減損会計適用による損失により，財務体質が脆弱となっております。
　　　　　　　　（中略：有利発行の理由を記載）
　　払込金額につきましては，当社の収益状況および現在の当社株式の市場価格を勘案いたしまして，その下限を1株につき金〇円といたしたく存じます。株主の皆様におかれましては，何卒諸事情ご賢察の上，ご承認賜りますようお願い申し上げます。

※上記参考例においては,「3．特に有利な払込金額で募集株式を引き受ける者の募集をすることを必要とする理由」の項目の記載内容が,会社法施行規則73条1項2号の「提案の理由」に該当すると考えられる。

第4　自己の株式の取得

　株式会社が株主との合意により当該株式会社の株式を有償で取得するには,あらかじめ,株主総会の決議によって,次に掲げる事項を定めなければならない（法156条1項）。ただし,法155条列挙事由（3号を除く）に該当する場合には,株主総会の決議は不要とされている（法156条2項）。

① 取得する株式の数
② 株式を取得するのと引換えに交付する金銭等（当該株式会社の株式等を除く）の内容及びその総額
③ 株式を取得することができる期間（ただし,1年を超えることができない）。

（参考例—株主全員に譲渡の勧誘をする方法による場合）
第○号議案　自己の株式の取得の件
　機動的な資本政策を遂行することが可能となるように,自己の株式を取得することにつき,ご承認をお願いするものであります。
1．取得する株式の数
　　普通株式○万株を限度とします。
2．株式を取得するのと引換えに交付する金銭等の内容およびその総額
　　金銭とし,総額金○億円を限度とします。
3．株式を取得することができる期間
　　本総会終結の時から○年○月○日までとします。
　なお,本議案をご承認いただいた場合,取締役会において取得する株式の数およびその取得価格等,会社法157条1項各号に定める事項を決定し,株主の皆様に対して同法158条1項に基づき通知いたしますので［株主の皆様に対

第10節　経団連モデル記載以外の議案についての株主総会参考書類の記載方法

して同法158条2項に基づき公告いたしますので（―公開会社の場合には公告により代替可―）］，保有する当社株式の譲渡しをご希望される株主様は，同法159条1項に基づき，当社に対して譲渡しの申込みをされるようお願いいたします。

※上記参考例においては，「機動的な資本政策を遂行することが可能となるように」の部分が，会社法施行規則73条1項2号の「提案の理由」に該当すると考えられる。

　剰余金の配当等，法459条1項各号に定める事項を取締役会が決定する旨の定款の定めを設けている会社では，最終事業年度に係る計算書類が会社計算規則155条の要件を満たしている場合には，上記の事項について株主総会の決議は不要であり，取締役会で決定することができる（法459条）。
　この決議の後，当該株式会社は，全株主（種類株式発行会社にあっては，取得する株式の種類の種類株主）に対して法157条1項各号に掲げる事項を通知しなければならないが（法158条1項。公開会社にあっては，公告をもって代えることができる。同条2項），株主総会の決議によって，当該通知を特定の株主に対して行う旨を定めることが認められているため（法160条1項），あらかじめ譲渡人が定まっている場合には，
　④　法158条1項の規定による通知を特定の株主に対して行う旨
を加えて決議をするのが一般的である。この場合，当該株式会社は，会社法施行規則28条所定の時期（原則として，株主総会の日の2週間前）までに，全株主（種類株式発行会社にあっては，取得する株式の種類の種類株主）に対して，売主追加請求権を行使することができる旨を通知しなければならず，売主追加請求権を行使する株主は，株主総会の日の5日前（非公開会社においては3日前。また，定款でそれらを下回る期間を定めうる。施行規則29条）までに，自己を売主として加えた議案とするよう請求することができる（法160条。なお，法161条・施行規則30条に定める場合には，売主追加請求権は排除されている）。

(参考例―特定の株主から取得する場合)
第○号議案　自己の株式の取得の件
　機動的な資本政策を遂行することが可能となるように，自己の株式を取得することにつき，ご承認をお願いするものであります。
1．取得する株式の種類および数
　　普通株式○万株を限度とします。
2．株式を取得するのと引換えに交付する金銭等の内容およびその総額
　　金銭とし，総額金○億円を限度とします。
3．株式を取得することができる期間
　　本総会終結の時から○年○月○日までとします。
4．会社法158条1項の規定による通知を特定の株主に対して行う旨
　　この自己の株式の取得は，当社株主である○○氏から行うものであります。なお，本件に関し，会社法160条3項の規定に基づき，他の株主様から株主総会の日の5日前までに書面をもって売主として追加の申し出があったときは，上記株式数，取得価額の総額の範囲内においてその株主様からの取得も追加するものといたしたいと存じます。

※上記参考例においては，「機動的な資本政策を遂行することが可能となるように」の部分が，会社法施行規則73条1項2号の「提案の理由」に該当すると考えられる。

　剰余金の配当等，法459条1項各号に定める事項を取締役会が決定する旨の定款の定めを設けている会社でなくとも，取締役会設置会社であって，市場において行う取引により，または，金融商品取引法上の公開買付けの方法により自己の株式を取得する場合には，前記①から③に定める事項を，取締役会の決議によって定めることができる旨を，定款で定めることができる（法165条2項・3項）。そのため，上場会社では，一般的に，「当会社は，会社法第165条第2項の規定により，取締役会の決議によって市場取引等により自己の株式を取得することができる。」などという定款の定めを設けている。この場合，上場会社は，普通株式であれば，株主総会の決議なく自己の株式を取得

していることが多く，株主総会に付議するとすれば，種類株式の取得が考えられる。

第5　株式の併合

　株式の併合を行う場合には，株主総会の決議によって，①併合の割合，②株式の併合がその効力を生ずる日，③株式会社が種類株式発行会社である場合には，併合する株式の種類，④効力発生日における発行可能株式総数を定めるとともに（法180条2項），この株主総会において，株式の併合をすることを必要とする理由を説明しなければならない（同条4項）。

　また，株主総会参考書類を作成しなければならない会社においては，(a)株式の併合を行う理由，(b)上記①ないし④に掲げる事項の内容，(c)法182条の2に基づく事前開示が必要である場合において，法298条1項の決定をした日における施行規則33条の9第1号および第2号に掲げる事項があるときは，当該事項の内容の概要を記載しなければならない（施行規則85条の3）。

（参考例─特定の株主から取得する場合）

第○号議案　株式の併合の件

1. 株式の併合を行う理由

　　発行済株式総数の適正化を目的として，株式の併合を行うものであります。なお，株主の皆様の権利や株式市場における投資の利便性・流動性にできるだけ変動が生じることがないよう，株式の併合の効力発生と同時に，当社の単元株式数を1,000株から100株に変更する予定であります。

2. 併合の割合

　　当社普通株式○株につき○株の割合で併合いたします。

3. 株式の併合がその効力を生ずる日

　　○年○月○日

4. 効力発生日における発行可能株式総数

　　○株

※上記参考例においては,「発行済株式総数の適正化を目的として」の部分が,会社法施行規則73条1項2号の「提案の理由」にも該当すると考えられる。

第6 役員賞与の支給

　会社法下では,賞与は,「報酬等」(法361条1項)に含まれることが明示的に規定されているため,定款に当該事項を定めていないときは,報酬等としての株主総会の決議が必要となる(同項・387条1項)。
　そして,報酬等については,一般的に,定款には「取締役の報酬,賞与その他の職務執行の対価として当会社から受ける財産上の利益(以下,「報酬等」という。)は,株主総会の決議によって定める。」,「監査役の報酬等は,株主総会の決議によって定める。」という抽象的な規定のみ設け,株主総会の決議によって定めることが行われている。この株主総会の決議も,一般的には,取締役・監査役の個別の金額まで定めることは行われておらず,総額のみを定め,各取締役(監査等委員である取締役を除く)に対する具体的配分は取締役会の,各監査等委員である取締役または各監査役に対する具体的配分は各監査等委員である取締役または各監査役の協議に委ねることが行われている。
　そこで,「報酬等のうち額が確定しているもの」としてすでに決議がなされている総額等に収まっている限り,賞与について,別途の決議は不要である。
　もっとも,従前,「役員賞与に関する会計基準」(企業会計基準第4号)により役員賞与を費用計上するために,賞与を別個の議案として付議していた例もあり,また,これまでは,毎期,株主の承認を得て賞与を支払っていたこととの継続性から,別途の決議を求める例もある。その場合の記載例は次のとおりである。
　なお,株主総会参考書類の記載にあたっては,通常の報酬の場合と同様の記載事項が必要となる(詳細は第Ⅶ章第8節参照)。例えば,取締役の報酬議案についてその内容を「相当とする理由」(法361条4項,施行規則73条1項2号)や,

第10節　経団連モデル記載以外の議案についての株主総会参考書類の記載方法

公開会社であり，かつ，監査等委員ではない取締役の一部が社外取締役（社外役員に限る）である場合には，監査等委員でない取締役の報酬議案に関して，当該社外取締役に対する報酬等については，他の取締役と区分して算定基準等を記載することとされている（施行規則82条3項）ことに留意しなければならない。

（参考例）
第〇号議案　役員賞与支給の件
　当期末時点の取締役〇名（うち社外取締役〇名）および監査役〇名に対し，当期の業績等を勘案して，役員賞与総額〇円（取締役分〇円（うち社外取締役分〇円），監査役分〇円）を支給することといたしたいと存じます。
　当社は，取締役の個人別の報酬等の決定方針を定めており，その概要は〇〇に記載のとおりですが，［本議案が原案どおり承認可決された場合における方針としても引き続き相当であると考えられることから，当該方針を変更することは予定しておりません。／本議案をご承認いただいた場合には，その内容を〇〇に記載のとおり変更することを予定しております。］本議案は，当該方針に沿う内容の取締役の個人別の報酬等を付与するために必要かつ合理的な内容となっております。そのため，本議案の内容は相当であると考えております。

第7　ストック・オプション

(1) 発行会社の役員に対するもの
① 報酬規制
　取締役に対してストックオプションとして新株予約権を付与する場合には，(a)会社法361条項1項4号または5号ロに定める事項の決定に加えて，(b)確定額報酬または不確定額報酬として同項1号または2号に定める事項の決定が必要となる。

(a)について，新株予約権の付与の方法については，無償構成（募集新株予約権と引換えに金銭の払込みを要しないものと定めて付与する方法）と相殺構成（新株予約権の公正価値を募集新株予約権の払込金額として定めた上で，別途会社が付与した金銭債権と当該払込金の払込義務とを相殺するものとして付与する方法）が存在するが，無償構成を想定したものが同項4号，会社法施行規則98条の3であり，相殺構成を想定したものが会社法361条1項5号ロ，会社法施行規則98条の4第2項である。相殺構成と無償構成とで決定すべき事項は基本的に異ならず，その概要は以下のとおりである。

■ストックオプション報酬議案
（法361条1項4号・5号ロ，施行規則98条の3・98条の4第2項）
1. 新株予約権の数の上限
2. 新株予約権の目的である株式の数（種類株式発行会社にあっては，株式の種類および種類ごとの数）またはその数の算定方法
3. 新株予約権の行使に際する出資財産の価額またはその算定方法（当該行使に際して出資を不要とするときは会社法236条3項各号に定める事項）
4. 金銭以外を新株予約権の行使に際する出資財産とするときはその旨および当該財産の内容・価額
5. 行使期間
6. 行使についての資格要件があるときはその旨および資格の内容の概要
7. その他の行使条件の概要
8. 譲渡による新株予約権の取得について株式会社の承認を要するときはその旨
9. 新株予約権に取得条項を付すときはその内容の概要
10. その他付与の条件の概要

各事項は，希釈化の影響やインセンティブとしてストックオプションを付与する必要性を判断することができるようにする趣旨で定められている。そのため，そのような趣旨に鑑みて必要な事項を定めれば足り，それ以外の事

第10節　経団連モデル記載以外の議案についての株主総会参考書類の記載方法

項や細目については，定めることは要しない。また，上記2から5に関して，「概要」とはされていないものの，新株予約権の募集事項として定められる新株予約権の内容と同程度に具体的な内容とする必要はない。複数回の発行に備えて必要な範囲で一定程度抽象的にすることも許容される（渡辺諭ほか「会社法施行規則等の一部を改正する省令の解説〔Ⅱ〕──令和2年法務省令第52号」商事法務2251号（2021）118～121頁参照）。例えば，取締役の報酬決議は，確定額報酬の場合には，年〇円という形での決議でも足りると解されているが，同様に，上記1の新株予約権の個数の上限についても，年〇個という形での決議は可能であると解される。加えて，株式の併合や分割をした場合などにおいて，目的となる株式の数の変更に合わせて合理的に個数の調整が必要となる場合（新株予約権の目的となる株式の数を併合等による調整後の1単元の数と合わせる場合など）において上限の数を調整する旨を予め定めておくことも可能であると解される。

　なお，上記3に関して，新株予約権の行使に際して出資を不要とする新株予約権とは，令和元年会社法改正で認められたいわゆる0円ストックオプションを指す（法236条3項参照）。

　続いて，(b)については，例えば，会社法361条1項1号に基づき通常の報酬についての総額決議がある場合には，当該総額の範囲内に収まる限りにおいては，(a)の決議の際に別途(b)の決議もすることは必須ではない。もっとも，いずれにせよ(a)の決議が必要となるので，(a)としての決議と併せて，当該ストックオプションのための(b)の決議を通常の報酬とは別枠でしておくことも考えられる。

　以上は，取締役に係る議論であるが，監査役に対してストックオプションを付与する場合には，会社法387条第1項の決議に加えて，会社法361条1項4号または5号ロに掲げる事項についての決議も必要になるものと解される（類推適用。田中亘『会社法〔第3版〕』東京大学出版会（2021）543頁）。

　その他，通常の報酬の場合と同様の記載事項が必要となる（詳細は第Ⅶ章第8節参照）。

(参考例)

第○号議案　ストック・オプションに関する報酬等の額および内容決定の件

　当社の株価と当社取締役が受ける利益とを連動させることにより，当社の業績向上に対する意欲や士気を一層高めるため，当社取締役に対してストック・オプションを付与したいと存じます。

　つきましては，当社取締役に対して，ストック・オプションのための報酬等として，以下の内容の新株予約権を，年額○円（うち社外取締役分○円）の範囲内（ただし，使用人兼務取締役の使用人分給与は含まれない）で付与することにつきご承認をお願いするものであります。

　当該報酬等の額につきましては，○年○月○日現在の当社株価に基づきブラックショールズ式により算出した新株予約権の公正価値に，割り当てる新株予約権の総数を乗じた額とインセンティブとしての効果を勘案し定めたものであります。

　なお，本議案は，○年○月○日開催の第○回（期）定時株主総会においてご承認いただいた取締役の報酬枠（年額○円以内，うち社外取締役分○円以内。ただし，使用人兼務取締役の使用人分給与を含まない）とは別枠として，取締役の報酬等についてご承認をお願いするものであり，この報酬等には，使用人兼務取締役の使用人分給与は含まないものといたします。また，現在の取締役は○名（うち社外取締役○名）であり，第○号議案が原案どおり承認可決されますと，取締役は○名（うち社外取締役○名）となります。

　当社は，取締役の個人別の報酬等の決定方針を定めており，その概要は○○に記載のとおりですが，［本議案が原案どおり承認可決された場合における方針としても引き続き相当であると考えられることから，当該方針を変更することは予定しておりません。／本議案をご承認いただいた場合には，その内容を○○に記載のとおり変更することを予定しております。］本議案は，当該方針に沿う内容の取締役の個人別の報酬等を付与するために必要かつ合理的な内容となっております。［また，本議案が原案どおり承認可決された場合にこれに基づき当社の取締役に1年間に付与される新株予約権の目的である株式の種類および総数は最大で（なお，調整が生じた場合はそれに応じて変動することがあります。）当社普通株式○株であり，当該株式数が○年○月○日時

点の当社発行済株式総数に占める割合は●％以下であります。］そのため，本議案の内容は相当であると考えております。
新株予約権の内容
(1) 新株予約権の総数
　○個を上限とする。
(2) 新株予約権の目的となる株式の種類および数
　新株予約権1個当たりの目的である株式の種類および数は，当社普通株式○株とする。なお，当社が株式の分割（当社普通株式の無償割当てを含む）または株式の併合を行う場合，その他株式数の変更をすることが適切な場合は，当社が必要と認める調整を行うものとする。
(3) 新株予約権の行使に際して出資される財産の価額
　新株予約権の行使に際して出資される新株予約権1個当たりの財産の価額は，次により決定される1株当たりの価額に(2)で定める新株予約権1個当たりの目的となる株式の数を乗じた金額とする。
　1株当たりの価額は，新株予約権の割当日の属する月の前月の各日（取引が成立しない日を除く）における東京証券取引所における当社普通株式の普通取引の終値の平均値とし，1円未満の端数は切り上げる。ただし，その金額が新株予約権の割当日の東京証券取引所における当社普通株式の普通取引の終値（当日に売買がない場合にはそれに先立つ直近日の終値）を下回る場合には後者の価額とする。
　なお，新株予約権割当日後に，当社が株式の分割（当社普通株式の無償割当てを含む）または株式の併合を行う場合，その他1株当たりの価額の変更をすることが適切な場合は，当社が必要と認める調整を行うものとする。
(4) 新株予約権の権利行使期間
　新株予約権の募集事項を決定する取締役会決議の日の翌日から当該決議の日後10年間を経過する日までの範囲内で，当該取締役会決議の定めるところによる。
(5) 新株予約権の権利行使の条件
　① 新株予約権の割当てを受けた者は，権利行使時においても，当社または当社子会社の取締役または従業員その他これに準ずる地位にあることを要するものとする。ただし，新株予約権の割当てを受けた者が任期満

了により退任した場合，または当社取締役会が正当な理由があると認めた場合は，この限りでない。

　②　その他の権利行使の条件については，取締役会の決議により定める。
(6) 新株予約権の譲渡制限

　新株予約権を譲渡により取得するには，当社取締役会の承認を要する。
(7) 当社による本新株予約権の取得

　当社が消滅会社となる合併契約，当社が完全子会社となる株式交換契約もしくは株式移転計画，または当社が分割会社となる吸収分割契約もしくは新設分割計画（但し，当社の全てまたは実質的に全ての資産を承継させる場合に限る。）が当社の株主総会で承認されたとき（当社の株主総会による承認が不要な場合には，当社取締役会決議で承認されたとき）は，当社は，当社取締役会が別途定める日の到来をもって，新株予約権を無償で取得することができるものとする。
(8) 新株予約権1個当たりの払込金額

　金銭の払込みは不要とする。
(9) 新株予約権のその他の内容

　新株予約権に関するその他の内容については，取締役会において定める。

　上記の記載例は，取締役に対するストック・オプションについて法361条1項1号（確定額報酬）と同項4号（無償構成）に定める報酬等と考えた上で，従前の株主総会で定めた報酬枠と別枠で承認を受けることを想定している。また，取締役全体について授権枠としての承認を受け，この授権枠の範囲内である限り，毎年決議を得ないことを想定している。

②　有利発行規制

　役員に対するストックオプションの付与について，有利発行（法238条3項）でないことを明確にする観点から，相殺構成により付与することも多くされてきた。相殺構成においては，当該新株予約権の公正価値に基づき払込金額を定めた上で，これと同額の金銭債権と相殺することとなるが，当該払込金

額が公正価値に基づき定められる以上引受人に特に有利な金額ではないことが明らかとなるためである。もっとも，無償構成であったとしても，当該新株予約権の公正価値が会社法361条1項1号の金額の範囲内に収まっている限り，有利発行には該当しないと解される（田中亘・前掲563頁）。

なお，有利発行の決議を念のために取得するといった取扱いも考えられるところであり，その場合の株主総会参考書類の記載は，次の「(2) 発行会社の従業員に対するもの」に準じて考えられる。

(2) 発行会社の従業員に対するもの

① 報酬規制

発行会社の従業員に対するストック・オプションの付与については，会社法において，発行会社の従業員の報酬について株主総会の決議が必要とされていないので報酬規制が問題となることはない。

② 有利発行規制

相殺構成により付与する場合には，役員に対する付与と同様に有利発行には該当しないことが明らかである。また，無償発行であっても，それがインセンティブ報酬として付与する場合には従業員の職務の対価として発行するものであるから，有利発行には該当しないと解される（田中亘・前掲542頁）。

なお，従業員に対するストック・オプションの付与については，役員と同様に職務執行の対価と整理すると，労働基準法24条に定める賃金の通貨払いに違反するリスクが指摘され，そのため，役員に対するストック・オプションの付与を有利発行でないと整理する会社でも，従業員に対するストック・オプションの付与は有利発行として整理する例もある。しかしながら，労働省（当時）より，ストック・オプションによる利益の発生時期・額は労働者の判断に委ねられていること等を理由にストック・オプションの付与は労働基準法24条に違反しないとされており（平成9年6月1日労働省基発第412号「改正商法に係るストック・オプションの取扱いについて」）その後，解釈を変更すべき

事情も存しない。したがって，従業員に対するストック・オプションの付与についても，必ずしも有利発行と解する必要はないと考えられる。

なお，有利発行の決議を念のために取得するといった取扱いも考えられる。従業員に対するストック・オプションとしての新株予約権の募集にあたって決定が必要な事項は，(a)新株予約権の内容および数，(b)新株予約権と引換えに金銭の払込みを要しないこととする場合はその旨，(c)(b)以外の場合には，新株予約権の払込金額（または算定方法），(d)割当日，(e)払込期日（定めた場合のみ）である（法238条1項）。(a)の新株予約権の内容は，具体的には，(ⅰ)新株予約権の目的である株式の数（または算定方法），(ⅱ)新株予約権の行使に際して出資される財産の価額（または算定方法），(ⅲ)金銭以外の財産が出資の目的である場合はその旨ならびに財産の内容および価額，(ⅳ)行使期間，(ⅴ)行使により株式を発行する場合における増加資本金・資本準備金に関する事項，(ⅵ)譲渡による取得について会社の承認を要するときはその旨，(ⅶ)取得事由等，(ⅷ)組織再編時の新株予約権の扱い，(ⅸ)1株未満の端数を切り捨てる場合はその旨である（法236条1項）。

組織再編時の存続会社等の新株予約権の交付を会社側の選択に委ねたい場合は，交付する旨の記載のある合併契約書等が承認されることといった条件を付すこととなる。組織再編に際して新株予約権買取請求が可能となる場合に備えて，新株予約権の買取請求が可能となる時期までに，取得事由が発生するように設計することも考えられる。

第8　株式報酬

(1) 発行会社の役員に対するもの

① 報酬規制

株式報酬には，新株予約権を用いたストックオプションの他には，一般に，①一定期間の譲渡制限や一定の場合の没収事由を定めた上で発行会社が株式を事前に付与する事前交付型，②一定期間の勤務や業績等の条件に応じて発

第10節　経団連モデル記載以外の議案についての株主総会参考書類の記載方法

行会社が株式を事後に付与する事後交付型，③報酬相当額を予め信託に拠出し，信託が当該資金を原資に市場等から株式を取得した上で一定期間経過後に一定の条件等に従い株式を付与する株式交付信託に大別される。

事前交付型や事後交付型の株式報酬を付与する場合には，①会社法361条1項3号または5号イに定める事項の決定に加えて，②確定額報酬または不確定額報酬として同項1号または2号に定める事項の決定が必要となる。

①について，株式報酬の付与の方法については，無償構成（募集株式と引換えにする金銭の払込みまたは財産の給付を要しないものと定めて付与する方法）と現物出資構成（株式の公正価値を募集株式の払込金額として定めた上で，別途会社が付与した金銭債権を現物出資するものとして付与する方法）が存在するが，無償構成を想定したものが会社法361条1項3号，会社法施行規則98条の2であり，現物出資構成を想定したものが会社法361条1項5号イ，会社法施行規則98条の4第1項である。無償構成と現物出資構成とで決定すべき事項は基本的に異ならず，その概要は以下のとおりである。なお，無償構成は，令和元年改正会社法により新たに認められた方法であるが，これは上場会社がその取締役に対して付与する場合に限り認められるものである（法202条の2）。

■株式報酬議案（事前交付型，事後交付型）
（法361条1項3号・5号イ，施行規則98条の2・98条の4第1項）
1. 株式の数（種類株式発行会社にあっては，株式の種類および種類ごとの数）の上限
2. 株式の譲渡を禁止するときはその旨および譲渡禁止解除事由の概要
3. 株式の没収事由があるときはその旨およびその概要
4. その他付与の条件の概要

各事項は，希釈化の影響やインセンティブとして株式報酬を付与する必要性を判断することができるようにする趣旨で定められている。そのため，そのような趣旨に鑑みて必要な事項を定めれば足り，それ以外の事項や細目に

ついては，定めることは要しない（渡辺論ほか・前掲商事法務2251号118頁）。したがって，インセンティブとは関係のないインサイダー取引予防の観点からの一定の制限は定めることを要しない（渡辺論ほか・前掲商事法務2251号119頁）。また，複数回の発行に備えて必要な範囲で一定程度抽象的にすることも許容される。例えば，取締役の報酬決議は，確定額報酬の場合には，年○円という形での決議でも足りると解されているが，同様に，上記1の株式の数の上限についても，年○株という形での決議は可能であると解される。加えて，株式の併合や分割をした場合など合理的に調整が必要となる場合において上限の数を調整する旨を予め定めておくことも可能であると解される。

続いて，②については，例えば，会社法361条1項1号に基づき通常の報酬についての総額決議がある場合には，当該総額の範囲内に収まる限りにおいては，①の決議の際に別途②の決議もすることは必須ではない。もっとも，いずれにせよ①の決議が必要となるので，①としての決議と併せて，当該株式報酬のための②の決議を通常の報酬とは別枠でしておくことも考えられる。

なお，株式交付信託の場合，①に関して，株式の引受人となるのが直接には信託になるなどの点で相違はあり，会社法361条1項3号または5号イが直接適用されるかについては疑義があるが，仮に直接適用されないとしても，同号6号に定める事項として，会社法361条1項5号イに準じた定めが必要になるものと考えられている（田中亘・前掲262頁）。②については，事前交付型・事後交付型と同様に必要となる。

以上は，取締役に係る議論であるが，ストックオプションと同様，監査役に対して株式報酬を付与する場合には，その内容に応じて，会社法387条第1項の決議に加えて，会社法361条1項5号イまたは6号のいずれかに掲げる事項についての決議も必要になるものと解される（類推適用）。ただし，無償発行は監査役に対しては認められないものと解される（法202条の2参照）。

その他，通常の報酬の場合と同様の記載事項が必要となる（詳細は第Ⅶ章第8節参照）。

第10節　経団連モデル記載以外の議案についての株主総会参考書類の記載方法

(参考例―事前交付・現物出資型)
(経済産業省産業組織課「『攻めの経営』を促す役員報酬～企業の持続的成長のためのインセンティブプラン導入の手引～(2021年6月時点版)」98頁)

第○号議案　取締役に対する譲渡制限付株式の付与のための報酬決定の件

　当社の取締役の報酬等の額は，令和○年○月○日開催の第○回定時株主総会において，年額○万円以内（ただし，使用人兼務取締役の使用人分給与を含まない。）とご承認いただいておりますが，今般，取締役に当社の企業価値の持続的な向上を図るインセンティブを与えるとともに，取締役と株主の皆様との一層の価値共有を進めることを目的として，上記の報酬枠とは別枠で，当社の取締役に対し，新たに譲渡制限付株式の付与のための報酬を支給することにつきご承認をお願いいたします。

　本議案に基づき当社の取締役に対して譲渡制限付株式の付与のために支給する金銭報酬の総額は，上記の目的を踏まえ相当と考えられる金額として，年額○万円以内（うち社外取締役○万円以内）といたします。また，各取締役への具体的な配分については，[指名報酬諮問委員会の審議を経た上で，その意見を尊重して]取締役会において決定することといたします。

　当社は，[○年○月○日開催の取締役会において，]取締役の個人別の報酬等の決定方針を定めており，その概要は末尾に記載のとおりですが，[本議案が原案どおり承認可決された場合における方針としても引き続き相当であると考えられることから，当該方針を変更することは予定しておりません。／本議案をご承認いただいた場合には，その内容を○○に変更することを予定しております。]本議案は，当該方針に沿う内容の取締役の個人別の報酬等を付与するために必要かつ合理的な内容となっており，また，取締役に1年間に発行又は処分される株式総数の発行済株式総数[(令和○年○月○日時点)]に占める割合は○％以下であります。そのため，本議案の内容は相当であると考えております。

　なお，現在の取締役は○名（うち社外取締役○名）ですが，第○号議案（注：取締役選任議案）が原案どおり承認可決されますと，取締役は○名（うち社外取締役○名）となります。

　また，取締役は，当社の取締役会決議に基づき，本議案により生ずる金銭報酬債権の全部を現物出資財産として給付し，当社の普通株式について発行又は処分を受けるものとし，これにより発行又は処分をされる当社の普通株式の総数は年○株以内（うち社外取締役○株以内）とします。ただし，当社の発行済株式総数が，株式の併合または株式の分割（株式無償割当てを含みます。）によっ

て増減した場合は，上限数はその比率に応じて調整されるものとします。1株当たりの払込金額は各取締役会決議の日の前営業日における東京証券取引所における当社の普通株式の終値（同日に取引が成立していない場合は，それに先立つ直近取引日の終値）とします。

　また，これによる当社の普通株式の発行又は処分に当たっては，当社と取締役との間で，概要，以下の内容を含む譲渡制限付株式割当契約（以下「本割当契約」といいます。）を締結するものとします。
(1) 当該取締役は，○年間から○年間までの間で当社の取締役会が定める期間（以下「譲渡制限期間」という。），本割当契約により割当てを受けた当社の普通株式（以下「本割当株式」という。）について，譲渡，担保権の設定その他の処分をしてはならない（以下「譲渡制限」という。）。[ただし，譲渡制限期間については，当社の取締役会が，指名報酬諮問委員会の審議を経た上で，その意見を尊重して決定するものとする。]
(2) 当該取締役が，○年間から○年間までの間で当社の取締役会が定める役務提供予定期間（以下「役務提供予定期間」という。）が満了する前に当社又は当社の子会社の取締役，執行役，執行役員又は使用人を退任した場合には，当社の取締役会が正当と認める理由がある場合を除き，当社は，本割当株式を当然に無償で取得する。
(3) 上記(1)の定めにかかわらず，当社は，当該取締役が，役務提供予定期間中，継続して，当社又は当社の子会社の取締役，執行役，執行役員又は使用人の地位にあったことを条件として，本割当株式の全部について，譲渡制限期間が満了した時点をもって譲渡制限を解除する。ただし，当該取締役が，上記(2)に定める当社の取締役会が正当と認める理由により，役務提供期間が満了する前に上記(2)に定める地位を退任した場合には，譲渡制限を解除する本割当株式の数及び譲渡制限を解除する時期を，必要に応じて合理的に調整するものとする。
(4) 当社は，譲渡制限期間が満了した時点において上記(3)の定めに基づき譲渡制限が解除されていない本割当株式を当然に無償で取得する。
(5) 上記(1)の定めにかかわらず，当社は，譲渡制限期間中に，当社が消滅会社となる合併契約，当社が完全子会社となる株式交換契約又は株式移転計画その他の組織再編等に関する事項が当社の株主総会（ただし，当該組織再編等に関して当社の株主総会による承認を要さない場合においては，当社の取締役会）で承認された場合には，当社の取締役会の決議により，役務提供期間の開始日から当該組織再編等の承認の日までの期間を踏まえて合理

第10節　経団連モデル記載以外の議案についての株主総会参考書類の記載方法

的に定める数の本割当株式について，当該組織再編等の効力発生日に先立ち，譲渡制限を解除する。
(6) 上記(5)に規定する場合においては，当社は，上記(5)の定めに基づき譲渡制限が解除された直後の時点においてなお譲渡制限が解除されていない本割当株式を当然に無償で取得する。
【取締役の個人別の報酬等の決定方針の概要】
…………。

(参考例―事前交付・無償発行型)
(経済産業省産業組織課「『攻めの経営』を促す役員報酬～企業の持続的成長のためのインセンティブプラン導入の手引～（2021年6月時点版）」101頁)

第○号議案　取締役に対する譲渡制限付株式の付与のための報酬決定の件

　当社の取締役の報酬等の額は，令和○年○月○日開催の第○回定時株主総会において，年額○万円以内（ただし，使用人兼務取締役の使用人分給与を含まない。）とご承認いただいておりますが，今般，取締役に当社の企業価値の持続的な向上を図るインセンティブを与えるとともに，取締役と株主の皆様との一層の価値共有を進めることを目的として，上記の報酬枠とは別枠で，当社の取締役に対し，新たに譲渡制限付株式を報酬として支給することにつきご承認をお願いいたします。

　本議案に基づき当社の取締役に対して発行又は処分される当社の普通株式の総数は，年間○株以内（うち社外取締役○株以内），年額○万円以内（うち社外取締役○万円以内）といたします。ただし，当社の発行済株式総数が，株式の併合または株式の分割（株式無償割当てを含みます。）によって増減した場合は，上限数はその比率に応じて調整されるものとします。［なお，上記の年額は，直近の株価を参考に設定しています。］

　また，各取締役への具体的な配分については，［指名報酬諮問委員会の審議を経た上で，その意見を尊重して］取締役会において決定することといたします。
　当社は，［○年○月○日開催の取締役会において，］取締役の個人別の報酬等の決定方針を定めており，その概要は末尾に記載のとおりですが，［本議案が原案どおり承認可決された場合における方針としても引き続き相当であると考えられることから，当該方針を変更することは予定しておりません。／本議案が原案どおり承認可決された場合には，その内容を○○に変更することを予定しております。］本議案は，当該方針に沿う内容の取締役の個人別の報酬等を付与

するために必要かつ合理的な内容となっており，また，取締役に1年間に発行又は処分される株式総数の発行済株式総数［（令和○年○月○日時点）］に占める割合は○％以下であります。そのため，本議案の内容は相当であると考えております。

なお，現在の取締役は○名（うち社外取締役○名）ですが，第○号議案（注：取締役選任議案）が原案どおり承認可決されますと，取締役は○名（うち社外取締役○名）となります。

また，これによる当社の普通株式の発行又は処分に当たっては，取締役は金銭の払込み等を要しないものとし，当社と取締役との間で，概要，以下の内容を含む譲渡制限付株式割当契約（以下「本割当契約」といいます。）を締結するものとします。

(1) 当該取締役は，○年間から○年間までの間で当社の取締役会が定める期間（以下「譲渡制限期間」という。），本割当契約により割当てを受けた当社の普通株式（以下「本割当株式」という。）について，譲渡，担保権の設定その他の処分をしてはならない（以下「譲渡制限」という。）。［ただし，譲渡制限期間については，当社の取締役会が，指名報酬諮問委員会の審議を経た上で，その意見を尊重して決定するものとする。］

(2) 当該取締役が，○年間から○年間までの間で当社の取締役会が定める役務提供予定期間（以下「役務提供予定期間」という。）が満了する前に当社又は当社の子会社の取締役，執行役，執行役員又は使用人を退任した場合には，当社の取締役会が正当と認める理由がある場合を除き，当社は，本割当株式を当然に無償で取得する。

(3) 上記(1)の定めにかかわらず，当社は，当該取締役が，役務提供予定期間中，継続して，当社又は当社の子会社の取締役，執行役，執行役員又は使用人の地位にあったことを条件として，本割当株式の全部について，譲渡制限期間が満了した時点をもって譲渡制限を解除する。ただし，当該取締役が，上記(2)に定める当社の取締役会が正当と認める理由により，役務提供期間が満了する前に上記(2)に定める地位を退任した場合には，譲渡制限を解除する本割当株式の数及び譲渡制限を解除する時期を，必要に応じて合理的に調整するものとする。

(4) 当社は，譲渡制限期間が満了した時点において上記(3)の定めに基づき譲渡制限が解除されていない本割当株式を当然に無償で取得する。

(5) 上記(1)の定めにかかわらず，当社は，譲渡制限期間中に，当社が消滅会社となる合併契約，当社が完全子会社となる株式交換契約又は株式移転計画その他の組織再編等に関する事項が当社の株主総会（ただし，当該組織再

第10節　経団連モデル記載以外の議案についての株主総会参考書類の記載方法

> 編等に関して当社の株主総会による承認を要さない場合においては，当社の取締役会）で承認された場合には，当社の取締役会の決議により，役務提供期間の開始日から当該組織再編等の承認の日までの期間を踏まえて合理的に定める数の本割当株式について，当該組織再編等の効力発生日に先立ち，譲渡制限を解除する。
> (6) 上記(5)に規定する場合においては，当社は，上記(5)の定めに基づき譲渡制限が解除された直後の時点においてなお譲渡制限が解除されていない本割当株式を当然に無償で取得する。
> 【取締役の個人別の報酬等の決定方針の概要】
> ……………。

　上記の二つの事前交付型の参考例は，いずれも会社法361条1項1号に定める報酬等（確定額報酬）と考えた上で，一つ目は現物出資構成（同項5号イ）として，二つ目は無償構成（同項3号）として想定し，取締役全体について授権枠としての承認を受け，この授権枠の範囲内である限り，毎年決議を得ないことを想定している。なお，会社法361条1項1号の定めは，従前の株主総会で定めた報酬枠と別枠とすることを想定している。

> (参考例―事後交付・現物出資型)
> (経済産業省産業組織課「『攻めの経営』を促す役員報酬～企業の持続的成長のためのインセンティブプラン導入の手引～（2021年6月時点版）」104頁)
>
> 第〇号議案　取締役に対する事後交付による株式報酬に係る報酬決定の件
>
> 　当社の取締役の報酬等の額は，令和〇年〇月〇日開催の第〇回定時株主総会において，年額〇万円以内（うち，社外取締役〇万円以内。ただし，使用人兼務取締役の使用人分給与を含みません。）とご承認いただいておりますが，今般，取締役の報酬と会社業績及び当社の株式価値との連動性をより明確化することなどにより取締役に当社の企業価値の持続的な向上を図るインセンティブを与えるとともに，取締役と株主の皆様との一層の価値共有を進めることを目的として，上記の報酬枠とは別枠で，当社の取締役に対し，新たに事後交付による株式報酬制度（以下「本制度」といいます。）を導入することにつきご承認をお願いいたします。

本制度には，次の2つの類型の株式報酬制度が含まれています。
(i) 当社の第○中期経営計画の期間である令和○年度から令和○年度までの○事業年度の期間（以下「業績評価期間」といいます。）の業績目標達成度や，本株主総会から業績評価期間終了後の最初の定時株主総会までの期間（以下「対象期間」といいます。）の勤務期間に応じて算定される数の当社普通株式（以下「当社株式」といいます。）を，対象期間終了後に交付する類型の株式報酬（いわゆるパフォーマンス・シェア）
(ii) 対象期間の勤務期間に応じて，事前に定める数の当社株式を，対象期間終了後に交付する類型の株式報酬（いわゆる事後交付型リストリクテッド・ストック）

具体的には，下記にて定める算定方法により，上記(i)のいわゆるパフォーマンス・シェア相当分と，上記(ii)のいわゆる事後交付型リストリクテッド・ストック相当分の当社株式を交付するため，対象期間終了後に，当社の取締役に対して金銭報酬を支給することとし，当社による株式の発行又は自己株式の処分に際して，その金銭報酬債権の全部を現物出資させることで，当社株式を交付することになります（注1）（注2）。

なお，当社が本制度に基づき当社の取締役に交付する当社株式の数は，取締役1名当たり○株（ただし，社外取締役については1名当たり○株）以内，取締役全員で合計○株（うち，社外取締役全員
で合計○株）以内とします（注3）。

(注1) ただし，対象期間中に取締役が死亡により退任した場合，報酬の交付時期は当該退任した日より○か月以内2とし，金銭報酬債権について現物出資させることなく，当該取締役の承継者となる相続人に対して金銭を交付します。また，対象期間中に，当社が消滅会社となる合併契約，当社が完全子会社となる株式交換契約若しくは株式移転計画，当社が分割会社となる新設分割計画若しくは吸収分割契約（分割型分割に限る），当社が特定の株主に支配されることとなる株式の併合，全部取得条項付種類株式の取得，株式売渡請求（以下「組織再編等」といいます。）に関する事項が当社の株主総会（ただし，当該組織再編等に関して当社の株主総会による承認を要さない場合においては，当社の取締役会）で承認された場合（ただし，当該組織再編等の効力発生日が本制度に基づく株式交付の日より前に到来することが予定されているときに限る。），報酬の交付時期は当

第10節　経団連モデル記載以外の議案についての株主総会参考書類の記載方法

　　　　該承認の日より〇日以内とし，金銭報酬債権について現物出資させることなく，取締役に対して金銭を交付します。
（注2）社外取締役（当社の業務執行取締役以外の取締役はすべて社外取締役に該当します。）には事後交付型リストリクテッド・ストックのみを交付します。
（注3）ただし，当社の発行済株式総数が，株式の併合または株式の分割（株式無償割当てを含みます。以下，株式の分割の記載につき同じ。）によって増減した場合は，上限数はその比率に応じて調整されます。

　本議案は，報酬等のうち額が確定していないものについてその具体的な算定方法を決議する議案として付議するものであり，本議案において不確定額の報酬のうち最も高額となる計算式を決議し，その枠内での運用を取締役会に委任することになります。各取締役への具体的な支給時期及び内容については，本株主総会決議により委任を受けた取締役会において決定することといたします。[なお，取締役会が委任された事項について決定するに当たり，報酬諮問委員会の審議を経ることといたします。]
　当社は，[〇年〇月〇日開催の取締役会において，]取締役の個人別の報酬等の決定方針を定めており，その概要は末尾に記載のとおりですが，[本議案が原案どおり承認可決された場合における方針としても引き続き相当であると考えられることから，当該方針を変更することは予定しておりません。／本議案をご承認いただいた場合には，その内容を〇〇に変更することを予定しております。]本議案は，当該方針に沿う内容の取締役の個人別の報酬等を付与するために必要かつ合理的な内容となっており，また，取締役に1年間に発行又は処分される株式総数の発行済株式総数[（令和〇年〇月〇日時点）]に占める割合は〇％以下であります。そのため，本議案の内容は，相当であると考えております。
　なお，現在の取締役は〇名（うち社外取締役〇名）ですが，第〇号議案（注：取締役選任議案）が原案どおり承認可決されますと，取締役は〇名（うち社外取締役〇名）となります。
【本制度における金銭報酬の額の算定方法等】
　(1) 金銭報酬の額の算定方法
　　　各取締役に対して付与されることとなる金銭（金銭報酬債権）の額については，本制度により取締役に対して最終的に交付する株式数（以下「最終交付株式数」といいます。）に，対象期間終了後2か月以内に開催される当該交付のための株式の発行又は自己株式の処分を決定する取締役会の決議

(以下「交付取締役会決議」といいます。）の日の前営業日における○証券取引所における当社株式の普通取引の終値（同日に取引が成立していない場合には，それに先立つ直近取引日の終値を指します。以下「当社株式終値」といいます。）を乗じることにより算定されます（注4）。

(注4) ただし，対象期間中に取締役が死亡により退任した場合，上記注1のとおり，株式報酬の額に相当する金銭を交付することになりますが，その場合には，当社株式終値ではなく，当該取締役の退任日の当社株式の普通取引の終値（同日に取引が成立していない場合には，それに先立つ直近取引日の終値）を乗じることになります。また，対象期間中に，組織再編等に関する事項が当社の株主総会（ただし，当該組織再編等に関して当社の株主総会による承認を要さない場合においては，当社の取締役会）で承認された場合，上記注1のとおり，株式報酬の額に相当する金銭を交付することになりますが，その場合には，当社株式終値ではなく，当該承認の日の当社株式の普通取引の終値（同日に取引が成立していない場合には，それに先立つ直近取引日の終値）を乗じることになります。また，いずれの場合も，計算の結果として算出される金銭の額が○円（社外取締役については○円）を超えるときは，交付する金銭の額は○円（社外取締役については○円）とします。

> 取締役に付与する金銭報酬（債権）の額＝最終交付株式数×当社株式終値

　業務を執行する取締役（以下「業務執行取締役」といいます。）の最終交付株式数は，(i)取締役の役位毎に定められる株式報酬基準額（以下「役位別株式報酬基準額」といいます。）を対象期間開始当初の取締役会の決議（以下「当初取締役会決議」といいます。）の日の前営業日における○証券取引所における当社株式の普通取引の終値（(同日に取引が成立していない場合には，それに先立つ直近取引日の終値を指します。以下「基準株価」といいます。）で除して算出される基準交付株式数（ただし，計算の結果1株未満の端数が生ずる場合には，これを切り捨てるものとする。以下「基準交付株式数」といいます。）の○％相当分に，業績目標達成度，在任期間比率（注5）と役位調整比率（注6）を乗じた株式数（いわゆるパフォーマンス・シェア相当分）と，(ii)基準交付株式数の○％相当分に在任期間比率と役位調整比率を乗じた株式数（いわゆる事後交付型リストリクテッド・ストッ

第10節　経団連モデル記載以外の議案についての株主総会参考書類の記載方法

ク相当分）を合計した株式数とします（注7）（注8）。
　また，社外取締役の最終交付株式数は，基準交付株式数に在任期間比率と役位調整比率を乗じた株式数（いわゆる事後交付型リストリクテッド・ストック相当分のみ）とします。（注7）（注8）

（注5）対象期間中に新たに就任した取締役や，対象期間の途中で正当な事由により退任した取締役が存在する場合には，当該取締役に付与される金銭報酬（債権）の額は，それぞれ在任月数に応じて按分されることになります（具体的な調整方法は下記③参照）。
（注6）対象期間内に役位変更した場合，対象期間内の役位に対応した株式を付与するように付与株式数を調整します（具体的な調整方法は下記④参照）。
（注7）いずれの最終交付株式数の計算においても，計算の結果1株未満の端数が生ずる場合には，これを切り捨てるものとします。
（注8）ただし，計算の結果として算出される株式数が上限である○株（社外取締役については○株）を超える場合には，最終交付株式数は○株（社外取締役については○株）とします（上記（注4）に基づき金銭により交付する場合を除きます。）。また，当社の発行済株式総数が，株式の併合または株式の分割（株式無償割当てを含みます。以下，株式の分割の記載につき同じ。）によって増減した場合は，各取締役の最終交付株式数は，その比率に応じて合理的に調整されます。具体的には，株式の併合または株式の分割の場合，調整前の最終交付株式数に，併合・分割の比率を乗じることで，調整後の最終交付株式数を算出します。

（参考：本議案により付与される株式報酬の類型別割合）

	(i)パフォーマンス・シェア	(ii)事後交付型リストリクテッド・ストック
業務執行取締役	○%	○%
社外取締役	0%	100%

（最終交付株式数の算定式）

最終交付株式数＝
(i)基準交付株式数（①）×○%×業績目標達成度（②）×在任期間比率（③）×役位調整比率（④）＋(ii)基準交付株式数（①）×○%×在任期間比率（③）×役位調整比率（④）

① 基準交付株式数
　基準交付株式数は以下の式により算出されます。

$$\text{基準交付株式数} = \frac{\text{取締役の役位別株式報酬基準額(ア)}}{\text{基準株価(イ)}}$$

(ア) 取締役の役位別株式報酬基準額
　各取締役に交付する最終交付株式数の算定方法のうち，役位別株式報酬基準額は，最も高額となる役位の取締役において1名当たり金○円を上限とし，その他の役位の取締役においてはそれを超えない範囲内で（ただし，社外取締役については1名当たり金○円を上限とします。），役位別に具体的な金額を定めることを取締役会に委任するものとします。

(イ) 基準株価
　基準株価は，当初取締役会決議の日の前営業日における○証券取引所における当社株式の普通取引の終値（同日に取引が成立していない場合には，それに先立つ直近取引日の終値）とします。

② 業績目標達成度
　業績目標達成度は，当社の第○期事業年度に係る確定した連結貸借対照表及び連結損益計算書（以下「連結貸借対照表等」という。）(注9) により算出される連結ROEの数値（注10）に基づいて，下記表に従って算出されます。

連結ROE	業績目標達成度
○％未満の場合	0％
○％以上○％未満の場合	○％
○％以上○％未満の場合	○％
○％以上○％未満の場合	○％
○以上の場合	100％

(注9) ただし，取締役が死亡により退任した場合には，死亡により退任した時点で，有価証券報告書に記載した連結貸借対照表等のうち直近事業年度のものにより算出される連結ROEの数値に基づいて，上記表に従って算出されます。また，組織再編等に関する事項が当社の株主総会（ただし，当該組織再編等に関して当社の株主総会による承認を要さない場合においては，当社の取締役会）で承認された場合には，当該承認の時点で有価証券報告書に記載した連結貸借対照

第10節　経団連モデル記載以外の議案についての株主総会参考書類の記載方法

表等のうち直近事業年度のものにより算出される連結ROEの数値に基づいて、上記表に従って算出されます。

(注10) 連結ROE（自己資本利益率）は、以下の式により算出されます。

$$連結ROE = \frac{親会社株主に帰属する当期純利益}{(期首自己資本比率 + 期末自己資本) \div 2} \times 100$$

※自己資本＝純資産合計－新株予約権－非支配株主持分

③　在任期間比率

在任期間に応じて付与する株式数を按分するため、以下の式により算出されます。なお、月の途中で新たに就任又は退任した場合には1月在任したものとみなして計算します。

$$在任期間比率 = \frac{対象期間中に在任した合計月数}{対象期間の合計月数}$$

④　役位調整比率

役位変更があった場合にその役位に対応した株式数を付与するように付与株式数を調整するため、以下の式により算出されます。なお、月の途中で役位変更があった場合には新しい役位に1月在任したものとみなして計算します。

$$役位調整比率 = \frac{当初役位の役位別株式報酬基準額 \times 当初役位在任月数 + 変更後役位の役位別株式報酬基準額 \times 変更後役位在任月数}{当初役位の役位別株式報酬基準額 \times 対象期間中に在任した合計月数}$$

(2) 取締役に対する金銭報酬の支給の条件

取締役が、正当な理由なく当社の取締役を退任したこと及び一定の非違行為があったこと等、株式報酬制度としての趣旨を達成するために必要な権利喪失事由（取締役会において定める。）に該当した場合には、取締役に対して本制度に基づいて金銭報酬は支給されず、当社株式も交付されません。

【取締役の個人別の報酬等の決定方針の概要】

………。

(参考例―事後交付・現物出資型)
(経済産業省産業組織課「『攻めの経営』を促す役員報酬～企業の持続的成長のためのインセンティブプラン導入の手引～(2021年6月時点版)」110頁)

第○号議案　取締役に対する事後交付による株式報酬に係る報酬決定の件

　当社の取締役の報酬等の額は，令和○年○月○日開催の第○回定時株主総会において，年額○万円以内（うち，社外取締役○万円以内。ただし，使用人兼務取締役の使用人分給与を含みません。）とご承認いただいておりますが，今般，取締役の報酬と会社業績及び当社の株式価値との連動性をより明確化することなどにより取締役に当社の企業価値の持続的な向上を図るインセンティブを与えるとともに，取締役と株主の皆様との一層の価値共有を進めることを目的として，上記の報酬枠とは別枠で，当社の取締役に対し，新たに事後交付による株式報酬制度（以下「本制度」といいます。）を導入することにつきご承認をお願いいたします。

　本制度には，次の2つの類型の株式報酬制度が含まれています。
(ⅰ) 当社の第○期中期経営計画の期間である令和○年度から令和○年度までの○事業年度の期間（以下「業績評価期間」といいます。）の業績目標達成度や，本株主総会から業績評価期間終了後の最初の定時株主総会までの期間（以下「対象期間」といいます。）の勤務期間に応じて算定される数の当社普通株式（以下「当社株式」といいます。）を，対象期間終了後に交付する類型の株式報酬（いわゆるパフォーマンス・シェア）
(ⅱ) 対象期間の勤務期間に応じて，事前に定める数の当社株式を，対象期間終了後に交付する類型の株式報酬（いわゆる事後交付型リストリクテッド・ストック）

　具体的には，下記にて定める算定方法により，上記(ⅰ)のいわゆるパフォーマンス・シェアの数と，上記(ⅱ)のいわゆる事後交付型リストリクテッド・ストックの数を定め，対象期間終了後に，取締役による金銭の払込み等を要しないで（無償で），当社株式を取締役に対し発行又は処分することにより交付いたします（注1）（注2）。
　なお，当社が本制度に基づき当社の取締役に交付する当社株式の数は，取締役1名当たり○株（ただし，社外取締役については1名当たり○株）以内，取締

第10節　経団連モデル記載以外の議案についての株主総会参考書類の記載方法

役全員で合計○株（うち，社外取締役全員で合計○株）以内とします（注3）。
(注1) ただし，対象期間中に取締役が死亡により退任した場合，当該取締役の相続人に対して株式報酬の額に相当する金銭を交付するものとします。また，対象期間中に，当社が消滅会社となる合併契約，当社が完全子会社となる株式交換契約若しくは株式移転計画，当社が分割会社となる新設分割計画若しくは吸収分割契約（分割型分割に限る），当社が特定の株主に支配されることとなる株式の併合，全部取得条項付種類株式の取得，株式売渡請求（以下「組織再編等」といいます。）に関する事項が当社の株主総会（ただし，当該組織再編等に関して当社の株主総会による承認を要さない場合においては，当社の取締役会）で承認された場合（ただし，当該組織再編等の効力発生日が本制度に基づく株式交付の日より前に到来することが予定されているときに限る。），報酬の交付時期は当該承認の日より○日以内とし，取締役に対して株式報酬の額に相当する金銭を交付します。
(注2) 社外取締役（当社の業務執行取締役以外の取締役はすべて社外取締役に該当します。）には事後交付型リストリクテッド・ストックのみを交付します。
(注3) ただし，当社の発行済株式総数が，株式の併合または株式の分割（株式無償割当てを含みます。以下，株式の分割の記載につき同じ。）によって増減した場合は，上限数はその比率に応じて調整されます。

　本議案は，報酬等のうち額が確定していないものについてその具体的な算定方法を決議する議案として付議するものであり，本議案において不確定額の報酬のうち最も高額となる計算式を決議し，その枠内での運用を取締役会に委任することになります。各取締役への具体的な支給時期及び内容については，本株主総会決議により委任を受けた取締役会において決定することといたします。［なお，取締役会が委任された事項について決定するに当たり，報酬諮問委員会の審議を経ることといたします。］
　当社は，［○年○月○日開催の取締役会において，］取締役の個人別の報酬等の決定方針を定めており，その概要は末尾に記載のとおりですが，［本議案が原案どおり承認可決された場合における方針としても引き続き相当であると考えられることから，当該方針を変更することは予定しておりません。／本議案をご承認いただいた場合には，その内容を○○に変更することを予定しております。］本議案は，当該方針に沿う内容の取締役の個人別の報酬等を付与するため

に必要かつ合理的な内容となっており，また，取締役に1年間に発行又は処分される株式総数の発行済株式総数［(令和○年○月○日時点)］に占める割合は○％以下であります。そのため，本議案の内容は，相当であると考えております。

　なお，現在の取締役は○名(うち社外取締役○名)ですが，第○号議案(注：取締役選任議案)が原案どおり承認可決されますと，取締役は○名(うち社外取締役○名)となります。

【本制度における金銭報酬の額の算定方法等】
　(1) 株式報酬の額の算定方法
　　　本制度における株式報酬の額は，当社株式の割当日の前営業日における○証券取引所における当社株式の普通取引の終値(同日に取引が成立していない場合には，それに先立つ直近取引日の終値を指します。以下「当社株式終値」といいます。)を乗じたものになります(注4)。

　　(注4) ただし，対象期間中に取締役が死亡により退任した場合，上記注1のとおり，株式報酬の額に相当する金銭を交付することになりますが，その場合には，当社株式終値ではなく，当該取締役の退任日の当社株式の普通取引の終値(同日に取引が成立していない場合には，それに先立つ直近取引日の終値)を乗じることになります。また，対象期間中に，組織再編等に関する事項が当社の株主総会(ただし，当該組織再編等に関して当社の株主総会による承認を要さない場合においては，当社の取締役会)で承認された場合，上記注1のとおり，株式報酬の額に相当する金銭を交付することになりますが，その場合には，当社株式終値ではなく，当該承認の日の当社株式の普通取引の終値(同日に取引が成立していない場合には，それに先立つ直近取引日の終値)を乗じることになります。また，いずれの場合も，計算の結果として算出される株式報酬の額が○円(社外取締役については○円)を超えるときは，交付する株式報酬の額に相当する金銭の額は○円(社外取締役については○円)とします。

> 取締役に付与する株式報酬の額＝最終交付株式数×当社株式終値

　　業務を執行する取締役(以下「業務執行取締役」といいます。)の最終交付株式数は，(i)取締役の役位毎に定められる株式報酬基準額(以下「役位別株式報酬基準額」といいます。)を対象期間開始当初の取締役会の決議(以

第10節　経団連モデル記載以外の議案についての株主総会参考書類の記載方法

　　下「当初取締役会決議」といいます。）の日の前営業日における○証券取引所における当社株式の普通取引の終値（（同日に取引が成立していない場合には，それに先立つ直近取引日の終値を指します。以下「基準株価」といいます。）で除して算出される基準交付株式数（ただし，計算の結果1株未満の端数が生ずる場合には，これを切り捨てるものとする。以下「基準交付株式数」といいます。）の○％相当分に，業績目標達成度，在任期間比率（注5）と役位調整比率（注6）を乗じた株式数（いわゆるパフォーマンス・シェア相当分）と，(ii)基準交付株式数の○％相当分に在任期間比率と役位調整比率を乗じた株式数（いわゆる事後交付型リストリクテッド・ストック相当分）を合計した株式数とします（注7）（注8）。

　　また，社外取締役の最終交付株式数は，基準交付株式数に在任期間比率と役位調整比率を乗じた株式数（いわゆる事後交付型リストリクテッド・ストック相当分のみ）とします（注7）（注8）。

(注5)　対象期間中に新たに就任した取締役や，対象期間の途中で正当な事由により退任した取締役が存在する場合には，当該取締役に付与される株式報酬の額は，それぞれ在任月数に応じて按分されることになります（具体的な調整方法は下記③参照）。

(注6)　対象期間内に役位変更した場合，対象期間内の役位に対応した株式を付与するように付与株式数を調整します（具体的な調整方法は下記④参照）。

(注7)　いずれの最終交付株式数の計算においても，計算の結果1株未満の端数が生ずる場合には，これを切り捨てるものとします。

(注8)　ただし，計算の結果として算出される株式数が上限である○株（社外取締役については○株）を超える場合には，最終交付株式数は○株（社外取締役については○株）とします（上記（注4）に基づき金銭により交付する場合を除きます。）。また，当社の発行済株式総数が，株式の併合または株式の分割（株式無償割当てを含みます。以下，株式の分割の記載につき同じ。）によって増減した場合は，各取締役の最終交付株式数は，その比率に応じて合理的に調整されます。具体的には，株式の併合または株式の分割の場合，調整前の最終交付株式数に，併合・分割の比率を乗じることで，調整後の最終交付株式数を算出します。

(参考：本議案により付与される株式報酬の類型別割合)

	(ⅰ) パフォーマンス・シェア	(ⅱ) 事後交付型リストリクテッド・ストック
業務執行取締役	○％	○％
社外取締役	0％	100％

(最終交付株式数の算定式)

最終交付株式数＝
(ⅰ)基準交付株式数(①)×○％×業績目標達成度(②)×在任期間比率(③)×役位調整比率(④)＋(ⅱ)基準交付株式数(①)×○％×在任期間比率(③)×役位調整比率(④)

① 基準交付株式数

基準交付株式数は以下の式により算出されます。

$$基準交付株式数 = \frac{取締役の役位別株式報酬基準額(ア)}{基準株価(イ)}$$

(ア) 取締役の役位別株式報酬基準額

各取締役に交付する最終交付株式数の算定方法のうち，役位別株式報酬基準額は，最も高額となる役位の取締役において1名当たり金○円を上限とし，その他の役位の取締役においてはそれを超えない範囲内で（ただし，社外取締役については1名当たり金○円を上限とします。），役位別に具体的な金額を定めることを取締役会に委任するものとします。

(イ) 基準株価

基準株価は，当初取締役会決議の日の前営業日における○証券取引所における当社株式の普通取引の終値（同日に取引が成立していない場合には，それに先立つ直近取引日の終値）とします。

② 業績目標達成度

業績目標達成度は，当社の第○期事業年度に係る確定した連結貸借対照表及び連結損益計算書（以下「連結貸借対照表等」という。）(注9)により算出される連結ROEの数値（注10）に基づいて，下記表に従って算出されます。

第10節　経団連モデル記載以外の議案についての株主総会参考書類の記載方法

連結ROE	業績目標達成度
○％未満の場合	0％
○％以上○％未満の場合	○％
○％以上○％未満の場合	○％
○％以上○％未満の場合	○％
○以上の場合	100％

(注9)　ただし，取締役が死亡により退任した場合には，死亡により退任した時点で，有価証券報告書に記載した連結対象対照表等のうち直近事業年度のものにより算出される連結ROEの数値に基づいて，上記表に従って算出されます。また，組織再編等に関する事項が当社の株主総会（ただし，当該組織再編等に関して当社の株主総会による承認を要さない場合においては，当社の取締役会）で承認された場合には，当該承認の時点で有価証券報告書に記載した連結貸借対照表等のうち直近事業年度のものにより算出される連結ROEの数値に基づいて，上記表に従って算出されます。

(注10)　連結ROE（自己資本利益率）は，以下の式により算出されます。

$$連結ROE = \frac{親会社株主に帰属する当期純利益}{(期首自己資本比率 + 期末自己資本) \div 2} \times 100$$

※自己資本＝純資産合計－新株予約権－非支配株主持分

③　在任期間比率

在任期間に応じて付与する株式数を按分するため，以下の式により算出されます。なお，月の途中で新たに就任又は退任した場合には1月在任したものとみなして計算します。

$$在任期間比率 = \frac{対象期間中に在任した合計月数}{対象期間の合計月数}$$

④　役位調整比率

役位変更があった場合にその役位に対応した株式数を付与するように付与株式数を調整するため，以下の式により算出されます。なお，月の途中で役位変更があった場合には新しい役位に1月在任したものとみなして計算します。

> 役位調整比率
> $$= \frac{\text{当初役位の役位別株式報酬基準額}\times\text{当初役位在任月数}+\text{変更後役位の役位別株式報酬基準額}\times\text{変更後役位在任月数}}{\text{当初役位の役位別株式報酬基準額}\times\text{対象期間中に在任した合計月数}}$$
>
> (2) 取締役に対する株式交付の条件
> 　取締役が、正当な理由なく当社の取締役をたいにんしたこと及び一定の非違行為があったこと等、株式報酬制度としての趣旨を達成するために必要な権利喪失事由（取締役会において定める。）に該当した場合には、取締役に対して本制度に基づいて当社株式は交付されません。
> 【取締役の個人別の報酬等の決定方針の概要】
> 　…………。

　上記の二つの事後交付型の参考例は、いずれも会社法361条1項2号に定める報酬等（不確定額報酬）と考えた上で、一つ目は現物出資構成（同項5号イ）として、二つ目は無償構成（同項3号）として付与することを想定している。なお、いずれも予め特定された期間を対象として決議することを想定している。

② 有利発行規制
　無償構成による場合には、有利発行規制の適用はないものとされている（竹林俊憲編著『一問一答令和元年改正会社法』（商事法務、2020）94頁）。なお、現物出資構成の場合には、ストックオプションの相殺構成の場合と同様に、有利発行になることはないと解される。

(2) 発行会社の従業員に対するもの

① 報酬規制
　ストックオプションの場合と同様に、報酬規制が問題となることはない。

② 有利発行規制
　従業員が発行会社の従業員に対して付与する場合には無償構成は認められ

ておらず現物出資構成に限られるから（法202条の2参照），有利発行に該当することはないものと考えられる。

第9　組織再編

(1) 吸収型組織再編（吸収合併，吸収分割，株式交換，株式交付）

　吸収型組織再編をする場合，組織再編の当事会社は，原則として（例外：簡易組織再編，略式組織再編），効力発生日の前日までに，株主総会の決議によって，吸収合併契約，吸収分割契約，株式交換契約，株式交付計画の承認を受けなければならない（法783条1項・795条1項・816条の3第1項）。

　この場合，株主総会参考書類には，次の事項を記載しなければならない（施行規則86条〜88条・91条の2）。

　イ．当該吸収合併，吸収分割，株式交換，株式交付を行う理由（会社法施行規則73条1項2号の「提案の理由」の記載も兼ねることとなる）

　ロ．吸収合併契約，吸収分割契約，株式交換契約，株式交付計画の内容の概要

　ハ．当該株式会社が吸収合併消滅株式会社，吸収分割株式会社，株式交換完全子会社である場合において，法298条1項の決定をした日における［吸収合併の場合−施行規則182条1項各号（5号および6号を除く）］［吸収分割の場合−施行規則183条各号（2号，6号および7号を除く）］［株式交換の場合−施行規則184条1項各号（5号および6号を除く）］に掲げる事項があるときは，当該事項の内容の概要

　ニ．当該株式会社が吸収合併存続株式会社，吸収分割承継株式会社，株式交換完全親株式会社，株式交付親会社である場合において，法298条1項の決定をした日における［吸収合併の場合−施行規則191条各号（6号および7号を除く）］［吸収分割の場合−施行規則192条各号（2号，7号および8号を除く）］［株式交換の場合−施行規則193条各号（5号および6号を除く）］［株式交付の場合−施行規則213条の2各号（6号および7号

第Ⅶ章 株主総会参考書類

を除く)]に掲げる事項があるときは,当該事項の内容の概要

　事前開示事項のすべてではなく,除外事由が定められていることに留意が必要である。また,株主総会参考書類に記載しなければならない事項であっても,全文を記載する必要はなく,その内容の概要を記載すれば足りるものもある。もっとも,実務上は,定型的な内容であれば,その全文を記載することが考えられる。

(参考例―合併における存続会社)
第○号議案　当社と株式会社○○との合併契約承認の件
1. 合併を行う理由
　　[合併を行う理由を記載]
2. 合併契約の内容の概要
　　[合併契約の内容の概要を記載]
3. 会社法施行規則第191条第1号から第5号に掲げる事項の内容の概要
(1) 会社法第749条第1項第2号および第3号に掲げる事項についての定めの相当性に関する事項
　　[合併条件の相当性に関する事項を記載]
(2) 会社法第749条第1項第4号および第5号に掲げる事項についての定めの相当性に関する事項
　　[消滅会社が新株予約権を発行している場合には,当該新株予約権に関する合併条件の相当性に関する事項を記載]
(3) 株式会社○○における最終事業年度にかかる計算書類等
　　[消滅会社の最終事業年度にかかる計算書類等(事業報告,貸借対照表,損益計算書,株主資本等変動計算書,個別注記表,監査報告,会計監査報告)の内容の概要を記載。なお,最終事業年度の末日後を臨時決算日とする臨時計算書類等がある場合には,当該臨時計算書類等の内容の概要も記載。また,最終事業年度の末日後に重要な財産の処分,重大な債務の負担その他の会社財産の状況に重要な影響を与える事象が生じたときは,その内容の概要も記載]
(4) 当社における最終事業年度の末日後に生じた重要な財産の処分,重大な債務の負担その他の会社財産の状況に重要な影響を与える事象
　　[存続会社における最終事業年度の末日後に生じた重要な財産の処分,重大な債務の負担その他の会社財産の状況に重要な影響を与える事象がある場合には,その内容の概要を記載]

第10節　経団連モデル記載以外の議案についての株主総会参考書類の記載方法

(具体的な記載例―合併における存続会社　日本国内の上場会社である株式会社同士（共通支配下関係（計算規則2条3項36号）にはない）の吸収合併であり，存続会社の上場株式を合併対価とし，消滅会社の新株予約権者に対して消滅会社の新株予約権と実質的に同内容の存続会社の新株予約権を交付することを前提としている。また，存続会社および消滅会社は，最終事業年度の末日後の日を臨時決算日とする臨時計算書類等を作成しておらず，存続会社は，過去5年間，金融商品取引法上の有価証券報告書を提出していることを前提としている）

第〇号議案　当社と株式会社〇〇との合併契約承認の件
1. 合併を行う理由
　当社と株式会社〇〇は，〇年〇月〇日に業務提携契約を締結し，事業の拡大・充実を図ってまいりましたが，今般，グローバル化が進展し競争が激化する〇〇業界において，当社と株式会社〇〇の競争力をより一層高め，経営基盤の安定化を図るためには，両社が合併することにより一体としての経営を推進していくことが最善の選択肢であるとの判断に至りました。
　両社の合併（以下「本件合併」といいます）により，財務基盤や営業基盤の強化を図り，開発，製造，営業等各方面でのノウハウを共有するとともに，本社機能の集約化等を行うことによって，業務効率の改善とコストの削減等，経営の効率化を実現し，両社全体の企業価値を向上できるものと考えております。
2. 合併契約の内容
合併契約書（写）
　株式会社●●（以下「甲」という）と株式会社〇〇（以下「乙」という）とは，以下のとおり合併契約を締結する。
（中略：合併契約の内容）
　［本項目については，合併契約書の全文を貼り付けることが考えられる。なお，合併契約書の分量が多い場合には，本項目には，「本件合併にかかる合併契約の内容は，別添の『第〇期定時株主総会　株主総会参考書類　第〇号議案　別冊』に記載の『合併契約書（写）』のとおりであります。」などとだけ

記載して，具体的な合併契約書の内容は招集通知の別冊に記載することも考えられる。]

3. 会社法施行規則第191条第1号から第5号に掲げる事項の内容の概要
(1) 会社法第749条第1項第2号および第3号に掲げる事項についての定めの相当性に関する事項
　ア　合併対価およびその割当ての相当性に関する事項
　　当社は，本件合併の効力発生日の前日の最終の株式会社○○の株主名簿に記載または記録された株主（ただし，当社および株式会社○○を除きます）に対し，その所有する株式会社○○の株式の合計数に××を乗じた数の当社の株式を，株式会社○○の株式1株につき当社の株式××株の割合（以下「本件合併比率」といいます）をもって割当交付します。
　　当社および株式会社○○は，本件合併の公正性・妥当性を確保する観点から，第三者機関として，当社は株式会社△△に，株式会社○○は株式会社××に対して，それぞれ合併比率の算定を依頼し，その算定結果を参考にして本件合併比率を決定いたしました。
　　株式会社△△は，合併比率の算定にあたり，評価方法として市場株価法およびDCF法を採用しており，算定の要旨は次のとおりです。
　　　　　　　　　（中略：算定の要旨）
　　また，株式会社××は，合併比率の算定にあたり，評価方法として市場株価法およびDCF法を採用しており，算定の要旨は次のとおりです。
　　　　　　　　　（中略：算定の要旨）
　　当社および株式会社○○は，それぞれの第三者機関から提出を受けた合併比率の算定結果を慎重に検討した結果，これらの算定結果は公正かつ妥当に両社の株式の価値を反映しているものと判断いたしました。
　　そして，当社および株式会社○○は，これらの算定結果を踏まえ，両社間で交渉および協議を行った結果，本件合併における合併比率を本件合併比率とすることを合意・決定しました。
　　なお，当社および株式会社○○は，本件合併の合併対価として，本件合併によるシナジーの享受および換価性の維持の観点において株式会社○○の株主の利益を保護するため，当社の資本政策等に与える影響も考慮した

第10節　経団連モデル記載以外の議案についての株主総会参考書類の記載方法

　上で，当社の株式を選択しました。
　イ　当社の資本金および準備金の額の相当性に関する事項
　　本件合併により増加する当社の資本金および準備金の額は，会社計算規則35条または36条にしたがって当社が定めるものとします。これは，当社の機動的な資本政策の実現のため，相当であるものと考えます。
(2)　会社法第749条第1項第4号および第5号に掲げる事項についての定めの相当性に関する事項
　　当社および株式会社○○は，両社協議の上，株式会社○○が発行している以下の①および②の各新株予約権につき，株式会社○○の各新株予約権者に対し，その保有する当該各新株予約権に代わる当社の新株予約権を，それぞれ以下の①および②に定める内容および割合で交付することといたしました。かかる取扱いは，株式会社○○の株主および当該各新株予約権者の利益を等しく保護する観点から，本件合併比率を前提として当該各新株予約権と実質的に同内容かつ同数の当社の新株予約権を交付するものであり，相当であるものと考えます。
　　①株式会社○○が○年○月○日付で発行した上記合併契約別紙1記載の新株予約権の新株予約権者に対し，その保有する当該新株予約権1個につき，当社が発行する上記合併契約別紙3記載の株式会社●●第○回新株予約権1個
　　②株式会社○○が×年×月×日付で発行した上記合併契約別紙2記載の新株予約権の新株予約権者に対し，その保有する当該新株予約権1個につき，当社が発行する上記合併契約別紙4記載の株式会社●●第×回新株予約権1個
(3)　株式会社○○における最終事業年度にかかる計算書類等
　ア　株式会社○○の最終事業年度にかかる計算書類等
　　［本項目については，消滅会社の最終事業年度にかかる計算書類等（事業報告，貸借対照表，損益計算書，株主資本等変動計算書，個別注記表，監査報告，会計監査報告）の全文を貼り付けることが考えられる。なお，かかる計算書類等については分量が多いと考えられるので，本項目には，「株式会社○○の最終事業年度にかかる計算書類等の内容は，別添の『第○期定時株主総会　株主総会参考書類　第○号議案　別冊』に記載の

第Ⅶ章 株主総会参考書類

『株式会社○○の最終事業年度にかかる計算書類等』のとおりであります。」などとだけ記載して，具体的な計算書類等の内容は招集通知の別冊に記載することも考えられる。〕
　イ　株式会社○○における最終事業年度の末日後に生じた重要な財産の処分，重大な債務の負担その他の会社財産の状況に重要な影響を与える事象
　　　株式会社○○は，株式会社■■との間で，○年○月○日を効力発生日，分割対価を金○○円として，株式会社○○を吸収分割承継会社，株式会社■■を吸収分割会社とする吸収分割を行い，同社が○○事業に関して有する権利義務の全部を承継いたしました。
(4) 当社における最終事業年度の末日後に生じた重要な財産の処分，重大な債務の負担その他の会社財産の状況に重要な影響を与える事象
　　当社は，○年○月○日開催の取締役会において，当社の子会社である株式会社□□の株式○○株すべてを，株式会社▲▲に対して金○○円で売却することを決議し，×年×月×日に売却いたしました。

(参考例─合併における消滅会社　存続会社は株式会社であって，過去5年間法定の決算公告を履践しているかまたは金融商品取引法上の有価証券報告書を提出していることを前提とする)

第○号議案　当社と株式会社○○との合併契約承認の件
1．合併を行う理由
　〔合併を行う理由を記載〕
2．合併契約の内容の概要
　〔合併契約の内容の概要を記載〕
3．会社法施行規則第182条第1項第1号から第4号に掲げる事項の内容の概要
　(1) 合併対価の相当性に関する事項
　　〔①合併対価の総数または総額の相当性に関する事項，②合併対価として当該種類の財産を選択した理由，③存続会社と消滅会社とが共通支配下関

第10節　経団連モデル記載以外の議案についての株主総会参考書類の記載方法

係（計算規則2条3項36号）にあるときには，消滅会社の少数株主の利益を害さないように留意した事項，その他の合併対価の相当性に関する事項を記載。なお，無対価合併である場合には，無対価であることの相当性に関する事項を記載］
(2) 合併対価について参考となるべき事項
　［(a) 合併対価の全部または一部が存続会社の株式である場合：①存続会社の定款の定め，②合併対価の換価の方法に関する事項（合併対価を取引する金融商品取引所などの市場，合併対価を取り扱う金融商品取引業者その他の業者，および，合併対価の譲渡その他の処分に制限があるときにはその内容など），③合併対価に市場価格があるときにはその価格に関する事項，その他これらに準ずる事項を記載］
　［(b) 合併対価の全部または一部が，存続会社の株式以外の，法人等の株式，持分その他これらに準ずるものである場合：①当該法人等の定款その他これに相当するものの定め，②当該法人等が日本法上の株式会社，合名会社，合資会社または合同会社でないときは，合併対価にかかる権利（剰余金配当請求権，残余財産分配請求権，議決権，株式買取請求権，および，定款などの閲覧謄写請求権に相当する権利など。重要でないものを除く。），③当該法人等が，当該法人等の株主等に対し，日本語以外の言語を使用して情報の提供をすることとされているときは，当該言語，④合併の効力発生日に当該法人等の株主総会その他これに相当するものの開催があると仮定した場合における，議決権その他これに相当する権利の総数，⑤当該法人等について登記がされていないときは，当該法人等の代表者の氏名または名称および住所，ならびに，当該法人等の役員の氏名または名称，⑥当該法人等の最終事業年度にかかる計算書類その他これに相当するものと，その監査報告その他これに相当するもの，⑦当該法人等が日本法上の株式会社である場合には，事業報告およびその監査報告，⑧当該法人等が日本法上の株式会社以外のものである場合には，当該法人等の最終事業年度にかかる会社法施行規則118条各号および119条各号に掲げる事項に相当する事項，ならびにその監査報告に相当するもの，⑨当該法人等の過去5年間の貸借対照表その他これに相当するもの（最終事業年度にかかるもの，および，法定の決算公告もしくはその代替措置または有価証券報告書において開示

されているものを除く),⑩上記(a)②・③の事項,⑪合併対価が自己株式の取得などにより払戻しを受けることができるものであるときはその手続に関する事項,その他これらに準ずる事項を記載。なお,これらの事項が日本語以外の言語で表示されているときには,氏名または名称を除いた当該事項を日本語で表示した事項を記載]

　[(c) 合併対価の全部または一部が,存続会社の社債,新株予約権または新株予約権付社債である場合:上記(a)①から③の事項,その他これらに準ずる事項を記載]

　[(d) 合併対価の全部または一部が,存続会社の社債,新株予約権または新株予約権付社債以外の,法人等の社債,新株予約権,新株予約権付社債その他これらに準ずるものである場合:(イ)上記(a)②・③の事項,(ロ)上記(b)①・⑤から⑨の事項,その他これらに準ずる事項を記載。なお,これらの事項が日本語以外の言語で表示されているときには,氏名または名称を除いた当該事項を日本語で表示した事項を記載]

　[(e) 合併対価の全部または一部が,存続会社その他の法人等の株式,持分,社債,新株予約権,新株予約権付社債その他これらに準ずるものおよび金銭以外の財産である場合:上記(a)②・③の事項,その他これらに準ずる事項を記載]

(3) 吸収合併にかかる新株予約権の定めの相当性に関する事項
　[消滅会社が新株予約権を発行している際には,当該新株予約権に関する合併条件の相当性に関する事項を記載]

(4) 株式会社○○の計算書類等に関する事項
　[存続会社の最終事業年度にかかる計算書類等(事業報告,貸借対照表,損益計算書,株主資本等変動計算書,個別注記表,監査報告,会計監査報告)の内容の概要を記載。なお,最終事業年度の末日後を臨時決算日とする臨時計算書類等がある場合には,当該臨時計算書類等の内容の概要も記載。また,最終事業年度の末日後に重要な財産の処分,重大な債務の負担その他の会社財産の状況に重要な影響を与える事象が生じたときは,その内容の概要も記載]

(5) 当社における最終事業年度の末日後に生じた重要な財産の処分,重大な債務の負担その他の会社財産の状況に重要な影響を与える事象

第10節　経団連モデル記載以外の議案についての株主総会参考書類の記載方法

［消滅会社における最終事業年度の末日後に生じた重要な財産の処分，重大な債務の負担その他の会社財産の状況に重要な影響を与える事象がある場合には，その内容の概要を記載］

(具体的な記載例―合併における消滅会社　上記「具体的な記載例―合併における存続会社」と同じ事案を前提としている)

第○号議案　当社と株式会社●●との合併契約承認の件
1．合併を行う理由
　　当社と株式会社●●は，○年○月○日に業務提携契約を締結し，事業の拡大・充実を図ってまいりましたが，今般，グローバル化が進展し競争が激化する○○業界において，当社と株式会社●●の競争力をより一層高め，経営基盤の安定化を図るためには，両社が合併することにより一体としての経営を推進していくことが最善の選択肢であるとの判断に至りました。
　　両社の合併（以下「本件合併」といいます）により，財務基盤や営業基盤の強化を図り，開発，製造，営業等各方面でのノウハウを共有するとともに，本社機能の集約化等を行うことによって，業務効率の改善とコストの削減等，経営の効率化を実現し，両社全体の企業価値を向上できるものと考えております。

2．合併契約の内容
合併契約書（写）

　株式会社●●（以下「甲」という）と株式会社○○（以下「乙」という）とは，以下のとおり合併契約を締結する。
（中略：合併契約の内容）

　［本項目については，合併契約書の全文を貼り付けることが考えられる。なお，合併契約書の分量が多い場合には，本項目には，「本件合併にかかる合併契約の内容は，別添の『第○期定時株主総会　株主総会参考書類　第○号議案　別冊』に記載の『合併契約書（写）』のとおりであります。」などとだ

け記載して，具体的な合併契約書の内容は招集通知の別冊に記載することも考えられる。]

3．会社法施行規則第182条第1項第1号から第4号に掲げる事項の内容の概要
(1) 合併対価の相当性に関する事項
　ア　合併対価の総数の相当性に関する事項
　　株式会社●●は，本件合併の効力発生日の前日の最終の当社の株主名簿に記載または記録された株主（ただし，当社および株式会社●●を除きます）に対し，その所有する当社の株式の合計数に××を乗じた数の株式会社●●の株式を，当社の株式1株につき株式会社●●の株式××株の割合（以下「本件合併比率」といいます）をもって割当交付します。
　　当社および株式会社●●は，本件合併の公正性・妥当性を確保する観点から，第三者機関として，当社は株式会社××に，株式会社●●は株式会社△△に対して，それぞれ合併比率の算定を依頼し，その算定結果を参考にして本件合併比率を決定いたしました。
　　株式会社××は，合併比率の算定にあたり，評価方法として市場株価法およびDCF法を採用しており，算定の要旨は次のとおりです。
　　　　　　　（中略：算定の要旨）
　　また，株式会社△△は，合併比率の算定にあたり，評価方法として市場株価法およびDCF法を採用しており，算定の要旨は次のとおりです。
　　　　　　　（中略：算定の要旨）
　　当社および株式会社●●は，それぞれの第三者機関から提出を受けた合併比率の算定結果を慎重に検討した結果，これらの算定結果は公正かつ妥当に両社の株式の価値を反映しているものと判断いたしました。
　　そして，当社および株式会社●●は，これらの算定結果を踏まえ，両社間で交渉および協議を行った結果，本件合併における合併比率を本件合併比率とすることを合意・決定しました。
　イ　合併対価として株式会社●●の株式を選択した理由
　　当社および株式会社●●は，本件合併の合併対価として，本件合併によるシナジーの享受および換価性の維持の観点において当社の株主の利益を

第10節　経団連モデル記載以外の議案についての株主総会参考書類の記載方法

保護するため，株式会社●●の資本政策等に与える影響も考慮した上で，株式会社●●の株式を選択しました。
　　ウ　株式会社●●の資本金および準備金の額の相当性に関する事項
　　　本件合併により増加する株式会社●●の資本金および準備金の額は，会社計算規則35条または36条にしたがって株式会社●●が定めるものとします。これは，株式会社●●の機動的な資本政策の実現のため，相当であるものと考えます。
(2) 合併対価について参考となるべき事項
　　ア　株式会社●●の定款の定め
　　　　　　　　　　　　株式会社●●　定款
　　　　　　　　　　（中略：定款の内容）
［本項目については，存続会社の定款全文を貼り付けることが考えられる。なお，定款の分量が多い場合には，本項目には，「株式会社●●の定款の内容は，別添の『第○期定時株主総会株主総会参考書類　第○号議案別冊』に記載の『株式会社●●　定款』のとおりであります。」などとだけ記載して，具体的な定款の内容は招集通知の別冊に記載することも考えられる。］
　　イ　合併対価の換価の方法に関する事項
　①合併対価を取引する市場
　　　株式会社●●の株式については，○○証券取引所の市場第一部において取引ができます。
　②合併対価の取引の媒介，取次ぎまたは代理を行う者
　　　有価証券の取引の媒介，取次ぎまたは代理を業として行うことについて登録を受けた金融商品取引業者および登録金融機関にて取引ができます。
　　ウ　合併対価の市場価格に関する事項
　　　　株式会社●●の過去○か月間の月間最高・最低株価は次表のとおりです。なお，同社の株式の最新の市場価格等については，○○証券取引所のWEBサイト（中略：URL）等でご覧いただけます。
　　　　　　　　　　（中略：市場価格の表）
(3) 吸収合併にかかる新株予約権の定めの相当性に関する事項
　　　当社および株式会社●●は，両社協議の上，当社が発行している以下の①および②の各新株予約権につき，当社の各新株予約権者に対し，その保

有する当該各新株予約権に代わる株式会社●●の新株予約権を，それぞれ以下の①および②に定める内容および割合で交付することといたしました。かかる取扱いは，当社の株主および当該各新株予約権者の利益を等しく保護する観点から，本件合併比率を前提として当該各新株予約権と実質的に同内容かつ同数の株式会社●●の新株予約権を交付するものであり，相当であるものと考えます。

①当社が○年○月○日付で発行した上記合併契約別紙1記載の新株予約権の新株予約権者に対し，その保有する当該新株予約権1個につき，株式会社●●が発行する上記合併契約別紙3記載の株式会社●●第○回新株予約権1個

②当社が×年×月×日付で発行した上記合併契約別紙2記載の新株予約権の新株予約権者に対し，その保有する当該新株予約権1個につき，株式会社●●が発行する上記合併契約別紙4記載の株式会社●●第×回新株予約権1個

(4) 株式会社●●の計算書類等に関する事項

　ア　株式会社●●の最終事業年度にかかる計算書類等

　　［本項目については，存続会社の最終事業年度にかかる計算書類等（事業報告，貸借対照表，損益計算書，株主資本等変動計算書，個別注記表，監査報告，会計監査報告）の全文を貼り付けることが考えられる。なお，かかる計算書類等については分量が多いと考えられるので，本項目には，「株式会社●●の最終事業年度にかかる計算書類等の内容は，別添の『第○期定時株主総会　株主総会参考書類　第○号議案　別冊』に記載の『株式会社●●の最終事業年度にかかる計算書類等』のとおりであります。」などとだけ記載して，具体的な計算書類等の内容は招集通知の別冊に記載することも考えられる。］

　イ　株式会社●●における最終事業年度の末日後に生じた重要な財産の処分，重大な債務の負担その他の会社財産の状況に重要な影響を与える事象

　　株式会社●●は，○年○月○日開催の取締役会において，同社の子会社である株式会社□□の株式○○株すべてを，株式会社▲▲に対して金○○円で売却することを決議し，×年×月×日に売却いたしました。

(5) 当社における最終事業年度の末日後に生じた重要な財産の処分，重大な

第10節　経団連モデル記載以外の議案についての株主総会参考書類の記載方法

> 債務の負担その他の会社財産の状況に重要な影響を与える事象
> 　当社は，株式会社■■との間で，○年○月○日を効力発生日，分割対価を金○○円として，当社を吸収分割承継会社，株式会社■■を吸収分割会社とする吸収分割を行い，同社が○○事業に関して有する権利義務の全部を承継いたしました。

(2) 新設型組織再編（新設合併，新設分割，株式移転）

　新設型組織再編をする場合，組織再編の当事会社は，原則として（例外：簡易分割），株主総会の決議によって，新設合併契約，新設分割計画，株式移転計画の承認を受けなければならない（法803条1項・804条1項）。

　この場合，株主総会参考書類には，次の事項を記載しなければならない（施行規則89条～91条）。

イ．当該新設合併，新設分割，株式移転を行う理由（会社法施行規則73条1項2号の「提案の理由」の記載も兼ねることとなる）

ロ．新設合併契約，新設分割計画，株式移転計画の内容の概要

ハ．当該株式会社が新設合併消滅株式会社，新設分割株式会社，株式移転完全子会社である場合において，法298条1項の決定をした日における［新設合併の場合－施行規則204条各号（6号および7号を除く）］［新設分割の場合－施行規則205条各号（7号および8号を除く）］［株式移転の場合－施行規則206条各号（5号および6号を除く）］に掲げる事項があるときは，当該事項の内容の概要

ニ．［新設合併の場合－新設合併設立株式会社］［株式移転の場合－株式移転設立完全親会社］の取締役となる者（［当該新設合併設立株式会社］［当該株式移転設立完全親会社］が監査等委員会設置会社である場合にあっては，監査等委員である取締役となる者を除く）についての施行規則74条に規定する事項

ホ．［新設合併の場合－新設合併設立株式会社］［株式移転の場合－株式移転設立完全親会社］が監査等委員会設置会社であるときは，［当該新設合

併設立株式会社］[当該株式移転設立完全親会社］の監査等委員である取締役となる者についての施行規則74条の3に規定する事項

ヘ．［新設合併の場合－新設合併設立株式会社］［株式移転の場合－株式移転設立完全親会社］が会計参与設置会社であるときは，［当該新設合併設立株式会社］［当該株式移転設立完全親会社］の会計参与となる者についての施行規則75条に規定する事項

ト．［新設合併の場合－新設合併設立株式会社］［株式移転の場合－株式移転設立完全親会社］が監査役設置会社（監査役の監査の範囲を会計に関するものに限定する旨の定款の定めがある株式会社を含む）であるときは，［当該新設合併設立株式会社］［当該株式移転設立完全親会社］の監査役となる者についての施行規則76条に規定する事項

チ．［新設合併の場合－新設合併設立株式会社］［株式移転の場合－株式移転設立完全親会社］が会計監査人設置会社であるときは，［当該新設合併設立株式会社］［当該株式移転設立完全親会社］の会計監査人となる者についての施行規則77条に規定する事項

事前開示事項のすべてではなく，除外事由が定められていることに留意が必要である。また，株主総会参考書類に記載しなければならない事項であっても，全文を記載する必要はなく，その内容の概要を記載すれば足りるものもある。もっとも，実務上は，定型的な内容であれば，その全文を記載することが考えられる。

（参考例―会社分割　新設分割設立会社が株式会社であることを前提としている）

第○号議案　新設分割計画承認の件
1．新設分割を行う理由
　　［新設分割を行う理由を記載］
2．新設分割計画の内容の概要
　　［新設分割計画の内容の概要を記載］

第10節　経団連モデル記載以外の議案についての株主総会参考書類の記載方法

3．会社法施行規則第205条第1号から第6号に掲げる事項の内容の概要
(1) 会社法第763条第1項第6号から第9号に掲げる事項についての定めの相当性に関する事項
　　［分割条件の相当性に関する事項を記載］
(2) 会社法第171条第1項各号に掲げる事項
　　［分割に際して全部取得条項付種類株式の取得をする場合において，取得に関する株主総会の決議が行われているときは，法171条1項各号に掲げる事項を記載］
(3) 会社法第454条第1項第1号および第2号に掲げる事項
　　［分割に際して新設分割設立株式会社の株式を現物配当する場合において，剰余金の配当に関する株主総会の決議が行われているときは，法454条第1項第1号及び第2号に掲げる事項を記載］
(4) 会社法第763条第1項第10号および第11号に掲げる事項についての定めの相当性に関する事項
　　［新設分割会社が新株予約権を発行しており，分割に際して，新設分割会社の新株予約権者に対して，新設分割会社の新株予約権に代わる新設分割設立株式会社の新株予約権を交付する際には，当該新株予約権に関する分割条件の相当性に関する事項を記載］
(5) 他の新設分割会社の最終事業年度にかかる計算書類等
　　［共同新設分割において，他の新設分割会社の最終事業年度にかかる計算書類等（事業報告，貸借対照表，損益計算書，株主資本等変動計算書，個別注記表，監査報告，会計監査報告）の内容の概要を記載。なお，最終事業年度の末日後を臨時決算日とする臨時計算書類等がある場合には，当該臨時計算書類等の内容の概要も記載。また，最終事業年度の末日後に重要な財産の処分，重大な債務の負担その他の会社財産の状況に重要な影響を与える事象が生じたときは，その内容の概要も記載］
(6) 当社における最終事業年度の末日後に生じた重要な財産の処分，重大な債務の負担その他の会社財産の状況に重要な影響を与える事象
　　［新設分割会社における最終事業年度の末日後に生じた重要な財産の処分，重大な債務の負担その他の会社財産の状況に重要な影響を与える事象がある場合には，その内容の概要を記載］

(具体的な記載例―新設分割　新設分割設立会社を株式会社として新設分割設立会社に新設分割会社の事業をすべて承継させる持株会社化目的の単独新設分割であり，新設分割会社が分割に際して全部取得条項付種類株式の取得および新設分割設立会社の株式の現物配当を行わないことを前提としている。また，分割対価は新設分割設立会社の株式のみであり，新設分割会社が会社法808条3項2号に定める新株予約権を発行していないことを前提としている）

第○号議案　新設分割計画承認の件
1．新設分割を行う理由
　当社グループをはじめとする○○業界を取り巻く環境は，マーケット規模の縮小に加え，店舗数過剰による競争の熾烈化により，既存店売上高の低迷が長期化する等，厳しい状況が続いております。当社グループにおきましても，コア事業である○○事業に関して，業態進化戦略，商品戦略，出店加速化戦略を展開し，収益性の向上を図ることに加えて，マーケットの変化に対応し，進化し続けていくためのインフラの構築を行うことが重要な経営課題であると考えております。
　これらの経営課題を達成するためには，○○事業を中心として構成されてきたこれまでの連結経営体制における取組み方や発想を大きく転換し，グループとしての目標を明確に定め，それを実現するための分業の仕組みを構築し，個々の事業会社の責任と権限を明確にすることで，これまで以上にグループ経営を積極的に推進していくことが重要となるものと考えております。
　そこで，その取組みの一環として，今回，純粋持株会社体制へ移行することとし，グループの経営機能と執行機能を明確に分離した上で，持株会社は，より高度の情報力と専門性をもった集団として戦略的な意思決定を，事業子会社は，事業活動に特化した迅速かつ機動的な業務執行を行い，グループ経営体としての機能を充実・強化することによって，当社グループとしての競争力および効率性をより一層高め，グループ企業価値の最大化を図ってまいりたいと考えております。
　本議案は，上記目的のために純粋持株会社体制へ移行するにあたり，当社が当社の全事業に関して有する権利義務のすべてを，新設する「株式会社○

第10節　経団連モデル記載以外の議案についての株主総会参考書類の記載方法

○」に承継させる新設分割（以下「本件新設分割」といいます。）を行うことにつき，ご承認をお願いするものであります。

2．新設分割計画の内容
新設分割計画書（写）

　株式会社××は，同社が同社の全事業に関して有する権利義務のすべてを，新設分割により，新設する株式会社○○に承継させることに関し，以下のとおり新設分割計画を作成する。
（中略：新設分割計画の内容）

［本項目については，新設分割計画書の全文を貼り付けることが考えられる。なお，新設分割計画書の分量が多い場合には，本項目には，「本件新設分割にかかる新設分割計画の内容は，別添の『第○期定時株主総会　株主総会参考書類　第○号議案　別冊』に記載の『新設分割計画書（写）』のとおりであります。」などとだけ記載して，具体的な新設分割計画書の内容は招集通知の別冊に記載することも考えられる。］

3．会社法施行規則第205条第1号から第6号に掲げる事項の内容の概要
(1) 会社法第763条第1項第6号から第9号に掲げる事項についての定めの相当性に関する事項

　　株式会社○○は，本件新設分割に際して，株式○○株を発行し，そのすべてを当社に交付することといたしました。

　　交付される株式の数につきましては，株式会社○○が当社の100％子会社であること，および，本件新設分割はいわゆる分社型分割であり分割対価を当社の株主に分配するものではないことから，相当と考えております。

　　また，設立後の株式会社○○の資本金の額は○○円，資本準備金の額は××円，利益準備金の額は0円とすることといたしました。

　　これは，本件新設分割により株式会社○○に承継される権利義務の内容，ならびに株式会社○○の事業内容および事業規模等を総合的に勘案して決定したものであり，相当と考えております。

(2) 当社における最終事業年度の末日後に生じた重要な財産の処分，重大な債務の負担その他の会社財産の状況に重要な影響を与える事象

当社は，平成○年○月○日開催の取締役会において，平成×年×月×日から同年△月△日までの期間に，取得株式数の上限を○○株，取得価額の総額の上限を○○円として，自己の株式を取得することを決議いたしました。

(参考例─株式移転　株式移転設立完全親会社が監査役・会計監査人設置会社であることを前提としている)

第○号議案　株式移転計画承認の件
1．株式移転を行う理由
　　[株式移転を行う理由を記載]
2．株式移転計画の内容の概要
　　[株式移転計画の内容の概要を記載]
3．会社法施行規則第206条第1号から第4号に掲げる事項の内容の概要
(1)　会社法第773条第1項第5号から第8号に掲げる事項についての定めの相当性に関する事項
　　[移転条件の相当性に関する事項を記載]
(2)　会社法第773条第1項第9号および第10号に掲げる事項についての定めの相当性に関する事項
　　[株式移転完全子会社が新株予約権を発行しており，移転に際して，株式移転完全子会社の新株予約権者に対して，株式移転完全子会社の新株予約権に代わる株式移転設立完全親会社の新株予約権を交付する際には，当該新株予約権に関する移転条件の相当性に関する事項を記載]
(3)　他の株式移転完全子会社の最終事業年度にかかる計算書類等
　　[共同株式移転において，他の株式移転完全子会社の最終事業年度にかかる計算書類等（事業報告，貸借対照表，損益計算書，株主資本等変動計算書，個別注記表，監査報告，会計監査報告）の内容の概要を記載。なお，最終事業年度の末日後を臨時決算日とする臨時計算書類等がある場合には，当該臨時計算書類等の内容の概要も記載。また，最終事業年度の末日後に重要な財産の処分，重大な債務の負担その他の会社財産の状況に重要な影響を与える事象が生じたときは，その内容の概要も記載]

第10節　経団連モデル記載以外の議案についての株主総会参考書類の記載方法

(4) 当社における最終事業年度の末日後に生じた重要な財産の処分，重大な債務の負担その他の会社財産の状況に重要な影響を与える事象
　　　［株式移転完全子会社における最終事業年度の末日後に生じた重要な財産の処分，重大な債務の負担その他の会社財産の状況に重要な影響を与える事象がある場合には，その内容の概要を記載］
4．株式移転設立完全親会社の取締役となる者についての会社法施行規則第74条に規定する事項
　　　［取締役選任議案（第Ⅶ章第4節）参照］
5．株式移転設立完全親会社の監査役となる者についての会社法施行規則第76条に規定する事項
　　　［監査役選任議案（第Ⅶ章第5節）参照］
6．株式移転設立完全親会社の会計監査人となる者についての会社法施行規則第77条に規定する事項
　　　［会計監査人選任議案（第Ⅶ章第7節）参照］

(具体的な記載例―株式移転　株式移転設立完全親会社を監査役・会計監査人設置会社とする単独株式移転であり，株式移転完全子会社の株主に対して株式移転完全子会社の株式に代えて株式移転設立完全親会社の株式のみを交付し，株式移転完全子会社の新株予約権者に対して株式移転完全子会社の新株予約権に代えてそれと実質的に同内容の株式移転設立完全親会社の新株予約権を交付することを前提としている)

第○号議案　株式移転計画承認の件
1．株式移転を行う理由
　　当社グループは，創業以来，○○という企業理念のもと，○○事業におけるさまざまなサービスを社会に提案することで，幅広い層の顧客の拡大を図ってまいりました。その間，当社グループを取り巻く環境は大きく変化し，○○事業に対する社会のニーズも多様化いたしました。そうしたニーズの変化を的確にとらえ，企業理念の実現と企業グループとしてのさらなる発展を遂げるためには，○○事業を中心とした経営体制から，○○事業をコア事業としつつも，より総合的な事業ポートフォリオを展開する経営体制に移行す

ることが重要であると考えております。

そのような観点から，当社グループは，グループ経営強化の一環として，純粋持株会社体制へ移行したいと考えております。これにより，持株会社では，グループ全体を俯瞰した経営戦略を策定し，成長分野への最適な資源配分を行うことが可能となります。同時に，コーポレートガバナンスをより一層強化するとともに，グループ全体の経営の透明性を高めてまいります。一方，事業子会社は，それぞれの事業の成長の機会を確保し，戦略的かつ機動的な業務執行を行うことで環境変化に迅速に対応してまいります。

純粋持株会社体制への移行により，当社グループは，さらに企業価値の向上を図ってまいりたいと考えております。

本議案は上記目的のため，当社が，会社法第772条に定める株式移転により「株式会社○○」を設立し，その完全子会社となること（以下「本件株式移転」といいます）につきご承認をお願いするものであります。

2．株式移転計画の内容
　　　　　　　　　　株式移転計画書（写）
本計画書は，株式会社××が持株会社設立を目的として株式移転を行うにあたり，その移転計画の内容を定めるものである。
　　　　　　　　（中略：株式移転計画の内容）
［本項目については，株式移転計画書の全文を貼り付けることが考えられる。なお，株式移転計画書の分量が多い場合には，本項目には，「本件株式移転にかかる株式移転計画の内容は，別添の『第○期定時株主総会　株主総会参考書類　第○号議案　別冊』に記載の『株式移転計画書（写）』のとおりであります。」などとだけ記載して，具体的な株式移転計画書の内容は招集通知の別冊に記載することも考えられる。］

3．会社法施行規則第206条第1号から第4号に掲げる事項の内容の概要
(1) 会社法第773条第1項第5号から第8号に掲げる事項についての定めの相当性に関する事項
　　本件株式移転は，当社単独による株式移転によって完全親会社として株式会社○○社を設立するものであることから，当社の株主の皆様に不利益

第10節　経団連モデル記載以外の議案についての株主総会参考書類の記載方法

　　を与えないことを第一義として，株式会社○○の設立の登記をすべき日の前日の最終の当社の株主名簿に記載または記録された株主に対し，その所有する当社の株式の合計数と等しい数の株式会社○○の株式を，当社の株式1株につき株式会社○○の株式1株の割合（以下「本件株式移転比率」といいます。）をもって割当交付することといたしました。
　　また，設立後の株式会社○○の資本政策等を総合的に考慮・検討し，株式会社○○の資本金の額は○○円，資本準備金の額は××円，利益準備金の額は0円とすることといたしました。
(2) 会社法第773条第1項第9号および第10号に掲げる事項についての定めの相当性に関する事項
　　本件株式移転においては，当社が発行している以下の①および②の各新株予約権につき，当社の各新株予約権者に対し，その保有する当該各新株予約権に代わる株式会社○○の新株予約権を，それぞれ以下の①および②に定める内容および割合で交付することといたしました。かかる取扱いは，本件株式移転比率を前提として当該各新株予約権と実質的に同内容かつ同数の株式会社○○の新株予約権を交付するものであり，相当であるものと考えます。
　①　当社が○年○月○日付で発行した上記株式移転計画別紙1記載の新株予約権の新株予約権者に対し，その保有する当該新株予約権1個につき，株式会社○○が発行する上記株式移転計画別紙3記載の株式会社○○第○回新株予約権1個
　②　当社が×年×月×日付で発行した上記株式移転計画別紙2記載の新株予約権の新株予約権者に対し，その保有する当該新株予約権1個につき，株式会社○○が発行する上記株式移転計画別紙4記載の株式会社○○第×回新株予約権1個
(3) 当社における最終事業年度の末日後に生じた重要な財産の処分，重大な債務の負担その他の会社財産の状況に重要な影響を与える事象
　　当社は，○年○月○日開催の取締役会において，○○事業に関して株式会社□□と業務提携を行うことを決議し，同日，同社との間で○○事業に関する業務提携契約を締結いたしました。

4．株式会社○○の取締役となる者についての会社法施行規則第74条に規定する事項

　株式会社○○の取締役となる者は，次のとおりであります。
　　（中略：第Ⅶ章第4節記載の要領による取締役候補者の記載）
5．株式会社○○の監査役となる者についての会社法施行規則第76条に規定する事項

　株式会社○○の監査役となる者は，次のとおりであります。
　　（中略：第Ⅶ章第5節記載の要領による監査役候補者の記載）
6．株式会社○○の会計監査人となる者についての会社法施行規則第77条に規定する事項

　株式会社○○の会計監査人となる者は，次のとおりであります。
　　（中略：第Ⅶ章第7節記載の要領による会計監査人候補者の記載）

(3) 事業譲渡等

　株式会社は，①事業の全部の譲渡，②事業の重要な一部の譲渡，③重要な子会社の株式または持分の全部または一部の譲渡，④他の会社の事業の全部の譲受け等，法467条1項各号に定める行為をする場合には，原則として（例外：簡易事業譲受け，略式事業譲渡等），効力発生日の前日までに，株主総会の決議によって，当該行為に係る契約の承認を受けなければならない（法467条1項）。

　この場合，株主総会参考書類には，次の事項を記載しなければならない（施行規則92条）。

イ．当該事業譲渡等を行う理由（会社法施行規則73条1項2号の「提案の理由」の記載も兼ねることとなる）
ロ．当該事業譲渡等に係る契約の内容の概要
ハ．当該契約に基づき当該株式会社が受け取る対価または契約の相手方に交付する対価の算定の相当性に関する事項の概要

　事業譲渡等に係る契約の全文を記載する必要はなく，その内容の概要を記載すれば足りるとされているが，実務上は，定型的な内容であれば，その全

第10節 経団連モデル記載以外の議案についての株主総会参考書類の記載方法

文を記載することが考えられる。

(参考例―重要な事業の一部を譲渡する事業譲渡契約の承認)

第○号議案　当社と株式会社○○との事業譲渡契約承認の件
1．事業譲渡を行う理由
　　［事業譲渡を行う理由を記載］
2．事業譲渡契約の内容の概要
　　［事業譲渡契約の内容の概要を記載］
3．対価の算定の相当性に関する事項の概要
　　［事業譲渡の対価の相当性に関する事項の概要を記載］

第Ⅷ章 招集通知

第1節

招集通知に関する法令の定め

第1　招集通知の送付

　株主総会を開催するに当たっては，当該株主総会において議決権を行使することができる株主全員の同意がある場合を除き（法300条），当該株主総会において議決権を行使することができる株主に対し，事前に招集の通知を発することが義務付けられている（法299条1項）。

　ただし，株主総会においてその延期または続行について決議があった場合における延期または続行により開催される株主総会について，改めて招集通知を発する必要はない（法317条）。

　なお，「招集通知」とは，会社法299条の規定による株主総会の招集のための通知（いわゆる狭義の招集通知）を指すが，実務上は狭義の招集通知に加え，招集通知に添付される計算書類，連結計算書類，事業報告および株主総会参考書類等を総称して「招集通知」と呼ぶこともある。

第2　通知対象者

　招集の通知を発する義務がある「株主」とは，当該株主総会において議決権を行使することができる株主に限られる（法298条2項参照）。基準日を定めた場合，当該株主総会において議決権を行使できる株主は，原則として，基

準日の株主名簿に記載または記録された株主となる。なお，従来，保管振替制度を利用していた株式については，実質株主名簿の記載が株主名簿の記載と同一の効力を有することとされていたが，2009年1月5日に株式等の取引に係る決済の合理化を図るための社債等の振替に関する法律等の一部を改正する法律（平成16年法律第88号）が全面的に施行されたことにより（いわゆる「株券電子化」），実質株主名簿は廃止され，原則として振替機関からの総株主通知によって書き換えられる株主名簿の記載または記録に一元化された（社債，株式等の振替に関する法律152条1項参照）。単元株式制度を採用している会社では，単元未満株主に対して，招集通知を発する必要はない（法189条1項参照）。

第3　通知の時期

　公開会社（法2条5号）では，取締役は，株主総会の日の2週間前までに，株主に対してその通知を発する必要がある（法299条1項本文）。

　これに対して，公開会社でない株式会社（以下「非公開会社」という）では，株主総会の日の1週間前までに，その通知を発すれば足りる。非公開会社のうち，取締役会設置会社（法2条7号）以外の株式会社（以下「取締役会非設置会社」という）では，定款でさらにこれを下回る期間を定めることも可能である（法299条1項括弧書）。ただし，非公開会社であっても，書面投票または電子投票を採用する場合（法298条1項3号・4号）には，株主総会の日の2週間前までに，その通知を発する必要がある（法299条1項括弧書）。

　この「株主総会の日の2週間前まで」とは，招集通知を発した日と株主総会の日の間に中2週間（中14日間）があることを意味する。したがって，実際には，株主総会の日の15日以上前には招集通知を発する必要がある（非公開会社においては8日以上前）。

　また，書面投票または電子投票を採用する場合には，書面または電磁的方法による議決権行使の期限として，「特定の時」を定めることが認められてい

るが（施行規則63条3号ロ・ハ），この「特定の時」は，「株主総会の日時以前の時であって，法第299条1項の規定により通知を発した日から2週間を経過した日以後の時」に限られている。このため，この「特定の時」として，株主総会の前日のいずれかの時点を定めた場合には，招集通知発送の日から当該「特定の時」が属する株主総会の前日までに中2週間（中14日間）を置くことを要し，実際には，招集通知発送の日から株主総会の日までの間に中15日間を置くことが必要となる。特に，株主総会前日の営業時間の終了時よりも早い時間帯に議決権行使期限を定める目的で「特定の時」を定めた場合のみならず，株主総会前日の営業時間の終了後も可能な限り議決権行使を認める目的で（電子投票を採用する会社においては，このような取扱いが考えられる），営業時間の終了時よりも遅い時間を「特定の時」として定めた場合でも，中15日間を置くことが必要になる場合があることに留意する必要がある。

第4 招集通知の方式

　取締役会設置会社では，株主総会の招集通知は書面により送付する必要がある（法299条2項）。ただし，株主の承諾がある場合には，書面での通知に代えて電磁的方法により通知を発することも認められる（同条3項，会社法施行令2条1項，施行規則230条）。

　これに対して，取締役会非設置会社では，招集通知の方式について，特に規定はなく，口頭・電話等によることも認められる（法299条2項2号の反対解釈）。ただし，取締役会非設置会社でも，書面投票または電子投票を採用する場合には，書面または電磁的方法（株主の承諾を得た場合）により招集通知を発することが必要である（法299条2項1号・3項）。

【招集通知発送の時期・方式に関する定め】

		通知の時期	招集通知の方式
公開会社		株主総会の日の2週間前まで	書面または電磁的方法
非公開会社	取締役会設置会社	株主総会の日の1週間前まで	書面または電磁的方法
	取締役会非設置会社	株主総会の日の1週間前まで（定款により短縮可能）	方式は問わない
書面投票・電子投票を採用した会社		株主総会の日の2週間前まで（注）	書面または電磁的方法

（注）議決権行使期限として「特定の時」（施行規則63条3号ロ・ハ）を定めた場合には，当該議決権行使期限の属する日の2週間前まで。

第5　招集通知の記載事項

　株主総会の招集通知を書面または電磁的方法により発する場合（法299条2項・3項），当該招集通知には，株主総会の招集の際に決定した会社法298条1項各号に掲げる以下の事項を記載する必要がある（同条4項）。

　ただし，同一の株主総会に関して株主に対して提供する招集通知の内容とすべき事項のうち，議決権行使書面に記載している事項がある場合には，当該事項を招集通知の内容とする必要はない（施行規則66条3項）。例えば，議決権行使書面に賛否の記載がない場合の取扱い（法298条1項5号，施行規則63条3号ニ）を議決権行使書面に記載した場合，招集通知には当該事項の記載を要しない。

　また，同一の株主総会に関して株主に対して提供する招集通知の内容とすべき事項のうち，株主総会参考書類に記載している事項がある場合にも，当該事項を招集通知の内容とする必要はない（施行規則73条4項）。例えば，インターネット開示によるみなし提供をすることにより，株主総会参考書類に記

載しないものとする事項（法298条1項5号，施行規則63条3号ホ）を株主総会参考書類に記載した場合，招集通知には当該事項の記載を要しない。

【招集通知の記載事項（法299条4項・298条1項各号，施行規則63条各号）】

(1) 株主総会の日時および場所（法298条1項1号）
(2) 株主総会の目的事項があるときは，当該事項（同項2号）
(3) 株主総会に出席しない株主が書面によって議決権を行使することができることとするときは，その旨（同項3号）
(4) 株主総会に出席しない株主が電磁的方法によって議決権を行使することができることとするときは，その旨（同項4号）
(5) 上記(1)ないし(4)のほか，法務省令で定める事項（同項5号）
　① 定時株主総会を前年の定時株主総会日に応当する日と著しく離れた日に開催する場合は，その日時を決定した理由（施行規則63条1号イ）
　② 公開会社において定時株主総会を集中日に開催する場合において，特に理由がある場合は，当該理由（同条1号ロ）
　③ 株主総会を従来と著しく離れた場所で開催する場合（当該場所が定款で定められたものである場合等を除く。）は，その場所を決定した理由（同条2号）
　④ 書面投票または電子投票を採用した場合は，株主総会参考書類に記載すべき事項（同条3号イ）
　⑤ 書面投票の期限を定めた場合は，その期限（同条3号ロ）
　⑥ 電子投票の期限を定めた場合は，その期限（同条3号ハ）
　⑦ 議決権行使書に賛否の表示がない場合の取扱いを定めた場合は，その取扱いの内容（同条3号ニ）
　⑧ 定款に定めを設けて，インターネット開示によるみなし提供をすることにより，株主総会参考書類に記載しないものとする事項（同条3号ホ）
　⑨ 一の株主が同一議案について，書面投票の相互間および電子投票の相互間で重複して議決権を行使した場合において，当該議案に対し内容の異なる議決権行使をした場合の取扱いについて定めた場合は，その取扱いの内容（同条3号ヘ）

第Ⅷ章 招集通知

⑩ 電磁的方法で招集通知を受領することを承諾した株主について，請求があった場合に議決権行使書面を交付することとした場合は，その旨（同条4号イ）
⑪ 一の株主が同一の議案について，書面投票と電子投票を重複して議決権行使した場合において，当該議案に対し内容の異なる議決権行使をした場合の取扱いについて定めた場合は，その取扱いの内容（同条4号ロ）
⑫ 代理人による議決権行使について，代理権（代理人の資格を含む。）を証明する方法，代理人の数その他代理人による議決権の行使に関する事項を定めた場合は，その事項（同条5号）
⑬ 議決権の不統一行使を行う場合の通知の方法を定めた場合は，その方法（同条6号）
⑭ 書面投票・電子投票を採用しない場合，所定の議案の概要（同条7号）

　なお，令和元年改正会社法のうち，いわゆる電子提供制度に係る改正は公布の日から起算して3年6か月を超えない範囲内において政令で定める日から施行されるものとされ（改正法附則1条但書），2022年（令和4年）中の施行が予定されている。その施行後は，電子提供措置をとる場合，上記に加え，電子提供措置事項記載書面に記載しないものとする事項および会社法299条3項の承諾をした株主の請求があった場合に議決権行使書面に記載すべき事項について電子提供措置をとるときはその旨についても招集の決定事項とされ，招集通知の記載事項となる（施行規則63条3号ト・4号ハ）。かかる電子提供措置に伴う記載事項については，2021年（令和3年）12月現在，経団連モデルにも反映されておらず，本章第2節以下でも言及していない。

第2節

招集通知の記載方法

経団連モデル

> Ⅷ　招集通知
>
> [記載例]
>
> 　　　　　　　　　　　　　　　　　　（証券コード　○○○○）
> 　　　　　　　　　　　　　　　　　　　　　　　　○年○月○日
> 株　主　各　位
> 　　　　　　　　　東京都○○区○○ ○丁目○○番○○号
> 　　　　　　　　　　　○　○　○　○　株　式　会　社
> 　　　　　　　　　　　　取締役社長　○　○　○　○
>
> 　　　　　　　　第○回定時株主総会招集ご通知
>
> 拝啓　平素は格別のご高配を賜り厚く御礼申し上げます。
> 　さて，当社第○回定時株主総会を下記により開催いたしますので，ご出席くださいますようご通知申しあげます。
> 　なお，当日ご出席願えない場合は，書面又はインターネットにより議決権を行使することができますので，お手数ながら後記の株主総会参考書類をご検討のうえ，○年○月○日（○曜日）午後○時までに議決権を行使してくださいますようお願い申しあげます。

［書面による議決権行使の場合］
　同封の議決権行使書用紙に議案に対する賛否をご表示のうえ，上記の行使期限までに到着するようご返送ください。

［インターネットによる議決権の行使の場合］
　当社指定の議決権行使ウェブサイト（http://www.○○○○）にアクセスしていただき，同封の議決権行使書用紙に表示された「議決権行使コード」及び「パスワード」をご利用のうえ，画面の案内にしたがって，議案に対する賛否をご入力ください。
　インターネットによる議決権行使に際しましては，○頁の「インターネットによる議決権行使のご案内」をご確認くださいますようお願い申しあげます。

敬　具

記

1. 日　　時　　○年○月○日（○曜日）午前10時
2. 場　　所　　東京都○○区○○　○丁目○○番○○号
　　　　　　　　　当社本店
3. 目的事項
　　報告事項　　第○期（○年○月○日から○年○月○日まで）事業報告，計算書類，連結計算書類並びに会計監査人及び監査役会の連結計算書類監査結果報告の件

　　決議事項
　　（会社提案）
　　第1号議案　　剰余金の処分の件
　　第2号議案　　定款一部変更の件
　　第3号議案　　取締役○名選任の件
　　第4号議案　　監査役○名選任の件
　　第5号議案　　補欠監査役○名選任の件
　　第6号議案　　会計監査人選任の件
　　第7号議案　　取締役の報酬等の額改定の件

（株主提案）
　　第8号議案　　　取締役○名選任の件
　4．招集にあたっての決定事項
（1）当社は，以下の事項をインターネット上の当社ウェブサイト（http://www.○○○○）に掲載しておりますので，法令及び当社定款第○条の規定に基づき，本招集ご通知及び添付書類には，当該事項は記載しておりません。

　①　株主総会参考書類の以下の事項
　　　（各社が定めた事項を記載する）

　②　事業報告の以下の事項

　③

　④

（2）（その他，各社が定めた招集の決定事項を記載する）

以　上

◎　当日ご出席の際は，お手数ながら同封の議決権行使書用紙を会場受付にご提出くださいますようお願い申しあげます。
◎　株主総会参考書類並びに事業報告，連結計算書類及び計算書類に修正が生じた場合は，インターネット上の当社ウェブサイト（http://www.○○○○）に掲載させていただきます。

インターネットによる議決権行使のご案内
＜　略　＞

（記載上の注意）
（1）新型コロナウイルス感染症拡大時等の常時とは異なる状況における招集通知についてはこの限りではなく，時々の政府の方針や企業及び株主等の置かれた状況を考慮しながら作成することになる。

(2) 連結計算書類を作成しない会社においては，「第○期（○年○月○日から○年○月○日まで）事業報告及び計算書類報告の件」となる。
(3) 以下の①～⑭までの事項のうち，該当する事項がある場合には，所定の事項を招集通知，株主総会参考書類あるいは議決権行使書面に記載しなければならない。

① 定時株主総会を前年の定時株主総会日に応当する日と著しく離れた日に開催する場合は，その日時を決定した理由（会社法施行規則第63条第1号イ）
② 公開会社において定時株主総会を集中日に開催する場合において，特に理由がある場合は，当該理由（同1号ロ）
③ 株主総会を従来と著しく離れた場所で開催する場合（当該場所が定款で定められたものである場合を除く。）は，その場所を決定した理由（同2号）
④ 書面投票又は電子投票を採用した場合は，株主総会参考書類に記載すべき事項（同3号イ）
⑤ 書面投票の期限を定めた場合は，その期限（同3号ロ）
⑥ 電子投票の期限を定めた場合は，その期限（同3号ハ）
⑦ 議決権行使書面に賛否の表示がない場合の取扱いを定めた場合は，その取扱いの内容（同3号ニ）
⑧ 定款に定めを設けて，インターネット開示によるみなし提供をすることにより，株主総会参考書類に記載しないものとする事項（同3号ホ）
⑨ 一の株主が同一議案について，書面投票の相互間及び電子投票の相互間で重複して議決権を行使した場合において，当該議案に対し内容の異なる議決権行使をした場合の取扱いについて定めた場合は，その取扱いの内容（同3号ヘ）
⑩ 電磁的方法で招集通知を受領することを承諾した株主について，請求があった場合に議決権行使書面を交付することとした場合は，その旨（同4号イ）
⑪ 一の株主が同一の議案について，書面投票と電子投票により重複して議決権を行使した場合において，当該議案に対し内容の異なる議決権行

第2節　招集通知の記載方法

> 使をした場合の取扱いについて定めた場合は，その取扱いの内容（同4号ロ）
> ⑫　代理人による議決権行使について，代理権（代理人の資格を含む。）を証明する方法，代理人の数その他代理人による議決権の行使に関する事項を定めた場合は，その事項（同5号）
> ⑬　議決権の不統一行使を行う場合の通知の方法を定めた場合は，その方法（同6号）
> ⑭　書面投票・電子投票を採用しない場合，所定の議案の概要（同7号）

　①から③までの事項については，招集の決定事項の日時，場所の注記として記載することが考えられる。
　②は，特段の理由がなければ開示事項とならない。理由としては，「株主総会の会場の予約可能な日が当該日のみであった」等が考えられる。
　⑤と⑥は，議決権行使の依頼事項でもあることから，招集通知本文に記載し，併せて，これらの取扱いに係る⑨⑩⑪を併記することも考えられる。
　⑦は，通常，議決権行使書面に記載されるが，その場合には，招集通知への記載を要しない。
　⑫について該当事項を定めた場合は，「招集にあたっての決定事項」として記載することが考えられる。例えば，次のような記載が考えられる。

> 　代理人により議決権を行使される場合は，議決権を有する他の株主の方1名を代理人として委任する場合に限られます。ただし，当社所定の代理権を証明する書面のご提出が必要となります。

　なお，⑤，⑥，⑦，⑨，⑩，⑪，⑫及び⑬の各事項について定款にその旨の定めを置いた場合は，当該決定は不要となり，招集通知にその旨を記載する必要はない。
　ただし，議決権行使の期限を定めなかったときでも，議決権行使書面には行使の期限（総会日時の直前の営業時間の終了時）の記載が必要である。この場合，招集通知に当該期限を記載すれば，議決権行使書面には記載不要となる（会社法施行規則第66条第4項）。

(4) 株主総会の招集通知は，会社法第299条第1項により取締役が発する。指名委員会等設置会社でも同様であり，執行役ではない。この点を明確にしておくため，執行役兼務の取締役が招集する場合，招集通知上の役職を「取締役」「取締役兼執行役」などとすることが考えられる。
(5) インターネットでの開示をする場合，株主の便宜のため，希望する株主に対し，インターネットで開示した事項を書面で送付するといった取扱いを行うことも考えられる。このような取扱いを行う場合，招集通知に「書面でご希望の株主様は，末尾記載のお問合せ先までご連絡下さい」等の記載をすることも考えられる。
(6) その他の記載事項
① 株主総会参考書類等の記載事項の修正方法
　招集通知発出後に株主総会参考書類並びに事業報告，計算書類及び連結計算書類の記載事項について修正すべき事情が生じた場合に備えて，修正後の事項を株主に周知させる方法を招集通知と併せて通知することができる（会社法施行規則第65条第3項，第133条第6項，会社計算規則第133条第7項，第134条第7項）。この場合，例えばウェブサイトに掲載することによって周知することとしたときは，その旨とウェブサイトのアドレスを通知することになる。記載場所としては，狭義の招集通知の末尾が考えられる。
② インターネットによる議決権行使の案内
　インターネットにより議決権行使をできることとした場合，招集通知には，その旨の記載と併せて，インターネットによる議決権行使に際しての案内文書を添付するのが一般的である。案内文書には，指定された議決権行使ウェブサイトにアクセスできるようアドレスを記載し，議決権行使をする際には，同封の議決権行使書面等に表示された議決権行使番号やパスワードが必要である旨の説明がなされる。
③ 議決権電子行使プラットフォーム
　議決権電子行使プラットフォームを用いた議決権行使を認める場合，招集通知には，株主が電磁的方法により議決権を行使することができる旨を記載する必要がある。この場合，プラットフォームを用いた議決権行使は，厳密には，通常のインターネットによる議決権行使とは異なる

ものとして位置づけられる。

したがって，議決権行使の方法として単に「インターネット」とするのではなく，「電磁的方法（インターネット等）」と標記した上で，議決権行使に関する案内に，例えば，次の記載をすることが考えられる。

> 議決権電子行使プラットフォームについてのご案内
> 管理信託銀行等の名義株主様（常置代理人様を含みます。）につきましては，株式会社東京証券取引所等により設立された合弁会社株式会社ICJが運営する議決権電子行使プラットフォームのご利用を事前に申し込まれた場合には，当社株主総会における電磁的方法による議決権行使の方法として，上記のインターネットによる議決権行使以外に，当該プラットフォームをご利用いただくことができます。

なお，議決権電子行使プラットフォームを利用した場合，プラットフォーム経由の最終行使結果が株主名簿管理人に到達する時間が，総会前日の16時頃となるため，議決権行使期限の設定に際しては，当該時刻よりも前の時刻に期限を設定しないよう留意する必要がある。

第1　様式等

招集通知の用紙，サイズ等について法令上特段の制約はない。サイズは，コスト面から定型郵便規格の封筒に入れて送付できるように選択されるのが一般である。印刷は，黒一色によることが多いが，株主の理解の便宜を図る観点から事業報告等についてグラフ等を使用し，カラー印刷とする事例もある。

狭義の招集通知と事業報告・計算書類・株主総会参考書類等の添付書類は，一冊の冊子として綴じられることが多いが，記載事項が多く全体の頁数が増える場合や事業報告・計算書類等に関してのみカラー印刷を用いる場合等に，事業報告・計算書類等を，狭義の招集通知・株主総会参考書類とは別冊として作成する事例もある。

第2　証券コード

　証券コードは，招集通知における法令上必須の記載事項ではないが，機関投資家等からの要望もあり，招集通知を受領した株主側での管理の便宜を図るため，これを記載する事例が多い。

　具体的な記載場所としては，経団連モデルのとおり招集通知の発信日付の上部とするか，あるいは，招集者の表示の下部に記載することが考えられる。

第3　発信日付

　発信日付も，招集通知における法令上必須の記載事項ではないが，法定の通知期限内（法299条1項参照）に招集通知を発したことを明らかにするために記載する。

　上記第1節第3で説明したとおり，公開会社では，株主総会の日の2週間前までの日にその通知を発することを要する（書面または電磁的方法による議決権行使期限として，施行規則63条3号ロ・ハの「特定の時」を定めた場合には，当該議決権行使期限が属する日の2週間前までの日に発することを要する）。招集通知の早期の発信については，法令上の制限は存しないが，株主提案権の行使期限が株主総会の日の8週間（定款でこれを下回る期間を定めた場合には当該期間）前までとなっていることから（法303条・305条），発信日付は，株主総会の8週間前の日以降とされるのが一般的である（8週間前の日以前に招集通知を発した場合には，その後に株主提案権が行使された場合には，再度招集通知を発しなければならなくなることがある）。

　近時は，招集通知を早期に発信するだけでなく，株主に対して早期に情報を提供する観点から，招集通知の発送前にインターネット上の自社ウェブサイト等で，招集通知の内容を開示する事例も増加している。

　コーポレートガバナンス・コードにおいては，上場会社に対して，招集通

知の発送前にインターネット上の自社ウェブサイト等で，招集通知の内容を開示することを求めている（補充原則1-2②）。

なお，招集通知は，到達主義（民法97条）の例外として，発信主義がとられており，法定の通知期限内に，招集通知が発せられていれば足りる。また，発信日付を休日（暦上の休日，株式会社の休業日等）にすることも差し支えないが，実際の事例は少ない。

具体的な記載方法としては，令和への改元後，元号ではなく西暦によって表示する例が一般的となっている。

第4　宛　先

宛先も，招集通知における法令上必須の記載事項ではないが，文書の送付先を明確にする観点から記載するのが一般的である。招集通知は，当該株主総会において議決権を有する株主に対して発信することになるが，招集通知の宛先として，個々の株主の氏名・名称（固有名詞）を記載する必要はない。

具体的な記載方法としては，経団連モデルのとおり，招集通知の発信日付の次に「株主各位」とするか，あるいは「株主の皆様へ」と記載する例が多い。

第5　招集者

招集者も，招集通知における法令上必須の記載事項ではないが，文書の発信者を明確にし，また，当該株主総会の招集者を明確にする観点から記載すべき事項である。

株主総会は，少数株主が裁判所の許可を得て株主総会を招集する場合を除き（法297条4項），取締役会設置会社では，取締役会の決定を受けて，取締役がこれを招集する（法298条4項・296条3項）。会社法上，株主総会の招集は，会社の内部的な意思決定機関である株主総会の招集手続に関する行為であり，業務の執行には該当しないと解されており（相澤哲ほか・前掲468頁），代表取締

役や執行役の権限には該当しない（ただし，代表取締役は，取締役の立場で招集することが可能である）。会社の定款に，株主総会の招集者が定められている場合には，当該定款の定めに従った取締役が招集することになる。なお，経団連モデルのとおり，株主総会の招集通知は会社法299条1項により，取締役が発することとされており，これは指名委員会等設置会社でも同様である。

具体的な記載事項としては，経団連モデルのとおり，会社の所在地，商号および役位を付した取締役の氏名を記載するのが一般的である。

第6　標　　題

当該株主総会が，「定時株主総会」であるのか，「臨時株主総会」であるのかを明確に記載する。具体的な記載方法としては，「第○回（期）定時株主総会招集ご通知」または「臨時株主総会招集ご通知」とするのが一般的である。定時株主総会の場合は，「第○回」または「第○期」として，いつの定時株主総会であるのか特定して記載するのが一般的である。

第7　招集通知本文

(1) 記載形式

招集通知本文は，株主総会を開催する旨および株主総会への出席を依頼する旨を「拝啓」で始まり「敬具」で終わる手紙形式で記載するのが一般的である。

招集通知本文には，上記第1節第5で説明した招集通知の記載事項（法299条4項・298条1項各号，施行規則63条各号）を記載する必要があるが，経団連モデルのとおり，招集通知本文は「……株主総会を下記により開催いたしますので……」とし，「敬具」の後に付記事項として，株主総会の日時，場所，目的事項等を記載した上で，「以上」で締めくくる形式が実務上一般的である。

(2) 書面投票または電子投票に関する事項

① 書面投票または電子投票の依頼

　書面投票または電子投票を採用する会社の場合，株主総会開催および出席依頼の文言に続けて，「なお書」として，株主総会に出席しない株主が書面または電磁的方法によって議決権を行使することができる旨（法298条1項3号・4号），議決権行使書面の返送やインターネットによる議決権行使の方法等を記載し，株主総会に出席しない株主に対して議決権行使を依頼するのが一般的である。

　経団連モデルでは，書面投票と電子投票のそれぞれの議決権行使の方法等について，わかりやすさの観点から区分して記載しているが，一文にまとめて記載することも可能である。

【書面投票または電子投票により議決権行使できることを「なお書」にまとめて記載する場合の記載例】

> なお，当日ご出席願えない場合は，書面またはインターネットにより議決権を行使いただくことができますので，お手数ながら後記の株主総会参考書類をご検討のうえ，同封の議決権行使書用紙に議案に対する賛否をご表示の上，ご返送いただくか，当社指定の議決権行使ウェブサイト（http://www.○○○○）にアクセスしていただき，議案に対する賛否をご入力いただくか（○頁の「インターネットによる議決権行使のご案内」ご参照），いずれかの方法により議決権を行使してくださいますようお願い申しあげます。

② 議決権行使の期限

　書面投票または電子投票を採用するに際して，議決権行使の期限として「特定の時」（施行規則63条3号ロ・ハ）を定めた場合には，当該議決権行使の期限は，招集通知の記載事項となる（ただし，議決権行使書面に当該期限を記載している場合（施行規則66条3項）は記載を省略できる）。この場合，議決権行

使の依頼の文言中に，当該議決権行使の期限を記載することが考えられる。

　議決権行使の期限として「特定の時」を定めない場合，議決権行使の期限は，株主総会の日時の直前の営業時間の終了時となるところ（施行規則69条，70条），この期限は，招集通知の記載事項ではない。もっとも，この場合でも，当該議決権行使の期限を招集通知に記載した場合には，議決権行使書面への記載を省略できることから（施行規則66条4項・1項4号），議決権行使の依頼の文言中に，当該議決権行使の期限を記載することも考えられる。実務上は，招集通知に議決権行使期限を記載することも多いと思われるが，この場合，取締役会で「特定の時」（施行規則63条3号ロ・ハ）を定めたわけではないので，招集通知の発信は，株主総会の日から起算して2週間前までに行えば足りる。なお，この場合，当該議決権行使期限が，「特定の時」を記載したものであるのか，「株主総会の日時の直前の営業時間の終了時」を記載したものであるのか，招集通知の記載からは明らかではない可能性があるが，営業時間の終了時であることを明示する必要はない。

③　議決権電子行使プラットフォーム

　議決権行使について実質的な指図権限を有するものの名義株主（株主名簿上の株主）ではない機関投資家等は，会社から直接株主総会の招集通知を受け取り，議決権行使をすることはできない。議決権電子行使プラットフォームは，このような機関投資家等が，実質的に直接議決権行使を行うことを可能にする議決権行使方法である。経団連モデルのとおり，議決権電子行使プラットフォームを用いた議決権行使は，電子投票の一種であるので，議決権電子行使プラットフォームの利用を認める場合には，株主が電磁的方法により議決権を行使することができる旨の記載が必要となる（法299条4項・298条1項4号）。招集通知本文についての記載例は以下のとおりであり，これに加え，「議決権行使に関する案内」についての説明文を別途設けて，経団連モデル記載の案内を記載することが考えられる。

【書面投票および通常の電子投票に加え，議決権電子行使プラットフォームによる投票を認める場合の記載例】

> なお，当日ご出席願えない場合は，書面または電磁的方法（インターネット等）により議決権を行使いただくことができますので，お手数ながら後記の株主総会参考書類をご検討の上，同封の議決権行使書用紙に議案に対する賛否をご表示の上，ご返送いただくか，○頁の「インターネット等による議決権行使のご案内」をご参照の上，議案に対する賛否をご入力いただくか，いずれかの方法により議決権を行使してくださいますようお願い申しあげます。

(3) 委任状勧誘を行う場合

　会社は，議決権を有する株主の数が1000人以上である場合には書面投票を採用する必要があるが（法298条2項本文），会社が金融商品取引法2条16項に規定する金融商品取引所に上場されている株式を発行している株式会社であって，金融商品取引法，上場株式の議決権の代理行使の勧誘に関する内閣府令に基づき，議決権を有する全部の株主に対して，委任状勧誘を行う場合には，書面投票を採用せず，委任状勧誘のみを行うことができる（法298条2項但書，施行規則64条）。この場合，書面投票または電子投票を採用する場合と同様に，株主総会開催および出席依頼の文言に続けて，「なお書」として，株主総会に出席しない株主に対して，委任状用紙に，賛否を表示して返送してもらえるよう依頼する旨を記載するのが一般的である。

【書面投票または電子投票を採用せず委任状勧誘のみを行う場合】

> なお，当日ご出席願えない場合には，お手数ながら，後記議決権の代理行使の勧誘に関する参考書類をご検討くださいまして同封の委任状用紙に賛否をご表示，ご押印のうえ，ご返送くださいますようお願い申し上げます。

第8　招集の決定事項

　上記第7で説明したとおり，招集通知の記載事項（法299条4項・298条1項各号，施行規則63条各号）のうち，招集通知本文に記載した以外の事項を「記」以下に記載する。

(1) 日　　時

　株主総会の開催日時は，招集通知の必要的記載事項であり（法298条1項1号），株主総会を開催する年月日，曜日および開催時刻を記載する。発信日付と同様，近時は西暦による表示が一般的である。

　これに加え，定時株主総会の開催日が，前事業年度に係る定時株主総会の日に応当する日と著しく離れている場合には，その日を開催日とした理由を記載しなければならない（施行規則63条1号イ）。前事業年度からどの程度離れた日に開催した場合に「著しく離れた日」に開催したものと評価されるかは，当該会社の規模や過去の定時株主総会の開催状況等の個別の事情によるが，決算期を変更していないにもかかわらず，1ヵ月以上遅れて定時株主総会を開催することとなれば，「著しく離れた日」と評価されるとの指摘もある（相澤哲ほか・前掲470頁）。

　また，公開会社が，定時株主総会の開催日として，当該日と同日に定時株主総会を開催する公開会社が著しく多い日（いわゆる集中日）を決定した場合には，その日を決定したことについて，特に理由がある場合には，その理由を記載しなければならない（施行規則63条1号ロ）。

　これらの理由の記載場所としては「日時」の注記事項とすることが考えられる。

【前事業年度の定時株主総会の日に応当する日と著しく離れた日に定時株主総会を開催することを決定した理由の記載例】

> 1. 日　　時　○年○月○日（○曜日）　午前10時
> 　　　　　　　（開催日が前事業年度の定時株主総会日に応当する日と離れておりますのは，第○期より，当社の事業年度を毎年○月○日から翌年○月○日までの1年に変更したためであります。）

(2) 場　所

　株主総会の開催場所は，招集通知の必要的記載事項であり（法298条1項1号），株主総会を開催する会場の住所，建物の名称および具体的場所（階数，会場の名称等）を記載する。招集通知の末尾に株主総会会場の案内図を添付するとともに，株主総会会場案内図を掲載している旨の注記を付す例も多い。

　これに加え，株主総会の開催場所が，過去に開催した株主総会のいずれの場所とも著しく離れた場所であるときには，当該場所を決定した理由を記載しなければならない（施行規則63条2号柱書）。「著しく離れた場所」とは，過去に株主総会が開催された場所からの移動に相当な時間を要し，株主が株主総会の開始時間に出席することが困難となるような場所をいうものと解される（相澤哲ほか・前掲471頁）。ただし，当該場所が定款に定められたものである場合（施行規則63条2号イ），または，株主総会に出席しない株主全員の同意がある場合（施行規則63条2号ロ）には，これを記載する必要はない。

　なお，株主総会の開催場所が，過去に開催した株主総会の会場から著しく離れた場所ではなくとも，前年から会場が変更になっている場合には，その旨注記する例もある。

【開催場所が前年と異なる場合の参考例】

> 2．場　　　所　　東京都○○区○○　○丁目○○番○○号
> 　　　　　　　　　○○○ホテル○階　○○ルーム
> 　　　　　　　　　（開催場所が昨年までと異なっておりますので，ご来場の際は，最終頁の「株主総会ご案内図」をご参照いただき，お間違えのないようご注意願います。）

【過去に開催した株主総会の場所と著しく離れた場所で開催することを決定した理由の参考例】

> 2．場　　　所　　東京都○○区○○　○丁目○○番○○号
> 　　　　　　　　　○○○会館○階　○○の間
> 　　　　　　　　　（当社は，従来，株主総会を本店所在地である○○県○○市の当社本店会議室にて株主総会を開催してまいりましたが，株主様の数の増加に伴い，会場への収容が困難になってまいりましたことから，本株主総会におきましては，上記会場で開催することに決定いたしました。ご来場の際は，末尾の「株主総会ご案内図」をご参照いただき，お間違えのないようご注意願います。）

(3) 目的事項

　株主総会の目的事項は，招集通知の必要的記載事項である（法298条1項2号）。具体的な記載方法としては，「報告事項」と「決議事項」に分けて，それぞれ該当する事項を列記する方法が一般的である。

① 報告事項
イ．株主総会に報告すべき事項
　まず，事業報告は，会社の機関設計にかかわらず，すべての株式会社にお

いて，定時株主総会における報告事項となる（法438条3項）。

次に，計算書類（貸借対照表，損益計算書，株主資本等変動計算書および個別注記表。法435条2項，計算規則59条1項）は，原則として定時株主総会の決議事項として承認を受けなければならない（法438条2項）。しかし，会計監査人設置会社において，取締役会の承認を受けた計算書類が法令および定款に従い会社の財産および損益の状況を正しく表示しているものとして，法務省令に定める要件（以下のⅰ）ないしⅴ））を満たすときは，当該計算書類は，定時株主総会における決議事項ではなく報告事項となる（承認特則規定。法439条，計算規則135条）。

ⅰ）会計監査人の会計監査報告の内容が無限定適正意見であること

ⅱ）監査役（監査役会設置会社においては監査役会，監査等委員会設置会社においては監査等委員会，指名委員会等設置会社においては監査委員会）の監査報告にその事項についての会計監査人の監査方法または結果を相当でないと認める旨の意見がないこと

ⅲ）監査役会，監査等委員会または監査委員会の監査報告において，会計監査人の監査方法または結果を相当でないと認める旨の各監査役・監査等委員・監査委員の意見の付記がなされていないこと

ⅳ）対象となる計算関係書類が，監査報告の通知期限を徒過することにより（計算規則132条3項），監査を受けたものとみなされたものでないこと

ⅴ）取締役会を設置していること

また，会計監査人設置会社では，連結計算書類（連結貸借対照表，連結損益計算書，連結株主資本等変動計算書および連結注記表）を作成することができるが（法444条1項，計算規則61条），連結計算書類を作成した場合，連結計算書類の内容および連結計算書類に関する監査役（監査等委員会設置会社においては監査等委員会，指名委員会等設置会社にあっては監査委員会）および会計監査人の監査の結果が，定時株主総会における報告事項となる（法444条7項）。計算書類と異なり，監査役（監査等委員会・監査委員会）・会計監査人の監査の結果が報告事項とされているのは，連結計算書類に関する監査の

結果は，株主に提供されていない場合があるからである（同条6項，計算規則134条2項参照）。事業年度の末日において大会社であって金融商品取引法24条1項の規定により有価証券報告書を提出しなければならないものは，当該事業年度に係る連結計算書類を作成する必要がある（法444条3項）。

ロ．記載形式

招集通知における報告事項の具体的な記載方法については，特に定まった様式は存しないが，連結計算書類を作成している場合，経団連モデルのとおり，事業報告，計算書類および連結計算書類等に関する事項をすべて一括して記載することが考えられる。

また，報告事項の対象とする内容に応じ，計算書類に関する事項と連結計算書類に関する事項をそれぞれ区分して記載する例もある。この場合，事業報告は，その内容が企業集団に関する事項を中心にしているか（施行規則120条2項参照），事業報告作成会社に関する事項を中心にしているか等に応じて，計算書類に関する事項に含めて記載したり，連結計算書類に関する事項に含めて記載したりすることが考えられる。

さらに，実務上，定時株主総会では，まずは事業報告の内容についての報告がなされた後に，連結計算書類，計算書類等の報告がなされることが多いことに鑑み，事業報告とそれ以外の事項を区分して記載することも考えられる。

なお，計算書類および連結計算書類については，各計算書類，各連結計算書類の名称を列記することも考えられるが，「計算書類」および「連結計算書類」は，いずれも法令上定義された用語であり，各書類の名称を列記する必要はない。特に，注記表に関しては，貸借対照表，損益計算書および株主資本等変動計算書にそれぞれ脚注などの形で表示され（計算規則57条3項参照），「個別注記表」「連結注記表」という独自の書面が作成されないこともあるため，「計算書類」「連結計算書類」の用語を用いる方が適切であると考えられる。

第2節　招集通知の記載方法

【「連結計算書類」「計算書類」に関する事項を区分した参考例】

報告事項　1．第○期（○年○月○日から○年○月○日まで）事業報告，連結計算書類ならびに会計監査人および監査役会の連結計算書類監査結果報告の件
　　　　　2．第○期（○年○月○日から○年○月○日まで）計算書類報告の件

【「事業報告」とそれ以外を区分した記載例】

報告事項　1．第○期（○年○月○日から○年○月○日まで）事業報告の内容報告の件
　　　　　2．第○期（○年○月○日から○年○月○日まで）計算書類，連結計算書類ならびに会計監査人および監査役会の連結計算書類監査結果報告の件

【連結計算書類を作成しない会社の記載例1（計算書類も報告事項）】

報告事項　第○期（○年○月○日から○年○月○日まで）事業報告および計算書類報告の件

【連結計算書類を作成しない会社の記載例2（計算書類は承認議案）】

報告事項　第○期（○年○月○日から○年○月○日まで）事業報告の内容報告の件

② 決議事項
イ．決議事項の記載方法

　決議事項に関しては，決議事項の「議題」を記載することになる。個別の議題の表記については，会社法に則した表現をする必要がある（詳細については，本書第Ⅶ章「株主総会参考書類」の各議案にかかる箇所を参照されたい）。また，複数の決議事項がある場合には，「第1号議案」「第2号議案」といった連番を付して記載するのが一般的である。決議事項が1つの場合には，「第1号議案」とせずに，単に「議案」とする。

ロ．決議事項の記載の順序

　決議事項の配列順序については，会社法上の規定はないが，株主総会の審議は，通常，招集通知に会議の目的事項として記載された順序に従って行われることから，株主総会の審議順序に合わせて配列して記載することが考えられる。実務上は，経団連モデルに記載された配列が一般的であり，剰余金の処分議案，定款変更議案等が先順位とされ，これに役員選任議案が続き，役員報酬議案（報酬等の改定議案）は後順位とされることが多い。会計監査人設置会社以外の会社である場合等において，計算書類の承認を決議事項として付議する場合には，当該議案が第1号議案とされるのが一般的である。この他の議案が存在する場合には，重要性，議案相互間の関連性等に応じ，適宜配列を検討することになる。

　また，ある議案が承認されることが前提条件となるような議案があるような場合（定款変更により取締役の員数を拡大した上で，取締役の増員選任を行う場合等）には，前提条件となる議案を先順位に配列する必要がある。

ハ．「議案の概要」の記載

　決議事項の内容が一定の重要事項である場合，招集通知には，「議題」に加えて，当該事項に関する「議案の概要」を記載することが求められる（施行規則63条7号）。具体的には，（イ）役員等の選任，（ロ）役員等の報酬等，（ハ）全部取得条項付種類株式の取得，（ニ）株式の併合，（ホ）会社法199条3項または200条2項に規定する場合における募集株式を引き受ける者の募

集，(ヘ) 会社法 238 条 3 項各号または 239 条 2 項各号に掲げる場合における募集新株予約権を引き受ける者の募集，(ト) 事業譲渡等，(チ) 定款の変更，(リ) 合併，(ヌ) 吸収分割，(ル) 吸収分割による他の会社がその事業に関して有する権利義務の全部または一部の承継，(ヲ) 新設分割，(ワ) 株式交換，(カ) 株式交換による他の株式会社の発行済株式全部の取得，(ヨ) 株式移転，(タ) 株式交付が，これに該当する。

もっとも，書面投票または電子投票を採用し，株主総会参考書類を作成する場合（施行規則63条3号）には，株主総会参考書類に「議案」の内容を記載する必要があり（施行規則73条1項1号参照），内容が重複することから，別途招集通知に「議案の概要」を記載する必要はない（施行規則63条7号柱書）。

ニ．株主提案がなされている場合

株主提案がなされている場合には，経団連モデルのとおり，会社からの提案に引き続いて，株主提案を記載し，両者を区別する趣旨で「会社提案」「株主提案」という表示をすることが考えられる（なお，「会社提案」との記載の適否が争われた事案として札幌高判平成9年6月26日資料版商事法務163号262頁参照）。「株主提案」がない場合には，あえて「会社提案」との表示はしないのが一般的である。

なお，株主提案の議案が会社提案の議案と両立するものであるか（追加提案），択一的な関係に立つのか（代替提案）が不明確である場合があるが，会社提案との関係如何によって，両議案の審議・採決の方法等が変わる場合があるため，提案株主への確認によって，提案の趣旨を明確にする必要がある。また，仮に代替提案の場合は，両方の議案に賛成することは論理矛盾であるため，いずれの議案についての議決権行使についても無効と取り扱わざるをえないものと解されるが，そのような取扱いとする場合には，提案株主以外の株主にもあらかじめかかる議決権行使が認められないことがわかるよう，招集通知，株主総会参考書類または議決権行使書面に両者の関係を記載しておくことが望ましい（三浦亮太ほか『株主提案と委任状勧誘〔第2版〕』（商事法務，2015）96頁）。

【代替提案である旨を招集通知へ記載する場合の参考例】

決議事項
〈会社提案（第1号議案から第2号議案まで）〉
　第1号議案　剰余金の処分の件
　第2号議案　取締役○名選任の件
〈株主提案（第3号議案）〉
　第3号議案　剰余金の配当の件
　　本議案は，会社提案の第1号議案と両立しない関係にありますので，第1号議案および本議案の双方に賛成されることのないようご留意下さい。第1号議案および本議案の双方に賛成されますと，第1号議案および本議案への議決権の行使はいずれも無効となります。

(4) その他の決定事項

　招集通知の記載事項（法299条4項・298条1項各号，施行規則63条各号）のうち，上記第7および上記（1）ないし（3）で説明した事項以外の事項について，経団連モデルのとおり「招集の決定事項」等，適宜の名称を付して，まとめて記載することが考えられる。

① 　インターネット開示
　 i ）事業報告における記載事項の一部，ⅱ）株主総会参考書類における記載事項の一部，ⅲ）株主資本等変動計算書，ⅳ）個別注記表，および，ⅴ）連結計算書類（当該連結計算書類に係る会計監査報告または監査報告の内容をも株主に対して提供することを定めたときには連結計算書類に係る会計監査報告または監査報告を含む）の全部については，定款の規定に基づいて，招集通知を発出する時から当該株主総会の日から3ヵ月が経過する日までの間，継続してインターネットで開示することにより，株主に対してこれらの事項に係る情報を提供したものとみなし，物理的な書面等による提供を省略することが認められる（施行規則94条1項・133条3項，計算規則133条4項・134条

4項)。

　なお，新型コロナウイルス感染症の影響を踏まえ，2020年（令和2年）と2021年（令和3年）には，特例法により，インターネット開示制度の対象となる事項の範囲が拡大され（施行規則133条の2，計算規則133条の2），事業報告の「当該事業年度における事業の経過及びその成果」および「対処すべき課題」ならびに貸借対照表および損益計算書に表示すべき事項も同制度の対象とされている。

　このうち，ⅱ）のインターネット開示により株主総会参考書類に記載しない事項については，株主総会の招集の決定の際に当該事項を定め，インターネット開示を行っていることにより株主に対して提供する株主総会参考書類に記載していない事項を招集通知に記載しなければならない（施行規則63条3号ホ）。この場合，インターネット開示を行っているウェブサイトのアドレスを株主総会参考書類に記載する必要があるが，これは招集通知に記載することも可能である（施行規則94条2項・73条3項。ただし，この場合でも招集通知に記載している事項があることを株主総会参考書類に記載する必要がある）。また，株主総会参考書類の記載事項以外の事項について，インターネット開示を行う場合には，インターネット開示を行っているウェブサイトのアドレスを，適宜の方法により，株主に通知する必要がある（施行規則133条4項，計算規則133条5項・134条5項）。

　そこで，経団連モデルのとおり，「招集にあたっての決定事項」として，インターネット開示を行っている旨，事業報告・株主総会参考書類等のうちインターネット開示を行っている事項，インターネット開示を行っているアドレスを併せて記載することが考えられる。

　なお，インターネット開示については，電子公告とは異なり（法940条3項参照），開示の中断等が発生してしまった場合の効果については具体的な定めがなく，法的瑕疵については実質的に判断されると解されている。このため，万一，開示の中断等が発生した場合の法的効果については，必ずしも明確ではない部分もあるが，仮に中断等が発生してしまった場合には，電子公告に

| 第Ⅷ章 | 招集通知 |

関する規定等も参考に中断期間がインターネット開示期間全体の10分の1を超えないようにする等の対応をすることが望ましいと考えられる。

② 書面投票・電子投票を採用する場合
　書面投票・電子投票を採用する場合には，上記第7（2）で説明した以外にも，次のような事項を記載する必要がある。ただし，議決権行使書面に別途記載している，定款に定めがある等の理由により，実際には招集通知には記載しない事例もある。
イ．株主総会参考書類に記載すべき事項
　株主総会参考書類に記載すべき事項は，招集通知の必要的記載事項であるが（施行規則63条3号イ），株主総会参考書類に記載がなされるため，招集通知には記載しないのが通常である（施行規則73条4項）。
ロ．議決権行使書面に賛否の記載がない場合の取扱い
　株主から提出された議決権行使書面に議案に対する賛否が記載されていない場合に，各議案に対して賛成・反対または棄権のいずれかの意思表示があったものとみなす旨を，株主総会の招集の決定の際に定めている場合には，招集通知の必要的記載事項となる（施行規則63条3号ニ）。
　ただし，議決権行使書面に当該取扱いの内容を記載した場合（施行規則66条3項），または，定款に定めのある場合，もしくは，招集の決定の際に当該事項の決定を取締役に委任した場合（施行規則63条3号柱書）には，招集通知に記載する必要はない。なお，かかる取扱いの詳細については，第Ⅸ章「議決権行使書面」も参照されたい。
ハ．議決権が重複行使された場合の取扱い
　ⅰ）書面投票相互間・電子投票相互間での議決権の重複行使，または，ⅱ）書面投票と電子投票との間での議決権の重複行使がなされた場合の取扱いについて，株主総会の招集の決定の際に定めている場合には，招集通知の必要的記載事項となる（施行規則63条3号ヘ・4号ロ）。
　ただし，議決権行使書面に当該取扱いの内容を記載した場合（施行規則66条

3項），または，定款に定めのある場合（施行規則63条3号柱書・4号柱書）には，招集通知には記載する必要はない。また，ⅰ）の場合には，株主総会の招集の決定の際に当該事項の決定を取締役に委任した場合も記載を要しない（施行規則63条3号柱書）。なお，かかる取扱いの詳細については，第Ⅸ章「議決権行使書面」も参照されたい。

【電子投票において議決権の重複行使がなされた場合の取扱いについての参考例】

> 4．招集にあたっての決定事項
> 　インターネットによって複数回，議決権行使をされた場合は，最後に行われたものを有効とさせていただきます。

【書面投票と電子投票との間で議決権の重複行使がなされた場合の取扱いについての参考例】

> 4．招集にあたっての決定事項
> 　議決権行使書用紙とインターネットにより二重に議決権を行使された場合は，インターネットによるものを有効とさせていただきます。

ニ．招集通知を電磁的方法で受領することを承諾した株主の取扱い

　書面投票および電子投票の双方を採用している会社では，招集通知を電磁的方法で受領することを承諾した株主に対して，当該株主から請求があったときに初めて会社法301条1項の規定による議決権行使書面を交付する（または，当該交付に代えて会社法301条2項の規定により議決権行使書面に記載すべき事項を電磁的方法により提供する）という取扱いが認められる（施行規則63条4号イ）。

　このような取扱いをする場合には，株主総会の招集の決定の際にこれを定

めることが必要とされ，これを定めた場合には，招集通知の必要的記載事項となる（法299条4項・298条1項5号，施行規則63条4号イ）。

ただし，定款にその旨の定めがある場合には（施行規則63条4号柱書），招集通知に記載する必要はない。

【招集通知を電磁的方法で受領することを承諾した株主への議決権行使書用紙の送付の取扱いを定めた場合の参考例】

> 4. 招集にあたっての決定事項
> 　本招集ご通知を電磁的方法により受領することをご承諾いただきました株主様に対しては，議決権行使書用紙を送付しておりませんので，議決権行使書用紙の送付をご希望の株主様は，末尾記載のお問い合わせ先までご連絡くださいますようお願い申しあげます。

③　代理人による議決権行使

株主は，代理人によってその議決権を行使することが認められている（法310条1項）。代理人による議決権行使について，代理権（代理人の資格を含む）を証明する方法，代理人の数その他代理人による議決権の行使に関する事項を，株主総会の招集の際に定めた場合には，招集通知の必要的記載事項となる（施行規則63条5号）。

ただし，議決権行使書面に当該取扱いの内容を記載した場合（施行規則66条3項），または，定款にその旨の定めがある場合には（施行規則63条5号括弧書），招集通知に記載する必要はない。

代理権を証明するための方法としては，例えば，委任状に加えて，会社から委任者に対して送付された議決権行使書面を合わせて提出することが考えられる（なお，いわゆる株券電子化に伴って，会社への届出印の制度は廃止されたことから，届出印の印鑑照合という確認方法を利用することはできなくなった）。

【代理人による議決権行使について代理権を証明する方法等を定めた場合の記載例】

> 4．招集にあたっての決定事項
> 　代理人による議決権行使を行う場合は，当社定款の定めに基づき，議決権を行使することができる他の株主1名が，代理権を証する書面（委任状）を当社にご提出いただくことが必要です。
> 　また，代理権を証明する方法として，委任者の署名捺印又は記名押印のある委任状に加え，以下のいずれかの書類をご提出いただくことが必要です。
> 　①当社から委任者に送付された議決権行使書用紙
> 　②委任者の印鑑登録証明書（この場合，委任状には印鑑登録証明書の登録印の押印が必要です。）
> 　③委任者の運転免許証，健康保険証等委任者の住所，氏名の確認ができる公的証明書類の写し

④　議決権の不統一行使の事前通知の方法

　会社法では，取締役会設置会社では，株主総会の日の3日前までに事前通知することを求めた規定はあるものの，事前通知の方法を書面等に限定する規定はない（法313条2項参照）。そこで，株主総会の招集の決定の際に，事前通知の方法を定めることが考えられ，当該定めをした場合には，招集通知の必要的記載事項となる（施行規則63条6号）。

　なお，議決権行使書面に当該取扱いの内容を記載した場合（施行規則66条3項），または，定款にその旨の定めがある場合には（施行規則63条6号括弧書），招集通知に記載する必要はない。

第9　株主総会参考書類等の記載事項の修正方法

　会社法では，株主総会参考書類，事業報告，計算書類および連結計算書類に記載すべき事項について，招集通知を発出した日から株主総会の前日まで

の間に修正すべき事情が生じた場合に備えて，修正後の事項を株主に周知させる方法を，当該招集通知と併せて通知することが認められている（施行規則65条3項・133条6項，計算規則133条7項・134条7項）。

この「修正すべき事情」については，株主総会参考書類等の記載に印刷ミスその他の事情で誤りがあった場合や，招集通知の発出後に事情変更等があった場合が含まれると解される（相澤哲＝郡谷大輔「会社法施行規則の総論等」別冊商事法務300号（2006）15頁）。なお，会社法施行規則65条3項等は「招集通知」「を発出した日から」という表現を用いているが，印刷ミスへの対応もこの修正方法が認められている趣旨の1つであることからすれば，招集通知の印刷後発出前に印刷ミスを発見した場合にも，この修正方法を用いることは可能であると解される。

具体的な周知方法としては，実際に修正すべき事情が生じた際の，対応の便宜，迅速性等を考慮すると，経団連モデルのとおり，インターネット上のウェブサイトに開示する方法とすることが考えられる。

この株主総会参考書類等の記載事項の修正方法については，狭義の招集通知の必要的記載事項ではないことから，経団連モデルのとおり「招集にあたっての決定事項」の最後に「以上」が記載された後に記載することが考えられる。

なお，招集通知の発出後に株主総会参考書類等の記載事項に関連して事情変更があった場合に，常にかかる修正方法に基づいた修正（以下「ウェブ修正」という）が必要となるとまでは解されず，例えば，株主総会参考書類の記載事項については，その記載の基準時に立った記載をすれば本来足りるのであるから，当該基準時後に生じた事象についてはウェブ修正も必須とまではいえないと考えられる（郡谷大輔＝松本絢子「WEB修正の実務対応」商事法務1834号（2008）44頁参照。なお，同論文は，株主総会参考書類記載事項の一般的な基準時を招集通知発送時点と解するようであるが，第VII章第1節第1(3)記載のとおり，株主総会参考書類作成時を一般的な基準時とすることも可能と考えられる）。

また，事業報告の記載事項についても，その記載の基準時に立った記載を

すれば本来足りるものと解されるので，当該基準時後に生じた事象については　ウェブ修正も必須とまではいえないと考えられる。もっとも，第Ⅰ章序（3）記載のとおり，事業報告の記載事項の基準時については各記載事項ごとに慎重に検討する必要があることに留意が必要である。

　また，株主総会参考書類等の記載事項のウェブ修正にも，一定の限界が存在すると考えられる点にも留意が必要である。例えば，①株主総会参考書類の記載事項について，議案の内容の追加・変更にあたるものについては，具体的状況に応じた検討の余地はあるものの，ウェブ修正による対応は困難である場合が多いと考えられるし，②事業報告，計算書類および連結計算書類の記載事項については，その記載が変更されることによって監査報告や会計監査報告の内容に影響が及ぶ場合には，単にウェブ修正を行うだけでは対応できないと考えられる（郡谷大輔＝松本絢子・前掲44頁参照）。

第10　その他の記載事項

(1) 株主総会への出席の際のお願い

　経団連モデルでも記載されているとおり，実務上，株主総会に当日出席する株主に対して，議決権行使書用紙を会場受付に提出して欲しい旨のお願い文言が記載されることが多い。これは，株主総会の当日に会場での出席株主の出席資格の確認作業を円滑にするために，株主に対して協力を求める事項をあらかじめ明確にしておく趣旨である。具体的な記載方法としては，経団連モデルのとおり，狭義の招集通知の末尾に記載されるのが一般的である。

(2) 株主懇談会等の案内

　株主総会の開催と併せて，株主と経営陣との交流や経営に関する意見交換を図る場として，株主懇談会や経営近況報告会等を開催する事例もある。その内容は，株主と経営陣との懇親目的や株主総会の目的事項以外の事項も含めた経営全般に関する意見交換等，各社の意向により異なるが，このような

会を開催する場合には，招集通知の本文にその旨を付記するか，あるいは「株主総会への出席の際のお願い」と同様に，狭義の招集通知の末尾にその旨の案内を記載することが考えられる。他方で，近時は経費節減等の観点から従前開催していた株主懇談会を中止するような事例もあるが，当該株主総会から株主懇談会の開催を中止するような場合には，その旨の断りを記載しておくことも考えられる。

【株主懇談会の出席についてお願いする参考例】

> ◎　株主総会終了後，同会場におきまして，株主懇談会を開催いたしますので，併せてご出席くださいますようご案内申しあげます。

(3) クールビズ対応，節電対応

　近年，環境への配慮の観点から，役員や会場係員が軽装（いわゆるクールビズ）で株主総会を開催する会社も増えてきている。特に節電への配慮が必要な地域を中心に，これに合わせて，会場の冷房の設定温度を若干高めにしておくような場合もある。クールビズにて株主総会を開催する場合，招集通知にその旨の案内を記載しておき，株主に対しても軽装での来場を呼びかける事例もある。

【クールビズ総会であることを案内するとともに軽装での来場を呼びかける参考例】

> 当日は節電への協力のため軽装（いわゆるクールビズ）にてご対応させていただきますので，ご了承くださいますようお願い申しあげます。株主の皆様におかれましても軽装にてご出席ください。

（4）総会出席者へのお土産

　近時は減少傾向にあるが，株主総会への出席者に対して，自社製品やお菓子といったお土産を提供する会社もある。理論上は，株主の権利行使に関する利益供与規制（法120条）との関係が問題となり得るが，株主総会に出席する株主は一定の交通費等をかけて総会に出席しており，社会通念上相当な範囲に留まるものであれば，それに対するお礼として，相応のお土産を提供することは問題ないと考えられる。

　他方で，お土産を受け取るのみで，実際には株主総会に出席しない株主の存在等もあって，近時は来場株主へのお土産の交付を廃止する会社も増えている。この場合，お土産の廃止について知らぬまま来場した株主との間でのトラブルを回避する観点で，お土産の廃止について，事前に招集通知に記載をしておく例もある。

　また，家族名義等の議決権行使書等，複数の議決権行使書を持参した株主がいた場合に，来場株主1名につき1個のみの交付とするか，複数のお土産を交付するかは，会社の判断であるが，来場株主1名につき1個のみ交付するような場合には，トラブル回避の観点で，予めその旨を明記する事例もある。

【本年からお土産を廃止する旨を明記する参考例】

> 本年から株主総会にご出席の株主様への「お土産」はとりやめとさせていただきます。何卒ご理解くださいますようお願い申し上げます。

【来場株主1名につき1個のみを交付することを明記する参考例】

> 株主総会当日のお土産は，議決権行使書の枚数にかかわらず，ご出席の株主お一人様に対し，1個とさせていただきます。

(5) 感染症の拡大防止への配慮

経団連においては，2020年（令和2年）の新型コロナウイルス感染症の拡大を踏まえ，同年4月28日，「新型コロナウイルス感染症の拡大を踏まえた定時株主総会の臨時的な招集通知モデルのお知らせ」を発表し，①株主に対して事前の議決権行使を促し，来場する株主の数を一定程度限定することを想定した招集通知の記載モデル（モデルA），および，②感染拡大防止の観点をさらに強め，原則として会場への来場を謝絶することを想定した招集通知の記載モデル（モデルB）を公表した。当該記載モデルは，あくまで2020年（令和2年）における新型コロナウイルス感染症の拡大を前提として作成されたものではあるが，新型コロナウイルスに限らず，同様の感染症の拡大防止が求められる局面においても，参考となり得る。

(6) ハイブリッド出席型バーチャル総会の記載

2020年（令和2年）2月26日に経済産業省より「ハイブリッド型バーチャル株主総会の実施ガイド」（以下「実施ガイド」という）が公表されたことも受け，近時は，いわゆるハイブリッド出席型と呼ばれる形式で，開催場所に存在しない株主によるインターネット等を通じた出席を認める例もある。

実施ガイドによれば，ハイブリッド出席型の場合，招集通知において，開催場所と共に，株主がインターネット等の手段を用いて株主総会に出席し，審議に参加した上で議決権を行使するための方法を記載するものとされている。

また，実施ガイドにおいては，上述の出席方法に加え，株主への周知等を目的として，①通信障害発生の可能性（実施ガイド13頁），②代理出席の制限（同16頁），③事前の議決権行使の取扱い（同18頁），④質問受付方法の制限（同21頁），⑤動議提出の制限（同21頁），⑥動議の採決の取扱い（同22頁），⑦強制的な通信遮断の取扱い（同23頁）等についても，招集通知等に記載することが推奨されている。これらの事項については，各実施企業が具体的に想定する運営方法に応じて，別途，「ハイブリッド出席型バーチャル株主総会のご案内」などとして説明文を設け，まとめて記載する例が多い。

なお，ハイブリッド型バーチャル株主総会には，いわゆるハイブリッド参加型と呼ばれる類型も存在するが，ハイブリッド参加型においてインターネット等で参加する株主は，法的には株主総会に「出席」するものではない。したがって，必ずしも，招集通知において，これを実施する旨や具体的な参加方法を記載することが求められるわけではないが，実務上は一定の案内を行うことが一般的である。

【ハイブリッド出席型を実施する場合の記載例】

```
                    （略）
……ご通知申し上げます。
　本株主総会におきましては，当日会場にご来場いただけない株主様も，後記
のインターネット等の手段を用いた「バーチャル出席」の方法によりご出席い
ただくことができます。
　なお，当日ご出席願えない場合は，……
                    （略）
◎当日会場にてご出席の際は，お手数ながら同封の議決権行使書用紙を会場受
　付にご提出くださいますようお願い申しあげます。また，「バーチャル出席」
　によりご出席の際は，後記の案内に従い，所定のIDとパスワードによりシ
　ステムにログインくださいますようお願い申しあげます。
                    （略）
            ハイブリッド出席型バーチャル株主総会のご案内
                    （略）
```

第IX章
議決権行使書面

第1節

議決権行使書面に関する法令の定め

第1 議決権行使書面の交付等

(1) 書面によって議決権を行使することができることとしたとき

　株主総会に出席しない株主が書面によって議決権を行使することができることとしたとき（いわゆる「書面投票制度」を採用した場合）は，株主総会の招集の通知に際して，株主に対し，株主が議決権を行使するための書面（以下「議決権行使書面」という）を交付しなければならない（法301条1項）。なお，議決権を有する株主の数が1000人以上である場合には，金融商品取引法・上場株式の議決権の代理行使の勧誘に関する内閣府令に従って委任状を交付する場合を除き，株主総会に出席しない株主が書面によって議決権を行使することができることとしなければならない（法298条2項）。

　電磁的方法により招集通知を発することを承諾した株主（法299条3項）には，議決権行使書面の交付に代えて，議決権行使書面に記載すべき事項を電磁的方法により提供することができるが，株主の請求がある場合には議決権行使書面の交付が必要である（法301条2項）。

第Ⅸ章 議決権行使書面

【書面投票制度を採用した会社における議決権行使書面交付の要否】

	議決権行使書面交付の要否
電磁的方法により招集通知を発することを承諾した株主	電磁的方法により提供する場合には不要 ただし，株主の請求がある場合には必要
上記以外の株主	必要

(2) 電磁的方法によって議決権を行使することができることとしたとき

電磁的方法によって議決権を行使することができることとしたとき（いわゆる「電子投票制度」を採用した場合）には，株主総会の招集の通知に際して，電磁的方法により招集通知を発することを承諾した株主に対し，議決権行使書面に記載すべき事項を電磁的方法により提供しなければならない（法302条3項）。

他方，電磁的方法により招集通知を発することを承諾していない株主に対しては，当該株主から，株主総会の日の1週間前までに議決権行使書面に記載すべき事項の電磁的方法による提供の請求があったときは，直ちに，当該株主に対し，当該事項を電磁的方法により提供しなければならない（法302条4項）。

【電子投票制度を採用した会社における議決権行使書面に記載すべき事項の電磁的方法による提供の要否】

	議決権行使書面に記載すべき事項の電磁的方法による提供の要否
電磁的方法により招集通知を発することを承諾した株主	必要
上記以外の株主	不要 ただし，株主総会の日の1週間前までに電磁的方法による提供の請求があったときは必要

第2　議決権行使書面の記載事項

　議決権行使書面の記載事項については，会社法施行規則66条に詳細な規定が置かれている。

(1) 各議案についての賛否の記載欄（施行規則66条1項1号）

　議決権行使書面には，議案ごとに，株主が賛否（棄権の欄を設ける場合にあっては棄権を含む）を記載する欄を設けなければならない（施行規則66条1項1号）。複数の役員等の選任議案，複数の役員等の解任に関する議案および複数の会計監査人の不再任に関する議案については，各役員等ごとないし各会計監査人ごとに賛否の記載欄を設ける必要がある（施行規則66条1項1号イ～ハ）。

(2) 議決権行使書面に賛否の記載がない場合の取扱い（施行規則66条1項2号）

　株主から提出された議決権行使書面に議案に対する賛否が記載されていない場合に，各議案に対して賛成・反対または棄権のいずれかの意思表示があったものと取り扱う旨を株主総会の招集の際にあらかじめ定めておくことが可能であり（法298条1項5号，施行規則63条3号ニ，66条1項2号），このような取扱いを定めた場合には，議決権行使書面に当該取扱いの内容を記載する必要がある（施行規則66条1項2号）。

(3) 重複して行使された議決権の取扱い（施行規則66条1項3号）

　株主が同一議案について，書面による議決権行使が重複した場合，電磁的方法による議決権行使が重複した場合および書面による議決権行使と電磁的方法による議決権行使が重複した場合において，当該議案に対し内容の異なる議決権行使をした場合の取扱いについては，株主総会の招集の際にあらか

じめ定めておくことが可能であり（法298条1項5号，施行規則63条3号ヘ・4号ロ），事前に定めることにより議決権の重複行使による混乱を防止することができる。このような取扱いを定めた場合には，議決権行使書面に当該取扱いの内容を記載する必要がある（施行規則66条1項3号）。

(4) 議決権の行使期限（施行規則66条1項4号）

書面および電磁的方法による議決権の行使期限については，第Ⅷ章招集通知の箇所で説明のとおり，株主総会の日時の直前の営業時間の終了時が原則とされているが（施行規則69条本文・70条本文），株主総会の招集の際にあらかじめ別途行使期限を定めておくことが可能である（法298条1項5号，施行規則69条括弧書・70条括弧書・63条3号ロ・ハ）。議決権の行使期限については，議決権行使書面に記載する必要がある（施行規則66条1項4号）。

(5) 株主の氏名・名称および行使することができる議決権の数（施行規則66条1項5号）

議決権行使書面には，議決権を行使すべき株主の氏名または名称および行使することができる議決権の数を記載しなければならない（施行規則66条1項5号柱書）。また，議案ごとに行使できる議決権の数が異なる場合には，議案ごとの議決権の数を記載し，一部の議案につき議決権を行使することができない場合には，議決権を行使することができる議案または議決権を行使することができない議案を記載する（施行規則66条1項5号イ・ロ）。

第3　議決権行使書面の記載事項と招集通知の記載事項の関係

同一の株主総会に関して株主に対して提供する招集通知の内容とすべき事項のうち，議決権行使書面に記載している事項がある場合には，当該事項を招集通知に記載する必要はない（施行規則66条3項）。他方，同一の株主総会に関して株主に対して提供する議決権行使書面に記載すべき一定の事項（議決

権行使書面に賛否の記載がない場合の取扱い，重複して行使された議決権の取扱い，議決権の行使期限）のうち，招集通知の内容としている事項がある場合には，当該事項を議決権行使書面に記載する必要はない（同条4項）。このように，一定事項を除き，議決権行使書面または招集通知の一方に記載をまとめることも可能であるが，一般的に用いられている議決権行使書面の大きさは限られているため（返送部分がはがき大＋出席票の部分），議決権行使書面には賛否の記載がない場合の取扱いおよび議決権の行使期限を記載するものの（議決権の行使期限については記載しない例もある），重複して行使された議決権の取扱いについては記載せず，招集通知にこれらの事項をすべて記載する例も多い。

【議決権行使書面の記載事項を招集通知に記載することにより省略可能か】

議決権行使書面の記載事項	招集通知への記載により省略可能か
各議案についての賛否の記載欄	不可
議決権行使書面に賛否の記載がない場合の取扱い	可
重複して行使された議決権の取扱い	可
議決権の行使期限	可
株主の氏名・名称および行使することができる議決権の数	不可

第IX章 議決権行使書面

第2節

議決権行使書面の記載方法

経団連モデル

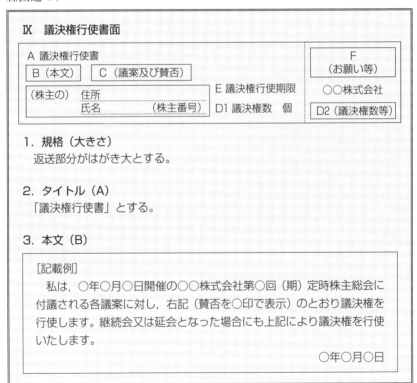

1. 規格（大きさ）
   返送部分がはがき大とする。

2. タイトル（A）
   「議決権行使書」とする。

3. 本文（B）

   ［記載例］
   　私は，○年○月○日開催の○○株式会社第○回（期）定時株主総会に付議される各議案に対し，右記（賛否を○印で表示）のとおり議決権を行使します。継続会又は延会となった場合にも上記により議決権を行使いたします。

   　　　　　　　　　　　　　　　　　　　　　　　　　○年○月○日

第1　規格（大きさ）

　議決権行使書面の規格，文字の大きさ等について法令上の定めはないが，実務的には返送の利便性を考慮し，返送部分がはがき大のものが利用されている。

第2　タイトル

　議決権行使書面のタイトルについて法令上の定めはないが，従前の実務では「議決権行使書」という名称が定着している。

第3　本　　文

　株主総会が継続会または延会となった場合でも，これらは最初の株主総会と同一の株主総会を構成するものであり，議決権行使書面は継続会または延会においても利用可能であると解されている。そのため，継続会または延会となった場合についての記載は不要とも考えられるが，この点についての疑義を払拭するためにも記載しておく方がよいと考えられる。

経団連モデル

```
4．議案及び賛否の表示方法（C）
【株主提出議案がない場合】

［記載例］
＊以下の欄に賛否をご記入（○印で表示）ください。

  第1号議案  賛  否
  第2号議案  賛  否
```

> (ご注意)
> 　議案に対し賛否の表示をされないときは，会社提出議案につき賛成の表示があったものとして取り扱います。

【株主提出議案がある場合】

> [記載例]
> ＊以下の欄に賛否をご記入（〇印で表示）ください。
>
> | 第1号議案 | 会社提出原案に対し | 賛 | 否 |
> |---|---|---|---|
> | 第2号議案 | 会社提出原案に対し | 賛 | 否 |
> | | 株主提出原案に対し | 賛 | 否 |
> | 第3号議案 | 株主提出原案に対し | 賛 | 否 |
>
> (ご注意)
> 　議案に対し賛否の表示をされないときは，会社提出原案につき賛成，株主提出原案に対し反対の表示があったものとして取り扱います。

(記載上の注意)
(1) 議決権行使書面には，各議案について株主が賛否の意思表示ができるようにする（会社法施行規則第66条第1項第1号）。会社法施行規則第66条第1項第1号は，棄権の欄を設けることを認めているが，棄権は実質上，提案に反対するということであり，棄権の意見を聞く意味に乏しいと考える。［記載例］の第2号議案は，会社提出原案と株主提出原案とを同号の議案としてまとめているが，同じ議題についての議案であっても株主提案の議案を別号議案とすることもできる。
(2) 役員等の選任・解任，会計監査人の不再任議案において，その候補者が2名以上であるときは，各候補者について賛否の意思表示を記載できるようにする（会社法施行規則第66条第1項第1号）。例えば次のように空欄を設け，ここに選任を否とする候補者の氏名又は株主総会参考書類に付した番号を記載できるようにする。

【株主提出議案がない場合】

[記載例]
＊以下の欄に賛否をご記入（○印で表示）ください。

| 第○号議案 | 賛 | 否 | （ただし候補者のうち　　　　を除く。） |

（ご注意）
(1) 議案に対し賛否の表示をされないときは，会社提出原案につき賛成の表示があったものとして取り扱います。
(2) 第○号議案の一部の候補者につき否とされる場合は，「賛」に○印を表示の上，当該候補者の番号（「招集ご通知」添付の株主総会参考書類記載の候補者番号）を但書欄にご記入ください。

【株主提出議案がある場合】

[記載例]
＊以下の欄に賛否をご記入（○印で表示）ください。

第○号議案	会社提出原案に対し	賛	否
	（ただし候補者のうち　　　を除く。）		
	株主提出原案に対し	賛	否
	（ただし候補者のうち　　　を除く。）		

（ご注意）
(1) 議案に対し賛否の表示をされないときは，会社提出原案につき賛成，株主提出原案につき反対の表示があったものとして取り扱います。
(2) 第○号議案の一部の候補者につき否とされる場合は，「賛」に○印を表示の上，当該候補者の番号（「招集ご通知」添付の株主総会参考書類記載の候補者番号）を但書欄にご記入ください。

第4 各議案についての賛否の記載欄

前述のとおり，複数の役員等の選任・解任に関する議案および複数の会計監査人の不再任に関する議案については，各候補者の選任，各役員等の解任および各会計監査人の不再任について賛否の記載欄を設ける必要がある（施行規則66条1項1号イ〜ハ）。

もっとも，これは，議決権行使書面にすべての候補者等の名前を示し，それぞれに対する賛否を記載させることまでを要求するものではなく，経団連モデルのように賛否欄に加えて「ただし候補者のうち　　　を除く。」といった記載欄を設けることにより対応することも可能である（稲葉威雄・前掲164頁）。

第5 賛否の表示がない場合の取扱い

株主から提出された議決権行使書面に議案に対する賛否が記載されていない場合の取扱いについては，株主総会の招集の際にあらかじめ定めておくことが可能である（法298条1項5号，施行規則63条3号ニ）。このような取扱いを定めた場合には，議決権行使書面に当該取扱いの内容を記載する必要がある（施行規則66条1項2号）。

経団連モデルでは株主提出議案がある場合「議案に対し賛否の表示をされないときは，会社提出原案につき賛成，株主提出原案につき反対の表示をしたもの」として取り扱うものとしている。賛否の記載のない議決権行使書面については会社提出議案と株主提出議案のすべてについて同一の取扱いをすべきとする見解もあるが，通説は経団連モデルのような記載も認められるとしている（札幌高判平9・1・28資料版商事法務155号109頁，大阪地判平13・2・28金判1114号21頁）。

第6　会社提案と両立しない代替提案の取扱い

　例えば，会社側が「剰余金の配当を1株当たり30円とする」ことを内容とする議案を提出していた場合において，株主側が「剰余金の配当を1株当たり50円とする」との議案を提出した場合，通常は代替提案（会社提案と両立しない提案）であると解されるが，理論的には，追加提案（両議案は関連性のない独立の議案であり，会社提案の1株当たり30円とは別に，1株当たり50円の株主提案が可決されれば，合計80円を配当する）を求めるものであると解する余地もある。代替提案である場合には，会社提案と株主提案がそれぞれ分配可能額の範囲内にあるかを確認する必要があり，追加提案である場合には，会社提案と株主提案を併せて分配可能額の範囲内にあるか確認する必要がある。そして，追加提案である場合には，それぞれの提案を別個の議案として審議し，採決することとなる。他方，代替提案である場合には，それぞれの提案が両立しないものである以上，一括して審議の上採決することとなる。

　代替提案については，一般に，これらの両方の議案について賛成の議決権を行使することは矛盾した議決権行使になるため，いずれの議決権行使も無効と取り扱われることになる。しかし，会社側が「剰余金の配当を1株当たり30円とする」ことを内容とする議案を提出したのに対し，株主側が，代替提案の趣旨で「剰余金の配当を1株当たり50円とする」との議案を提出した場合，会社提案と株主提案の両方に賛成の議決権行使をした株主の意思は，通常は「できれば50円欲しいが，これが否決された場合は30円欲しい」という趣旨で議決権行使をすることがありうるため，必ずしも論理的に矛盾した議決権行使とはいいきれない。そこで，両方の議案に賛成した場合に，いずれの議決権行使も無効としようとする場合は，会社提案と株主提案とが代替提案の関係にあるため，両方に賛成の議決権行使をしないよう求める断り書を招集通知・株主総会参考書類・議決権行使書面に記載するなどして，あ

らかじめ株主にかかる議決権行使が認められないことを周知しておくことが考えられる（三浦亮太ほか・前掲99～100頁）。

> [参考例]
> （ご注意）
> (1) …
> (2) …
> (3) 第○号議案は，会社提案の第△号議案と両立しない関係にありますので，第△号議案および第○号議案の双方に賛成されることのないようご留意下さい。第△号議案および第○号議案の双方に賛成されますと，第△号議案および第○号議案への議決権の行使はいずれも無効となります。

経団連モデル

> 5．議決権数（D）
> [記載方法の説明]
> 　株主番号及び株主が行使できる議決権数（個数）等を記載する。例えば，単元のくくりが100株の場合，D2欄に以下のように記載する。
>
> > [記載例]
> > 　株主番号　　　　○○
> > 　議決権個数　　　　　　　　170個
> > （基準日現在の所有株式数　　17,030株）
>
> 　なお，議案ごとに当該株主が行使することができる議決権の数が異なる場合には，議案ごとの議決権の数を記載する。
> 　また，一部の議案につき議決権を行使することができない場合には，議決権を行使することができる議案又は議決権を行使することができない議案を記載する。

第7 所有株式数の記載

所有株式数の記載について法令上の定めはないが，行使することができる議決権のみを表示すると，所有株式数との関係で株主の疑問を誘発する可能性もあるため，基準日現在の所有株式数を記載することが望ましい。

第8 議案ごとに当該株主が行使することができる議決権の数が異なる場合の記載例

第1号議案については普通株式のみが議決権を行使することができる株式であり，第2号議案については甲種種類株式のみが議決権を行使することができる株式である場合，両株式を保有する株主の議決権の個数については以下のような記載をすることが考えられる。

```
(参考例)
株主番号        ○○
議決権個数
第1号議案                      170個
第2号議案                       50個
(基準日現在の所有普通株式数     17,030株)
(基準日現在の所有甲種種類株式数     50株)
```

第9 一部の議案につき議決権を行使することができない場合の記載例

第1号議案については普通株式のみが議決権を行使することができる株式であり，第2号議案については甲種種類株式のみが議決権を行使することが

第Ⅸ章 議決権行使書面

できる株式である場合，普通株式のみ保有する株主の議決権の個数については以下のような記載をすることが考えられる。

> （参考例）
> 株主番号　　　○○
> 議決権個数　　　　　　　　　　　　170個
> 　なお，第2号議案については議決権を行使することができません。
> （基準日現在の所有普通株式数　　17,030株）

経団連モデル

> **6．議決権行使期限等（E）**
> 　議決権行使書面には，議決権の行使期限を記載することが求められる（会社法施行規則第66条第1項第4号）。また，株主総会の招集の決定に際し，株主が同一の議案につき重複して議決権の行使をした場合の取扱いを定めたときは，当該取扱いの内容についても記載する。
> 　ただし，これらの事項及び議決権行使に賛否の表示がない場合の取扱いに関する事項については，議決権行使書面への記載に代えて，招集通知に記載することも可能である（会社法施行規則第66条第4項）。
>
> **7．お願い等（F）**
> 【電磁的方法による議決権行使を認めない場合】
>
> > ［記載例］
> > 1. 株主総会にご出席の際には，この議決権行使書用紙を会場受付にご提出ください。
> > 2. 株主総会にご出席願えない場合は，この議決権行使書用紙に賛否を表示され，○年○月○日○時までに到着するようご返送ください。

【電磁的方法による議決権行使を認める場合】

[記載例]
1. 株主総会にご出席の際には，この議決権行使書用紙を会場受付にご提出ください。
2. 株主総会にご出席願えない場合は，次のいずれかの方法により，議決権を行使下さいますようお願い申し上げます。
   (1) 郵送による方法
      この議決権行使書用紙に賛否を表示され，○年○月○日○時までに到着するようご返送ください。
   (2) インターネットによる方法
      ① パソコンで「議決権行使サイト（http://www.○○○.○○）」にアクセスしてください。
      ② 画面の案内にしたがって下記の議決権行使コード，議決権行使パスワードを入力してください。
      ③ 画面の案内に従い，○年○月○日の○時までに議決権を行使してください。
3. 「2.」で株主様が郵送による方法とインターネットによる方法を重複して行使された場合には，インターネットによる方法の議決権行使を株主様の意思表示として取り扱います。

又は，

3. 「2.」で株主様が議決権行使を複数回された場合には，当社へ最後に到着したものを株主様の意思表示として取り扱います。

又は，

3. 「2.」で株主様がインターネットによる方法で複数回，議決権行使をされた場合には，当社へ最後に到着したものを有効な議決権行使として取り扱います。
4. 「2.」で株主様が郵送による方法とインターネットによる方法を重複して行使された場合には，当社へ後に到着したものを有効な議決権行使として取り扱います。ただし，両方が同日に到着した場合には，インターネットによる議決権行使を有効なものとして取り扱います。

> 議決権行使コード　　　　○○○○
> 議決権行使パスワード　　○○○○
>
> 8．その他
> 　押印欄を設ける義務はない。なお，株券電子化法令の施行により，従来，株主本人の確認のために利用されていた印鑑の届出制度（登録印制度）が廃止されたため，議決権行使書用紙への任意での届出印の捺印を求める意味も失われた。

第10　議決権行使期限等

　書面および電磁的方法による議決権の行使期限については，株主総会の日時の直前の営業時間の終了時が原則とされているが，株主総会の招集の際にあらかじめ別途行使期限を定めることも可能である（法298条1項5号，施行規則69条・70条・63条3号ロ・ハ）。別途期限を定めるか否かは各社の営業時間や集計作業に要する時間等を考慮し判断することとなる。議決権の行使期限については，議決権行使書面に記載する必要がある（施行規則66条1項4号）。

　議決権の重複行使の取扱いについては，株主総会の招集の際にあらかじめ定めておくことが可能である（法298条1項5号，施行規則63条3号ヘ・4号ロ）。どのような定めをするかは会社の事務処理上の負担との兼ね合いで判断することになるが，一例としては，書面による議決権行使が重複した場合および電磁的方法による議決権行使が重複した場合には最後に行われたものを有効な議決権行使とし，書面による議決権行使と電磁的方法による議決権行使が重複した場合には電磁的方法による議決権行使を有効な議決権行使として取り扱うことが考えられる。このような取扱いを定めた場合には，議決権行使書面に当該取扱いの内容を記載する必要がある（施行規則66条1項3号）。

　なお，議決権の行使期限および重複して行使された議決権の取扱いについては，招集通知に記載することで議決権行使書面の記載を省略することがで

きる（施行規則66条4項）。前述のとおり，一般的に用いられている議決権行使書面の大きさは限られているため，議決権行使書面には賛否の記載がない場合の取扱いおよび議決権の行使期限を記載するものの（議決権の行使期限については記載しない例もある），重複して行使された議決権の取扱いについては記載せず，招集通知にはこれらの事項をすべて記載する例も多い。

第 X 章

監査報告

第1節

監査報告全般

経団連モデル

> **X 監査報告**
> ［記載方法の説明］
> (1) 会社法下では，監査等委員会設置会社又は指名委員会等設置会社か否か，会計監査人の有無，監査役会の有無，監査役監査の範囲により監査報告の内容に差異が設けられており，また，取締役会の有無も監査の方法及びその内容にも影響を与えるので，監査報告の内容は機関設計に応じたものにする必要がある。
> (2) 事業報告及びその附属明細書に関する監査報告と，計算書類，その附属明細書及び連結計算書類に関する監査報告について，一体的に作成するのか否かは法令上定められていない。全てを一体的に作成することも，会社法施行規則の規定ぶりに従い会社法施行規則に基づく監査報告と会社計算規則に基づく監査報告とを区分して作成することも，連結計算書類に関する監査報告とそれ以外に関する監査報告に区分して作成することもいずれも可能である。

第Ⅹ章 監査報告

第1 監査報告に関する法令上の定め

　監査報告の作成に関する法令上の定めは，やや錯綜した構造をもっている。監査役，監査役会，監査等委員会，監査委員会の職務としての監査報告の作成については，それぞれ，会社法381条1項（監査の範囲が会計に関するものに限定される場合は法389条2項），会社法390条2項1号，会社法399条の2第3項1号，会社法404条2項1号に根拠規定が存する。

　一方，監査報告の内容に関する具体的な定めは，会社法施行規則129条から131条，会社計算規則122条，123条と同127条から129条に定めがある。しかし，これらは，計算書類，事業報告およびそれらの附属明細書，連結計算書類ならびに臨時計算書類の監査に関する，会社法436条1項・2項，441条2項および444条4項の委任による定めである（施行規則116条および117条ならびに計算規則121条参照）。

　計算書類等以外にも，取締役の職務執行の執行全般が監査役等の監査の対象であり，計算書類等の監査以外の監査に関する監査報告の内容については法務省令に別の定めがあってもおかしくない。しかし，事業報告に関する監査報告の内容には，事業報告が法令等に従い会社の状況を正しく示しているかどうかの意見等のほかに，取締役の職務の遂行に関し，不正の行為または法令若しくは定款に違反する重大な事実があったときはその事実が含まれている（施行規則129条1項3号）。

　したがって，監査報告は，委任規定との関係はひとまずおいて，その具体的内容を定める会社法施行規則129条から131条，会社計算規則122条，123条と同127条から129条に基づき作成をすればよいと考えられる。

第2　監査役の監査報告と監査役会の監査報告の関係

　監査役会設置会社では，監査役会の監査報告に加え，各監査役の監査報告も作成する必要がある。

　しかし，監査役会と各監査役の監査報告を一体的に作成し，書面による場合は一通の監査報告の形式をとることは可能である。この場合，当該監査報告が，監査役会の監査報告と各監査役の監査報告を兼ねることとなる。

　なお，経団連モデルは，監査役会の監査報告とは別に監査役の監査報告を作成する場合の記載例である。

第3　事業報告，計算書類および連結計算書類の監査報告の関係

　監査報告の内容を具体的に定める法務省令の定めは，会社法施行規則129条から131条，会社計算規則122条，123条と同127条から129条である。したがって，事業報告およびその附属明細書等に関する監査報告と，計算書類およびその附属明細書ならびに連結計算書類に関する監査報告では，その記載内容が大きく異なる。

　しかも，計算書類と連結計算書類は，計算関係書類の概念に包摂され，監査報告の内容としては一体的に規定されている（計算規則121条以下参照）。

　経団連モデルは，事業報告およびその附属明細書等に関する監査報告と，計算書類およびその附属明細書ならびに連結計算書類に関する監査報告を一体的に作成したモデルである。

第X章 監査報告

第4 監査報告の種類

　会社の機関設計の相違，連結計算書類の監査の有無，監査役の職務の限定の有無の点で，監査報告の内容は自ずと相違する。

　これを場合分けして，根拠規定等と対比すると次のとおりとなる。

	機関設計	監査役の職務の限定	連結計算書類の監査	適用規定			
				監査報告作成の会社法上の根拠規定	事業報告・計算関係書類の監査の会社法上の根拠規定	事業報告に係る監査報告の内容（施行規則の根拠規定）	計算関係書類に係る監査報告の内容（計算規則の根拠規定）
1	取締役会＋監査役会＋会計監査人		有	381 I ・390 II ①	436 II ・444 IV	117 ② ・130 II	121 I ・128 II
2			無		436 II		
3	取締役会＋監査等委員会＋会計監査人		有	399の2 III①	436 II ・444 IV	117 ② ・130の2 I	121 I ・128の2 I
4			無		436 II		
5	取締役会＋3委員会＋会計監査人		有	404 II ①	436 II ・444 IV	117 ② ・131 I	121 I ・129 I
6			無		436 II		
7	取締役会＋監査役＋会計監査人		有	381 I	436 II ・444 IV	117 ② ・129 I	121 I ・127
8			無		436 II		
9	取締役＋監査役＋会計監査人		有	381 I	436 II ・444 IV	117 ② ・129 I	121 I ・127
10			無		436 II		
11	取締役会＋監査役会		無	381 I ・390 II ①	436 I	117 ② ・130 II	121 I ・123 II
12	取締役会＋監査役	無	無	381 I	436 I	117 ② ・129 I	121 I ・122
13		有		389 II	436 I	117 ② ・129 II	
14	取締役＋監査役	無	無	381 I	436 I	117 ② ・129 I	121 I ・122
15		有		389 II	436 I	117 ② ・129 II	

（注：監査役会設置会社では，監査役会の監査報告と監査役の監査報告は別の種類としてはカウントしていない）

　経団連モデルに記載例が掲載されているのは，前記表のパターンのうち，1，3，5，12および15である。

第2節

一般的な上場会社（監査役会設置会社）における監査報告

経団連モデル

> **1. 機関設計が「取締役会＋監査役会＋会計監査人」であり連結計算書類を作成する会社の監査役会の監査報告**
>
> [記載例]
>
> 　　　　　　　　　　　　　　　　　　　　　　　　　　○年○月○日
>
> 　　　　　　　　　　監査役会監査報告
>
> 　　　　　　　　　　　　　　　　　　　　　　　○○株式会社監査役会
> 　　　　　　　　　　　　　　　　　　　　　　　　監査役　○○
> 　　　　　　　　　　　　　　　　　　　　　　　　監査役　○○
> 　　　　　　　　　　　　　　　　　　　　　　　　監査役　○○
>
> 　第○期事業年度の事業報告，計算書類，これらの附属明細書，連結計算書類その他取締役の職務の執行の監査について，次のとおり報告します。
>
> 1　監査役及び監査役会の監査の方法及びその内容
> 　監査役会が監査方針，監査基準及び監査計画を定めた上で，各監査役が分担して，必要な調査を行い，その結果を監査役会で報告及び協議して，監査を実施しました。監査にあたっては，監査役室の職員を補助として使用し，内部監査部と連携して調査等を行いました。

具体的には，取締役会その他の重要な会議に出席し，重要な決裁文書や報告書を閲覧し，当社の取締役等及び会計監査人から，職務の執行状況等について定期的に報告を受け，また，随時説明を求めるとともに，海外拠点を含む事業所に赴き実地調査を行いました。
　　当社子会社についても，取締役等から報告を受け，説明を求め，また，実地調査を行いました。
　　会計監査人の職務の遂行が適正に実施されることを確保するための体制に関しては，会計監査人より監査に関する品質管理基準（平成17年10月28日企業会計審議会）等にしたがって整備している旨の通知を受けました。
　　なお，監査役○○は常勤監査役であり，監査役○○は社外監査役です。

2　監査の結果
(1) 事業報告及びその附属明細書は法令及び定款に従い当社の状況を正しく表示しています。
(2) 取締役の職務の遂行に関し，不正の行為又は法令若しくは定款に違反する重大な事実はありません。
(3) 当社の業務の適正を確保するために必要な体制の整備等についての取締役会の決議の内容は相当であり，当該体制の運用状況につき指摘すべき事項はありません。
(4) 当社の財務及び事業の方針の決定を支配する者の在り方に関する基本方針の内容及び当社と当社の親会社等との間の取引にかかる事項等についても，指摘すべき事項はありません。
(5) 会計監査人○○監査法人の監査の方法及び結果は相当です。

3　会計監査報告の内容となっていない重要な後発事象

4　監査役○○の監査報告の内容

　　　　　　　　　　　　　　　　　　　　　　　　　　　　以上

（記載上の注意）
(1) 本記載例は，会社法施行規則第130条に基づく監査報告と，会社計算規

則第128条に基づく監査報告とを一体的に作成したものである。
(2) 監査報告の作成日は，監査報告の内容としなければならない（会社法施行規則第130条第2項第3号，会社計算規則第128条第2項第3号）。
(3) 表題は法令上の表現（「監査報告」又は「監査役会監査報告」）でも，慣行から一般に理解可能な表題（例えば「監査報告書」）でも良い。
(4) 宛先の記載は監査報告の法定記載事項ではない。記載する場合は，適宜の取扱いで差し支えない。
(5) 監査報告には，監査の方法及びその内容の記載が求められるため，各社の監査の実情に合わせた記載が必要となる。
(6) 監査役及び監査役会の監査について，それぞれ個別に記載しても，一体的に記載しても良い。
(7) 監査役会設置会社においては，監査役会のみならず，各監査役も監査報告を作成しなければならないこととされている。ただし，監査役会と各監査役の監査報告を含む形で物理的には一通の監査報告を作成することは許容される。その場合は，各監査役及び監査役会の監査の方法・内容が明示されるように作成することが望ましい。
(8) 会計監査人は会計監査報告の内容の通知に際して，会計監査人自身のいわゆる内部統制に関する事項の通知が義務づけられており（会社計算規則第131条），監査役会監査報告の内容に「会計監査人の職務の遂行が適正に実施されることを確保するための体制に関する事項」が含まれている（会社計算規則第128条第2項第2号，同第127条第4号）。具体的には，通知を受けた体制の概要や当該体制に問題がある場合における問題点を内容とすることが考えられる。
(9) 業務の適正を確保するために必要な体制の整備等についての決議の内容の概要及び当該体制の運用状況の概要の記載が事業報告にあり，当該内容が相当でないと認める場合は，その旨及び理由が監査役会監査報告の内容となる（会社法施行規則第130条第2項第2号，同第129条第1項第5号）。内容が相当と認める場合は，監査役会監査報告の内容とする必要がないが，相当である旨の記載等をすることも考えられる。
(10) 株式会社の財務及び事業の方針の決定を支配する者の在り方に関する基本方針を定めている場合は，基本方針の内容の概要等が事業報告の内容

第X章 監査報告

となり（会社法施行規則第118条第3号），同時に，当該事項についての意見が監査役会監査報告の内容となる（会社法施行規則第130条第2項第2号，同第129条第1項第6号）。

(11) 株式会社とその親会社等との間の取引に係る会社法施行規則第118条第5号所定の事項（当該株式会社の利益を害さないように留意した事項等）が事業報告又は事業報告の附属明細書の内容となっている場合も，当該事項についての意見が監査役会監査報告の内容となる（会社法施行規則第130条第2項第2号，同第129条第1項第6号）。

(12) 会計監査報告の内容となっていない重要な後発事象は監査報告の内容となる（会社計算規則第128条第2項第2号，同第127条第3号）。監査報告に記載が求められる重要な後発事象は，計算関係書類に関する事象に限られる。

(13) 監査役会の監査報告と，監査役の監査報告の内容が異なる場合は，監査役は，当該事項に係る監査役の監査報告の内容を，監査役会の監査報告に付記することができる（会社法施行規則第130条第2項本文，会社計算規則第128条第2項本文）。

第1 法定記載事項と経団連モデルの記載事項との対比

監査報告の記載事項は，会社法施行規則130条2項と会社計算規則128条2項に基づく。各条の定めとモデルの記載内容との対応関係は，表1のとおりである。

第2 監査の方法およびその内容

会社法下では，監査について，監査の「方法およびその内容」の記載が求められる。「方法」と「その内容」が区別して使用されているが，「方法の概要」ではないことを明示する趣旨と解され，ことさら区別して書き分ける必

第2節 一般的な上場会社（監査役会設置会社）における監査報告

表1

			法令上の記載事項	ひな型の記載例の該当部分
会社法施行規則130条2項	1号		監査役および監査役会の監査の方法およびその内容	監査役会が監査方針，監査基準及び監査計画を定めた上で，各監査役が分担して，必要な調査を行い，その結果を監査役会で報告及び協議をして，監査を実施しました。監査にあたっては，監査役室の職員を補助として使用し，内部監査部と連携して調査等を行いました。具体的には，取締役会その他の重要な会議に出席し，重要な決裁文書や報告書を閲覧し当社の取締役等及び会計監査人から，職務の執行状況等について定期的に報告を受け，また，随時説明を求めるとともに，海外拠点を含む事業所に赴き実地調査を行いました。当社子会社についても，取締役等から報告を受け，説明を求め，また，実地調査を行いました。
	2号	129条1項2号	事業報告およびその附属明細書が法令または定款に従い当該株式会社の状況を正しく示しているかどうかについての意見	事業報告及びその附属明細書は法令及び定款に従い当社の状況を正しく表示しています。
		同3号	当該株式会社の取締役の職務の遂行に関し，不正の行為または法令若しくは定款に違反する重大な事実があったときは，その事実	取締役の職務の遂行に関し，不正の行為又は法令若しくは定款に違反する重大な事実はありません。
		同4号	監査のため必要な調査ができなかったときは，その旨およびその理由	―
		同5号	第118条第2号に掲げる事項（監査の範囲に属さないものを除く。）がある場合において，当該事項の内容が相当でないと認めるときは，その旨およびその理由	当社の業務の適正を確保するために必要な体制の整備等についての取締役会の決議の内容は相当であり，当該体制の運用状況につき指摘すべき事項はありません。
		同6号	第118条3号に規定する事項（当該株式会社の財務および事業の方針の決定を支配する者の在り方に関する基本方針の内容の概要等）が事業報告の内容となっているときは，当該事項についての意見	当社の財務および事業の方針の決定を支配する者の在り方に関する基本方針の内容および当社と当社の親会社等との間の取引にかかる事項等についても，指摘すべき事項はありません。
			第118条5号に規定する事項（親会社等との間の取引に当たり留意した事項等）が事業報告または附属明細書の内容となっているときは，当該事項についての意見	
	3号		監査役会監査報告を作成した日	○年○月○日
会社計算規則128条2項	1号		監査役および監査役会の監査の方法およびその内容	（事業報告に関する監査の方法およびその内容と一体的に記載）
	2号	127条2号	会計監査人の監査の方法または結果が相当でないと認めたときは，その旨およびその理由	会計監査人○○監査法人の監査の方法及び結果は相当です。
		同3号	重要な後発事象（会計監査報告の内容となっているものを除く）	
		同4号	会計監査人の職務の遂行が適正に実施されることを確保するための体制に関する事項	会計監査人の職務の遂行が適正に実施されることを確保するための体制に関しては，会計監査人より監査に関する品質管理基準（平成17年10月28日企業会計審議会）等にしたがって整備している旨の通知を受けました。
		同5号	監査のため必要な調査ができなかったときは，その旨およびその理由	―
	3号		監査役会監査報告を作成した日	○年○月○日

要はない。

　また,「概要」ではなく「内容」であることから, 法令上求められる記載事項の具体性または詳細さは異なると理解すべきであるが, 具体的には解釈に委ねられている。

　旧商法下では, 子会社調査権を行使した場合は, その方法と結果が監査報告書の記載事項とされていたが, 会社法下では記載事項としては具体的にあげられていない。その趣旨は, 不要というものではなく, これに限定されないとのことであるから（相澤哲＝和久友子・前掲98頁), 子会社をかかえる上場会社の多くでは「監査の方法およびその内容」として一定の記載がなされる例が多いと思われる。

　監査役会の監査報告の中でも, 監査役会の監査の方法等だけではなく, 監査役の監査の方法等の記載が求められている。監査役の監査の方法等は, 監査役の監査報告の記載事項でもあるが, 監査役会の監査報告では, 記載される監査を実施した監査役が誰かまで特定できる必要はない。

　なお, 監査の方法に関連して, オンライン会議ツール等を活用した新たな監査手法（リモート監査）などを導入した場合,「電話回線又はインターネット等を経由した手段も活用しながら」,「子会社の取締役及び監査役等とオンライン形式で意思疎通及び情報の交換を図り」などといった記載を行うことも考えられる。

第3　後発事象

　重要な後発事象については, 旧商法下においては, 時期的に営業報告書や会計監査人の監査報告書に記載することができなかった事項は監査役会の監査報告書に記載を要すると解されていた。会社法下でも, 会計監査人の監査後に重要な後発事象が生じたり, 監査役がこれを知った場合を想定し, 監査役会の監査報告記載事項と位置付けられている。

　旧商法下では,「後発事象」という概念は商法上の用語ではないものの, 決

算期後に生じた「会社の状況に関する重要な事実」(旧商法施行規則103条1項11号)を一般に意味し,このうち,会計監査人の監査報告の記載事項となりうるのは「会社の財産又は損益の状態に重要な影響を及ぼすもの」(旧商法施行規則129条)に限られると整理されていた。しかし,会社法下では「後発事象」の概念は,定義規定自体はないものの,注記表の記載事項と整理されたことから(計算規則98条1項17号),当然,単体および連結の貸借対照表,損益計算書,株主資本等変動計算書に関連する事項に限られることとなる。したがって,注記表に本来記載を要しない事項であれば,監査役会の監査報告の法定記載事項ではないこととなる。

第4 個別の記載事項

(1) 内部統制システム関係

会社法施行規則118条第2号に掲げる事項(監査の範囲に属さないものを除く)がある場合において,当該事項の内容が相当でないと認めるときに限り,その旨およびその理由の記載が求められる。

内部統制システムについては,決議の内容の概要に加え,事業報告に記載されている内部統制システムの基本方針に関する決議の内容または運用状況の概要の内容が「相当でないと認めるとき」は,その旨およびその理由を記載しなければならない(施行規則130条2項2号・129条1項5号)。

相当と認める場合は記載は求められないが,監査対象としての重要性から,経団連モデルでは相当である場合はその旨を明記している。ただし,簡略に記載することが容易でないことから,相当である理由までは記載していない。

(2) 財務および事業の方針の決定を支配する者の在り方に関する基本方針関係

事業報告の内容に,財務および事業の方針の決定を支配する者の在り方に

関する基本方針の内容の概要等が含まれている場合は、その評価にかかわらず意見の記載が求められる（施行規則130条2項2号・129条1項6号）。基本方針の内容の概要等に関する監査の具体的内容・位置付けについては、必ずしも明確ではないが、監査役会として特段の意見がない場合は、「指摘すべき事項がない」旨の記載をすることが考えられる。

(3) 親会社等との間の取引関係

事業報告作成会社と親会社等との取引であって、計算書類に関連当事者との取引に関する注記を要するものについては、当該取引をするに当たり当該株式会社の利益を害さないよう留意した事項、当該取引が当該株式会社の利益を害さないかどうかについての取締役会の判断およびその理由等を事業報告または附属明細書に記載されるため、事業報告または附属明細書に該当する記載が存する場合には、当該事項についての意見を記載しなければならない（施行規則130条2項2号・129条1項6号）。この場合も、(2)と同様、監査役会として特段の意見がない場合は、「指摘すべき事項がない」旨の記載をすることが考えられる。

(4) 会計監査人の職務の遂行が適正に実施されることを確保するための体制に関する事項

「会計監査人の職務の遂行が適正に実施されることを確保するための体制に関する事項」は、会社計算規則131条に列挙される特定監査役に対する会計監査報告の内容の通知に際して、併せて通知される事項に関する記載事項である。通知事項をそのまま監査報告に記載する必要はなく、適切にまとめた内容や、特に強調すべき事項または明らかにしておくことが適切であると考えられる事項（相澤哲＝和久友子・前掲102頁）を記載すれば足りる。通知された事項についての問題があると評価した場合は、監査の方法およびその内容の箇所で、この「会計監査人の職務の遂行が適正に実施されることを確保するための体制に関する事項」として記載することも、監査の結果の箇所で、会

計監査人の監査の方法または結果が相当でない理由（計算規則128条2項2号・127条2号）として言及することも考えられる。

第5　監査報告の宛先

　監査報告の宛先は法定記載事項ではない。これを記載する場合，事業報告および計算関係書類の監査報告に共通する通知先である特定取締役とすることがまず考えられる。その他には，計算関係書類に関する監査報告を独立して作成する場合は，特定取締役と会計監査人の二者を宛先とすることも考えられる。また監査報告に記載する「宛先」と法務省令で定める監査報告の通知する先とは必ずしも一致する必要はないことから，監査報告に基づき最終的に計算関係書類と事業報告等を承認する取締役会を宛先とすることや，従来の慣行等を考慮して代表取締役を宛先とすることも可能である。

第6　各監査役の監査報告書

　監査役会の監査報告と各監査役の監査報告を一体的に作成しない場合は，監査役会の監査報告以外に，各監査役の監査報告を作成する必要がある。監査役会の監査報告と各監査役の監査報告を一体的に作成する場合は，各監査役および監査役会の監査の方法・内容が明示されるように作成することが望ましいと考えられているが，一通の監査報告の中でこれらを明示するのは必ずしも容易ではないことから，株主に提供する必要がある監査役会の監査報告と，各監査役の監査報告を，個別に作成することも考えられる。
　なお，この場合も，監査役が複数存する場合は，各監査役の監査報告を一体的に作成することは可能である。
　監査の方法およびその内容の記載はある程度抽象的にならざるをえないから，常勤の監査役の監査報告と監査役会の監査報告において，監査の方法およびその内容の記載が類似することも十分考えられる。その場合も，監査役

が分担した業務の内容を記載することが考えられる。また，異なる意見がない限り，監査の結果の部分は監査役会の監査報告と同一となる。

監査役会での報告や協議は，各監査役の監査の一環でもあり，監査報告に記載することも考えられる。

記載例としては次のものが考えられる。各監査役の監査報告を個別に作成した場合であり，常勤監査役を念頭に置いたものである。

(参考例)

〇年〇月〇日

監査報告

〇〇株式会社
監査役　〇〇〇

　第〇期事業年度の事業報告，計算書類，これらの附属明細書，連結計算書類その他取締役の職務の執行の監査について，次のとおり報告します。

1　監査の方法およびその内容

　監査役会が定めた監査方針，監査基準および監査計画に基づき，私は〇〇の分野を中心に調査をし，その結果を監査役会で報告および協議して，監査を実施しました。監査にあたっては，監査役室の職員を補助として使用し，内部監査部と連携して調査等を行いました。

　具体的には，取締役会その他の重要な会議に出席し，重要な決裁文書や報告書を閲覧し，当社の取締役等および会計監査人から，職務の執行状況等について定期的に報告を受け，また，随時説明を求めるとともに，海外拠点を含む事業所に赴き実地調査を行いました。

　当社子会社についても，取締役等から報告を受け，説明を求め，また，実地調査を行いました。

　会計監査人の職務の遂行が適正に実施されることを確保するための体制に関しては，会計監査人より監査に関する品質管理基準（平成17年10月28日企業会計審議会）等にしたがって整備している旨の通知を受けました。

2 監査の結果
　(1) 事業報告およびその附属明細書は法令および定款に従い当社の状況を正しく表示しています。
　(2) 取締役の職務の遂行に関し，不正の行為または法令若しくは定款に違反する重大な事実はありません。
　(3) 当社の業務の適正を確保するために必要な体制の整備等についての取締役会決議の内容は相当であり，当該体制の運用状況につき指摘すべき事項はありません。
　(4) 当社の財務および事業の方針の決定を支配する者の在り方に関する基本方針の内容および当社と当社の親会社等との間の取引にかかる事項等についても，指摘すべき事項はありません。
　(5) 会計監査人○○監査法人の監査の方法および結果は相当です。

3 会計監査報告の内容となっていない重要な後発事象

以上

第3節 一般的な上場会社（監査等委員会設置会社）の監査等委員会の監査報告

経団連モデル

> 2．機関設計が「取締役会＋監査等委員会＋会計監査人」であり連結計算書類を作成する会社
>
> ［記載例］
>
> 　　　　　　　　　　　　　　　　　　　　　　　　　　　〇年〇月〇日
>
> 　　　　　　　　　　　監査等委員会監査報告
>
> 　　　　　　　　　　　　　　　　　　　　　〇〇株式会社監査等委員会
> 　　　　　　　　　　　　　　　　　　　　　　監査等委員　〇〇
> 　　　　　　　　　　　　　　　　　　　　　　監査等委員　〇〇
> 　　　　　　　　　　　　　　　　　　　　　　監査等委員　〇〇
>
> 　第〇期事業年度の事業報告，計算書類，これらの附属明細書，連結計算書類その他取締役の職務の執行の監査について，次のとおり報告します。
>
> 1　監査等委員会の監査の方法及びその内容
> 　当監査等委員会が監査方針，監査基準及び監査計画を定めた上で，各監査等委員が分担して，必要な調査を行い，その結果を監査等委員会で報告及び協議して，監査を実施しました。監査にあたっては，監査等委員会室の職員を補助として使用し，内部監査部と連携して調査等を行いました。
> 　具体的には，取締役会その他の重要な会議に出席し，重要な決裁文書や報告書を閲覧し，当社の取締役等及び会計監査人から，職務の執行状況等につ

いて定期的に報告を受け，また，随時説明を求めるとともに，海外拠点を含む事業所に赴き実地調査を行いました。

当社子会社についても，取締役等から報告を受け，説明を求め，また，実地調査を行いました。

会計監査人の職務の遂行が適正に実施されることを確保するための体制に関しては，会計監査人より監査に関する品質管理基準（平成17年10月28日企業会計審議会）等にしたがって整備している旨の通知を受けました。

なお，監査等委員○○及び○○は社外取締役です。

2 監査の結果
 (1) 事業報告及びその附属明細書は法令及び定款に従い当社の状況を正しく表示しています。
 (2) 取締役の職務の遂行に関し，不正の行為又は法令若しくは定款に違反する重大な事実はありません。
 (3) 当社の業務の適正を確保するために必要な体制の整備等についての取締役会の決議の内容は相当であり，当該体制の運用状況につき指摘すべき事項はありません。
 (4) 当社の財務及び事業の方針の決定を支配する者の在り方に関する基本方針の内容及び当社と当社の親会社等との間の取引にかかる事項等についても，指摘すべき事項はありません。
 (5) 会計監査人○○監査法人の監査の方法及び結果は相当です。

3 会計監査報告の内容となっていない重要な後発事象

4 監査等委員○○の意見

以上

(記載上の注意)
(1) 本記載例は，会社法施行規則第130条の2の監査報告と，会社計算規則第128条の2の監査報告とを一体的に作成したものである。
(2) 監査役会と異なり，監査等委員会では各監査等委員が監査報告を作成する必要はない。監査報告の内容となるのも，各監査等委員の監査の方法又はその内容ではなく，監査等委員会の監査の方法及びその内容である。

(3) しかし，監査等委員は，監査報告の内容と自らの意見が異なる場合には，自らの意見を監査報告に付記することができる。

(4) 監査報告の作成日は，監査報告の内容としなければならない（会社法施行規則第130条の2第1項第3号，会社計算規則第128条の2第1項第3号）。

(5) 表題は法令上の表現（「監査報告」）でも，慣行から一般に理解可能な表題（例えば「監査報告書」）でも，その他の表現（例えば「監査等委員会監査報告」）でも良い。

(6) 宛先の記載は監査報告の法定記載事項ではない。記載する場合は，適宜の取扱いで差し支えない。

(7) 監査報告には，監査の方法及びその内容の記載が求められるため，各社の監査の実情に合わせた記載が必要となる。

(8) 会計監査人は会計監査報告の内容の通知に際して，会計監査人自身のいわゆる内部統制に関する事項の通知が義務づけられており（会社計算規則第131条），監査等委員会の監査報告の内容に「会計監査人の職務の遂行が適正に実施されることを確保するための体制に関する事項」が含まれている（会社計算規則第128条の2第1項第2号，同第127条第4号）。具体的には，通知を受けた体制の概要やその体制に問題がある場合における問題点を内容とすることが考えられる。

(9) 業務の適正を確保するために必要な体制の整備についての決議の内容の概要及び当該体制の運用状況の概要の記載が事業報告にあり，当該内容が相当でないと認める場合は，その旨及び理由が監査等委員会の監査報告の内容となる（会社法施行規則第130条の2第1項第2号，同第129条第1項第5号）。内容が相当と認める場合は，監査等委員会の監査報告の内容とする必要がないが，相当である旨の記載等をすることも考えられる。

(10) 株式会社の財務及び事業の方針の決定を支配する者の在り方に関する基本方針を定めている場合は，基本方針の内容の概要等が事業報告の内容となり（会社法施行規則第118条第3号），同時に，当該事項についての意見が監査等委員会の監査報告の内容となる（会社法施行規則第130条の2第1項第2号，同第129条第1項第6号）。

(11) 株式会社とその親会社等との間の取引に係る会社法施行規則第118条第5号所定の事項（当該株式会社の利益を害さないように留意した事項等）が

第3節　一般的な上場会社（監査等委員会設置会社）の監査等委員会の監査報告

> 事業報告又は事業報告の附属明細書の内容となっている場合も，当該事項についての意見が監査等委員会監査報告の内容となる（会社法施行規則第130条の2第1項第2号，同第129条第1項第6号）。
> (12) 会計監査報告の内容となっていない重要な後発事象は監査報告の内容となる（会社計算規則第128条の2第1項第2号，同第127条第3号）。監査報告に記載が求められる重要な後発事象は，計算関係書類に関する事象に限られる。

第1　法定記載事項と経団連モデルの記載事項との対比

　監査報告の記載事項は，会社法施行規則130条の2と会社計算規則128条の2に基づく。各条の定めとモデルの記載内容との対応関係は，表2のとおりである。

表2

		法令上の記載事項		ひな型の記載例の該当部分
会社法施行規則130条の2第1項	1号		監査等委員会の監査の方法およびその内容	当監査等委員会が監査方針，監査基準および監査計画を定めた上で，各監査等委員が分担して，必要な調査を行い，その結果を監査等委員会で報告および協議して，監査を実施しました。監査にあたっては，監査等委員会室の職員を補助として使用し，内部監査部と連携して調査等を行いました。 具体的には，取締役会その他の重要な会議に出席し，重要な決裁文書や報告書を閲覧し，当社の取締役等および会計監査人から，職務の執行状況等について定期的に報告を受け，また，随時説明を求めるとともに，海外拠点を含む事業所に赴き実地調査を行いました。 当社子会社についても，取締役等から報告を受け，説明を求め，また，実地調査を行いました
	2号	129条1項2号	事業報告およびその附属明細書が法令または定款に従い当該株式会社の状況を正しく示しているかどうかについての意見	事業報告およびその附属明細書は法令および定款に従い当社の状況を正しく表示しています。

833

		同3号	当該株式会社の取締役の職務の遂行に関し，不正の行為または法令もしくは定款に違反する重大な事実があったときは，その事実	取締役の職務の遂行に関し，不正の行為または法令若しくは定款に違反する重大な事実はありません。
		同4号	監査のため必要な調査ができなかったときは，その旨およびその理由	―
		同5号	第118条第2号に掲げる事項（監査の範囲に属さないものを除く。）がある場合において，当該事項の内容が相当でないと認めるときは，その旨およびその理由	当社の業務の適正を確保するために必要な体制の整備等についての取締役会の決議の内容は相当であり，当該体制の運用状況につき指摘すべき事項はありません。
		同6号	第118条第3号に規定する事項（当該株式会社の財務および事業の方針の決定を支配する者の在り方に関する基本方針の内容の概要等）が事業報告の内容となっているときは，当該事項についての意見	当社の財務および事業の方針の決定を支配する者の在り方に関する基本方針の内容および当社と当社の親会社等との間の取引にかかる事項等についても，指摘すべき事項はありません。
			第118条5号に規定する事項（親会社等との間の取引に当たり留意した事項等）が事業報告または附属明細書の内容となっているときは，当該事項についての意見	
	3号		監査等委員会の監査報告を作成した日	○年○月○日
会社計算規則128条の2第1項	1号		監査等委員会の監査の方法およびその内容	（事業報告に関する監査の方法およびその内容と一体的に記載）
	2号	127条2号	会計監査人の監査の方法または結果が相当でないと認めたときは，その旨およびその理由	会計監査人○○監査法人の監査の方法および結果は相当です。
		同3号	重要な後発事象（会計監査報告の内容となっているものを除く。）	―
		同4号	会計監査人の職務の遂行が適正に実施されることを確保するための体制に関する事項	会計監査人の職務の遂行が適正に実施されることを確保するための体制に関しては，会計監査人より監査に関する品質管理基準（平成17年10月28日企業会計審議会）等にしたがって整備している旨の通知を受けました。
		同5号	監査のため必要な調査ができなかったときは，その旨およびその理由	―
	3号		監査等委員会の監査報告を作成した日	○年○月○日

第3節　一般的な上場会社（監査等委員会設置会社）の監査等委員会の監査報告

第2　監査役会の監査報告との相違点

　監査報告記載事項についての留意点は，前述の監査役会監査報告とほぼ共通である。

　相違点は次のとおりである。

① 　監査等委員の監査報告は不要であること
② 　監査等委員の監査の方法等の記載も不要であること
③ 　監査等委員会において，常勤の監査等委員を定めることは必須ではないが，任意にこれを選定することはできる。常勤の監査等委員が選定されている場合には，社外取締役の明示と合わせて「なお，監査等委員○○は常勤の監査等委員であり，監査等委員○○および○○は社外取締役です。」といった記載をすることが考えられる。

第4節

一般的な上場会社（指名委員会等設置会社）の監査委員会の監査報告

経団連モデル

> 3. 機関設計が「取締役会＋監査委員会＋会計監査人」であり連結計算書類を作成する会社
>
> ［記載例］
>
> 〇年〇月〇日
>
> 監査委員会監査報告
>
> 〇〇株式会社監査委員会
> 監査委員　〇〇
> 監査委員　〇〇
> 監査委員　〇〇
>
> 　第〇期事業年度の事業報告，計算書類，これらの附属明細書，連結計算書類その他執行役等の職務の執行の監査について，次のとおり報告します。
>
> 1　監査委員会の監査の方法及びその内容
> 　当監査委員会が監査方針，監査基準及び監査計画を定めた上で，各監査委員が分担して，必要な調査を行い，その結果を監査委員会で報告及び協議して，監査を実施しました。監査にあたっては，監査委員会室の職員を補助として使用し，内部監査部と連携して調査等を行いました。

第4節 一般的な上場会社(指名委員会等設置会社)の監査委員会の監査報告

　具体的には,取締役会その他の重要な会議に出席し,重要な決裁文書や報告書を閲覧し,当社の執行役等及び会計監査人から,職務の執行状況等について定期的に報告を受け,また,随時説明を求めるとともに,海外拠点を含む事業所に赴き実地調査を行いました。

　当社子会社についても,執行役等から報告を受け,説明を求め,また,実地調査を行いました。

　会計監査人の職務の遂行が適正に実施されることを確保するための体制に関しては,会計監査人より監査に関する品質管理基準(平成17年10月28日企業会計審議会)等にしたがって整備している旨の通知を受けました。

　なお,監査委員○○及び○○は社外取締役です。

2　監査の結果
　(1) 事業報告及びその附属明細書は法令及び定款に従い当社の状況を正しく表示しています。
　(2) 取締役及び執行役の職務の遂行に関し,不正の行為又は法令若しくは定款に違反する重大な事実はありません。
　(3) 当社の業務の適正を確保するために必要な体制の整備等についての取締役会の決議の内容は相当であり,当該体制の運用状況につき指摘すべき事項はありません。
　(4) 当社の財務及び事業の方針の決定を支配する者の在り方に関する基本方針の内容及び当社と当社の親会社等との間の取引にかかる事項等についても,指摘すべき事項はありません。
　(5) 会計監査人○○監査法人の監査の方法及び結果は相当です。

3　会計監査報告の内容となっていない重要な後発事象

4　監査委員○○の意見

以上

(記載上の注意)
(1) 本記載例は,会社法施行規則第131条の監査報告と,会社計算規則第

129条の監査報告とを一体的に作成したものである。
(2) 監査役会と異なり，監査委員会では各監査委員が監査報告を作成する必要はない。監査報告の内容となるのも，各監査委員の監査の方法又はその内容ではなく，監査委員会の監査の方法及びその内容である。
(3) しかし，監査委員は，監査報告の内容と自らの意見が異なる場合には，自らの意見を監査報告に付記することができる。
(4) 監査報告の作成日は，監査報告の内容としなければならない（会社法施行規則第131条第1項第3号，会社計算規則第129条第1項第3号）。
(5) 表題は法令上の表現（「監査報告」）でも，慣行から一般に理解可能な表題（例えば「監査報告書」）でも，その他の表現（例えば「監査委員会監査報告」）でも良い。
(6) 宛先の記載は監査報告の法定記載事項ではない。記載する場合は，適宜の取扱いで差し支えない。
(7) 監査報告には，監査の方法及びその内容の記載が求められるため，各社の監査の実情に合わせて記載することとなる。
(8) 会計監査人は会計監査報告の内容の通知に際して，会計監査人自身のいわゆる内部統制に関する事項の通知が義務づけられており（会社計算規則第131条），監査委員会の監査報告の内容として「会計監査人の職務の遂行が適正に実施されることを確保するための体制に関する事項」が含まれている（会社計算規則第129条第1項第2号，同第127条第4号）。具体的には，通知を受けた体制の概要やその体制に問題がある場合における問題点を内容とすることが考えられる。
(9) 業務の適正を確保するために必要な体制の整備についての決議の内容の概要及び当該体制の運用状況の概要の記載が事業報告にあり，当該内容が相当でないと認める場合は，その旨及び理由が監査委員会の監査報告の内容となる（会社法施行規則第131条第1項第2号，同第129条第1項第5号）。内容が相当と認める場合は，監査委員会の監査報告の内容とする必要がないが，相当である旨の記載等をすることも考えられる。
(10) 株式会社の財務及び事業の方針の決定を支配する者の在り方に関する基本方針を定めている場合は，基本方針の内容の概要等が事業報告の内容となり（会社法施行規則第118条第3号），同時に，当該事項についての意

> 見が監査委員会の監査報告の内容となる（会社法施行規則第131条第1項第2号，同第129条第1項第6号）。
> (11) 株式会社とその親会社等との間の取引に係る会社法施行規則第118条第5号所定の事項（当該株式会社の利益を害さないように留意した事項等）が事業報告又は事業報告の附属明細書の内容となっている場合も，当該事項についての意見が監査委員会監査報告の内容となる（会社法施行規則第131条第1項第2号，同第129条第1項第6号）。
> (12) 会計監査報告の内容となっていない重要な後発事象は監査報告の内容となる（会社計算規則第129条第1項第2号，同第127条第3号）。監査報告に記載が求められる重要な後発事象は，計算関係書類に関する事象に限られる。

第1　法定記載事項と経団連モデルの記載事項との対比

監査報告の記載事項は，会社法施行規則131条と会社計算規則129条に基づく。各条の定めとモデルの記載内容との対応関係は，表3のとおりである。

第2　監査役会の監査報告との相違点

監査報告記載事項についての留意点は，前述の監査役会監査報告とほぼ共通である。

相違点は次のとおりである。
① 監査委員の監査報告は不要であること
② 監査委員の監査の方法等の記載も不要であること
③ 執行役が存することに伴う相違点
④ 監査委員会において，常勤の監査委員を定めることは必須ではないが，任意にこれを選定することはできる。常勤の監査委員が選定されている場合には，社外取締役の明示と合わせて「なお，監査委員○○は常勤の

監査委員であり,監査委員○○および○○は社外取締役です。」といった記載をすることが考えられる。

第3 宛　　先

　監査報告の宛先についても,基本的に監査役会の監査報告と同様であるが,特定取締役には執行役も該当しうること（施行規則132条,計算規則130条）と,代表取締役概念が存しないことが指摘できる。

第4節　一般的な上場会社（指名委員会等設置会社）の監査委員会の監査報告

表3

			法令上の記載事項	ひな型の記載例の該当部分
会社法施行規則131条1項	1号		監査委員会の監査の方法およびその内容	当監査委員会が監査方針，監査基準及び監査計画を定めた上で，各監査委員が分担して，必要な調査を行い，その結果を監査委員会で報告及び協議して，監査を実施しました。監査にあたっては，監査委員会室の職員を補助として使用し，内部監査部と連携して調査等を行いました。具体的には，取締役会その他の重要な会議に出席し，重要な決裁文書や報告書を閲覧し，当社の執行役等及び会計監査人から，職務の執行状況等について定期的に報告を受け，また，随時説明を求めるとともに，海外拠点を含む事業所に赴き実地調査を行いました。当社子会社についても，執行役等から報告を受け，説明を求め，また，実地調査を行いました。
	2号	129条1項2号	事業報告およびその附属明細書が法令または定款に従い当該株式会社の状況を正しく示しているかどうかについての意見	事業報告及びその附属明細書は法令及び定款に従い当社の状況を正しく表示しています。
		同3号	当該株式会社の取締役・執行役の職務の遂行に関し，不正の行為または法令もしくは定款に違反する重大な事実があったときは，その事実	取締役及び執行役の職務の遂行に関し，不正の行為又は法令若しくは定款に違反する重大な事実はありません。
		同4号	監査のため必要な調査ができなかったときは，その旨およびその理由	—
		同5号	第118条第2号に掲げる事項（監査の範囲に属さないものを除く。）がある場合において，当該事項の内容が相当でないと認めるときは，その旨およびその理由	当社の業務の適正を確保するために必要な体制の整備等についての取締役会の決議の内容は相当であり，当該体制の運用状況につき指摘すべき事項はありません。
		同6号	第118条3号に規定する事項（当該株式会社の財務および事業の方針の決定を支配する者の在り方に関する基本方針の内容の概要等）が事業報告の内容となっているときは，当該事項についての意見 第118条5号に規定する事項（親会社等との間の取引に当たり留意した事項等）が事業報告または附属明細書の内容となっているときは，当該事項についての意見	当社の財務および事業の方針の決定を支配する者の在り方に関する基本方針の内容および当社と当社の親会社等との間の取引にかかる事項等についても，指摘すべき事項はありません。
	3号		監査委員会の監査報告を作成した日	○年○月○日
会社計算規則129条1項	1号		監査委員会の監査の方法およびその内容	（事業報告に関する監査の方法およびその内容と一体的に記載）
	2号	127条2号	会計監査人の監査の方法または結果が相当でないと認めたときは，その旨およびその理由	会計監査人○○監査法人の監査の方法及び結果は相当です。
		同3号	重要な後発事象（会計監査報告の内容となっているものを除く。）	—
		同4号	会計監査人の職務の遂行が適正に実施されることを確保するための体制に関する事項	会計監査人の職務の遂行が適正に実施されることを確保するための体制に関しては，会計監査人より監査に関する品質管理基準（平成17年10月28日企業会計審議会）等にしたがって整備している旨の通知を受けました。
		同5号	監査のため必要な調査ができなかったときは，その旨およびその理由	—
	3号		監査委員会の監査報告を作成した日	○年○月○日

第Ⅹ章 監査報告

第5節

その他の会社の監査報告

第1 機関設計が「取締役会＋監査役」であり，監査役の監査の範囲を会計に関するものに限定しない会社

経団連モデル

> 4．機関設計が「取締役会＋監査役」であり，監査役の監査の範囲を会計に関するものに限定しない会社
>
> ［記載例］
>
> 　　　　　　　　　　　　　　　　　　　　　　　　　　○年○月○日
> 　　　　　　　　　監査役監査報告
> 　　　　　　　　　　　　　　　　　　　　　　　　　　○○株式会社
> 　　　　　　　　　　　　　　　　　　　　　　　　　　監査役　○○
> 　　　　　　　　　　　　　　　　　　　　　　　　　　監査役　○○
>
> 　第○期事業年度の事業報告，計算書類，これらの附属明細書その他取締役の職務執行の監査について，次のとおり報告します。
>
> 1　監査の方法及びその内容
> 　監査役間の協議により，監査方針，監査基準及び監査計画を定めた上で，監査役○○は××の分野を中心に，監査役○○は△△の分野を中心に調査を行い，その結果を監査役間で協議して，監査を実施しました。監査にあたっ

ては，総務部及び経理部の職員を補助として使用して調査等を行いました。
　具体的には，取締役会その他の重要な会議に出席し，会計帳簿，会計書類，重要な決裁文書及び報告書を閲覧し，当社の取締役等から，職務の執行状況等について定期的に報告を受け，また，随時説明を求めるとともに，海外拠点を含む事業所に赴き実地調査を行いました。

2　監査の結果
　(1) 事業報告及びその附属明細書は法令及び定款に従い当社の状況を正しく表示しています。
　(2) 取締役の職務の遂行に関し，不正の行為又は法令若しくは定款に違反する重大な事実はありません。
　(3) 当社の業務の適正を確保するために必要な体制の整備等についての取締役会の決議の内容は相当であり，当該体制の運用状況につき指摘すべき事項はありません。
　(4) 当社の財務及び事業の方針の決定を支配する者の在り方に関する基本方針の内容及び当社と当社の親会社等との間の取引にかかる事項等についても，指摘すべき事項はありません。
　(5) 計算書類とその附属明細書は当社の財産及び損益の状況をすべての重要な点において適正に表示しています。

3　追記情報

以上

（記載上の注意）
(1) 各監査役の監査報告を，一体的に作成し，形式上一通の監査報告書という形で作成してもよい。その場合は，各監査役の監査の方法・内容が明示されるように作成することが望ましい。
(2) 本記載例は，会社法施行規則第129条に基づく監査報告と，会社計算規則第122条に基づく監査報告とを一体的に作成したものである。
(3) 監査報告の作成日は，監査報告の内容としなければならない（会社法施行規則第129条第1項第7号，会社計算規則第122条第1項第5号）。

(4) 表題は法令上の表現（「監査報告」）でも，慣行から一般に理解可能な表題（例えば「監査報告書」）でも良い。
(5) 宛先の記載は監査報告の法定記載事項ではない。記載する場合は，適宜の取扱いで差し支えない。
(6) 監査報告には，監査の方法及びその内容の記載が求められるため，各社の監査の実情に合わせた記載が必要となる。
(7) 会計監査人が存しない会社では，監査役が会計監査の中心であり，監査の方法及びその内容においても，会計監査についてのより具体的な記載が求められよう。
(8) 業務の適正を確保するために必要な体制の整備についての決議の内容の概要及び当該体制の運用状況の概要の記載が事業報告にあり，当該内容が相当でないと認める場合は，その旨及び理由が監査報告の内容となる（会社法施行規則第129条第1項第5号）。内容が相当と認める場合は，監査報告の内容とする必要がないが，相当である旨の記載等をすることも考えられる。
(9) 株式会社の財務及び事業の方針の決定を支配する者の在り方に関する基本方針を定めている場合は，基本方針の内容の概要等が事業報告の内容となり（会社法施行規則第118条第3号），同時に，当該事項についての意見が監査報告の内容となる（会社法施行規則第129条第1項第6号）。
(10) 株式会社とその親会社等との間の取引に係る会社法施行規則第118条第5号所定の事項（当該株式会社の利益を害さないように留意した事項等）が事業報告又は事業報告の附属明細書の内容となっている場合も，当該事項についての意見が監査報告の内容となる（会社法施行規則第129条第1項第6号）。
(11) 監査報告に記載が求められる追記情報とは，①正当な理由による会計方針の変更，②重要な偶発事象，③重要な後発事象その他の事項のうち，監査役の判断に関して説明を付す必要がある事項又は計算関係書類の内容のうち強調する必要がある事項である（会社計算規則第122条第2項）。

監査報告のうち事業報告に関する内容は，会計監査人の存否に関係がないが，計算関係書類に関する内容は，会計監査人の存否により大きく異なる。
　具体的には，会計監査の主体が監査役となることから，監査の方法およびその内容として，会計監査に関するより具体的な記載が求められる。また，監査の結果において，「計算関係書類が会社の財産および損益の状況をすべての重要な点において適正に表示しているかどうかについての意見」を記載する必要がある。
　また，追記情報の記載も必要となる。会計監査人設置会社の監査役，監査役会，監査等委員会および監査委員会の監査報告にも，重要な後発事象の記載が必要であるが，会計監査報告の内容となっているものは除外され，結果として，通常は，会計監査報告提出後に発生ないし判明した重要な後発事象が記載されるにすぎないが，会計監査人設置会社でない場合は，追記情報として，正当な理由による会計方針の変更，重要な偶発事象，重要な後発事象その他の事項のうち，監査役の判断に関して説明を付す必要がある事項または計算関係書類の内容のうち強調する必要がある事項の記載が求められる。これは，基本的に会計監査報告と同様の趣旨で記載が求められているものである。ただし，会計監査報告における追記情報の対象となる継続企業の前提に係る事項は，監査役または監査役会の監査報告の記載事項とはされていない。
　計算関係書類に係る監査報告の記載事項を，類型別に整理したものが，**表4**である。

表4 計算関係書類に係る監査報告の記載事項の一覧

※引用条文はいずれも会社計算規則

	会計監査人設置会社以外		会計監査人設置会社				
	監査役	監査役会	会計監査人	監査役	監査役会	監査等委員会	監査委員会
	122条	123条	126条	127条	128条	128条の2	129条
監査の方法および内容	○	○	○	○	○	○	○
計算関係書類が会社の財産および損益の状況をすべての重要な点において適正に表示しているかどうかについての意見	○	○	○	×	×	×	×
前号の意見がないときは，その旨およびその理由	×	×	○	×	×	×	×
会計監査人の監査の方法または結果を相当でないと認めたときは，その旨およびその理由	×	×	×	○	○	○	○
会計監査人の職務の遂行が適正に実施されることを確保するための体制に関する事項	×	×	×	○	○	○	○
追記情報 継続企業の前提に係る事項	×	×	○	×	×	×	×
正当な理由による会計方針の変更	○	○	○	×	×	×	×
重要な偶発事象	○	○	○	×	×	×	×
重要な後発事象	○	○	○	(会計監査報告の内容となっているものは除く)			
監査のために必要な調査ができなかったときは，その旨およびその理由	○	○	×	○	○	○	○
監査報告を作成した日	○	○	○	○	○	○	○

第2　機関設計が「取締役＋監査役」であり，監査役の監査の範囲を会計に関するものに限定する会社

経団連モデル

5．機関設計が「取締役＋監査役」であり，監査役の監査の範囲を会計に関するものに限定する会社

［記載例］

〇年〇月〇日

監査役監査報告

〇〇株式会社
監査役　〇〇

　第〇期事業年度の計算書類とその附属明細書の監査について，次のとおり報告します。なお，当社では，監査役の監査の範囲を会計に関するものに限定する旨の定款の定めがあり，監査役は事業報告を監査する権限がありません。

1　監査の方法及びその内容
　会計帳簿その他会計に関する重要な文書を閲覧し，当社の取締役から，会計に関する職務の執行状況等について定期的に報告を受け，また，随時説明を求めました。

2　監査の結果
　計算書類とその附属明細書は当社の財産及び損益の状況をすべての重要な点において適正に表示しています。

3　追記情報

以上

第X章 監査報告

(記載上の注意)
(1) 監査の範囲が会計に関するものに限定される定款の定めがある場合は，監査報告にその旨の記載を要する（会社施行規則第129条第2項）。
(2) 監査報告の作成日は，監査報告の内容としなければならない（会社計算規則第122条第1項第5号）。
(3) 表題は法令上の表現（「監査報告」）でも，慣行から一般に理解可能な表題（例えば「監査報告書」）でも良い。
(4) 宛先の記載は監査報告の法定記載事項ではない。記載する場合は，適宜の取扱いで差し支えない。
(5) 監査報告には，監査の方法及びその内容の記載が求められるため，各社の監査の実情に合わせた記載が必要となる。
(6) 会計監査人が存しない会社では，監査役が会計監査の中心であり，監査の方法及びその内容においても，会計監査についてのより具体的な記載が求められよう。
(7) 監査報告に記載が求められる追記情報とは，①正当な理由による会計方針の変更，②重要な偶発事象，③重要な後発事象その他の事項のうち，監査役の判断に関して説明を付す必要がある事項又は計算関係書類の内容のうち強調する必要がある事項である（会社計算規則第122条第2項）。

第3 経団連モデルにない類型の監査報告の記載例

(1) 機関設計が「取締役会＋監査役会＋会計監査人」であり，連結計算書類を作成していない会社の監査役会監査報告

監査役会の監査報告とは別に各監査役の監査報告が作成される場合を想定した記載例は次のとおりである。なお，①業務の適正を確保するために必要な体制の整備についての決議の内容の概要および当該体制の運用状況の概要の記載が事業報告にあること，②当社の財務および事業の方針の決定を支配する者の在り方に関する基本方針を定めていること，および③関連当事者との取引に関する注記を要する親会社等との取引が存することを前提としている。

（参考例）

〇年〇月〇日

監査役会監査報告

〇〇株式会社監査役会
監査役　〇〇
監査役　〇〇
監査役　〇〇

第〇期事業年度の事業報告，計算書類，これらの附属明細書その他取締役の職務の執行の監査について，次のとおり報告します。

1　監査役および監査役会の監査の方法およびその内容

監査役会が監査方針，監査基準および監査計画を定めた上で，各監査役が分担して，必要な調査を行い，その結果を監査役会で報告および協議して，監査を実施しました。監査にあたっては，監査役室の職員を補助として使用し，内部監査部と連携して調査等を行いました。

具体的には，取締役会その他の重要な会議に出席し，重要な決裁文書や報告書を閲覧し，当社の取締役等および会計監査人から，職務の執行状況等について定期的に報告を受け，また，随時説明を求めるとともに，海外拠点を含む事業所に赴き実地調査を行いました。
　会計監査人の職務の遂行が適正に実施されることを確保するための体制に関しては，会計監査人より監査に関する品質管理基準（平成17年10月28日企業会計審議会）等に従って整備している旨の通知を受けました。
　なお，監査役○○は常勤監査役であり，監査役○○は社外監査役です。

2　監査の結果
　(1)　事業報告およびその附属明細書は法令および定款に従い当社の状況を正しく表示しています。
　(2)　取締役の職務の遂行に関し，不正の行為または法令もしくは定款に違反する重大な事実はありません。
　(3)　当社の業務の適正を確保するために必要な体制の整備等についての取締役会の決議の内容は相当であり，当該体制の運用状況につき指摘すべき事項はありません。
　(4)　当社の財務および事業の方針の決定を支配する者の在り方に関する基本方針の内容および当社と当社の親会社等との間の取引にかかる事項等についても指摘すべき事項はありません。
　(5)　会計監査人○○監査法人の監査の方法および結果は相当です。

3　会計監査報告の内容となっていない重要な後発事象

4　監査役○○の監査報告の内容

以上

(2) 機関設計が「取締役会＋監査等委員会＋会計監査人」であり，連結計算書類を作成していない会社の監査等委員会の監査報告

なお，①業務の適正を確保するために必要な体制の整備についての決議の内容の概要および当該体制の運用状況の概要の記載が事業報告にあること，②当社の財務および事業の方針の決定を支配する者の在り方に関する基本方針を定めていること，および③関連当事者との取引に関する注記を要する親会社等との取引が存することを前提としている。

（参考例）

〇年〇月〇日

監査等委員会監査報告

〇〇株式会社監査等委員会
監査等委員　〇〇
監査等委員　〇〇
監査等委員　〇〇

　第〇期事業年度の事業報告，計算書類，これらの附属明細書その他取締役の職務の執行の監査について，次のとおり報告します。

1　監査等委員会の監査の方法およびその内容
　当監査等委員会が監査方針，監査基準および監査計画を定めた上で，各監査等委員が分担して，必要な調査を行い，その結果を監査等委員会で報告および協議して，監査を実施しました。監査にあたっては，監査等委員会室の職員を補助として使用し，内部監査部と連携して調査等を行いました。
　具体的には，取締役会その他の重要な会議に出席し，重要な決裁文書や報告書を閲覧し，当社の取締役等および会計監査人から，職務の執行状況等について定期的に報告を受け，また，随時説明を求めるとともに，海外拠点を含む事業所に赴き実地調査を行いました。当社子会社についても，取締役等から報告を受け，説明を求め，また，実地調査を行いました。
　会計監査人の職務の遂行が適正に実施されることを確保するための体制に

関しては，会計監査人より監査に関する品質管理基準（平成17年10月28日企業会計審議会）等にしたがって整備している旨の通知を受けました。

なお，監査等委員○○および○○は社外取締役です。

2　監査の結果
  (1) 事業報告およびその附属明細書は法令および定款に従い当社の状況を正しく表示しています。
  (2) 取締役の職務の遂行に関し，不正の行為または法令若しくは定款に違反する重大な事実はありません。
  (3) 当社の業務の適正を確保するために必要な体制の整備等についての取締役会の決議の内容は相当であり，当該体制の運用状況につき指摘すべき事項はありません。
  (4) 当社の財務および事業の方針の決定を支配する者の在り方に関する基本方針の内容および当社と当社の親会社等との間の取引にかかる事項等についても，指摘すべき事項はありません。
  (5) 会計監査人○○監査法人の監査の方法および結果は相当です。

3　会計監査報告の内容となっていない重要な後発事象

4　監査等委員○○の意見

以上

(3) 機関設計が「取締役会＋監査委員会＋会計監査人」であり，連結計算書類を作成していない会社の監査委員会の監査報告

なお，①業務の適正を確保するために必要な体制の整備についての決議の内容の概要および当該体制の運用状況の概要の記載が事業報告にあること，②当社の財務および事業の方針の決定を支配する者の在り方に関する基本方針を定めていること，および③関連当事者との取引に関する注記を要する親会社等との取引が存することを前提としている。

(参考例)

　　　　　　　　　　　　　　　　　　　　　　　　　　○年○月○日
　　　　　　　監査委員会監査報告
　　　　　　　　　　　　　　　　　　　　　　　○○株式会社監査委員会
　　　　　　　　　　　　　　　　　　　　　　　　　監査委員　　○○
　　　　　　　　　　　　　　　　　　　　　　　　　監査委員　　○○
　　　　　　　　　　　　　　　　　　　　　　　　　監査委員　　○○

　第○期事業年度の事業報告，計算書類，これらの附属明細書その他執行役等の職務の執行の監査について，次のとおり報告します。

1　監査委員会の監査の方法およびその内容
　当監査委員会が監査方針，監査基準および監査計画を定めた上で，各監査委員が分担して，必要な調査を行い，その結果を監査委員会で報告および協議して，監査を実施しました。監査にあたっては，監査委員会室の職員を補助として使用し，内部監査部と連携して調査等を行いました。
　具体的には，取締役会その他の重要な会議に出席し，重要な決裁文書や報告書を閲覧し，当社の執行役等および会計監査人から，職務の執行状況等について定期的に報告を受け，また，随時説明を求めるとともに，海外拠点を含む事業所に赴き実地調査を行いました。
　会計監査人の職務の遂行が適正に実施されることを確保するための体制に関しては，会計監査人より監査に関する品質管理基準（平成17年10月28日企業会計審議会）等に従って整備している旨の通知を受けました。
　なお，監査委員○○および○○は社外取締役です。

2　監査の結果
　(1) 事業報告およびその附属明細書は法令および定款に従い当社の状況を正しく表示しています。
　(2) 取締役および執行役の職務の遂行に関し，不正の行為または法令もしくは定款に違反する重大な事実はありません。
　(3) 当社の業務の適正を確保するために必要な体制の整備等についての取締役会の決議の内容は相当であり，当該体制の運用状況につき指摘すべ

第X章 監査報告

　　き事項はありません。
　（4）当社の財務および事業の方針の決定を支配する者の在り方に関する基本方針の内容および当社と当社の親会社等との間の取引にかかる事項等についても，指摘すべき事項はありません。
　（5）会計監査人○○監査法人の監査の方法および結果は相当です。

3　会計監査報告の内容となっていない重要な後発事象

4　監査委員○○の意見

以上

---

(4) 機関設計が「取締役会＋監査役＋会計監査人」であり，連結計算書類を作成している会社の監査役の監査報告

　各監査役の監査報告を一体的に作成した場合の記載例である。なお，①業務の適正を確保するために必要な体制の整備についての決議の内容の概要および当該体制の運用状況の概要の記載が事業報告にあること，②当社の財務および事業の方針の決定を支配する者の在り方に関する基本方針を定めていること，および③関連当事者との取引に関する注記を要する親会社等との取引が存することを前提としている。

（参考例）

○年○月○日

監査報告

○○株式会社
監査役　○○
監査役　○○

　第○期事業年度の事業報告，計算書類，これらの附属明細書，連結計算書類その他取締役の職務の執行の監査について，次のとおり報告します。

1 監査の方法およびその内容
　監査役間の協議で決定した監査方針，監査基準および監査計画に基づき，監査役〇〇は〇〇の分野を中心に，監査役〇〇は〇〇の分野を中心に調査を行い，その結果を監査役間で協議して，監査を実施しました。監査にあたっては，総務部および経理部の職員を補助として使用し，調査等を行いました。
　具体的には，取締役会その他の重要な会議に出席し，重要な決裁文書や報告書を閲覧し，当社の取締役等および会計監査人から，職務の執行状況等について定期的に報告を受け，また，随時説明を求めるとともに，海外拠点を含む事業所に赴き実地調査を行いました。
　当社子会社についても，取締役等から報告を受け，説明を求め，また，実地調査を行いました。
　会計監査人の職務の遂行が適正に実施されることを確保するための体制に関しては，会計監査人より監査に関する品質管理基準（平成17年10月28日企業会計審議会）等に従って整備している旨の通知を受けました。

2 監査の結果
　(1) 事業報告およびその附属明細書は法令および定款に従い当社の状況を正しく表示しています。
　(2) 取締役の職務の遂行に関し，不正の行為または法令もしくは定款に違反する重大な事実はありません。
　(3) 当社の業務の適正を確保するために必要な体制の整備等についての取締役会の決議の内容は相当であり，当該体制の運用状況につき指摘すべき事項はありません。
　(4) 当社の財務および事業の方針の決定を支配する者の在り方に関する基本方針の内容および当社と当社の親会社等との取引にかかる事項等についても，指摘すべき事項はありません。
　(5) 会計監査人〇〇監査法人の監査の方法および結果は相当です。

3 会計監査報告の内容となっていない重要な後発事象

以上

第Ⅹ章 監査報告

(5) 機関設計が「取締役＋監査役＋会計監査人」であり，連結計算書類を作成していない会社の監査役の監査報告

　各監査役の監査報告を一体的に作成した場合の記載例である。なお，①業務の適正を確保するために必要な体制の整備についての決議の内容の概要および当該体制の運用状況の概要の記載が事業報告にあること，②当社の財務および事業の方針の決定を支配する者の在り方に関する基本方針を定めていること，および③関連当事者との取引に関する注記を要する親会社等との取引が存することを前提としている。

（参考例）

　　　　　　　　　　　　　　　　　　　　　　　　　　○年○月○日
　　　　　　　　　　　　監査報告
　　　　　　　　　　　　　　　　　　　　　　　　　　○○株式会社
　　　　　　　　　　　　　　　　　　　　　　　　　　監査役　○○
　　　　　　　　　　　　　　　　　　　　　　　　　　監査役　○○

　第○期事業年度の事業報告，計算書類，これらの附属明細書その他取締役の職務の執行の監査について，次のとおり報告します。

1　監査の方法およびその内容

　監査役間の協議で決定した監査方針，監査基準および監査計画に基づき，監査役○○は○○の分野を中心に，監査役○○は○○の分野を中心に調査を行い，その結果を監査役間で協議して，監査を実施しました。監査にあたっては，総務部および経理部の職員を補助として使用し，調査等を行いました。

　具体的には，経営幹部会その他の重要な会議に出席し，重要な決裁文書や報告書を閲覧し，当社の取締役等および会計監査人から，職務の執行状況等について定期的に報告を受け，また，随時説明を求めるとともに，○○事業所に赴き実地調査を行いました。

　会計監査人の職務の遂行が適正に実施されることを確保するための体制に関しては，会計監査人より監査に関する品質管理基準（平成17年10月28日企

業会計審議会）等に従って整備している旨の通知を受けました。

2 監査の結果
　(1) 事業報告およびその附属明細書は法令および定款に従い当社の状況を正しく表示しています。
　(2) 取締役の職務の遂行に関し，不正の行為または法令もしくは定款に違反する重大な事実はありません。
　(3) 当社の業務の適正を確保するために必要な体制の整備等についての取締役の決定の内容は相当であり，当該体制の運用状況につき指摘すべき事項はありません。
　(4) 当社の財務および事業の方針の決定を支配する者の在り方に関する基本方針の内容および当社と当社の親会社等との間の取引にかかる事項等についても，指摘すべき事項はありません。
　(5) 会計監査人○○監査法人の監査の方法および結果は相当です。

3 会計監査報告の内容となっていない重要な後発事象

以上

(6) 機関設計が「取締役会＋監査役会」である会社の監査役会監査報告

　監査役会の監査報告とは別に各監査役の監査報告が作成される場合を想定した記載例は次のとおりである。なお，①業務の適正を確保するために必要な体制の整備についての決議の内容の概要および当該体制の運用状況の概要の記載が事業報告にあること，②当社の財務および事業の方針の決定を支配する者の在り方に関する基本方針を定めていること，および③関連当事者との取引に関する注記を要する親会社等との取引が存することを前提としている。

第Ⅹ章 監査報告

(参考例)

○年○月○日

監査役会監査報告

○○株式会社監査役会
監査役 ○○
監査役 ○○
監査役 ○○

　第○期事業年度の事業報告，計算書類，これらの附属明細書その他取締役の職務の執行の監査について，次のとおり報告します。

1　監査役および監査役会の監査の方法およびその内容
　監査役会が監査方針，監査基準および監査計画を定めた上で，各監査役が分担して，必要な調査を行い，その結果を監査役会で報告および協議して，監査を実施しました。監査にあたっては，監査役室の職員を補助として使用し，内部監査部と連携して調査等を行いました。
　具体的には，取締役会その他の重要な会議に出席し，会計帳簿，会計書類，重要な決裁文書および報告書を閲覧し，当社の取締役等から，職務の執行状況等について定期的に報告を受け，また，随時説明を求めるとともに，○○事業所に赴き実地調査を行いました。
　なお，監査役○○は常勤監査役であり，監査役○○は社外監査役です。

2　監査の結果
　(1) 事業報告およびその附属明細書は法令および定款に従い当社の状況を正しく表示しています。
　(2) 取締役の職務の遂行に関し，不正の行為または法令もしくは定款に違反する重大な事実はありません。
　(3) 当社の業務の適正を確保するために必要な体制の整備等についての取締役会の決議の内容は相当であり，当該体制の運用状況につき指摘すべき事項はありません。

> (4) 当社の財務および事業の方針の決定を支配する者の在り方に関する基本方針の内容および当社と当社の親会社等との間の取引にかかる事項等についても，指摘すべき事項はありません。
> (5) 計算書類とその附属明細書は当社の財産および損益の状況をすべての重要な点において適正に表示しています。
>
> 3 追記情報
>
> 4 監査役○○の監査報告の内容
>
> 以上

(7) 機関設計が「取締役会＋監査役」であり，監査役の監査の範囲を会計に関するものに限定する会社の監査役の監査報告

> **(参考例)**
>
> ○年○月○日
>
> 監査役監査報告
>
> ○○株式会社
> 監査役 ○○
>
> 　第○期事業年度の計算書類とその附属明細書の監査について，次のとおり報告します。なお，当社では，監査役の監査の範囲を会計に関するものに限定する旨の定款の定めがあり，監査役は事業報告を監査する権限がありません。
>
> 1 監査の方法およびその内容
> 　会計帳簿その他会計に関する重要な文書を閲覧し，当社の取締役等から，会計に関する職務の執行状況等を定期的に報告を受け，また，随時説明を求めるとともに，事業所に赴き実地調査を行いました。

2 監査の結果

　計算書類とその附属明細書は当社の財産および損益の状況をすべての重要な点において適正に表示しています。

3 追記情報

以上

(8) 機関設計が「取締役＋監査役」であり，監査役の監査の範囲を会計に関するものに限定しない会社の監査役の監査報告

　①業務の適正を確保するために必要な体制の整備についての決議の内容の概要および当該体制の運用状況の概要の記載が事業報告にあること，②当社の財務および事業の方針の決定を支配する者の在り方に関する基本方針を定めていること，および③関連当事者との取引に関する注記を要する親会社等との取引が存することを前提としている。

（参考例）

○年○月○日

監査役監査報告

○○株式会社
監査役　○○

　第○期事業年度の事業報告，計算書類，これらの附属明細書その他取締役の職務執行の監査について，次のとおり報告します。

1 監査の方法およびその内容

　重要な会議に出席し，会計帳簿，会計書類，重要な決裁文書および報告書を閲覧し，当社の取締役等から，職務の執行状況等を定期的に報告を受け，また，随時説明を求めるとともに，事業所に赴き実地調査を行いました。

2　監査の結果
　(1) 事業報告およびその附属明細書は法令および定款に従い当社の状況を正しく表示しています。
　(2) 取締役の職務の遂行に関し，不正の行為または法令もしくは定款に違反する重大な事実はありません。
　(3) 当社の業務の適正を確保するために必要な体制の整備等についての取締役の決定の内容は相当であり，当該体制の運用状況につき指摘すべき事項はありません。
　(4) 当社の財務および事業の方針の決定を支配する者の在り方に関する基本方針の内容および当社と当社の親会社等との間の取引にかかる事項等についても，指摘すべき事項はありません。
　(5) 計算書類とその附属明細書は当社の財産および損益の状況をすべての重要な点において適正に表示しています。

3　追記情報

以上

執筆者一覧 （敬称略・五十音順）

浅野　岳紀（あさの・たけのり）	一般社団法人日本経済団体連合会　経済基盤本部
◎阿部　光成（あべ・みつまさ）	阿部公認会計士事務所　公認会計士
◎石井　裕介（いしい・ゆうすけ）	森・濱田松本法律事務所　弁護士
内田　修平（うちだ・しゅうへい）	森・濱田松本法律事務所　弁護士
奥山　健志（おくやま・たけし）	森・濱田松本法律事務所　弁護士
男澤江利子（おとこざわ・えりこ）	有限責任監査法人トーマツ　公認会計士
◎小畑　良晴（おばた・よしはる）	一般社団法人日本経済団体連合会　経済基盤本部長
河島　勇太（かわしま・ゆうた）	森・濱田松本法律事務所　弁護士
小松　岳志（こまつ・たけし）	森・濱田松本法律事務所　弁護士
澤口　実（さわぐち・みのる）	森・濱田松本法律事務所　弁護士
近澤　諒（ちかさわ・りょう）	森・濱田松本法律事務所　弁護士
布施　伸章（ふせ・のぶあき）	合同会社会計・監査リサーチセンター　公認会計士
邉　英基（べん・ひでき）	森・濱田松本法律事務所　弁護士
宮内　優彰（みやうち・ひろあき）	池田・染谷法律事務所　弁護士　前一般社団法人日本経済団体連合会　経済基盤本部
若林　功晃（わかばやし・のりあき）	森・濱田松本法律事務所　弁護士
渡辺　邦広（わたなべ・くにひろ）	森・濱田松本法律事務所　弁護士

（◎印は編著者）

新しい事業報告・計算書類〔全訂第2版〕
——経団連ひな型を参考に

2007年3月31日	初　版第1刷発行
2009年3月24日	新訂版第1刷発行
2010年4月2日	第3版第1刷発行
2012年4月2日	第4版第1刷発行
2016年4月12日	全訂版第1刷発行
2022年1月31日	全訂第2版第1刷発行

編著者　石井裕介
　　　　小畑良晴
　　　　阿部光成

発行者　石川雅規

発行所　㈱商事法務
〒103-0025 東京都中央区日本橋茅場町3-9-10
TEL 03-5614-5643・FAX 03-3664-8844〔営業〕
TEL 03-5614-5649〔編集〕
https://www.shojihomu.co.jp/

落丁・乱丁本はお取り替えいたします。　　印刷／㈱戸田明和
©2022 Y. Ishii, Y. Obata, M. Abe　　　　　Printed in Japan
Shojihomu Co., Ltd.
ISBN978-4-7857-2922-6
＊定価はカバーに表示してあります。

JCOPY ＜出版者著作権管理機構　委託出版物＞
本書の無断複製は著作権法上での例外を除き禁じられています。
複製される場合は、そのつど事前に、出版者著作権管理機構
（電話 03-5244-5088、FAX 03-5244-5089、e-mail: info@jcopy.or.jp）
の許諾を得てください。